제 2 판

스포츠
SPORT PEDAGOGY
페다고지

최의창

Rainbow BOOKS

스포츠 페다고지 제2판

2023년 2월 27일 인쇄
2023년 3월 1일 발행

저 자 | 최의창

인 쇄 | 레인보우북스
주 소 | 서울특별시 관악구 신림로 75 레인보우 B/D
전 화 | 02-2032-8800
팩 스 | 02-871-0935
이메일 | min8728151@rainbowbook.co.kr

값 22,000원
ISBN 978-89-6206-529-9 (93690)

제2판

스포츠
페다고지

Sport Pedagogy

(2nd edition)

Euichang Choi, PhD

Seoul National University

2023

不登高山不知天之高
不臨深谿不知地之厚
不聞先王之遺言不知學問之太

　高은 산에 오르지 않고는 하늘이 얼마나 높은지 모르고
깊은 계곡에 내려가 보지 않고는 땅이 얼마나 두터운지 모르며
옛 성현의 말씀을 공부해보지 않고는 학문이 얼마나 심대한지 모른다

(荀子, 勸學)

제2판 서문

1

이 책의 제1판은 2003년에 출간되었다. 정확히 20년이 되었다. 그동안 스포츠교육학 분야는 상전벽해라고 부를 수 있을 정도로 탈바꿈하였다. 그리고 환골탈태라고 할 수 있을 수준으로 발전하였다. 다루어지는 내용과 걸쳐있는 분야가 매우 확장되었다. 학문적 접근도 다양화되었고 수준도 높아졌다. 전문저널도 여러 개가 간행되고 있으며, 학술서적들도 매우 활발히 출간되고 있다. 국외에 비할 바는 아니지만 국내에서도 큰 성장을 이루었다.

제1판이 출간된 때는 2000년대가 막 시작되는 초기였다. 1990년대 초반 나타난 한국스포츠교육학의 꼴이 어느 정도 잡히기 시작한 때였다. 서양에서는, 이 새로운 책에서 구분한 바, 스포츠교육학 3.0이 조금씩 펼쳐지려고 하던 시기다. 한국에서는 이제야 1.0을 벗어나려고 하는 시점이었다. 한국스포츠교육학회가 1992년에 설립되었고, 학회회원이 기껏해야 100여명도 되지 않던 시절이었다. 한국에서 스포츠교육학 연구가 본격화된 것은 이때부터다.

제1판은 그 시점에서 무엇인가 가시화된 현물의 형태로 스포츠교육학의 정체를 확인하고자 내어놓은 책이었다. 견물생심이라고 하지 않던가. 1992년 학위 취득 후 1993년 귀국하여 본격적으로 연구생활을 시작하면서, 스포츠교육학 연구 분야 이곳저곳을 개간하며 경작한 나의 십 년 농사를 정리하는 연구 모음집이었다. 사전에 모두 계획하고 일관성 있는 체계 속에서 저술한 내용은 아니었다. 단지 그때까지만 해도 낯설었던 스포츠교육학이란 학문의 여러 주요 연구영역과 주제들이 무엇이 있는지 정리정돈 해보자는 것이 목적이었다.

1970년대 태동한 서양 스포츠교육학은 2000년대 이후부터 폭발적 확장과 심화를 거치고 발전중이다. 하지만, 나는 제1판을 내어놓은 이후 연구 분야 전반을 리뷰하는 일에는 다소 게을렀다. 사실, 그러기가 쉽지 않았다. 이전과는 다른 속도와 분량으로 쏟아져 나오는 연구물들을 혼자서 제대로 정리정돈 하는 일은 이제 물 건너간 것이다. 스포츠교육학 분야가 순전히 양적으로 너무 성장한 것이다. 그 성장은 지금 더 빠른 속도로 진행되고 있다.

제1판 출간이후 간헐적으로 스포츠교육학의 연구 분야나 주제들을 둘러보는 연구들은 당연히 있었다. 그러나, 내가 보기에, 특히 서양 스포츠교육학 연구의 발전과 성장의 주요 특징들을 제대로 잡아내어 분석하고 정리하는 연구는 여전히 부족했다. 여기에 덧붙여, 이제 원로연구자가 되어버린 나 자신도 (오로지 누적된 연차 때문인 것이 분명한데) 지난 몇 년간 다시 우리 연구 분야를 전반적으로 되돌아볼 수 있는 기회를 갖기도 하였다.

제2판을 내어놓아야겠다는 만용을 부린 것은 제1판과 같은 종류의 다른 서적이 2003년 이후 출간되지 않았기 때문이다. 내가 판단하기에, 지금은 한국에서 스포츠교육학이란 연구와 실천 분야가 생겨난 지난 30여 년을 한 번 되돌아보고, 그것을 통해서 현재의 모습을 좀 더 명확히 파악하는 일이 긴요한 시점이다. 그리고 앞으로 다가올 10년을 한 번 예측하고 만들어나가기 위한 방향 파악이 절실한 지점이다. 더 이상 늦출 수 없다.

현재 우리 스포츠교육학 연구는 서양으로부터 자립적 성장을 해나가는 중이다. 학문 자립은 좋은 것이다. 그렇지만 국제적 연구동향에 무지하거나, 주류를 의도적으로 무시하는 것은 어리석음이나 자격지심의 발로라고 간주할 수도 있다. 한국 스포츠교육학은 이제 아시아권에서는 최고수준이며, 세계 수준으로 발전할 가능성이 충분하다. 국제 동향의 파악에 근거한 한국적 연구가 성공의 열쇠다. 마치 K-컨텐츠가 요사이 한류붐을 타고 있는 것처럼 말이다.

한국이 경제, 교육, 문화, 스포츠 등에서 세계와 어깨를 나란히 하고, 또 독자적인 특색을 지닌 자기만의 스타일을 가꾸어나가고 있음은 부정할 수 없다. 다행히, 스포츠교육학 연구도 오롯한 자기 모습을 만들어내며 커가는 중이다. 학교체육, 교육과정, 수업방법, 교사교육 등에서의 연구주제와 연구성과들이 다양하며 수준도 높다. 하지만, 다른 한편으로, 지난 2000년 대 이후 서양 스포츠교육학 연구의 경향과 발전 파악에는 소홀해졌다.

2

한국스포츠교육학 연구는 성장정체기에 진입해있다. 비유하자면, 유소년기(1.0)를 벗어났으나 아직 청소년기(2.0)에 머물러있다. 청년기(3.0)에 들어서지 못하고 있다. 서양은 이미 청년기 전기의 최고조에 다다르고 있으며, 2020년대 들어서는 청년기 중기의 진입이 뚜렷하고도 활발하다. 나의 개인적 판단이기는 해도, 우리는 이 지체 현상을 명료히 자각할 필요가 있다. 제2판은 이같은 자각을 위한 학술적 타산지석의 소망을 지니고 모아낸 책이다.

이 책은 3개의 부로 나뉘어져있다. 우선 기본적으로, 국제 스포츠교육학 연구시기를 2000년대 전과 후로 양분하였다. 1970년대 태동하여 1990년대 형체를 제대로 갖추게 된 시점을 기준으로 하였다. 이 시기는 다시 두 부분으로 나누었다. 미국에서 시작되어 미국 주도로 진행된 1.0시기, 이후 호주와 영국을 중심으로 대안적 관점들이 형성된 2.0시기가 구분된다. 2000년대 이후는 3.0시기로 분류하였다.

제1부는 1개의 장으로 되어있으나 스포츠교육학 연구를 전체적으로 훑어보는, 제2판의 내용을 개괄적으로 알 수 있는 포괄적인 내용을 담고 있다. 스포츠교육학 연구의 성장과 변화를 버전별로 나누어 설명하는 (국내외 공히) 최초의 시도가 담겨져 있다. 우리 분야가 이 정도의 연륜을 지닌 전문학술 분야가 되었음을 스스로 확인하는 장이다.

제2부는 5개의 장에 걸쳐 2000년대 이전 스포츠교육학1.0과 2.0 시기를 전반적으로 살펴보고 있다. 학문적 연구의 본격적 태동을 살펴보고, 양적 연구와 질적 연구의 변성과 대표적 결과물들을 알아본다. 그리고 2.0시대를 열어낸 스포츠교육에의 교육사

회학적 연구와 교육역사철학적 연구들을 그당시 연구들을 중심으로 알아본다. 제1판의 주된 내용이었다.

제3부는 5개의 장에서 2000년대 이후 국제 스포츠교육학의 변화 동향과 내가 생각하는 스포츠교육학 연구의 변화 방향에 대한 내용이 다루어진다. 스포츠교육학 연구 선진국들과 우리나라의 스포츠교육학 연구에서 찾아지는 특징들을 살펴보고, 한국 스포츠교육학의 올바른 성장과 발전에 대한 다양한 의견들을 제시하고 있다.

전체를 모두 살펴본 후에는, 다시 1장으로 돌아가서 그 내용을 처음부터 잘 읽어보기를 추천한다. 1장은 나의 박사학위 취득 30주년, 한국스포츠교육학회 창립 30주년을 맞이하여 서양 스포츠교육학의 전개와 발전을 한 번 정리하고 검토함으로써 한국스포츠교육학 분야의 현재와 나아갈 방향에 대해서 개인적 확인을 해본, 가장 최근에 작성한 글이다.

3

이 11개의 글 속에 스포츠교육학의 과거와 현재를 모두 (아니, 반의반만이라도) 담기에는 우리 분야가 너무도 크고 복잡해졌다. 나는 이 상황을 미노타우루스의 미궁에 비유하였다. 한국 스포츠교육학 연구자들에게 이제 서양 스포츠교육학 연구 분야는 도저히 길을 찾을 수 없는 미로가 되어버렸다. 이 책을 찾는 대부분의 독자는 스포츠교육학 전공자일 것이다. 대학원 지도교수와 학회 회원증에 기대어 본인의 스포츠교육학 전공이라는 정체성을 스스로 자인할 수는 있다.

하지만, 나를 포함한 우리 모두는 스포츠교육학이라는 거대한 바다를 작은 쪽배를 타고 이리저리 여행하는 자에 불과하다. 그것도 대낮이 아니라 한 밤에, 간단한 지도도 없이 여기저기 떠도는 상황이다. 물론, 이것도 나쁘지 않다. 잘못된 것도 아니다. 다만, 학위 취득기간의 관광여행이 아니라, 스포츠교육학이라는 생태계를 잘 알고 싶고 평생 살고자 한다면, 보다 더 상세한 지도가 필수적이다.

당연히 현실적으로 그런 지도는 없다. 어느 학문분야에도 없다. 그리고, 가능하지도 않다. 다만, 부분부분의 영역들에 한해서 조각조각으로 나누어 알아볼 수 있는 지도는 있다. 청년기에 들어선 모든 학문분야의 특징이다. 우리로서는 그 조각조각들을 찾아서 이어붙이기를 해나가면서 전체 모습, 아니 자기가 속한 지역에 한하여 대략적인 지형도를 그릴 수 있을 뿐이다. 이것은 연구하는 이 각자의 몫이다. 한 걸음 한 걸음 스스로 직접 확인해나가야 한다.

제2판은 그런 한 조각이다. 여기 실린 글들을 통해서 스포츠교육학 공부를 시작했거나, 혹은 시작하려고 하는 후학들에게 쪽지도 역할을 해주길 기대한다. 큰 길 몇 갈래와 이정표 몇 곳을 알려주어서, 각자가 원하는 바로 그 지점을 찾아가는 데에 약간의 도움이 되기를 희망한다. 수백 년 전 그려진 세계지도를 보면 모양도 우스꽝스럽고 크기도 정확하지 않다. 그러나 그때로서는 그것이 최선이었다.

20년 후에는 이 책도 그런 취급을 받게 될 것이다. 좀 더 빨라질 수도 있다. 보다 정확하고 세밀한 스포츠교육학 연구의 지도가 다른 이들에 의해서 가능한 빨리 작성되기를 바란다. 스포츠교육학의 바다를 여행하는 모두를 위해서다. 스포츠교육학의 대양은 일생을 걸고 여행하고 탐험할만한 가치가 충분하고도 넘치는 멋진 신세계. 내가 약40년간 해보아서 잘 안다. 그런 날이 올 때까지는 이 부족한 지도가 미흡하나마 그 역할을 해드릴 수 있기를 기원해본다.

최의창
2023년 1월

각 장별 출처		
1장	최의창 (2022)	스포츠교육학에서 길을 잃다?: 서양 스포츠교육학 3.0의 미궁에서 아리아드네의 실타래 찾기. **체육과학연구 33권 3호.**
2장	최의창, 강신복 (1993)	체육교육 학문화 운동과 실증주의적 체육교육학의 성립. **서울대학교체육연구소논집 14권 1호.**
3장	강신복, 최의창 (1997)	스포츠교육학 연구의 발전과 전망. **한국스포츠교육학회지 4권 2호.**
4장	최의창 (2001)	체육 교육에서의 질적 연구. **한국스포츠교육학회지 8권 1호.**
5장	최의창 (1994)	체육교육과정의 사회학적 탐구. **한국교육 21권 1호.**
6장	최의창 (2000)	체육교육의 역사적, 철학적 탐구: 현황과 과제. **한국체육학회지 39권 1호.**
7장	최의창 (2015)	스포츠티칭교육학에서 스포츠코칭교육학으로. **한국스포츠교육학회지 22권 2호.**
8장	최의창 (2018)	스포츠교육에서의 철학적 탐구: 전통, 현황 그리고 전망. **체육과학연구 29권 3호.**
9장	최의창 (2021)	메슬러 트랩 벗어나기: 새로운 스포츠교육론들의 탐색과 그 지형도 그리기. **한국스포츠교육학회지 28권 1호.**
10장	최의창 (2020)	한국체육 개혁의 방향과 스포츠교육의 역할: 스포츠교육이 이끌어가는 한국체육 4.0을 지향하며. **한국스포츠교육학회지 27권 1호.**
11장	최의창 (2016)	스포츠(교육학) 분야의 질적 연구: 한 질적 연구자의 하프 라이프 스토리. **질적탐구 2권 2호.**

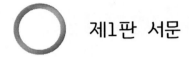

제1판 서문

스포츠교육학의 이해

>> 학문영역의 생성

내가 대학에 들어온 것은 1982년이었다. 체육 분야에 대한 정확하고 세부적인 이해없이 운동도 좀 하고 앞으로 전망이 좋을 것같다는 생각에 선택한 진로였다. 체육학과가 아니라 체육교육과를 지원한 것은 오로지 내가 다닌 대학이 그 명칭으로 전공을 제공하고 있었다는 이유 이외에는 없다. 사범대학을 선택하긴 했으나 특별히 체육교사가 되겠다는 타오르는 열망이나 소명의식 같은 것은 없었다. 지원할 당시까지만해도 그냥 입학하면 나머지는 그 후에 생각해도 된다고 믿고 있었다. 학과보다는 대학을 보고 지원했기 때문이었다. 지금와서 되돌아보면 정말로 무지하고 몽매한 순간이었다. 스무살도 채 안된 나이에 무엇을 알고 있었겠는가.

참으로 다행스러운 것은, 대학에 들어와서 전공분야에 관해서 더 자세히 알게 되었고, 내 적성과 장래에 대해서도 분명하게 깨닫게 되었다는 사실이다. 난 대학에 와서 교육과 체육에 관해서 보다 깊은 이해를 하게 되었고, 교육이 내가 가진 적성이며 내가 받은 소명이라는 점을 조금씩 깨닫고 확인하게 되었다. 체육은 그러한 교육의 소명을 보다 구체적인 영역에서 펼치도록 부여받은 전공분야였다. 체육교육이야말로 내게 주어진 평생의 의무이자 기회였던 것이다. 하늘의 도움이었다고 밖에는 생각되지 않는데, 난 이 점을 대학시절 아주 일찍부터 깨닫고 그에 관한 마음의 준비를 하기 시작했다. 일반교육과 체육교육에 대한 공부를 조금씩 하기 시작한 것이다.

그런데, 일반 교육에 관한 내용들은 많이 접할 수 있었는데 체육교육에 관해서는 사정이 달랐다. 1980년대 초반만 하더라도 국내에서는 체육학이라고하는 학문에 대한 인식이 막 생기기 시작할 뿐이었다. 학부에서 배우는 이론적 내용들에 스포츠심리학, 운동생리학, 체육철학 등 세부학문분야가 본격적으로 나타난지 얼마되지 않았을 정도였다. 체육학의 본산이라고 할 수 있던 미국에 유학 다녀오신 교수님이 전국에 열분도 되지 않았던 시절이었다. 이런 사정에도 불구하고, 체육학의 하위 학문영역들은 어느 정도 대학의 교육과정에서 그 위치를 인정받아 확보해나가고 있던 시기였다. 운동역학, 운동생리학, 스포츠사회학, 스포츠심리학, 체육사, 체육철학이 가장 일찍부터 학문적 독립성을 인정받은 분과들이었다.

하지만 체육교육은 그렇지 못했다. 일반적으로 대부분의 대학에서는 체육지도법이라는 명칭으로 가르쳐지던가, 다소 앞서가는 대학에서는 이와 함께 체육교육과정이라는 과목을 통하여 체육교육에 관한 내용을 가르쳤다. 그러나 이 과목들에서 다루는 내용들은, 지금에 와서야 이렇게 평가할 수 있겠지만, 정말로 초보적이고 일반적인 수준에서의 내용들이었다. 주로 일반 교육학에서 다룬 지도심리학적인 내용들과 일상경험을 통하여 얻어 정리한 상식적 수준의 원리들, 그리고 학습지도안 작성방법이 고작이었다. 대학재학 시절 체육지도법이나 체육교육과정 강의를 위하여 학부용으로 제작된 교재를 보지 못했다. 체육지도법 시간에는 마땅한 교재없이 구령붙이기, 질서훈련, 지도안작성, 시범보이기 등을 연습했다. 체육교육과정은 대학원에서 배웠는데, 미국에서 나온 책을 가지고 젖먹던 힘까지 짜내면서 원서해석을 하며 그 내용으로 강의를 듣던 기억이 생생하다.

이런 열악한 상황에서도 내 결심에는 변함이 없었다. 난 체육교육을 좋아했으며, 특히 체육교육에 관한 이론적 이해를 넓히는 것에 관심을 쏟고 있었다. 체육교육에 대한 갈증은 일반 교육학 서적을 읽고 체육교육에 관해 1960, 70년대에 쓰인 저널(주로 Quest에 실린 글)들을 읽으면서 간접적으로 조금씩 해갈하고 있었다. 대학원에 진학하여 체육교육을 전공으로 하면서도 이런 상황은 계속되었다. 일반 교육학 중심의 독서와 사색이 주를 이루고 체육교육학에 관해서는 그다지 전문적인 내용을 접하지 못하였다.

1988년에 미국으로 유학가서 알고보니 미국에서도 체육교육영역이 체육학의 하위 학문중에서도 후반에 자리잡은 분야였고 그 당시가 바로 막 이런 동향이 일어나고 있던 중이었던 것이다. '스포츠교육학'(또는 체육교육학)이라고하는 하위 학문영역이 1980년대 초에 들어서야 체육학자들 사이에서 조금씩 인정되기 시작하였던 것이다. 그 이전에는 이런 분야가 단지 '체육교육과정 및 지도법'이라는 덜 학문화된 명칭으로 불리웠던 것이다. 그런 이유로 학문적 지식들이 정립되지 않고 있었고, 당연히 아직 이런 동향이 전달되지 않은 한국에서는 그런 지식들을 접할 수가 없었던 것이다.

1980년대 후반에는 스포츠교육학도 체육학의 정식 하위 학문영역으로 모든 체육학자들에 의해서 인정받게 된다. 그리고 지금은 스포츠교육학이 체육학의 중요한 학문영역이라는 것에 대하여 의심하는 사람은 아무도 없다. 체육학 개론 서적에는 반드시 스포츠교육학 섹션이 포함되고, 2000년 현재 미국 대학에서 체육교수 모집 시에 운동생리학 다음으로 많은 교수채용 광고가 나오는 영역이 바로 스포츠교육학 영역이다. 체육교육과에서는 최소 2-3명의 체육교육전담교수를 확보해야 하기 때문이다. 그리고 대부분의 미국대학에는 체육(관련)학과와 체육교육과가 함께 있다. 세부전공지식을 중요시하는 미국의 체육교육과에서는 스포츠교육학을 전공한 교사교육전문가들을 체육교육과의 주요 교수진으로 삼아 체육교사로서의 전문능력을 철저히 개발하려고 한다. 체육교육과의 성격을 강조하는 것이다.

어쨌든, 미국을 중심으로 스포츠교육학은 이제 전 세계적으로 중요한 체육학 하위 학문분야로 급격한 발전을 하고 있다. 지난 30여 년간 영어사용권 국가들이 스포츠교육학의 발전을 주도해왔으며 현재도 그런 역할을 계속하고 있다. 물론, 독일과 벨기에 등 유럽학자들의 노력도 있었지만, 주로 미국, 영국, 호주 스포츠교육학자들의 공헌에 힘입어 많은 학문적 성과들이 배출되고 있다. 최근에는 한국과 일본, 그리고 동남아시아국가, 뉴질랜드의 학자들이 아시아권을 중심으로 학회를 구성하는 등 적극적으로 스포츠교육학의 발전에 기여하고 있는 상황이다. 미국중심에서 이제 전세계적인 규모로 학문의 발전이 확대되고 있는 것이다.

스포츠교육학은 이제 해외에서는 체육학의 한 학문영역으로 확고한 지위를 확보하였다. 전공학자들의 활발한 활동, 전문저널의 질적 향상, 그리고 전공서적 출판의 양적 팽창 등을 통하여 기초지식의 단단한 구축이 이루어졌다. 한국에서도 1992년 정식으로 한국스포츠교육학회가 구성되고, 1994년 한국스포츠교육학회지가 출판되고, 전공서적의 출판이 점차적으로 이루어짐으로써, 그리고 무엇보다도 체육교육과에서 스포츠교육학 전공으로 교수를 채용하기 시작함으로써, 스포츠교육학은 전공영역의 하나로 자리를 잡았다고 말할 수 있다. 아직 양적으로 연구자가 만족할만큼 많지 않고 연구가 충분할만큼 많지 않으나, 가장 가능성이 많은 전공으로 인식되고 있다. 학교체육교육 분야에 대한 관심이 높고, 생활체육교육과 전문체육교육에 대한 스포츠교육학적 관심이 서서히 이루어지고 있다.

그러나 아직까지 이런 자리매김은 대학원을 중심으로 전문적으로 체육학 공부를 하는 연구자 그룹에 제한되어 이루어지고 있다. 학부학생들과 졸업하고 바로 현장에 뛰어든 전문인들에게는 스포츠교육학이란 아직도 생소한 이름이요 학문영역일 뿐이다. 아직도 대부분 대학의 학부졸업생들과 심지어 대학원생들도 스포츠교육학 과목은 수강해본 적이 없는 과목인 것이다. 이 책은 스포츠교육학 연구자로서 스포츠교육학에 대한 국내 체육전공인들의 이 같은 인식부족을 약간이라도 해소시켜야 한다는 의무감에서 만들어지게 되었다. 스포츠교육학에 대한 전반적 이해를 목적으로 저자가 지난 10여 년간 발표한 논문들을 주제별로 선별하여 모아놓은 것이다.

>> 학문영역의 구성

일반적으로 어떤 학문영역의 전모를 포괄적으로 이해하기 위해서는 그 분야를 3가지 차원에서 바라보아야 한다. 이론적 차원 Theory, 연구적 차원 Research, 그리고 실천적 차원 Practice 이 그것이다.

이론적 차원은 탐구하는 현상을 개념적으로 설명하는 이론적 체계와 개념적 틀을 말한다. 스포츠교육학만의 독특한 이론, 스포츠교육현상을 설명하는 개념, 전문적 용어 등등에 관한 나름대로의 체계와 틀을 가지고 있는가를 살펴보는 것이다. 지금까지 스포츠교육학의 이론적 원천 역할을 한 학문영역은 일반 교육학이다. 스포츠교육학에서는 스포츠교육현상을 분석하고 설명하고 비판하는 작업을 위하여 일반 교육학에서의 이론과 개념들을 빌려와 활용하고 있다. 교육학은 다양한 세부학문분야로 나뉘어져 있는데 이 가운데 특히, 교육심리학, 교육사회학, 교육철학 및 역사학, 그리고 교육인류학으로부터 가장 많은 이론적 도움을 받아왔다. 현재 스포츠교육학분야의 세부학문적 접근은 스포츠교육심리학적 접근, 스포츠교육사회학적 접근, 스포츠교육철학 및 역학사적 접근, 그리고 스포츠교육인류학적으로 이루어지고 있다.

연구적 차원은 이론적 주장을 경험적으로 증명하거나 확인함으로써 실천적 차원에 적용할 수 있는 사실이나 원리들을 만들어내는 연구활동의 측면을 말한다. 현재 스포츠교육학의 대부분은 이러한 연구활동과 그 결과로 얻은 지식들로 이루어져 있다.

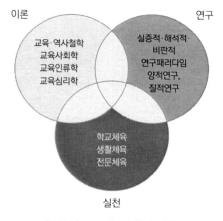

〈그림 1〉 스포츠교육학의 3차원

초창기 스포츠교육학 분야를 형성하는 데에 주된 역할을 한 체육수업활동연구가 바로 이런 영역이다. 스포츠교육학의 연구적 차원에서의 이해는 연구영역과 연구패러다임을 중심으로 이루어진다. 연구영역은 통상적으로 체육교육과정 영역, 체육수업활동 영역, 그리고 체육교사교육 영역으로 분류한다. 체육교육과정은 체육교육의 목표, 내용, 방법, 평가에 관련된 전반적 사항들을 다루고, 체육수업활동은 주로 학교에서 수업시간에 학생들을 가르치는 구체적 활동들을 다루며, 체육교사교육은 대학에서의 예비교사들과 현장에서의 현직교사들을 교사전문능력의 향상에 관한 문제들을 다룬다. 이 각각의 연구영역에 대하여 실증적, 해석적, 비판적 연구패러다임에 기초하여 질적 및 양적으로 연구를 설계하고 자료를 수집하며 분석하여 결과를 찾아낸다.

실천적 차원은 스포츠교육 분야의 현장에서 어떤 일을 어떤 방식으로 어떻게 실천하는가를 다룬다. 스포츠교육 분야는 통상적으로 학교체육교육 분야, 생활체육교육 분야, 그리고 전문체육교육 분야의 3영역으로 구분된다. 이 각각의 영역이 보다 나아지기 위해서 무엇을 어떻게 실천할 것인가의 문제가 중요하게 다루어지는 것이다. 학교체육교육, 생활체육교육, 전문체육교육의 현장을 어떻게 하면 보다 질 높게 개선할 수 있는가에 대한 실천적 방안들을 강구하는 차원이다. 학교에서 어떻게 하면 학생들의 수업을 효과적으로 이끌 것인가, 대학에서 어떤 방법으로 보다 능력있는 체육교사들을 교육시킬 수 있는가, 보다 반성적인 스포츠지도능력을 가진 스포츠전문인을 교육시키는 방법은 무엇인가, 코칭이 보다 과학적이고 체계적인 지도활동이 되기 위해서는 어떤 방식으로 이루어져야 하는가 등등의 실천적 문제들에 대한 대답이 주어지는 차원이다. 현재로서는 이 가운데 학교체육교육 분야에 스포츠교육학이 집중적인 관심을 보여왔다.

>> 본 서의 내용구성

이 책은 스포츠교육학에 대한 체육전공인들의 이해를 넓히기 위한 목적을 가지고 있다. 스포츠교육학의 전반적 모습을 개괄적으로 알아볼 수 있으려면 이 세 가지 차원 전체에 대한 소개가 주어져야 할 것이다. 그러나 그러기 위해서는 다루어야할 내용이 지나치게 많다. 이 책에서는 이론적 차원과 연구적 차원을 집중적으로 다루려고 한다. 실천적 차원에 대해서는 이 책의 자매서라고 할 수 있는 「체육교육탐구(제2판)」를 참조하면 된다. 이론과 연구를 다루기 때문에 학부의 저학년 학생에게는 어려울 것이라고 판단된다. 그러나 전공공부가 본격적으로 시작되고 대학원을 생각할 만한 3, 4학년들에게는 「체육교육탐구(제2판)」와 함께 활용할 수 있을 것이다. (교육)대학원에서 스포츠교육학을 전공으로 공부하거나 논문을 준비하는 사람들에게는 더할 나위없는 좋은 입문서가 될 수 있을 것이다. 물론, 완벽하지는 않지만 말이다.

이 책은 3부로 구성되어 있다. 제 1부는 스포츠교육학의 이론적 차원과 연구적 차원을 맛보도록 해준다. 우선 처음 3개의 장은 연구적 차원에서 스포츠교육학의 모습을 알 수 있도록 해준다. 스포츠교육학을 처음으로 대하고 접하는 차원이 연구적 차원이기 때문에 취한 조처이다. 1장에서는 스포츠교육학의 태동과정과 학문적 성격상의 문제점에 대한 소개가 다루어진다. 2장에서는 스포츠교육학적 연구를 전체적으로 살펴보되 실증적 패러다임과 양적 연구중심으로 연구들을 조망한다. 3장에서는 지난 15년간 급격히 증가한 해석적, 비판적 패러다임과 질적 연구들을 종합적으로 살펴보고 문제점들을 지적한다.이 처음 3장을 통하여 스포츠교육학의 태동과 전개에 대한 초보적 이해가 가능할 것이다. 4장과 5장은 이론적 차원에서, 특히 교육사회학적 관점과 교육역사철학적 관점에서 스포츠교육학을 바라본 것이다. 스포츠교육학의 발전이라는 제목하에 이 두 장을 소개하였는데, 내가 생각하기로는, 앞으로 스포츠교육학의 발전은 이 두 이론적 관점을 중심으로 펼쳐질 것이기 때문이다. 발전 가능성이 짙은 이론적 접근이라는 것이다.

제 2부는 연구적 차원에서 지난 10여 년간 일반 교육학 분야와 스포츠교육학 분야에서 주목을 받아온 교사연구와 현장개선연구를 집중적으로 다루었다. 현재 한국스포츠교육학 분야에는 잘 알려져 있지 않지만, 외국에서는 대학에서 연구하는 교수연구자가 아니라 현장에서 실천하는 현장실천가들의 직접 연구가 적극 장려되고 있고 실천되고 있다. 현장에서 요청되는 실천적 지식을 현장실천가가 직접 탐구하고 만들어냄으로써 스스로 현장지식의 주인이될 수 있으며, 현장적용력도 높은 지식을 가지게 되는 것이다. 현장실천가 연구의 한 영역으로 학교체육교사들이 주체가 되는 교사연구를 6장에서 소개하고, 7장과 8장에서 교사연구의 한 가지 실천방식인 현장개선연구를 전체적으로 알리려고 한다. 9장과 10장에서는 현장체육교사의 사례를 들어 보다 구체적인 수준에서 현장개선연구의 실행이 어떻게 이루어지는가를 이해해 본다. 제 2부의 의도는 연구적 차원과 실천적 차원의 연계가 가장 확실하게 이루어질 수 있는 연구방법론에 대하여 소개하려는 것이다. 그동안의 스포츠교육학에서는 연구가 실천에 적용되거나 활용되지 못했다는 비판을 강하게 받아왔기 때문이다.

제 3부는 이론적 차원, 연구적 차원, 그리고 실천적 차원에서 스포츠교육학을 직접 체험해보도록 하는 연구사례들을 모아보았다. 11장은 교육철학적 관점에서 학교체육과 사회체육의 연계성에 대한 개념분석을 실천한 것이다. 12장은 체육교육의 한 가지 철학적 이상을 그리고 그것을 실현하는 구체적 실천방법을 자료에 근거해서 살펴본 것이다. 이론적 차원과 실천적 차원이 혼합되어 있는 연구사례이다. 13장과 14장은 중등학교 체육교육과정의 통합적 접근에 관한 연구적 차원과 실천적 차원에서의 연구사례이다. 여러 나라의 체육교육과정 문서분석을 주된 연구방법으로 어떻게 체육교육과정을 실천할 것인가에 관한 시사점을 얻어내려고 하였다. 15장은 연구적 차원에서 질적 연구방법을 동원하여 학교체육을 개선하는 데에 실질적 장애가 되는 학교내 저해요인들의 성격과 그것들에 대한 체육교사들의 생각을 자세히 알아보았다. 이를 통하여 체육수업의 개선이라는 실천적 차원에 대한 시사점을 얻어보려 하였다.

>> 또 다른 스포츠교육학

이 책에서 소개되는 스포츠교육학이 스포츠교육학의 전부는 아니다. 세계 여러 나라의 언어로 매우 다양한 형태로 이론화 작업, 연구활동, 그리고 교육실천이 이루어지고 있다. 이 책에서는 저자의 능력과 지력과 노력의 한계 속에서 그것들의 일부분을 소개하고 있을 뿐이다. 이 사실은 스포츠교육학에 관한 공부를 조금이라도 진지하게 해본 사람이라면 누구든지 쉽사리 간파할 수 있을 것이다. 이 책은 스포츠교육학의 한 측면만을, 그것도 매우 미숙한 솜씨로, 그려내고 있을 뿐이다. 이 점 독자들에게 송구스럽기 그지 없다.

그렇지만 안타깝게도, 현재로서 스포츠교육학의 전체모습을 이 책에서 실현하고 있는 만큼이라도 그려내고 있는 책은 국내외를 막론하고 없다고 말하고 싶다. 어떤 책은 이론적 차원에 대해서만, 다른 책은 연구적 차원에 대해서만, 그리고 또 어떤 책은 실천적 차원에 대해서만 다루고 있고, 그것도 한 영역, 한 분야, 혹은 한 패러다임에 집중해서 다루고 있기 때문이다. 이 책은 스포츠교육학을 이해하기 위한 이론적 차원과 연구적 차원을 포괄하여, 물론 개괄적 수준이지만, 다루고 있다는 점에서 기존의 서적과는 차별성을 가진다. 그리고 실천적 차원은 앞에서 언급한 저자의 또 다른 책으로 보완할 수 있는 것이다. 독자가 이 둘을 잘 보완해서 활용한다면 최소한 스포츠교육학의 초보적 소개는 될 수 있을 것이다. 좀 더 기대한다면, 앞으로 심도 깊은 스포츠교육학 지식의 공부를 위한 디딤돌 역할을 할 수 있을지도 모를 것이다. 그렇게만 된다면, 이 보잘 것 없는 졸저의 저자로서는 더할 나위 없는 위안을 받는 것이 될게다. 독자들의 애정어린 질정을 기다린다.

최의창
2003년 2월

Part 01

Chapter 01

스포츠교육학 3.0 또는 4.0

● ● ● ● ● ● ● ● ● ● ●

  지난 오십여 년 동안 스포츠교육학은 국내외적으로 체육학 하위 학문 분야의 하나로 확고한 자리를 잡았다. 본 장의 목적은 급격한 발전과 함께 종잡을 수 없이 다양화된 스포츠교육 연구들을 종합 정리해보는 것이다. 스포츠교육학의 발전을 단계별로 나누어, 1.0과 2.0을 거쳐 현재 3.0의 한 가운데에 있음을 확인한다. 이를 위하여 지난 30여 년간 발간된 주요 서적들의 내용과 특징들을 분석한다. 버전 1.0은 1970년대와 1980년대 미국을 중심으로 진행되었다. 1990년대 이후 버전 2.0은 미국을 위주로 호주의 연구자들이 본격적으로 대안적 관점을 제시하였다. 2000년대 중반 이후 영국의 주도권 획득을 통하여 매우 다양한 연구 경향들이 새롭게 추가되었다. 특히, 청소년과 스포츠코칭으로 연구영역의 확대가 두드러졌다. 2010년 중반 이후에는 북유럽 연구자들의 등장으로 철학적 접근이 보완되었다. 스포츠교육학 연구는 1.0과 2.0을 넘어 지금 영국을 중심으로 새롭게 재편되었으며, 북유럽 연구자들의 약진이 눈에 띈다. 너무도 복잡하게 얽히고 설킨 스포츠교육학의 미로에서 스포츠교육연구자들의 길 찾기에 도움될 만한 다섯 가지 방안을 제안한다.

I 스포츠교육학 미궁에서 헤매기

"옛날이 좋았지!" 어른들이 내어뿜듯이 자주 토해내시던 말이다. 내 입에서도 종종 이런 말이 튀어나오는 것을 느낄 때마다, 나도 그분들과 한 그룹에 속하는 연령대가 되어버렸음을 확인한다. 일상에 대해서 언급되는 이 말은, 학문에 있어서도 동일하게 반복된다. 학자들도 "옛날이 좋았지!"라는 푸념을 하는 것이다. 연구하기가, 공부하기가, 학문하기가 지금보다 예전이 더 나았다는 심회를 가득 담고서 말이다. 요즘 스포츠교육학을 공부하는 이들 입에서도 이 같은 넋두리가 다반사로 터져 나온다.

"더 나았던 측면"이 무엇인지는 각자마다 다를 것이다. 나의 경우 그것은 몇 가지가 있는데, 가장 기본적인 차원에서 탐구의 범위와 분량에 관한 것이다. 공부의 주제와 방식에 관한 것이라고 말할 수도 있다. 연구해야 하는 범위와 분량, 연구해야 하는 주제와 방식에 있어서 이전이 훨씬 더 좋았다는 것이다. 물론, 대부분의 경우, 좋았다는 것은 덜 어려웠다는 것을 뜻하기도 한다. 덜 어려웠다는 것은 또한 좀 더 쉬웠다는 것을 의미하기도 한다.

외람되지만, 나는 이런 평을 할 수 있는 위치에 있고 경륜도 있다(고 생각한다). 나는 지금 우리 스포츠교육학 연구자 그룹에서 원로라고 불리는 위치에 있다. 1990년 초 애송이 학회원으로 출발하여 2020년 초 최고참 회원으로까지, 지난 삼십 년간 이 자리에 있었고 운 좋게도 아직 현역으로 활동하고 있다. 또한, 나는 1992년 내 박사학위 논문을, 그 시절 새롭게 떠오르고 있는 "스포츠교육학"이라고 하는 학문분야 전체의 모습을 정리하고, 향후 어떤 모습으로 발전해야나야 하는지를 크게 그린 내용으로 작성하였다(Choi, 1992). 내 학술경력의 시작을 스포츠교육학의 전모를 파악하는 것으로 시작했던 것이다.

그러니, 나는 스포츠교육학의 현재 상태를 과거와 견주면서, 예전이 좋았다고 말할 수 있는 최소한의 자격을 갖추고 있다(고 생각한다). 물론, 이것은 너무 빠르고 높고 넓게 발전해가는 스포츠교육학 분야의 성장에 발맞추지 못하는, 이제는 연구능력도 현실역량도 노쇠해져가는(아니, 이미 노쇠해버린) 노장학자의 "아, 옛날이여!"라고 간주해도 된다. 길게 잡아 지난 20년, 아무리 짧게 잡아도 지난 10년간 스포츠교육학의 제 분야(이론, 연구, 정책, 실천 등)는 어마어마한 발전, 환골탈태라 할 수 있을 정도의 변화를 이루었다. 그리고 여전히 그 속도는 늦춰질 줄 모르고 있는 상황이다.

체육학의 한 하위 학문영역으로서 현대의 스포츠교육학은 서양(특히, 미국)에서 시작되었다. 1970년대 중후반을 기점으로 등장하여 1980년대에 모습을 얼추 갖추면서 1990년대에 뚜렷하게 자리를 잡은 체육학의 세부학문이다. 1980년대 후반에 호주 학자들의 등장으로 새로운 그룹이 형성되었고 1990년대 급격히 성장하여 일군을 이루었다(Choi, 2003; Tinning, 2010). 그리고 2000년대 들어와 영국학자들의 본격적인 참여로 팽창하였고, 2010년대부터는 북유럽 국가들의 동참으로 약 50년 만에 상전벽해의 대변모를 이루어냈다.

물론 이 기간 동안 한국과 일본, 최근에 대만과 유럽의 몇몇 나라들에서도 스포츠교육학은 괄목할만한 성장을 보여주었다. 특히 우리나라는 1992년 한국스포츠교육학회를 창립하여 본격적이고 체계적인 학술분야로서의 발전을 이끌어내어 왔다. 지난 30여 년간 매년 정기학술지를 발간하였고 국제학술대회를 개최하였으며 현장교사연구자들의 적극적 참여를 독려하였다. 이런 노력이 누적됨으로써, 한국 스포츠교육학의 수준은 아시아 국가들 가운데에서 가장 높다고 말해도 과언이 아니다(Choi, 2015, 2020).

국내외 스포츠교육학의 성장 과정을 지근거리에서 지켜본 나는 스포츠교육학 연구가 이제 다음 단계로의 성장 기점에 와있음을 온몸으로 느낀다. 스포츠교육학, 특히 서양 주도의 스포츠교육학 분야는 버전 1.0, 2.0을 넘어 3.0의 한 가운데에 있고, 4.0으로의 탈바꿈이 진행되는 조짐이 보인다. 버전 1.0은 1970년대 미국에서 시작된 "체육수업활동과 교사교육연구" research on teaching and teacher education in physical education 로서의 스포츠교육학 시기다. 교육학에서 진행되던 교수학습과정의 응용과학적 이해와 계량적 행동분석에 집중하던 단계다. *Journal of Teaching in Physical Education* 이 주요 활동 무대였다(Graber, 2001).

버전 2.0은 1990년대 호주의 학자들을 중심으로 수업활동이나 교사교육을 포함하여, 체육교육과정과 학교체육정책의 범위까지 시야를 넓히고, 그것을 교육사회학과 스포츠사회학, 그리고 교육철학적 관점에서 바라보고 해석하는 연구로 확장시킨 시기다. 버전

3.0은 2000년대 영국에서 스포츠교육학자들이 대거 스포츠교육적 연구에 관심을 지니고, 다양한 영역과 주제로 심도깊은 연구를 수행한 시기다. 제2기와 제3기는 영국에서 전 유럽을 대상으로 *European Physical Education Review, Sport, Education and Society,* 그리고 *Physical Education and Sport Pedagogy*가 발간된 시기다(Kirk et al., 2006).

2010년대로 진입하면서 스포츠교육학 연구는 "스포츠코칭" 영역까지도 포괄하는 경향을 본격적으로 띠게 된다. 생활스포츠 코칭과 경기스포츠 코칭에서의 교육적 차원과 접근에 대한 가능성과 필요성을 확인하였기 때문이다. 실제로 영국과 유럽 내에서 많은 연구자들이 융합적 주제로 코칭맥락 내에서 스포츠교육적 의도와 시각으로 연구들을 진행시키고 있는 중이다. 사실, 스포츠심리학의 전담영역으로 간주되었던 코칭은 2000년대 영국의 연구자들로 인하여 인문사회과학적 탐구의 영역으로 재조명되었다(Lyle & Cushion, 2010). 새로운 지평을 열어 계속해서 그 지평을 넓혀가고 있는 중이다. 스포츠교육학 연구도 이 지평속에 포함된 지 한참 되었다(Armour, 2004; Cassidy et al., 2004).

그래서, 버전 1.0과 2.0의 스포츠교육학은 전모를 파악하고 폭넓게 연구하기에 그다지 어렵거나 힘들지 않았다. 하지만, 3.0 버전, 즉 2000년대에 들어오면서는 그 범주가 한없이 넓어지고 복잡해져서 전모는커녕 일부분만이라도 파악하고 이해하고 탐구하기가 힘들어졌다. 적어도 서양 스포츠교육학 연구 분야는 그런 상황이 된 지 오래다. 다만, 한국은 한국 나름대로의 연구전통이 30여 년간 쌓이면서 한글로 된 연구물들이 많이 나왔다(예로, 한국스포츠교육학회지 참조). 그리고 한국의 학교체육 정책과 현장의 발전에 따른 국내 독자적 연구영역의 축적도 상당히 진척되어왔다. 그래서, 국내 수요만으로도 어느 정도의 공부가 가능한 상황이 되었다.

하지만, 국외 선진국의 스포츠교육학 연구의 성장과 발전에 비추어 볼 때, 국내는 아직 2.0(의 전반부나 중반부) 수준에 머물러 있다고 판단된다. 물론, 이것 자체로는 나쁘거나 잘못된 것은 아니다. 특히 국내 스포츠교육학의 연구전통이 생겨났음을 인정한다면 더욱 그렇다. 다만, 우리의 스포츠교육학이 국제학계에서 보다 인정을 받고 그를 통해서 국내 연구와 현장의 개선이 촉진될 수 있는 지렛대 역할을 해주길 기대한다면, 스포츠교육학 연구의 도약은 필수적이다. 회피하거나 지연되어서는 안된다.

본 연구의 목적은 국외(서양)의 스포츠교육학 연구의 최근 흐름을 전반적으로 살펴보면서 그 흐름과 특징을 파악하여 한국 스포츠교육 연구자들의 이해를 돕는 것이다. 한국스포츠교육학회 창립 30주년을 맞아 다음 30년을 기대하는 거시적 조망을 위한 타산지석의 검토를 시도해본다. 국외 스포츠교육학 연구의 주요 결과물들을 중심으로 스포츠교육학 2.0을 시작으로(제2장), 3.0의 특징들(제3장), 그리고 4.0의 조짐들(제4장)을 정리하고자 한다. 이를 바탕으로 스포츠교육학의 전모를 이해하는 몇 가지 조언을 제공하고자 한다(제5장). 그리하여, 국내 스포츠교육 연구자들로 하여금 현재 스포츠교육학이라는 미지의 영역으로 발을 들일 때, 대략적인 관광그림 지도를 머리에 그려줄 수 있기를 의도한다. 비유하자면, 미노타우로스의 미궁에서 테세우스를 이끄는 아리아드네의 실타래 역할을 해주기 바라는 것이다.

1992년의 스포츠교육학과 그 이후

01. 스포츠교육학 2.0의 조짐

1992년에 마무리한 내 박사학위 논문의 제목은 *"Beyond Positivist Sport Pedagogy: Developing a Multidimensional, Multiparadigmatic Perspective"* 였다. 당시 미국을 중심으로 새롭게 급부상하고 있던 학교 체육수업 진행과 체육교사의 양성에 대한 연구들은 거의 전적으로 응용 과학적이고 계량적인 데이터에 근거하여 진행되었다. 주먹구구의 교직 체험과 현장경륜에 근거한 수업진행과 교사전문성 개발을 지양하고, 체계적인 자료 수집을 바탕으로 파악한 교사 수업기술들을 습득시키고 구사하도록 하는 연구들이 지배적이었다.〈1〉

〈1〉 2000년 정도까지는 스포츠교육학 분야의 전체적 연구동향을 정리, 종합하는 리뷰 논문들이 주기적으로

그런데 한편에서는 이런 기능적 관점의 한계와 단점을 지적하면서, 학교체육과 체육교사를 해석적, 비판적으로 이해해야 한다는 주장들이 미국 내에서는 간헐적으로, 호주에서는 본격적으로 제기되었다. 미국 내 일반 교육학 분야의 연구에서도 교육과정 재개념주의자들을 선두로 비판적 교육, 반성적 교사 등등의 다양한 관점들이 우후죽순처럼 제안되고 있었다. 나는 체육교육연구(이때만 해도 아직 스포츠교육학 sport pedagogy 이라는 용어는 일반화되기 전)에 이러한 미국 국내외 체육 및 교육연구 동향들 포괄적으로 검토하여 당시 모습을 갖추어가던 주류 스포츠교육학 연구동향을 "실증적 스포츠교육학"으로 명명하였다(Choi, 2003).

이 실증적 스포츠교육학(ver. 1.0)은 일차원적인 모습으로 스포츠교육의 전 현상과 측면들을 제대로 이해할 수 있도록 돕지 못한다는 주장을 펼쳐내었다. 그리고, (실증적 관점에 더하여) 해석적, 비판적 관점을 동시에 포괄하는 "다차원적, 다패러다임적 관점"의 스포츠교육학 틀을 제안하였다. 일반적으로 학문분야는 다른 분야와는 차별화되는 연구대상과 연구방법을 중심으로 형성된다. 나는 이 대안적 스포츠교육학의 연구대상과 연구방법을 중심으로 이 새로운 관점의 특징들을 설명하였다. 이 대안적 스포츠교육학의 독특한 연구대상으로는 "교육과정"과 연구방법으로는 "패러다임"의 개념들을 선택하였다〈표 1〉.

표 1　　두 가지 스포츠교육학의 철학적 가정들 (Choi, 1992, p. 75)

	실증적 스포츠교육학	대안적 스포츠교육학
존재론	Realism	Constructionism
인식론	Objectivism	Relativism
연구영역	Teaching (Unidimensional)	Curriculum (Multidimentional)
연구방법	The empirical-analytic paradigm (Uniparadigmatic)	The empirical-analytic, the interpretative, and the critical paradigm (Multiparadigmatic)

집필되었다. 학술지에 게재된 논문들도 있었지만, 가장 신뢰도 높은 저술들은 교육학 분야에서 발간되는 수업, 교육과정, 교사교육 핸드북들에 삽입된 체육 분야 논문들이었다(Graber, 2001; Steinhardt, 1992). 이제는 이런 규모의 리뷰들을 보기 힘들다. 만약 있다면, 특정 단일 연구주제에 관한 것들뿐이다. 연구 범위와 장르가 확대되었고 연구물의 수량 자체가 엄청난 규모가 되었기 때문이다(물론, 예외적인 경우도 있다. 예를 들어, Choi, 2018; Felis-Anaya et al., 2018).

어떤 학문의 전체 모습은 연구대상과 연구방법의 매트릭스를 통해서 이해할 수 있다. 새롭게 만들어지고 있던 실증적 스포츠교육학은 "수업활동"과 "실증적 패러다임"으로 (좁게) 구성된다. 반면에, 대안적 스포츠교육학은 "5가지 차원의 교육과정들"과 "실증적, 해석적, 비판적 패러다임들"로 (넓게) 확장된다. 연구대상으로서 교육과정은 "문서적, 인지적, 실행적, 잠재적, 소외적 차원"들로 구분된다. 연구방법으로서 패러다임은 (하버마스의 인간지식론에 근거하여) "실증적, 해석적, 비판적 패러다임"들이 가능하다. 비유하자면, 백제 혹은 신라만 한국이 아니라, 고구려, 백제, 신라 (그 안의 모든 지역과 도시) 전체가 한국이라는 주장이다〈표 2[(2)]〉.

이 논문을 작성하고 있던 당시에 미국 스포츠교육학의 선두주자 가운데 한 명이었던 메츨러는 다음과 같은 언급을 하고 있다.

어떻게 정의하든지 간에, 또 어떤 부분은 포함시키고 다른 부분은 제외시키든 간에, 지난 몇 년간 스포츠교육학이라고 불리우는 학문영역의 발달이 진행되어 왔다는 것에는 의심의 여지가 없다. 우리는 이 스포츠교육학의 성립을 널리 선포했으며, 과거의 모습을 청산하고 이 새로운 연구영역을 발전시키고 확장시키려는 분명한 노력을 경주하고 있다(Metzler, 1989, p. 89).

메츨러는 최고의 학자이기는 하지만, 아쉽게도 그의 이 언급은 당시 미국을 중심으로 전개되던 실증적 스포츠교육학의 범주 내에서의 언급이다. David Kirk, Richard Tinning, John Evans 등 호주와 영국에서 교육(과정)사회학과 스포츠사회학을 기반으로 한 "학교체육사회학적 연구"(Laker, 2002)들에 대해서는 전혀 인지하지 못한 상태에서의 평가였다. 나는 미국이라는 일종의 학문적 우물에서 크지 않은 동양인 제삼자로서의 이점을 살려 국제적 동향을 좀 더 다각적, 포괄적으로 살펴봄으로써, 스포츠교육학 2.0의 기미를 파악하는 행운을 가질 수 있었다.

[(2)] 〈표 2〉의 내부 항목들에 대한 설명은, 지면의 제한은 물론, 내용 이해에 결정적이지 않다고 판단되어 생략하도록 한다. 보다 상세한 설명은 Choi(1992) 참조하기를 권한다.

표 2　"패러다임-디멘션" 개념틀 (Choi, 1992)

개념적 탐구 / 경험적 연구		실증적		해석적		비판적
문서적	C	Tylerian curriculum-making in physical education	C	Schwabian curriculum deliberation	C	Political nature of curriculum-making
	E	The content analysis and utilization of curriculum texts	E	Critique of scientization of physical education programs	E	Social history of physical education as a school subject
인식적	C	Teacher thought processes	C	Teacher knowledge - Subject matter knowledge - Personal practical knowledge	C	Teacher ideology and perspectives
	E	Types of planning processes and the effects of planning on teachers' behaviors and student achievement / The difference between novice and experienced teachers' planning practices and decisions	E	Physical education teachers' or students' perceptions or beliefs that employ qualitative methods	E	
실천적	C	Teaching as an instructional process	C	Teaching as everyday life in the classroom	C	Teaching as a labor process or work
	E	Teaching effectiveness research - Descriptive research - Process-product research - Time-mediating research	E	Students' and teachers' participation patterns in the class / Students' and teachers' strategies / Teachers' careers and lives	E	Factors that prohibit or facilitate the proletarianization of teachers' work
잠재적	C	Hidden curriculum as transmission of dominant values and beliefs	C	The tacit process of teaching and the social context in which the process occurs	C	Reproduction of the existing social structure / Resistance for change
	E	Teacher expectancy research	E	Teacher socialization research - Recruitment - Preservice education - Inservice education	E	Function of physical education in reproducing dominant ideologies (critical ethnography) / Gender inequality research
소외적	C	None	C	None	C	None
	E	None	E	None	E	None

리서치 패러다임

교육과정 또는 디멘션

02. 스포츠교육학 2.0의 전개

1990년대와 2000년대 초반은 말 그대로 국제적으로 스포츠교육학의 급성장기였다. 체육수업 활동에 대한 실제적 관심을 중심으로, 체육교육과정 및 학교체육 전반으로 연구관심이 확장되었다. 이에 더하여, 미국의 교육심리학적 연구 위주에서 영국과 호주의 교육사회학적 접근과 교육철학적 접근이 활성화되면서 연구의 다양성이 확장되었다. 후자에서는 실증적 연구패러다임보다는 해석적, 비판적 패러다임을 채택하여 표층적 현상을 넘어서 심층적이고 구조적인 문제점들을 파악하는 연구들이 대거 진행되었다(Sparkes, 1992; Tinning, 2010).

연구초점, 또는 연구내용 면에서 이때의 연구들은 대략적으로 세 가지 종류로 분류할 수 있다. 첫째, 다양한 체육수업 실천을 위한 체계적 방법과 효과성에 대한 연구(Graber, 2001). 둘째, 학교체육의 여러 측면들에 대한 정책적 관점에서의 개념적, 비판적 연구(Kirk, 2010). 셋째, (예비)체육교사의 교육전문성 개발에 관한 현장중심 연구(Standal & Moe, 2013). 물론, 세부적으로는 훨씬 더 다양한 종류의 연구들이 있으나, 이 시기의 스포츠교육학(ver. 2.0)을 특징짓는 연구들은 이것들이 대표적이라고 할 수 있다(이하 모두 단행본 서적을 중심으로 각 시기의 스포츠교육학 특성을 살펴보도록 한다〈표 3〉.⟨3⟩

⟨3⟩ 20쪽 이내로 작성되는 논문과는 달리 서적은 200~300쪽(이상) 정도의 지면이 허용되어 많은 양의 정보는 물론, 여러 주제를 망라하는 내용을 실을 수 있다는 장점이 있다. 개인 저작중심의 텍스트북 출판이 주류를 이루던 미국과는 달리, 영국에서의 스포츠교육학 서적 출판은 10~20명에 이르는 다수의 저자들을 한자리에 모아 다양한 연구주제를 한자리에 모아놓는 형식을 채택하였다. 그래서 이 서적들을 전반적으로 분석하는 것이 바로 전체 연구의 흐름을 이해하는 데 필수적이며 효과적이다. 그런데 관련 서적들을 선정하는 데에 있어서 나는, 정말 필요한 경우 이외에는, 텍스트북들(예로, Capel & Whitehead, 2015; Siedentop & Tannehill, 2000)은 제외하였다. 이들은 연구서라기보다는 현장실천과 교육을 위한 교재의 성격들이 강하기 때문이다.

표 3	스포츠교육학 2.0을 이끈 대표적 도서들	
출판	저자(편자)	제목
1985	Ann Jewett, Linda Bain (Usa)	*The Curriculum Process in PE*
1986	John Evans	*PE, Sport and Schooling: Studies in the Sociology of PE*
1988	David Kirk	*PE and Curriculum Study: A Critical Introduction*
1988	John Evans	*Teachers, Teaching and Control in PE*
1989	Len Almond	*The Place of PE in Schools*
1990	David Kirk, Richard Tinning (Aus)	*PE, Curriculum and Culture: Critical Issues in the Contemporary crisis*
1990	Neil Armstrong	*New Directions in PE 1, 2 (1992)*
1997	Juan-Miguel Fernandez-Balboa	*Critical Postmodernism in Human Movement, PE and Sport*
1997	Len Almond	*PE in Schools*
1998	Kathleen Armour, Robyn Jones	*PE Teachers' Lives and Careers: PE, Sport and Educational Studies*
1998	Ken Green, Ken Hardman	*PE: A Reader*
1999	Colin Hardy, Mick Mawer	*Learning and Teaching in PE*
2000	Anthony Laker	*Beyond the Boundaries of PE: Educating Young People for Citizenship and Social Responsibility*
2000	Mike Metzler (Usa)	*Instructional Models in PE*
2000	Susan Capel, Susan Piotrowski	*Issues in PE*
2001	Anthony Laker	*Developing Personal, Social and Moral Education through PE*
2002	Anthony Laker	*The Sociology of Sport and PE*
2003	Anthony Laker	*The Future of PE: Building a New Pedagogy*
2003	John Evans	*Equality, Education and PE*
2004	Jan Wright, Doune Macdonald et al. (Aus)	*Critical Inquiry and Problem Solving in PE*
2005	Ken Green, Ken Hardman	*PE: Essential Issues*
2008	Ken Green	*Understanding PE*

첫째, 학교체육의 다양한 수업 개선 방법들이 개발되고 제시되기 시작하였다. 실제 체육프로그램을 어떻게 운영하고 체육수업을 어떻게 진행할 것인지에 대한 실천적 아이디어들이 구체적, 체계적으로 공유되었다. 이런 아이디어들은 1980년대 중후반부터 제안되었으나, 그 정체가 분명해진 것은 1990년대에 단행본 저작들이 출판되면서부터다. 특히, 주목할 만한 내용으로는 체육교수모형들이 소개되어 적용된 것이다. 미국에서 스포츠교육과 개인적·사회적 책임감 모형, 영국에서 이해중심게임수업 등이 1980년대에는 각 대륙에서 서로를 인지하지 못한 채로 제안되었다. 이후 학회교류와 논문출판 등을 통해서 1990년대부터는 상호인지가 시작되어 2000년 메츨러의 〈체육교수모형〉 서적 출간을 기점으로 더욱 촉발된 것이다.

둘째, 체육교과, 체육교육과정, 체육교사, 체육수업 등 학교체육 전반에 걸쳐 사회학적, 정책적 관점에서의 이론적, 경험적 연구들이 본격화되었다. 1980년대 영국에서 출발되어 1990년대 호주로까지 확산되고 2000년대 더욱 활발해진 연구 영역이다. 완전 지방자치제인 미국과는 달리, 중앙지배적 지역자치제의 성격이 강한 영국과 호주(우리나라와도 유사)의 경우 국가나 주 정책의 중요성이 매우 크다. 그에 따른 지역별 학교체육과 체육수업의 현장실천의 의미나 효과를 세밀하게 살펴보는 연구들이 (당시까지 전무했던 미국과는 달리) 수준 높게 진행되게 되었다.

셋째, 체육교사 양성기관인 대학체육교육 프로그램과 현직 체육교사의 체육교육 전문성을 향상시키기 위한 반성적, 비판적 철학과 방안들이 연구되었다. 이 시기는 교육학계에서 "반성적 교사"의 폭풍이 휘몰아치던 시기로, 체육에서도 "반성적 체육교사"의 이상이 절대적으로 추구되었다. 예비체육교사들이 자기 수업활동과 학교체육 전반에 걸쳐 보다 반성적 성찰을 더욱 경주할 수 있는 성향과 자질을 갖추도록 만드는 아이디어가 속출하였다. 현장에서는 현직교사들이 교사연구자로서 실행연구를 스스로 실천함으로써 자기 수업의 개선주체가 될 수 있도록 격려하고 준비시키는 연수와 연구가 넘쳐 흘렀다.

Ⅲ 스포츠교육학 3.0

01. 전체적 특징과 전개

스포츠교육학 도약의 토대를 마련한 2.0의 가장 큰 특징은 스포츠교육 연구 전문학술지의 출현이다. *European Physical Education Review*(1995년), *Sport, Education and Society*(2005년) 그리고 *Physical Education and Sport Pedagogy*(2004년)가 그것들이다. 이 저널들은 모두 영국에서 출간되고 있다. 초기에는 주로 영국과 호주학자들에 의한 연구가 대부분이었으나, 2010년대 접어들면서 유럽 전역, 그리고 아시아에서까지 게재신청이 쇄도하고 있다.

EPER은 온전히 스포츠교육연구만을 위한 저널은 아니지만, 많은 논문들이 학교체육과 스포츠교육의 이슈들을 다루고 있다. SES는 완전히 스포츠교육에 대한 사회과학적 접근에 초점을 맞추어 시작된 전문학술 저널이다. PESP는 기존에 존재했던 *European Journal of Physical Education*을 보다 전문적인 수준으로 업그레이드 시켜 스포츠교육 저널로 재탄생시킨 것이다. 이 전용학술지는 보다 다양하고 질 높은 스포츠교육학 논문들이 정기적으로 출판되는 통로를 마련해주었다. 전문 연구지식의 축적을 이루는 데에, 그리고 그를 바탕으로 스포츠교육학의 새로운 모습을 가시적으로 확인하는 것에 큰 도움을 주었다.

나는 개인적으로 스포츠교육학 2.0을 넘어서는 분수령이 된 연구저작물은 Kirk et al.(2006)이라고 보고 있다. 영국, 호주, 그리고 미국의 대표학자들이 미국, 영국, 호주, 캐나다, 뉴질랜드 등에서 활발히 활동하는 주요 연구자들에게 핵심 스포츠교육학 연구주제들에 대한 당시로서는 가장 최근까지의 연구들을 종합 정리한 최초의 핸드북이기 때문이다. 스포츠교육학 1.0과 2.0의 연구들이 일목요연하게 요약되어 소개되었다. 이것을 바탕으로 3.0으로의 발걸음을 내딛을 수 있는 출발블록이 마련되어진 것이다. 이 핸드북 편집자들의 학문적 권위와 책 내용의 완성도가 1990대 후반 이후 조금씩 조짐을 보이던 스포츠교육학 3.0의 태동을 본격적으로 느낄 수 있도록 만들어주었다.

스포츠교육학 2.0과 구분되는 3.0 스포츠교육학의 특징은 크게 2가지로 볼 수 있다. 하나는 연구대상을 학생의 범주를 넘어서 청소년으로 확장시킨 것이다(Green & Smith, 2016). 다른 하나는, 연구영역을 학교수업(티칭)을 넘어서 스포츠지도 전반(코칭)으로 확대시킨 것이다(Potrac et al., 2013)〈표 4〉.[4]

먼저, 서양 외국 스포츠교육학의 주된 연구대상들은 학교체육의 핵심 수혜자인 초중고등학생(주로 초등학생)들이었다. 청소년들 가운데 학령기에 있는 학교 안의 학생들을 대상으로 거의 대부분의 연구가 진행되었다. 하지만, 학생들은 청소년 시기의 젊은이들 가운데 다수를 차지하기는 하여도, 대표적이라고 단정할 수는 없으며, 전부라고는 결코 할 수 없는 그룹이다. 예를 들어, 스포츠심리학이나 사회학에서도 청소년은 중요한 연구대상 그룹에 속하나, 학생은 그 가운데 소수 그룹으로 대우받아왔다. 특히, 21세기 들어 학령기이지만 학교를 다니지 않는 청소년들, 또는 학생이되 학교 밖에서 더욱 활발한 스포츠 활동에 참여하는 청소년들이 더욱 증가하고 다양화되는 경향이 뚜렷해져 왔다.

청소년의 범주에 들어오는 연령대는 나라마다 각자 법률적으로 상이하다. 대략, 초등학교에 입학하여 대학 졸업까지의 6세에서 24세까지로 간주할 수 있다. 스포츠교육학에서 이 같은 확장 경향은 〈표 4〉의 상단에 소개된 주요 서적들의 제목에 나타나있다. 예를 들어, 1980년대부터 활약한 저명한 스포츠교육학자 O'Sullivan & MacPhail (2010)은 "Young People"(청소년)을 대상으로 한 "PE"와 "Youth Sport"를 구분하여 사용하고 있다. 학교체육과 청소년스포츠(생활체육)를 명확히 분류하여 학교안 체육교육과 학교밖 스포츠교육에 대한 새로운 시각의 접근이 필요함을 강조하고 있다. 이는 스포츠심리학과 스포츠사회학적 시각에서 보다 교육적인 접근이 강조됨으로써 전통적인 스포츠교육학적 시야가 청소년층으로 더욱 넓어지게 된 것이다(Green & Smith, 2016).

---

[4] 이 두 가지 특징을 한 권의 책으로 명료하고 강력하게 인식시켜준 이는 (David Kirk의 뒤를 이어) 영국 최고의 스포츠교육학 연구자로 인정받는 Armour(2011)였다. 그동안 진행되고 이후 전개될 스포츠교육학의 확장된 모습을 일목요연하게 정리해서 보여주었다. 뒤따르는 제3절 참조.

표 4	유청소년 스포츠와 스포츠코칭관련 도서들	
출판	저자(편자)	제목
2004	Tania Cassidy, Robyn Jones et al.	*Understanding Sports Coaching*
2005	Lynn Kidman, Bennett Lombardo	*Athlete-centered Coaching: Developing Decision Makers*
2006	Robyn Jones	*The Sports Coach as Educator: Re-conceptualizing Sports Coaching*
2007	Ian Wellard	*Rethinking Gender and Youth Sport*
2008	Nicholas Holt (Can)	*Positive Youth Development through Sport*
2010	John Lyle, Chris Cushion	*Sports Coaching: Professionalization and Practice*
2010	Mary O'Sullivan, Ann MacPhail	*Young People's Voices in PE and Youth Sport*
2011	Alun Hardman, Carwyn Jones	*The Ethics of Sport Coaching*
2011	Ian Stafford	*Coaching Children in Sport*
2011	Robyn Jones, Paul Potrac et al.	*The Sociology of Sport Coaching*
2012	Symeon Dagkas, Kathleen Armour	*Inclusion and Exclusion through Youth Sport*
2013	Andrew Parker, Don Vision	*Youth Sport, Physical Activity and Play*
2013	Robert Simon	*The Ethics of Coaching Sport: Moral, Social, and Legal Issues*
2013	Stephen Harvey, Richard Light	*Ethics in Youth Sport: Policy and Pedagogical Applications*
2014	Kathleen Armour	*Pedagogical Cases in PE and Youth Sport*
2016	Robin Vealey, Melissa Chase	*Best Practice for Youth Sport*

다음, 2000년대 들어와 스포츠코칭 연구가 영국을 중심으로 급격히 활성화되기 시작하였다. 스포츠코칭연구는 1970년대 이후 줄곧 미국 중심으로 경기력 향상을 위한 자연과학적, 행동과학적 접근 위주로 수행되었다. 하지만, 제2세대 스포츠코칭연구가 영국과 유럽을 중심으로 1990년대 들어와 조금씩 부상하기 시작하였다. 스포츠심리학 자체 내에서 인본주의적, 실존주의적, 현상학적 접근이 두각을 나타내었으며, 2000년

대에는 코치교육의 성장과 함께 코칭을 훈련을 넘어서 교육으로 이해하려는 시도도 덧붙여졌다. 이와 함께, 스포츠 코칭을 사회과학과 인문학적 시각에서 바라보는 다양한 시도들이 본격적으로 시작되었다. 이 접근은 경기력 향상보다는 코칭이라는 현상과 활동의 역사적, 사회적, 철학적 맥락과 과정에 대한 심층적 이해를 더 중요시하며, 이러한 근본적 이해를 바탕으로 개선의 통찰과 지혜를 제안하려 한다(Potrac et al., 2013).

스포츠코칭을 "경기력 증진을 위한 과학적, 체계적 훈련" 그 이상으로 파악하려는 노력은, 일차적으로 선수와 코치를 해부학적, 생리학적 존재, 그리고 운동기능 발휘를 물리학적, 심리학적 현상으로 국한하는 기존 시도와는 사뭇 다른 언어를 소개하고 관심 초점을 변화시켰다. 〈표 4〉의 하단에 나타난 중요 서적의 제목들에서 그런 경향을 찾아볼 수 있다. 예를 들어, Cassidy et al.(2004)의 부제목은 *The Social, Cultural, and Pedagogical Foundations of Coaching Practice*"다. 코칭현상과 활동에 들어있는 사회적, 문화적, 교육적 특성들을 기반을 중심으로 코칭과 코치에 대한 이해를 강조하고 있다. Jones(2006)는 아예 제목을 "Sports Coach as Educator"로 내세우고 코칭의 재개념화를 주장하며, 코치는 교육자, 코칭은 교육활동이라고 천명한다. 이외에도 "athlete-centered, ethics, pedagogical, moral" 등의 단어들을 강조하여 사용하면서 교육적 측면을 인정하고 부각하고 있다.

이하 세 개의 절에서는 스포츠교육학 3.0에서 다루어진 주요 연구 주제들에 대해서 살펴보고자 한다. 3.0 스포츠교육학은 이미 그 모습을 깔끔하고 명료하게 파악할 수 없는 수준으로 확대되고 확장되었다. 수많은 연구들을 일목요연하게 정리하여 소개하는 일은, 적어도 한 사람의 노력으로는, 불가능하다. 나는 본 연구에서 이미 이런 일을 수행한 수준 높은 3개의 대표 저작물에 실린 주된 내용들의 특징을 분석하는 방식을 택하려고 한다. 각 저작물은 당시까지 진행된 다양한 연구들을 주요 연구자들로 하여금 종합하고 정리하여 한 곳에 모은 주제별 리뷰 핸드북의 형태로 되어있다.

1) 『*Handbook of Physical Education*』의 스포츠교육학

앞에서 스포츠교육학 3.0 시기를 시작하는 출발점의 역할을 한 저작물로 Kirk et al.(2006)를 언급하였다. 이 당시 서양 스포츠교육학을 이끌고 가던 영국, 미국, 호주를 대표하는 세 학자가 가장 포괄적이고 전향적으로 스포츠교육(학) 연구를 종합하여 정리해주었다. 이들은 6개의 큰 주제구역을 분류하고 각각에 4~10개의 하위영역들을 세분하여 총 45개의 전문 연구영역을 나누어주었다. 당시 스포츠교육학 최대 강국인 미국(캐나다)의 아성을 무너트리고, 신흥 강국으로 떠오른 영국과 호주(뉴질랜드)의 축적된 연구들을 집대성하여 Choi(1992)의 다차원적, 다패러다임적 시도 이후 스포츠교육학을 이해하는 가장 최신이면서 가장 세밀한 초상화를 그려주었다〈표 5〉.

이들의 집대성에서 특기할 만한 것은 핵심연구 분야를 여섯 개의 주제구역으로 나눈 것이었다. 그것은 "거시이론적 관점(패러다임), 하위 학문적 접근, 체육학습과 학습자, 체육교수와 교수자, 체육교육과정, 그리고 다양성과 소수자"였다. 내가 보기에, 이 여섯 주제구역은 그 순서대로 두 개씩 묶어서 다시 세 개의 대그룹으로 재분류할 수 있다. 제1 대그룹은 스포츠교육학을 탐구하는 거시적 패러다임, 또는 학문적 접근을 망라한 것이다. 첫째 구역은 스포츠교육을 연구하는 패러다임들로, 둘째 구역은 하위 학문별로 스포츠교육연구들을 분류할 수 있도록 해준다. 행동주의, 해석주의, 비판이론, 포스트모더니즘, 페미니스트적 관점들과 스포츠교육철학, 스포츠교육사회학, 스포츠교육역사학, 스포츠사회심리학적, 스포츠보건학적 접근들로 연구할 수 있는 것들이 무엇인지를 전체적으로 소개해준다.

제2대그룹은 학습과 교수, 학생과 교사를 구체적으로 이해하고 연구하는 다양한 관점과 접근들을 한 곳에 모아놓은 것이다. 스포츠교육학 1.0 시기와 2.0 시기에 학생과 학습에 관하여 주된 연구주제로 다루어진 학습시간, 수업에콜로지, 학습자인지, 구성주의, 학습평가, 학생인식이 소개되고 있다. 또한 체육교사로 성장하는 데에 핵심적인 교사교육 방식, 모형, 현장에서의 사회화와 교사학습, 초임교사, 교사신념, 교사지식, 체육교사정책 등의 주제들이 다루어진다. "코칭과 코치 교육"(4.9)이 처음으로 포함된 것이 주목할만한 특이점이다.

표 5	『Handbook of Physical Education』의 연구영역과 세부주제

연구영역	세부주제
Theoretical perspectives in PE research	1.1 The philosophy, science and application of behavior in PE
	1.2 Interpretive perspectives in PE research
	1.3 Socially critical research perspectives in PE
	1.4 PE research from postmodern, poststrucural and postcolonial perspectives
	1.5 Feminist strands, perspectives, and methodology for research in PE
Cross-disciplinary contributions to research on phyiscal education	2.1 Philosophy and PE
	2.2 The sociology of PE
	2.3 History of PE
	2.4 Social psychology and PE
	2.5 Public health and PE
Learners and learning in PE	3.1 Time and learning in PE
	3.2 The classroom ecology paradigm
	3.3 Learner cognition
	3.4 Constructivist perspectives on learning
	3.5 Situated perspectives on learning
	3.6 Learners and popular culture
	3.7 Development and learning of motor skill competencies
	3.8 Assessment for learning in PE
	3.9 Students' perspectives of PE
	3.10 Student learning within the didactique tradition
Teachers, teaching and teacher education in PE	4.1 Theoretical orientations in PE teacher education
	4.2 Models and curricula of PE teacher education

연구영역	세부주제
Teachers, teaching and teacher education in PE	4.3 Learning to teach in the field
	4.4 Induction of beginning physical educators into the school setting
	4.5 Teaching styles and inclusive pedagogies
	4.6 The way to a teacher's heart: narrative research in PE
	4.7 Teachers' beliefs
	4.8 Teachers' knowledge
	4.9 Coaching and coach education
	4.10 PE teacher education (PE/TE) policy
PE curriculum	5.1 Curriculum construction and change
	5.2 Research into elementary PE programs
	5.3 Sport education: a view of the research
	5.4 Social and individual responsibility programs
	5.5 Game-centered approaches to teaching PE
	5.6 PE and youth sport
	5.7 Health-related physical activity in children and adolescents
	5.8 Adventure education and PE
	5.9 Teaching dance in the curriculum
Difference and diversity in PE	6.1 Sexuality and PE
	6.2 Race and ethnicity in PE
	6.3 Disability and PE
	6.4 Girls and PE
	6.5 More art than science? Boys, masculinities and PE research
	6.6 Social class and PE

제3대그룹은 체육교육과정 전반에 대한 이슈들과 소수자와 다양성에 대한 내용들을 포괄적으로 묶는다. 교육과정 개발과 개선, 초등체육, 스포츠교육, 책임감모형, 이해중심게임수업, 모험중심 스포츠, 청소년스포츠, 체육에서의 건강이슈, 그리고 체육에서의 무용교육 등이 다루어지고 있다. 초중등 학교체육을 지도하는 교육과정 모형들에 대한 연구, 특히 국가교육과정의 학교실행 및 체육교육과정 모형들의 현장적용 연구가 주를 이루고 있다. 여기에서 특기할 만한 세 가지 새로운 주제들이 다루어졌다. 청소년 스포츠, 건강과 건강교육적 이슈, 학교에서의 무용교육에 대한 고려가 주어지고 있다. 그동안 소외되었던 연구주제들인 성별, 인종, 장애, 여성, 신체성, 계급같은 사회적 주제들이 스포츠교육학의 핵심 연구영역들로 정리되어 있다.

이 저작물은 Choi(1992)에서 조망한 스포츠교육학 2.0의 전체적 성장발전의 구체적 내용을 한 곳에서 종합하여 체계적으로 파악할 수 있도록 해준다. 그동안 영어사용권 국가들에서 뿔뿔이 개별적으로 행해진 주요 연구들을 하나의 프레임워크 내에서 분류하고 정리함으로써 당시로서는 신흥분야인 스포츠교육학이라는 체육학의 하위 학문분야가 단지 미국에서만이 아니라, 국제적 수준에서 하나의 독립된 학문영역으로 충분히 성장했음을 대내외적으로 확인시켜주는 본보기 역할을 해주었다. 각자 자기가 속한 학문적 지리영토 속에서 개인적으로 연구해왔던 연구자들이 자신도 스포츠교육학이라는 학문공동체에 속해있음을 인정받는 소속 근거를 제공해주었다. 특히, 이 연구물을 통해서 21세기 들어와 이제 미국이 아니라, 영국이 스포츠교육학의 새로운 주인공으로 부상하고 있음을 국제적으로 알리는 계기가 되었다.

2) 『*Sport Pedagogy: An Introduction for Teaching and Coaching*』의 스포츠교육학

스포츠교육 연구에서 본격적으로 "스포츠교육학"^{sport pedagogy} 이라는 제목을 가진 전문서적은 Armour(2011)가 처음이라고 할 수 있다. 이 책은 영국 제일의 스포츠교육 연구자가 청소년 스포츠와 스포츠코칭이 스포츠교육의 핵심 연구라는 입장에서 편집한 최초의 종합서다. 분량이 앞서 언급한 〈체육교육핸드북〉보다 다소 적으나, 다루는 주제의 범위와 내용으로 보아 일종의 새로운 핸드북이라고 불려도 손색이 없다. 스포츠교육의 교수론, 다양한 아동과 청소년 그룹, 체육교사와 코치 전문성 함양의 세 가지 큰 연구구역에서 25개의 세부 연구영역들을 소개하고 있다. 기존 분야에서 행해진 연구들을 체계적으로 정리하는 것, 그리고 그것에 근거하여 구체적 실천지침을 제시하는 것을 목표로 저술되었다〈표 6〉.

표 6 『Sport Pedagogy』의 연구영역과 세부주제

연구영역	세부주제
Pedagogy in PE and sport	1.1 What is 'sport pedagogy' and why study it?
	1.2 Children learning in PE: A historical review
	1.3 Learning theory for effective learning in practice
	1.4 Learning about health through PE and youth sport
	1.5 Critical health pedagogy: Whose body is it anyway?
	1.6 Youth sport policy: An international perspective
	1.7 Olympism: A learning philosophy for PE and youth sport
Children and young people: Diverse learners in PE and youth sport	2.1 Youth voices in PE and sport
	2.2 Understanding young people's motivation in PE and youth sport
	2.3 Young people, sporting bodies, vulnerable identities
	2.4 Playtime: The needs of very young learners in PE and sport
	2.5 Disabling experiences of PE and youth sport
	2.6 Disaffected youth in PE and youth sport
	2.7 Barriers to learning in PE and youth sport
	2.8 Young people, ethnicity and pedagogy
	2.9 Gender and learning in PE and youth sport
	2.10 Right to be active: Looked-after children in PE and sport

연구영역	세부주제
Being a professional teacher or coach in PE and youth sport	3.1 Effective career-long professional development for teachers and coaches
	3.2 Personalised learning: A perfect pedagogy for teachers and coaches?
	3.3 Becoming an effective secondary school PE teacher
	3.4 Becoming an effective primary school PE teacher
	3.5 Becoming an effective youth sport coach
	3.6 Mentoring as a professional learning strategy
	3.7 Professional learning in communities of practice
	3.8 Models-based practice: Structuring teaching and coaching to meet teachers' diverse needs

첫 번째 연구주제 그룹에서는 "knowledge in context, learners and learning, teachers/teaching and coaches/coaching"을 중심으로 스포츠교육에 대한 공식적 개념규정을 제시한다. 이를 바탕으로 스포츠교육학의 주요 관심영역들, 즉 학습이론, 건강교육, 청소년 스포츠 정책 등이 다루어진다. 두 번째 그룹에서는 영유아 및 청소년을 정상인, 장애인, 이탈자 등 사회적 소수자들에 대하여 사회정의적 입장에서 스포츠교육에서 어떻게 접근되어야 하는지를 설명한다. 세 번째 연구주제 그룹에서는 초중고 체육수업과 청소년스포츠팀에서의 실제적 수업과 코칭을 어떻게 할 것인가에 대한 방법론과 모형들이 소개되며, 티칭과 코칭을 잘 하기 위한 교사와 코치의 티칭/코칭 전문성 향상의 다양한 방안들을 정리하여 알려주고 있다.

본 연구저작의 독특성은 처음으로 "청소년스포츠"가 스포츠교육학의 주된 연구대상이자 연구내용으로 부각되어 있다는 점이다. 학교 내의 학교체육(수업)에 제한되지 않고 학교 밖에서 학생은 물론 일반 청소년들 young people 이 참여하고 영위하는 생활체육 community sport 과 전문체육 elite sport 의 내용이 주로 다루어지고 있다. 체육교육과정과 체육수업의 울타리를 벗어나, 스포츠가 가진 사회적 가치와 유용성을 보다 폭넓고 속 깊게 들여다 볼 수 있도록 안내하는 길잡이 역할을 해주고 있다. 체육교사와 학생에 대한 관심과 조처에 국한된 작은 범주의 연구로 만족해서는 안 되며, 스포츠교육자와 모든 청소년들을 대상으로 하는 광범위하고 중요한 탐구와 실천영역으로 인식해야 함을 분명하게 알려주고 있다.

3) 『*Routledge Handbook of Physical Education Pedagogies*』의 스포츠교육학

미국의 스포츠교육학자 Ennis(2017)가 단독으로 편집한 본 저작물은 그녀의 유작이 되었다. 미국학자에 의해서 최초로 편집된 가장 최근의 스포츠교육학 연구핸드북이다. 스포츠교육 연구분야의 주기적인 업데이트는 1.0과 2.0 시기에는 미국학자들의 전유물이다시피 하였으나, 2000년대 들어와서 3.0의 시기가 되면서는 영국과 호주학자들에게 그 자리를 내어주었다. 이에 분발할 필요성을 느꼈는지 미국 내 제2세대 스포츠교육학자의 선두에 있던 이가 지휘봉을 잡아 내어놓은 역작이다. 제목으로 두드러진 특징은 "체육교육학들" **PE Pedagogies** 이라는 표현이다. 스포츠 대신에 PE을 쓴 것과 단수가 아니라 복수형을 사용하여 본인이 생각하는 스포츠교육학의 대상과 범위를 간접적으로 알려준다〈표 7〉.

우선, 여기에서는 연구주제 구역을 9개로 분류한 것이 눈에 뜨인다. "연구방법론, 교육과정 개발과 이론, 교육과정 정책과 개선, 특수(장애인)체육, 비판적 체육교육, 체육교수행위 분석, 체육교사교육, 학생과 교사인지, 성취동기"가 그것들이다. 앞서의 두 저작보다 더 많은 분류다. 이것은 2000년대 이후 발간 당시까지 미국 내에서 지속적으로 꾸준한 성장세를 보여온 연구들을 더욱 강조하기 위한 편집구성을 하였기 때문이다. 스포츠교육학 2.0 전체와 3.0 전반에서 영국 스포츠교육학의 성장세에 가려져(밀려?) 주도권을 잃어버린 미국 스포츠교육학의 존재감을 다시 드러내고 싶다는 책임 편집자의 의도와 기대가 반영된 내용구성이다. 그리하여 다른 두 핸드북들에서는 세부주제 영역으로 분류된 것들(예로, 특수체육, 성취동기 등)이 하나의 독립된 연구구역으로 확대되어 소개되고 있다.

표 7 『Routledge Handbook』의 연구영역과 세부주제

연구영역	세부주제
Designing and conducting PE research	1.1 The research enterprise in PE
	1.2 Interpretive and critical research: A view through a qualitative lens
Curriculum theory and development	2.1 Designing effective programs: Creating curriculum to enhance student learning
	2.2 Models-based practice
	2.3 Sport-based PE
	2.4 Fitness and physical activity curriculum
	2.5 Complexity, curriculum, and the design of learning systems
	2.6 Globalized curriculum: Scaling sport pedagogy themes for research
Curriculum policy and reform	3.1 Policy and possibilities
	3.2 Curriculum reform and policy cohesion in PE
	3.3 Reforming curricula from the outside-in
	3.4 Curriculum reform where it counts
	3.5 Equity and inequity amidst curriculum reform
Adapted physical activity	4.1 Theory and practice in adapted PE: The disability rights paradigm in synchrony with complex systems concepts
	4.2 Advances in disability and moter behavior research
	4.3 An international perspective in PE and professional preparation in adapted PE and adapted physical activity
	4.4 Inclusive settings in adapted physical activity: a worldwide reality?
Transformative pedagogies in PE	5.1 Transformative pedagogies and PE: Exploring the possibilities for personal change and social change
	5.2 Transformative aspirations and realities in PE teacher education
	5.3 Transformative pedagogies for challenging body culture in PE
	5.4 Gender sexuality and PE
	5.5 The transformative possibilities of narrative inquiry

연구영역	세부주제
Transformative pedagogies in PE	5.6 Shifting stories of size: Critical obesity scholarship as transformative pedagogy for disrupting weight-based oppression in PE
	5.7 Transformative pedagogy in PE and the challenged of young people with migration backgrounds
Analyzing teaching	6.1 Teacher accountability and effective teaching in PE
	6.2 Measurement of teaching in PE
	6.3 Teaching about active lifestyles
Educating teachers 'effectively' from PETE to CPD	7.1 The role of learning theory in learning to teach
	7.2 Effective PE teacher education: A principled position perspective
	7.3 What research tells us about effective continuing professional development for PE teachers
	7.4 Educating teachers in health pedagogies
	7.5 Educating teachers for effective inclusive pedagogies
The role of student and teacher cognition in student learning	8.1 Student cognition: Understanding how students learn in PE
	8.2 Student physical self-concept beliefs
	8.3 Student attitudes and perspectives
	8.4 Teacher beliefs and efficacy
	8.5 The emotional dimensions of PE teacher knowledge
	8.6 The nature and consequences of obesity bias in PE: implications for teaching
Achievement motivation	9.1 Motivation research in PE: learning to become motivated
	9.2 Expectancy-value based motivation for learning
	9.3 Maximizing student motivation in PE: a self-determination theory perspective
	9.4 Individual and situational interest
	9.5 Adaptation and maladaptation of achievement goals in PE
	9.6 Motivation as a learning strategy

이 같은 분류방식은 미국 스포츠교육학의 독특한 연구 성향에 근거한다. 미국에서의 스포츠교육학은 호주나 영국에서의 그것과는 달리 매우 실용적이고 주제중심적으로 시작되었다. 이 경향은 수십 년이 지난 지금도 그대로 유지되고 있는 실정이다. 수업활동, 교사교육, 교육과정 등의 연구범위 내에서 교사의 피드백, 학생의 인지과정, 수업기능, 교육과정 개발 등의 주제영역들에 대하여 관련된 여러 개념과 이론들을 여기저기서 활용하여 검토하고 해석해내는 방식으로 진행된다. 교육학(또는 체육학)으로부터의 세부 학문적 배경을 지니고 있지 않는 채로 연구훈련을 받고 연구생활을 이어간다(초기에는 행동주의 심리학과 인지주의 심리학, 이후에는 구성주의라고 뭉뚱그려 부르는 인식론을 배경으로 많은 연구 진행).

반면에, 호주와 영국에서는 시초부터 교육사회학(스포츠사회학), 교육철학(스포츠철학), 교육역사학(스포츠역사학)의 강력한 이론적 배경을 바탕에 두고 체육교육과정, 체육수업, 체육교사교육에 대한 연구를 진행시켜왔다. 그리고 코칭과 코치교육에 대한 스포츠교육학적 접근에서는 스포츠심리학은 물론, 스포츠사회학과 스포츠철학을 연구의 출발점으로 삼고 있다. 영국과 호주의 스포츠교육학 연구들이 초기부터 현재까지 비판적 성향을 띠는 주된 이유도 바로 이 같은 교육사회학과 스포츠사회학의 비판적 관점의 영향을 받았기 때문이다. 이들은 1980년대 중후반 프랑크푸르트학파의 비판이론과 리처드 번스타인에서 시작하여, 2000년대부터는 포스트모더니즘과 후기구조주의자 푸코와 들뢰즈 등 유럽철학자들의 이론을 차용하여 연구를 발전시켰다. 개인적 판단이지만, 미국 스포츠교육학이 쇠퇴하게 된 것은, 근본적인 차원에서, 이같이 두터운 학문적, 이론적 토대 위에 있지 않은 것이 큰 이유다.⟨5⟩

⟨5⟩ 스포츠교육학의 주도권이 영국(및 영국령이었던 국가들)으로 넘어갔다는 주장에는 이견이 있을 수 있다. 하지만, 연구자 수, 연구물 수, 연구주제의 다양성, 그리고 연구물의 질적 수준 등 모든 측면에서 미국은 이미 추월당했음을 부인하지는 못하는 상황이다. 우리나라 스포츠교육학은 1990년대 국내적 발전을 이루어나가는 과정에서 미국유학자들의 우세로 인해서 이 추세를 적극 수용하지 못한 점이 아쉽다. 이점을 명확히 인식하는 것이 다음 단계로의 도약을 위한 전제조건이다. 물론, 연구자 개인적 수준에서의 수용은 몇몇의 범위 내에서 이루어지고 있다. 내가 촉구하는 것은 전면적인 수용이다.

IV 스포츠교육학 3.0의 심화, 또는 4.0의 조짐

Ennis(2017)의 저작이 출판되기 전, 스포츠교육학 3.0이 한창 무르익어가는 2010년대 중반 어떠한 두드러진 조짐이 느껴졌다(예로, Kirk & Haerens, 2014). 미국(캐나다)과 영국(호주, 뉴질랜드)이외의 서양 (주로 유럽) 국가의 스포츠학자들의 영어 저술이 주요 학술지에 게재되는 현상이 매우 활발해졌다. 더욱이 이즈음부터 스웨덴, 노르웨이, 덴마크 등 북유럽국가 학자들의 영어 서적 출간이 또한 매우 빈번해짐을 발견하였다. 이러한 경향은 최소한 세 가지 특징을 보였다. 첫째, 스포츠와 스포츠(체육)교육에 대한 철학적 재검토를 진행하였고, 특히 유럽철학의 전통을 적극적으로 반영하는 새로운 아이디어들을 제시하고 있다. 둘째, 코칭과 코치에 대한 스포츠심리학적 연구를 진행하는 과정에서 인간적, 교육적 차원에 대한 강조가 두드러진 연구경향을 보여준다. 셋째, 급변하는 사회적, 경제적 변화를 반영하여 새로운 스포츠(체육)교육, 특히 사회정의가 구현되는 방향으로의 접근에 대한 필요성이 높아지고 있다〈표 8〉.

표 8 스포츠교육학 3.0을 이끈 주요 도서들

출판	저자(편자)	제목
2014	Steven Stolz (Aus)	*The Philosophy of PE: A new perspective*
2015	Kenneth Aggerholm (Den)	*Talent Development, Existential Philosophy and Sport: On becoming an elite athlete*
2015	Oyvind Standal (Nor)	*Phenomenology and Pedagogy in PE*
2016	Daniel Robinson, Lynn Randall (Can)	*Social Justice in PE: Critical Reflections and Pedagogies for Change*
2016	Natalie Barker-Ruchti, Dean Barker (Swe)	*Sustainability in High Performance Sport: Current Practices, Future Directions*
2017	Richard Light (Nz)	*Positive Pedagogy for Sport Coaching: Athlete-centered coaching for individual sports*
2018	Hal A. Lawson (Usa)	*Redesigning PE*

출판	저자(편자)	제목
2018	Shane Pill (Aus)	*Perspectives on Athlete-Centered Coaching*
2019	Charles Corsby, Christian Edwards (Usa)	*Exploring Research in Sports Coaching and Pedagogy: Context and Contingency*
2019	Jennifer Walton-Fisette et al. (Usa)	*Teaching About Social Justice Issues in PE*
2019	Margaret Whitehead	*Physical Literacy Across The World*
2019	Natalie Barker-Ruchti (Swe)	*Athlete Learning in Elite Sport: A Cultural Framework*
2019	Richard Pringle, Hakan Larsson el al. (Aus, Swe)	*Critical Research in Sport, Health and PE: How to Make a Difference*
2020	Ann MacPhail, Hal Lawson	*School PE and Teacher Education*
2020	Bettina Callary, Brian Gearity (Can)	*Coaching Education and Development in Sport: Instructional Strategies*
2020	David Kirk	*Precarity, Critical Pedagogy and PE*
2020	Rui Resende, A Rui Gomes (Por)	*Coaching for Human Development and Performance in Sport*
2021	Ashley Casey, David Kirk	*Models-Based Practice in PE*
2021	Hakan Larsson (Swe)	*Learning Movements: New Perspectives of Movement Education*
2021	Richard Thelwell, Matt Dicks	*Professional Advances in Sports Coaching: Research and Practice*
2022	Felix Lebed (Isr)	*Complexity in Games Teaching and Coaching: A Multi-Disciplinary Perspective*
2022	Goran Gerdin, Wayne Smith et al. (Swe, Nor, Nz)	*Social Justice Pedagogies in Health and PE*
2022	Julie Stirrup, Oliver Hooper	*Critical Pedagogies in PE, Physical Activity and Health*
2022	Karen Petry, Johan de Jong (Ger, Ned)	*Education in Sport and Physical Activity: Future Directions and Global Perspectives*
2022	Shrehan Lynch, Jennifer Walton-Fisette et al. (Aus, Usa)	*Pedagogies of Social Justice in PE and Youth Sport*

첫 번째에 해당하는 연구자들은 주로 스포츠코칭이라고 할 수 있는 영역에서 관련 내용을 저술하였는데, 유럽의 교육철학적 전통(실존철학, 해석학, 빌둥, 디닥케 등)을

상당부분 반영하고 있었다. 덴마크의 Aggerholm(2015)과 노르웨이의 Standal (2015)의 저작이 한 해에 동시에 출간되었다. 본인들의 박사학위 논문을 서적의 형태로 가다듬어 출간한 것으로, 실존주의 철학과 현상학적 철학을 각각 운동선수 육성과 스포츠교육 방법론에 적용시키고자 노력한 역작들이다. 바로 전 해에 뉴질랜드의 Stolz(2014)가 역시 자신의 박사논문에서 발전시킨 체육교육철학의 역사적 발전과 현 상태를 개념적으로 잘 정리한 내용(본인은 현상학적 접근을 주장)을 출판하였다. 거의 동시에 출간된 이들의 저서들은 스포츠교육에 대한 철학적 이해를 한 걸음 더 내딛도록, 한층 더 심화시키도록 만들어주었다. Kirk(2020)는 불안정성을 견뎌내는 비판적 스포츠교육의 재검토에 근거한 새로운 재등장을 주장한다. 가장 최근의 Lebed(2022)는 스포츠 게임에 대한 철학적, 심리학적, 사회학적, 인류학적, 교육학적 관점에서의 다학문적 분석을 실시하고, 게임의 복잡성에 근거한 스포츠지도 방안을 소개한다.

두 번째는 스포츠코칭과 코치교육에서의 보다 교육적인 차원이 강조되는 연구들의 증가다. 특히, 스포츠심리학적 관점에서 선수훈련과 코치교육에 있어서 교육적 차원들을 드러내며 강조하는 저작들을 발표하였다. 두 가지 방향에서 전개되고 있는데, 하나는 유럽대륙의 실존주의 철학과 현상학적 철학에 바탕을 둔 스포츠코칭연구이며, 다른 하나는 미국의 긍정심리학 관점을 적용한 스포츠코칭 연구다. 먼저 미국 스포츠교육학에서는 스포츠심리학에서 "긍정적 심리학"**Positive Psychology**의 영향을 받아 "스포츠를 통한 긍정적 청소년/선수 육성"**positive youth/athlete development**의 흐름에 발맞춘 연구들을 진행시켜오고 있는 중이었다. 이를 보다 더 적극적인 방식으로 접목시켜 Light(2017)는 "긍정적 스포츠코칭"의 교육론을 구체적으로 발전시키고 있다.

스포츠코칭과 코치교육에 좀 더 발전된 적용은 스웨덴의 Barker-Ruchti(2019)와 Barker-Ruchiti & Barker(2016)의 스포츠코칭 접근에서 찾아볼 수 있다. 이들은 자신들의 스포츠코칭관점을 "문화적 접근"**a cultural framework**에서 바라보는 "공동체적 관점"**a community view**으로서 소개한다. 이것을 "소유물적 관점"**a commodity view**과 비교하면서 엘리트스포츠 코칭분야에서 견지하던 기존의 파편적, 기능적 스포츠기술 학습론을 정면으로 비판한다. Ronkainen & Nesti(2019)도 스포츠선수와 일반인 모두에게 스포츠와 엑서사이즈 연습과 수행에 있어서 의미추구와 영성함양의 차원이 매우 중요함을 강조한다. 단순히 효과적, 효율적으로 운동기능을 반복연습해서 습득하고 기술구사를 성공적으로 해내는 것에 머무르는 코칭은 선수를 하나의 온전한 인간으로 성장시키기에 미흡하다고 주장한다. 이 저작들의 공통점은 달리기, 기계체조, 수영, 복싱, 아이스하키, 럭비, 농구 등 거의 모든 종목들에서 승리쟁취를 넘어 자아성취의 체험이 중요함을 강조하는 것이다. 이것은 스포츠교육학의 최종목표와도 일관된다.

세 번째는 기존의 학교체육이나 스포츠체계의 불안함과 미흡함을 지적하면서, 새로운 시대와 세대에게 직접적으로 도움이 되는 정책, 시스템, 실천 등의 구체적인 방안과 전략들을 제안하는 저술들이다. 이것은 학교체육은 물론, 체육학과 대학, 체육전문인 교육프로그램, 더 나아가 생활체육과 엘리트스포츠 전반에 걸친 대대적 개선과 개혁을 도모하는 특징을 보인다. Lawson et al.(2018)과 MacPhail & Lawson(2020)은 학교체육, 체육교사교육, 그리고 스포츠교육학 전체를 "리디자인"해야 한다고 주장한다. 현재 우리 체육 전반은 13가지의 "대형도전들" grand challenges 에 맞닥트리고 있으며, 이것들을 극복하기 위한 대대적인 개선과 정책 개발 없이는 필패하게 될 것임을 경고한다. 그리고 북미, 유럽, 아시아 등 변화의 경향들과 개선 시도들, 그리고 성공사례들을 다양하게 검토하며 체계적 접근방안을 마련하고 있다. 우리가 대면해서 해결해야할 도전들은 교육목적과 결과, 표준기반 교육과정개혁, 학교대학 간 일치성, 새로운 개혁안, 다학문적 융합, 전문적 사회화, 문화적 역량, 디지털 시대, 학교 체육교육과정, 연구 및 개발, 증거기반 정책결정, 현직교사전문성 개발, 공공을 위한 정책이다.

부분적 개선을 강조하거나, 아예 판을 새로 짜는 전면적 개혁을 주장하는 이 같은 경향은 이미 "비판적 스포츠교육학"의 전통 속에서 오랫동안 진행되어왔다. 그런데, 지난 3.0에서는 스포츠교육에서의 비판적 전통이 힘을 잃고 있거나 이미 사라져버린 상태라고 자조 섞인 평가를 하는 경우도 있었다. 실지로 그런 경향이 없지 않았으며, 2000년대 들어 관련된 저술이 그 이전보다 상대적으로 미흡하였던 것은 사실이다. 그런데, 〈표 8〉에서 드러나는 바와 같이, 여러 나라들로부터 비판적 관점에서의 다양한 새로운 접근들이 봇물 터지듯이 출간되고 있는 것은 참으로 반가운 일이다.

이 같은 경향은 스포츠교육학 3.0의 심화인가? 아니면, 새로운 방향으로 발전할 가능성을 지닌 4.0의 조짐인가? 앞에서 언급한 스포츠교육학 3.0의 두 가지 주요 특징이 모두 발견되고 그것들이 보다 발전하는 것을 파악할 수 있다. 이 점에 비추어보면 심화되고 있다는 것으로 볼 수 있다. 심화는 두 방향으로 진행된다. 한편으로 연구가 양적으로 보다 많이 실행되는 것, 그 연구주제와 연구방법론이 보다 다양화되는 것이다. 또 한편으로는 연구가 질적으로 보다 향상되는 것, 이전 연구보다 연구결과의 타당도와 진실성이 높고 그 해석이 기존 연구들을 넘어서는 수준으로 발전하는 것이다. 이런 점에서 심화되고 있음은 명백하다.

하지만, 〈표 8〉에서는 〈표 4〉와는 달리 영국학자 중심적인 저술경향에서 급격히 벗어나고 있음을 볼 수 있다. 게다가 스포츠 코칭과 스포츠교육의 간극을 인정하지 않으려는 저술의 등장이 엿보이고 있다. 즉, 〈표 8〉의 제일 하단에 독립하여 소개한 두 권의 저서를 살펴보자. Corsby & Edwards(2019)는 학회에서 발표된 논문들 모음집이다. 제목에 Sports Coaching과 Pedagogy 두 영역(접근)을 함께 연결시키려는 의지가 보인다. 실제 19편의 논문들이 직접적, 간접적으로 이 같은 융합적 노력을 시도하고 있다. Petry & de Jong(2022)의 저술은 아예 제목 자체에서부터 "스포츠교육" education in sport and physical activity 이라는 표현을 드러내고 있다. 유럽 각국, 북아메리카, 라틴아메리카, 그리고 동아시아 등 세계 여러 나라 학자들로부터 학교체육, 엘리트스포츠, 스포츠산업, 코치교육, 아웃도어 스포츠 등의 영역에서의 실제 사례들과 앞으로의 전망에 대하여 소개하고 있다.

물론, 스포츠교육학의 한 버전이 끝나는 지점과 시기, 그리고 다음 버전이 새롭게 시작되는 지점과 시기가 정해져있거나 적어도 가시적으로 명확하게 규정할 수 있는 것은 아니다. 이것은 사후적으로만 파악될 수 있을 뿐이다. 사전적으로는 기미만을 느낄 수 있을 뿐이다. 그리고, 사실 심화는 변화를 의미한다. 물이 100도에서 끓어 액체에서 기체가 되듯이, 심화가 극에 다다르면 다른 형태의 변화로 진행된다. 스포츠교육학에서의 양질전환의 법칙이라고 비유할 수 있을 것이다. 이 같은 다양한 연구들이 양적으로 쌓여나가게 되면서 스포츠교육학은 다른 버전으로 전환되는 탈태의 시간을 맞이하게 될 것이다. 현재로서는 심화되어가는 것과 함께, 기미와 조짐의 낌새만 다소간 목격되는 수준이다. 그럼에도 불구하고, 심화와 변화가 동시에 진행되어가고있는 것은 확실하다고 할 수 있다.

V 제언

"나는 누구? 여긴 어디?" 한때 유행했던 문구다. 스포츠교육학 공부를 하다보면, 이런 존재론적, 실존적 질문을 묻는 자신을 발견하게 된다. 내가 지금 하고 있는 공부와 연구가 "스포츠교육학"이라고 하는 학문의 어디에 속하는지, 어디에 위치하는지를 정확히 알고 싶은 때가 있다. 내가 정말로 "스포츠교육학도"인지 스스로 확인하고 싶은 것이다. 그냥 나를 가르치는 지도교수의 전공이 이 분야이고, 내가 한국스포츠교육학회의 회원이라서가 아니라 말이다. 나는 스포츠교육학도인가? 내가 속한 이곳은 스포츠교육학 분야인가?

물론 요즘 같이 학문 간 경계가 무너지고 융합이 일상이 되어가는 시점에서 세부전공 영역을 굳이 따지는 것이 큰 의미가 없을 수도 있다. 지구촌에 거주하는 세계시민인데 한국인이고 미국인이고 독일인이건 무슨 상관인가? 그럴 수도 있다. 하지만, 그럼에도 불구하고, 현실세계에서는 정신적으로는 세계시민이면서도 국제법적으로는 한국인임을 증명하는 것이 중요하다. 체육학의 세계에서 나의 정체성은 (내가 오랫동안 스포츠철학과 스포츠심리학을 좋아해왔다고 하더라도) 스포츠교육학도로 규정되어 있다.

그러므로, 나의 학문적 정체성을 뚜렷이 의식하는 것은 필수적이다. 체육학의 세계 지도에서 내가 어디 즈음에서 생활하고 있는지를 스스로 알고 있어야 한다. 나의 학문적 주소를 제대로 파악해야 한다. 예를 들면 이런 것이다 — "스포츠교육국 스포츠철학시 전문체육구 청소년 스포츠동 코치로 30." 나의 세부적인 연구관심 영역이 위치한 주소라고 할 수 있다. 즉, 현재 나는, 스포츠코치에 관심을 두고 있으며, 특히 청소년스포츠를 대상으로 하는 전문체육 분야에 관련된 연구를 교육철학적 관점에서 수행하고 있다.

매우 간단하게 들린다. 하지만, 실제로 이 주소지를 찾아내기 위해서는 내비게이션이 필요하다. 그런데, 지도가 자주 바뀌며 업데이트 서비스는 그 속도를 따라가지 못한다. 그래서 여기에서 길을 잃지 않고 제대로 자신의 거주지를 확인하고 찾아내기 위해서는 몇 가지 힌트만이 길잡이가 될 수 있을 뿐이다. 미노타우루스의 미궁에서 길을 잃지 않고 탈출에 성공한 테세우스에게는 아리아드네가 풀어놓은 실타래가 있었지 않은가. 나는 오늘 이 자리에서 내가 그동안 찾은 것 가운데, 독자에게 도움이 될 만한 몇 가닥을 풀어놓아본다. "나의 연구는 스포츠교육학의 어디 즈음에 있는가?"에 대한 답 찾기에 도움이 되기를 바라면서 말이다.

첫째, "리뷰" 논문을 자주 읽는다. (아카데믹) 리뷰는 어떤 한 연구주제, 연구분야, 또는 한 학문영역 전체에 대해서 주기적으로 그동안의 연구가 어떻게 진행되어왔는지를 정리하고 요약해서 일목요연하게 이해하도록 돕는 글이다. 본 글도 리뷰다. 개개인의 연구자들은 본인 관심 하의 작은 연구들을 수행하는 개별적 연구 활동을 주로 하기 때문에, 아무리 작은 주제라도 전체를 파악하기가 쉽지 않다. 그래서 그 주제나 분야의 권위있는 연구자들에 의해서 일정 간격을 두고, 예를 들어, 단일주제 physical literacy (Martins et al., 2021), 단일 영역 model-based practice (Casey & Kirk, 2021), 또는 학문분야 sport pedagogy (Tinning, 2010)에 대한 주요 연구동향을 체계적이고 일목요연하게 이해할 수 있는 개관형식의 논문(및 서적)들이 관례적으로 출판된다. 앞서 언급한 학술지들과 단행본 서적들에 실린 리뷰 논문들을 샅샅이 찾아봄으로써 한 분야에 대한 전체적 그림을 머릿속에 다 담을 수 있는 총체적 시력이 확보된다.

둘째, 주된 하위 분과학문을 선택한다. 교육학은 다양한 인문사회영역의 분과학문들의 집합으로 되어있다. 스포츠교육학도 마찬가지다. 아직 그 분화가 폭과 깊이에서 충분히 진행되지 않았으나, 몇몇 하위 학문들은 이미 상당한 진전을 이루고 분명한 모습을 갖추었다. 교육사회학, 교육철학, 교육역사학, 교육심리학 등이 대표적이다. 이와 함께 교육공학, 교육정책학, 교육행정학, 교육인류학의 학문적 배경과 이론에 의지하는 연구들이 나타나기 시작하고 있다. 그동안 국내 스포츠교육학 연구에서 가장 소홀히 되고 훈련받지 못한 측면이다. 교육과정, 수업, 교사교육 등의 연구영역별 관심집중과 주제선택에 몰두한 나머지, 이 주제영역들이 교육철학, 교육사회학, 교육심리학 등의 학문적 관점에서 연구되어지는 것임을 자각하지 못한 것이다. 다행히, 2.0, 3.0기의 연구들은 대부분 분과학문적 색채가 뚜렷하다. 학문적 입장을 분명히 갖는 것이 연구와 실천 모두의 기본이다(표 8에 소개된 최신 서적들을 참고하는 것이 도움된다).

셋째, 관심주제를 포괄하는 연구영역을 탐문한다. 통상적으로 우리에게 익숙한 연구영역 구분은 학교체육, 생활체육, 전문체육이다. 학교체육 내에는 체육교육과정, 체육수업, 체육교사교육으로 나뉘어진다. 3.0 버전의 스포츠교육학에서는 이 분류보다는, 신체활동 종류에 근거한 것이 보다 정확하며 폭넓은 이해를 더해준다. 나는 신체활동을 "무브먼트, 엑서사이즈, 무예, 스포츠, 레저, 무용, 놀이" movement, exercise, martial arts, sport, leisure, dance, play 의 7가지로 분류한다(Choi, 2015). 이 각각의 신체활동이 하나의 커다란 독립된 연구영역을 이미 확보하고 있다. 스포츠교육학 1.0, 2.0에서는 주로 "스포츠"에 초점을 맞췄다. 3.0에서는 이 7가지 신체활동들이 "생존, 건강, 보호, 경쟁, 재미, 표현, 실현" survival, health, protection, competition, fun, expression, actualization 의 7가지 목적을 위하여 활용되고 실행되는 맥락과 과정에 대해서 다양하게 탐구할 수 있다(이런 논리로 Sport Pedagogy라는 통일국가에 movement pedagogy, exercise pedagogy, martial arts pedagogy, sport pedagogy, leisure pedagogy, dance pedagogy, play pedagogy라는 부족국가적 영역이 가능해진다).

넷째, 주된 연구 대상을 특정한다. 나이에 따른 연령대로 분류하거나, 성차, 직종, 인종 등의 특징으로 분류하여 선택할 수 있다. 1.0과 2.0의 스포츠교육학에서 주인공은 학생과 교사였다. 이제는 전 연령대의 일반인들과 신체활동을 가르치는 다종다양한 지도자들을 모두 포함시킬 수 있다. 전 연령대는 0세부터 100세까지다. 신체활동 배우고 가르치기는 전 연령대에 걸쳐 평생 동안 진행되는 평생교육의 대표적 본보기다. 십대에만 집중적으로 필요하거나 중요한 교육이 아니다. 남녀와 노소를 막론하고 사람이라면 누구나 스포츠교육을 받을 권리와 의무도 있다고 할 수 있다. 학교체육중심의 스포츠교육학에서 벗어나는 첫 번째 시도는 바로, 십대를 넘어 성인에게로 주목을 돌리는 것이다. 또한, 일반인의 대상범위를 늘리는 것과 함께, 스포츠전문인의 대상 범위도 확장시켜야 한다. 단순히 체육교사나 코치만이 아니라, 다양한 신체활동에 종사하는 모든 종류의 스포츠전문인들(과 그의 교육) 전체를 탐구대상으로 확대시켜야만 한다. 이에 더하여, 최근 서양에서는 일반인과 전문인 모두 사회적 소수자인 LGBTQAI+에게도 연구와 실천의 대상으로서 확대되고 있는 중이다(Lynch et al., 2022).

다섯째, 공통주제를 다룬 여러 수준의 연구를 섭렵한다. 스포츠교육학 연구는 대부분 "개념적 이해, 경험적 조사, 정책적 개발, 실천적 적용"의 4가지 목적과 성향을 띄며 이루어진다. 개념적 이해를 돕는 연구인지, 경험적 자료를 분석하는 연구인지, 정책의 검증이나 개발을 위한 연구인지, 현장실천을 검토하는 연구인지를 분명히 파악해야 한다. 어떤 연구주제이든 이런 네 가지 수준에서 연구가 진행되고 있는 경우가 많다. 예를 들어, 최근 가장 주목받고 있는 "신체소양"physical literacy은 세계 여러 나라들에서 개념적 명료화를 위한 연구, 대상별 소양이 얼마나 되는지를 파악하는 연구, 국가수준의 정책 개발과 적용에 관한 연구, 그리고 신체소양 증진을 위한 효과적 방법과 적용결과를 알아보는 연구가 동시에 진행되고 있다. 개념적 연구, 경험적 연구, 정책적 연구, 실천적 연구 모두를 두루두루 훑어보는 것을 통하여, 어떤 한 주제나 영역에 대한 입체적인 이해를 가질 수 있다(이를 위해서는 앞서 소개된 서적들과 함께, 체육학 분야에서 이론, 연구, 정책, 실천을 전문으로 다루는 수십 가지의 "저널들"에 관심을 가지고 관련 저널들의 목차를 정기적으로 파악하는 노력이 필요하다)(Capel & Blair, 2020).

이 다섯 가닥의 끝을 잡고 조금씩 앞으로 전진하다보면 내가 서 있는 곳이 어딘지를 인지하게 될 때가 온다. 당연히, 이 다섯 가닥만으로 복잡한 미궁을 간단히 벗어날 수는 없다. 하지만, 실마리로 활용될 수는 있다. 그 활용을 각자가 얼마만큼 잘 해내느냐는 결국 연구자 개인의 몫, 또는 함께 공부하는 연구자들 공동체의 몫이다. 백지장도 맞들면 낫다. 각자가 찾은 가닥들을 잇고 묶어서 조금씩 길고 굵게 만들어 내면 그것을 붙잡고 나갈 길을 찾아낼 수 있게 될 것이다. 복잡한 미로도 여럿이서 함께 머리를 맞대고 찾으면 내가 어디에 있는지, 나가는 방향은 어디로 가면 되는지 더 정확하게 찾을 수 있다. 다행인 것은, 복잡한 미로기는 하지만 어둡지는 않다. 함께 손을 잡고 가보자. 그러다 보면 도중에 틀림없이 테세우스를 만날 수 있을 테니까. 나를 포함한 우리 스포츠교육연구자 모두의 행운을 빈다.⟨6⟩

⟨6⟩ 이 논문에서 현재 서양의 스포츠교육학 현황을 정확하게 모두 포괄하지 못하였음은 분명하다. 이 글은 그러한 시도들을 자극하여 작은 타일들을 많이 만들어 커다란 하나의 모자이크를 만들어내자는 의도에서 용기를 내어 작성되었다. 이후 후속되는 리뷰들을 간절히 기대한다.

참고문헌

Aggerholm, K. (2015). *Talent development, existential philosophy and sport: On becoming an elite athlete*. London: Routledge.

Armour, K. (2004). Coaching pedagogy. In R. Jones, K. Armour, & P.Potrac (Eds.), *Sport coaching cultures: From practice to theory*(pp. 94-115). London: Routledge.

Armour, K. (Ed.) (2011). *Sport pedagogy: An introduction to teaching and coaching*. London: Prentice-Hall.

Barker-Ruchti, N. (Ed.) (2019). *Athlete learning in elite sport: A cultural framework*. London: Routledge.

Barker-Ruchti, N., & Barker, D. (Eds.) (2016). *Sustainability in high performance sport: Current practices, future directions*. London: Routledge. Capel, S., & Blair, R. (Eds.) (2020). *Debates in physical education*(2nd ed.). London: Routledge.

Capel, S., & Whitehead, M. (Eds.) (2015). *Learning to teach physical education in the secondary school*. London: Routledge. Casey, A., & Kirk, D. (2021). *Models-based practice in physical education*. London: Routledge.

Cassidy, T., Jones, R., & Potrac, P. (2004). *Understanding sports coaching: The social, cultural and pedagogical foundations of coaching practice*. London: Routledge.

Choi, E. (1992). *Beyond Positivist Sport Pedagogy: Developing a Multidimensional, Multiparadigmatic Perspective*. Unpublished Doctoral Dissertation. University of Georgia.

Choi, E. (2003). *Sport pedagogy*. Seoul: Rainbowbooks.

Choi, E. (2015). From sport teaching pedagogy to sport coaching pedagogy: A reconceptualization of Korean Sport Pedagogy Research and its implication. *Korean Journal of Sport Pedagogy*, *22*(2), 59-79.

Choi, E. (2018). Philosophical inquiry in physical education and sport pedagogy: A multidimensional review of its traditions, practices and prospects. *Korean Journal of Sport Science*, *29*(3), 391-415.

Choi, E. (2020). The direction of Korean sport reform and the role of sport education. *Korean Journal of Sport Pedagogy*, *27*(1), 1-21. Corsby, C., & Edwards, C. (Eds.) (2019). *Exploring research in sports coaching and pedagogy: Context and contingency*. Cambridge: Cambridge Scholars Publishing.

Ennis, C. (Ed.) (2017). *Routledge handbook of physical education pedagogies*. London: Routledge.

Felis-Anaya, M., Martos-Garcia, D., & Devis-Devis, J. (2018). Socio-critical research on teaching physical education and physical education teacher education: A systematic review. *European Physical Education Review*, *24*(3), 314-329.

Graber, K. (2001). Research on teaching in physical education. In V. Richardson (Ed.), *Handbook of research on teaching* (pp. 491-519). Washington, DC: American Educational Research Association.

Green, K., & Smith, A. (Eds.) (2016). *Routledge handbook of youth sport*. London: Routledge.

Jones, R. (Ed.) (2006). *The sport coach as educator: Re- conceptualizing sport coaching*. London: Roudledge.

Jones, R., Armour, K, & Potrac, P. (Eds.) (2004). *Sport coaching cultures: From practice to theory*. London: Routledge.

Kirk, D. (2010). *Physical education futures*. London: Routledge.

Kirk, D. (2020). *Precarity, critical pedagogy and physical education*. London: Routledge.

Kirk, D., & Haerens, L. (2014). New research programmes in physical education and sport pedagogy. *Sport, Education and Society, 19*(7), 899-911.

Kirk, D., Macdonald, D., & O'Sullivan, M. (Eds.) (2006). *Handbook of physical education.* London: SAGE Publications Ltd.

Laker, A. (Ed.) (2002). *The sociology of sport and physical education: An introductory reader.* London: Routledge.

Lawson, H. (Ed.) (2018). *Redesigning physical education: An equity agenda in which every child matters.* London: Routledge.

Lebed, F. (2022). *Complexity in games teaching and coaching: A multi-disciplinary perspective.* London: Routledge.

Light, R. (Ed.) (2017). *Positive pedagogy for sport coaching: Athlete- centered coaching for individual sports.* London: Routledge.

Lyle, J., & Cushion, C. (Eds.) (2010). *Sport coaching; Professionalization and practice.* London: Churchill Livingstone.

Lynch, S., Walton-Fisette, J., & Luguetti, C. (2022). *Pedagogies of social justice in physical education and youth sport.* London: Routledge.

MacPhail, A., & Lawson, H. (Eds.) (2020). *School physical education and teacher education: Collaborative redesign for the twenty-first century.* London: Routledge.

Martin, J., Onofre, M., Mota, J., Murphy, C., Repond, R., Vost, H.,... & Dudley, D. (2021). International approaches to the definition, philosophical tenets, and core elements of physical literacy: A scoping review. *Prospects, 50*, 13-30.

Metzler, M. (1989). A review of research on time in sport pedagogy. *Journal of Teaching in Physical Education, 8*(2), 87-103.

O'Sullivan, M., & MacPhail, A. (Eds.) (2010). *Young people's voices in physical education and youth sport.* London: Routledge.

Petry, K., & de Jong, J. (Eds.) (2022). *Education in sport and physical activity: Future directions and global perspectives.* London: Routledge.

Potrac, P., Gilbert, M., & Denison, J. (Eds.) (2013). *Routledge handbook of sports coaching.* London: Routledge.

Ronkainen, N., & Nesti, M. (Eds.) (2019). *Meaning and spirituality in sport and exercise: Psychological perspectives.* London: Routledge.

Siedentop, D., & Tannehill, D. (2000). *Developing teaching skills in physical education* (4th ed.). Mountain View, CA: Mayfield Publishing Company.

Sparkes, A. (Ed.) (1992). *Research in physical education and sport: Exploring alternative visions.* London: Falmer.

Standal, O. (2015). *Phenomenology and pedagogy in physical education.* London: Routledge.

Standal, O., & Moe, V. (2013). Reflective practice in physical education and physical education teacher education: A review of the literature since 1995. *Quest, 65*(2), 220-240.

Steinhardt, M. (1992). Physical education. In P. Jackson (Ed.), *Handbook of research on curriculum* (pp. 964-1001). New York: Macmillan.

Stolz, S. (2014). *The philosophy of physical education: A new perspective.* London: Routledge.

Tinning, R. (2010). *Pedagogy and human movement: Theory, practice and research.* London: Routledge.

2000년 이전: 스포츠교육학 1.0, 2.0

Part 02

Chapter **02**

태동

● ● ● ● ● ● ● ● ● ● ●

    스포츠교육학은 학교체육에 관한 교육적 탐구를 그 주된 연구활동으로 하는 체육학의 하위 학문영역 가운데 하나이다. 스포츠교육학은 체육이 갖는 교육적 가치를 탐구해오던 체육교육과정과 수업 영역을 보다 과학적인 교육학 개념과 방법들을 동원하여 성장하게 된 분야이다. 본 장에서는 체육교육과정과 수업이 스포츠교육학이라는 학문적 탐구영역으로 발전하게 된 과정을 스포츠교육학 운동이라고 부른다. 이 운동을 통해서 스포츠교육학과 스포츠교육학자들은 학계에서 공인된 하위 학문공동체의 일원으로 인정받게 되었다. 본 장의 의도는 이 체육교육의 학문화 과정에서 스포츠교육학의 학문적 성격이 실증주의적인 것으로 편협하게 고정화되어 버렸음을 밝히는 것이다. 그리고 실증주의적 성격의 스포츠교육학이 갖는 학문적 한계를 드러내고 새로운 대안점을 모색하는 것이다. 제1절에서는 문제를 제기하며, 제2절에서는 스포츠학문화 운동을 설명한다. 제3절에서는 스포츠교육학의 발달과정을 기술하고 그 문제점을 밝혀낸다. 제4절에서는 실증주의적 스포츠교육학을 성립시킴으로써 그것이 체육교육의 실천에 어떠한 영향을 미쳤는가를 드러내고, 제5절에서는 대안적인 스포츠교육학의 모습을 간단히 제시하고 그 방향으로의 학문적 탐구와 노력을 촉구한다.

Ⅰ 문제의 제기

어떻게 정의하든지 간에, 또 어떤 부분은 포함시키고 다른 부분은 제외시키든 간에, 지난 몇 년간 '스포츠교육학'이라고 불리우는 학문영역의 발달이 진행되어 왔다는 것에는 의심의 여지가 없다. 우리는 이 스포츠교육학의 성립을 널리 선포 했으며(Siedentop, 1982), 과거의 모습을 청산하고(Locke, 1977, 1987), 이 새로운 연구영역을 발전시키고 확장시키려는 분명한 노력을 경주하고 있다. (Metzler, 1989)

메츨러의 관찰에서 보여지듯이, 하나의 독특한 학문적 운동이 현재 체육분야 내에 활발히 진행되고 있다. 이 학문적 운동은 전통적으로 '체육 교육과정과 수업'이라고 불리우던 전문영역이 '스포츠교육학'(한국에서는 한 때 '체육교육학')이라는 학문영역으로 탈바꿈되도록 돕고 있다. 체육교육과 학교체육의 체계적 연구가 체육학의 필수적 하위 학문영역 중의 하나가 되어야 한다는 주장을 해 온 사람들에게는, 이 '스포츠교육학 운동'은 그 주장을 실현시킬 수 있는 절호의 기회가 되고 있다.

하지만, 스포츠교육학이 체육학 내에서 그 학문적 지위를 견고히 다지는 과정에 있어서, 그것의 학문적 성격에 대한 체육교육학자들의 잘못된 인식이 성장·팽배하게 되었다. 하나의 학문분야로서 스포츠교육학은 현재 실증주의적 학문으로서 인정되고 있다. 스포츠교육학이 경험과학적 세계관을 주된 특징으로 하는 실증주의적 학문으로 성장하게된 경위를 이해하기 위해서는 지난 30여 년간 지속되어온 '체육 학문화 운동'의 영향을 반드시 이해해야 한다. 스포츠교육학 운동은 체육 학문화 운동의 한 부분으로 진행되어 왔다. 따라서 체육 학문화 운동이라는 보다 커다란 맥락 내에 스포츠교육학 운동을 자리잡아 분석하지 않으면, 학교체육의 체계적 연구가 왜 현재의 성격을 가지게 되었는가를 올바로 이해하기 어렵다.

본 장의 기본취지는, 첫째, 체육 학문화 운동은 무엇이며, 둘째, 실증주의적 스포츠교육학은 어떠한 특징과 문제점을 가지고 있는가를 밝히는 데 있다. 그리고, 마지막으로, 스포츠교육학의 성격이 실증주의적으로 규정됨으로써 수업, 교사교육, 그리고 연구형태에 어떤 실제적 영향을 미쳤는가를 알아보는 것이다. 체육 학문화 운동의 발단과 그 성격에 관한 서술이 논의를 전개하는 좋은 시작이 될 것이다.

II 체육 학문화 운동

1960년 중반 미국을 중심으로 시작된 체육 학문화 운동은 대학과 대학원 체육전공 프로그램의 성격을 바꾸는 촉매로 역할하였다는 점에서 대학체육에 있어서 하나의 획기적 전환점이 되었다. 소련의 인공위성 스프트니크호의 발사에 위협을 느낀 미국의 정치가와 교육자들은 학문중심 교육과정을 새로이 채택하여, 특히 수학과 과학과목에 중점적으로 교육적 투자를 증가시켰다. 스프트니크 인공위성 발사 이후의 미국의 교육개혁운동은 보다 많은 과학자를 길러내고, 모든 교육기관의 수준을 향상시키는 것을 목적으로 하였다. 교육적 본질주의가 학교와 대학에 만연하게 되었다. 이런 일반적 분위기 속에서 1961년 켈리포니아 주정부는 주내에 소재하는 모든 대학교에 소속되어 있는 모든 학과들로 하여금 학문적 근거를 마련하도록 요구하는 피셔법안을 통과시켰다. 이 당시에는 체육은 학문분야라기보다는 직업훈련을 주로 담당하는 전문분야로 인정되고 있었기 때문에, 이 법안의 통과는 캘리포니아 주내에 소재한 체육과 교수들의 긴장된 이목을 끌기에 충분하였다.

체육 분야에 대한 가장 치명적인 공격은 하버드대학의 총장을 역임하였던 제임스 코넌트로부터 날라왔다. 코넌트는 그의 저서 『미국의 교사교육』에서 체육은, 음악이나 미술과 같이, 신체기능을 유일한 교육내용으로 하는 '기능중심학과'라고 규정하였다. 그는 모든 기능중심학과는 대학교육과정에서 제거되어야 한다고 주장하였다.

저는 체육분야의 대학원 과정에서 행해지고 있는 연구내용을 읽고 또 들어 본 것 중에 깊은 인상을 받은 것이 하나도 없습니다. 만약 교사교육을 가장 형편없는 용어로 묘사한다면, 저는 주저없이 이 체육분야에서 제공하고 있는 대학원 강좌의 수업내용 중에서 인용하고 싶습니다. 저의 견해로는, 어떤 대학에서든지 이 분야의 대학원 프로그램을 폐지해야 합니다. (Conant, 1963, p.201).

체육분야는 이와같은 신랄한 비판을 극복해야만 했으며, 만약 실패할 경우 고등교육 분야에서의 불투명한 장래를 감수해야만 했다. 프랭클린 헨리는 1964년 미국 대학체육교육협회 모임에서 이러한 비판에 대응적 변론을 준비한 한 사람이었다. 그의 응전 내용은 이 모임의 참석자들로부터 강력한 호응을 받았으며, 체육분야를 하나의 학문분야로 시급히 성립시키려는 체육계의 적극적 노력을 불러 일으켰다. 헨리는 체육학이라고 불리우는 학문적 지식체계가 존재한다고 주장하고, 만약 아직 체육학이 존재하지 않는다면, 어서 만들 필요가 있다고 하였다.

이후로부터, 체육을 하나의 학문영역으로 발전시키려는 많은 노력이 있어왔는데, 특히 1960년대 중반과 1970년대 초반에 체육학의 성격이 무엇인가에 대하여 많은 체육학자들이 관심을 기울였다. Fraleigh(1966)는 체육학 분야에 어떤 통합된 개념체계가 존재하지 않음을 주목하고, 체육학을 건설하는 기반으로서 '인간 움직임'의 개념을 채택할 것을 주장하였다. Rarick(1967)은, 체육학은 다른 학문분야에서 다루지 않는 지식의 체계를 가지고 있다고 말하였다. 또 Ulrich 과 Nixon(1972)은 체육을 '인간 움직임학'이라고 규정하였다. 최근들어 Newell(1990a; 1990b; 1990c)과 몇몇 학자들은 이 이슈에 새로운 관심과 관점을 제공하고 있다.

헨리의 주장이 나타난지 25년이 지나는 동안, 체육의 성격은 '신체를 통한 교육' 또는 '신체의 교육'으로서 간주되는 '교육의 이미지'에서 이론적 연구를 주된 목적으로하는 '학문의 이미지'로 탈바꿈을 하였다. 이 학문 이미지에 담겨져있는 기본적 가정은 체육은 다양한 학문적 관점들로부터 탐구되어질 수 있는 학문분야라는 것이다. '학문으로서의 체육'을 강조하게 됨에 따라 대학과 대학원 체육 프로그램들이 강한 영향을 받게 되었다. 운동역학, 운동생리학, 스포츠사회학, 운동학습 등과 같은 하위 학문영역이 점차 개발됨에 따라, 기존 및 신설 대학과 대학원 체육학과들은 이 분야의 지식을 교육과정에 반영하기 시작하였다. 체육 학문화 운동이 체육 제분야(예를 들어, 대학교육 프로그램, 학교체육 프로그램 등등)에 미친 다양한 영향은 아직 활발히 연구되지 않고 있다. 하지만, 체육 학문화 운동이 체육실천에 미친 영향은 앞으로 반드시 탐색되어야 할 중요한 연구 영역이다.

체육 학문화 운동이 대학 체육학과 프로그램의 개혁에 미친 영향은 이 새로운 학문의 성격에 관련되는 중요한 질문들을 제기하고 대답하고자 노력했던 체육학자들에 의하여 더욱 가속되었다. 연구대상(무엇을 연구할 것인가?)과 연구방법(어떻게 연구할 것인가?)에 관한 질문이 두 가지 가장 중요한 탐색의 대상이 되었다. 일반적으로 학문분야는 독특한 연구대상과 체계적 연구방법을 가짐으로써 성립되는 것으로 간주되고 있기 때문에, 이 두 가지 질문에 대한 해답을 구하는 것이 체육학을 성립시키고 그 성격을 파악하는데 가장 핵심적 과제가 되었다.

체육학의 가장 독특한 연구대상이 무엇인가에 관해서는 '인간 움직임'이라는 주장과 '스포츠'라는 주장, 두 가지가 가장 설득력있게 제시되었다. 일단의 학자들은 '인간 움직임'을 체육학의 핵심적 연구대상으로 지지하였다(Abernathy & Waltz, 1964; Brooke & Whiting, 1973; Brown & Cassidy, 1963; Metheny, 1978). 다른 학자들은 인간 움직임의 관점은 지나치게 포괄적이라고 반대하면서 '스포츠와 엑서사이즈'가 가장 적절한 연구 초점이라고 주장하였다(Chu, 1982; Kenyon, 1968; Shea, 1973). 이 연구대상이 무엇이냐에 관한 논쟁은 통상적으로 '이름전쟁'이라고 할 만한 또 다른 논쟁을 동반한다. '교육의 이미지'가 완전히 사라지지 않는 '체육'이라는 명칭을 계속 사용하는 대신에, 체육 학문화주의자들은 '학문의 이미지'를 반영하는 새로운 명칭을 개발하여 사용하기 시작하였다. 다양한 이름들이 다양한 이유를 내세우며 제시되었는데, 그중 Kinesiology, Human Movement Studies, Sport Studies, 그리고 Sport and Exercise Sciences가 가장 널리 이용되고 있는 명칭들이다.

가장 적합한 연구방법으로 체육학자들은 그 당시 지배적 패러다임으로 군림하던 '실증주의적 방법론'을 채택하여 인간의 체육현상을 이해하고, 설명하며, 예측하기 위해 자연과학적 연구방법들을 이용하였다. 이 점은 브룩스의 언급에 명백히 표현되어 있다.

체육학에서 이용하는 '실험방법'을 다른 학문들에서 빌려오는 한, 체육전공학생은 이 학문들에 대하여 든든한 기초지식을 가지고 있어야 한다. 이것만이 학생들이 앞으로 효과적인 연구를 실천할 수 있기 위해 필요한 개념적, 기능적 기술을 얻을 수 있는 '유일한' 방법으로 생각된다(Brooks, 1981, p. 6,).

대다수의 체육 학문화주의자들이 자연과학분야 전공자들이었고 실증주의적 세계관을 소유하고 있었다는 점을 고려하면, 과학적 또는 실험적 연구방법에 이렇듯 집착하는 이유를 이해할 수 있다.

요약하여 말하면, 체육 학문화 운동에 의해 체육계는 일종의 자아발견적 여행을 시작하였고, 우리는 아직도 그 여행의 도상에 있다. 체육 분야에 대한 우리 자신의 인식은 그동안 교육의 조그만 한 영역으로부터 독자적인 하나의 학문분야로 확장되었다. 이 결과, 대학 및 대학원 체육학과에서는 교육내용으로서 운동생리학, 생체역학, 스포츠사회학 등과 같은 하위 학문분야를 강조하게 되었다. 이러한 체육학의 하위 학문분야들이 점차 전통적 수업방법을 다루는 과목을 대신해 프로그램에 포함되었다. 교육 프로그램의 변화와 함께, 체육 학문화 운동은 체육학자들로 하여금 체육학의 연구 초점과 탐구방법이 무엇인가에 관한 이론적 논쟁을 진행시키도록 만들었다.

이 두 질문은 스포츠교육학이 체육학의 한 하위영역으로 성립하는 계기를 마련해주는 스포츠교육학 운동을 이해함에 있어 중요한 역할을 한다. 스포츠교육학이 어떠한 과정을 거쳐 실증주의적 성격을 띄게 되었는가를 알아보는 것이 다음 절의 주된 관심사이다.

스포츠교육학의 성립과 그 문제점

01. 스포츠교육학의 발전

위에서 기술한 체육 학문화 운동은, 비록 대다수 체육전문인들의 긍정적 지지를 받았지만, 체육분야 자체 내 특정 소수그룹으로부터의 비판적 대응에 당면하였다. 체육 학문화 운동의 비판자들은 이 새로운 학문화주의자들이 '학문'의 개발에 지나치게 사로잡힌 나머지, 현장에서 활동하는 전문인과 대학 교수들로 하여금 학교체육의 실천과 교사양성에 소홀하게 만들고 따라서 체육교육의 질을 저하시킬 것을 두려워하였다. 하지만, 이 비판자들 자신 조차도 당시 체육분야를 몰아치던 학문화 운동의 거센 물결을 이겨낼 수가 없었다. 그래서, 한편으로는 학문화 운동을 비판하면서, 이들은 수업, 교육과정, 그리고 교사교육을 중심대상으로 하는 '체육교육의 학문적 연구분야'를 만들기 시작하였다. 이들은 이 분야에 '스포츠교육학' **Sport Pedagogy** 이라는 이름을 주었다. Kirk (1990)에 따르면, 스포츠교육학은 교사양성과 수업방법을 주로 다룬 전통적 영역을 체육 학문화 추세에 발맞추어 체육학의 하위 학문영역으로 인정받을 수 있도록 새로이 개념화한 것이다. Bain(1990b)도 '스포츠교육학을 새로운 학문영역으로 주장한 것은 최근의 연구동향을 이전의 (체육)교육적 연구와 구별하고 체육학 학문사회에서 체육교육학자들의 지위를 향상시키려는 수사학적 수단'이었다고 말하고 있다.

비록 대학과 대학원에서 체육교육과 학교체육을 연구한 역사는 20세기 초반 무렵까지 거슬러 올라가지만, 체육학의 합법적 하위 학문영역으로서의 스포츠교육학은 1970년 후반에나 와서야 그 모습이 뚜렷해지기 시작하였다. Locke(1977)의 'Research on Teaching Physical Education: New Hope for a Dismal Science', Jewett & Mullan (1977)의 『Curriculum Design: Purposes and Processes in Physical Education Teaching-Learning』, 그리고 Haag(1978)의 『Sport Pedagogy: Content and Methodology』와 같은 저작물들이 이 새로운 연구영역의 출현을 예시하였다. 이 이후로부터, 교육적 상황에서 체육현상을 이해하려는 학자들은 스포츠교육학을 체육학의 한 분야로 성장시키려는 어려운 작업을 계속해왔다. 체육수업을 운동기술의 습득을 촉진시키는 방법으로 간주하는 관점으로부터, 체육수업시간에 어떤 일들이 벌어지는가를 관찰하는 '수업활동 기술분석 연구', 수업효율성을 평가하는 '과정-결과 연구', '실제학습시간 연구', 그리고, 최근들어, '교사사회화 연구'와 '교육과정 연구와 이론'에 이르기까지 다양한 연구주제와 연구방법을 이용하여 많은 연구업적을 이루었다. 만약 어떤 학문영역의 존재가 그것이 생산해낸 지식의 총체의 양으로 부분적으로 결정된다면, 우리는 짧은 연구역사에도 불구하고 학문의 정거장에 스포츠교육학의 도착을 알릴 수 있다(Bain, 1990a; Lawson, 1990a). 우리는 이제 상당한 양의 문헌, 세련된 연구설계법, 체계적인 연구영역, 여러종의 전문저널, 그리고 계속해서 교육학적 연구를 진행하고 있는 우수한 젊은 연구인들을 가지고 있다.

유럽 여러 나라 그리고 최근들어 오스트레일리아에서 활발히 진행되고 있는 학문적 연구활동 또한 이 분야가 체육학의 한 영역으로 성립하게 되는데 많은 도움이 되었다. 하그와 피에론과 같은 제일 세대 학자들은 체육교육의 국제적 학문공동체가 발전하는 것에 중요한 역할을 하였다. 특히, 국제 체육교육학 협회 **AIESEP**와 올림픽 체육학 위원위의 주선하에 학교체육과 교사교육에 관한 주제로 많은 노장ㆍ소장 학자들이 국제학회와 워크샵에서 교류를 갖는다. 이러한 회의의 발표논문 모음집들은 체육교육학 지식이 누적되는데 공헌을 하고 있으며, 이 누적된 지식들이 다음 세대의 체육교육학자들을 이 분야로 입문시키는 데 있어 유용한 기본지식체로 이용되고 있다. 미국과 전세계 체육교육학자들의 노력인 '스포츠교육학 운동'으로 인하여 그 대가가 나타났고, 실제로 이 운동의 선두주자 가운데 한 사람은 이미 20년 전에 스포츠교육학이 체육학의 '합법적 자식'으로 인정되었다고 주장하였다(Siedentop, 1983).

02. 실증주의적 스포츠교육학

최근들어, Lawson(1990a)은 스포츠교육학이 보다 젊고 능력있는 학자들을 영입하고 연구업적이 점차 증가함에 따라 학문적 '아동기'의 단계를 지나 '청소년기'에 접어들었다고 말했다. 로슨은 또한, '청소년기의 중요한 특징 중의 하나는 아동기의 어린아이

같던 사고방식과 행동을 버리고 자신의 경험을 반성적으로 생각하고 그로부터 배우는 것'이라는 사실을 언급하면서, 스포츠교육학이 이와같은 청소년기로 성장할 필요가 있다고 주장하였다.

청소년기를 거쳐 지나온 사람들로서 우리 체육교육학 연구자들은 한 개인의 정체성을 형성하는 데 있어 청소년기가 차지하는 중요성을 모두 알고 있다. 청소년기는 한 인간으로써 자신의 모습을 뚜렷하게 갖추도록 노력하는 시기이다. 우리는 자아를 파악하기 위해서 '나는 무엇인가?' '나는 누구인가?' 등등의 존재론적 질문을 묻는다. 자아를 이해하려고 애쓰는 것은 '성년기'를 맞이하는데 가장 중요한 필요조건이기 때문이다. 이것은 스포츠교육학의 경우도 마찬가지이다.

그렇다면, 스포츠교육학의 학문적 정체성을 이해하려고 할 때, 우리가 반드시 물어야만 하는 중요한 질문은 무엇일까? 앞절에서도 보았듯이, '연구의 대상은 무엇인가?'와 '연구방법은 무엇인가?'라는 두 가지 질문이 체육학의 학문적 성격을 결정하는데 중요한 안내 역할을 하였다.

스포츠교육학자들도 이 질문에 대한 해답을 구하려고 노력했는가? 그렇지 못했다는 것이 필자의 주장이다. 적어도 명시적인 노력은 없었다. 스포츠교육학자들은 그들의 새로운 연구영역이 학문적 지위를 인정받는 것에만 신경을 쓴 나머지, 연구대상과 연구방법의 성격을 규정하는 것에는 소홀히 해왔다. 분야를 합법적 하위 연구영역으로 성립시키려는 과정에서, 스포츠교육학자들은 실증주의의 기본적 원칙들을 채택하여 내면화하기 시작하였다. 현재 스포츠교육학 분야에는 '실증주의적 풍토'가 만연되어 있어서, 실증주의는 문제를 설정하고(무엇을 연구하고), 문제를 해결하는(어떻게 연구하는) 것을 결정하는 가장 올바르고 유일한 방법이 되어버렸다.

현재 널리 인정받고 있는 체육수업 연구에 대한 로크(Locke, 1977)의 정의는 이 분야를 실증주의적으로 개념화한다는 것이 어떤 것인지 잘 보여주고 있다. 비록 로크(Locke, 1989) 자신의 견해는 이후 수정되었지만, 이 정의는 실증주의적 스포츠교육 연구의 수행을 위한 기본 원칙의 역할을 하였다. 로크에 의하면,

체육수업 연구는 오로지 '수업활동'의 직접적 또는 간접적 '관찰'을 통하여 얻은 자료를 이용한 연구만을 포함한다(1977, p.10).

이 정의는 첫째, '수업' 측면만을 강조함으로써 체육교사가 하는 일을 이해하기 위해 필요한 그 밖의 다른 측면들을 제외시키고, 둘째, '체계적 관찰방법'만을 합법적인 방법으로 인정함으로써 다른 자료수집방법의 가능성을 제거시켜 버린다. 이 정의에 의하면, 체육수업을 연구하는 유일한 방법은 '체계적 관찰방법' - 실증주의의 가장 중요한 한가지 연구도구 -을 사용하는 것이다. 로크는 적절한 연구방법이 어떤 것인지 보다 구체적으로 언급한다:

체계적 관찰은 직접 맨눈으로 이루어질 수도 있으며, 또는 비디오 촬영을 하거나 녹음기를 이용하는 것과 같이 간접적으로 이루어질 수도 있다. 관찰은 신뢰성과 타당성이 높은 '수량적' 자료를 추출해낼 수 있도록 '체계적'으로 이루어져야 한다(1977, p.10).

따라서, 문화기술방법, 심층 인터뷰, 사례연구 등과 같은 '질적 연구방법'들은 학교체육을 연구하는 적절한 방법으로 인정되지 못한다. 현재의 실증주의적 연구풍토 내에서는 질적 연구방법은 신뢰도와 타당도 등의 과학적 기준이 미달하는 것으로 간주되고 있다.

03. 문제점

내가 지금 말하고자 하는 바는, 비록 이 체육 학문화 운동이 체육교육과정과 수업분야를 체육학의 정식 하위 학문영역으로 받아들여지도록 하는데 공헌을 하였으나, 스포츠교육학의 학문적 성격을 형성하는 과정에서 연구대상과 연구방법에 관하여 두 가지 중요한 문제점을 야기시켰다는 것이다.

첫째, 스포츠교육학 연구의 성격을 실증주의적으로 이해함으로써, 체육교육학자들은 체육교육학을 '가설검증'과 '실험'이 지식을 얻는 가장 올바른 방법이라고 여겨지는 경험과학적 학문이라고 규정하게 되었다. 현재의 스포츠교육학 분야는 실증주의적 패러다임의 인식론과 방법론이 지배적으로 만연되어 있다. 스포츠교육학을 이와같이 경험(자연)과학화 시킴으로써, 그밖의 다른 합법적이고 유용한 연구 패러다임들(예를들어, '해석적' 패러다임이나 '비판적' 패러다임)이 무시되어져 왔으며 일반적으로 비과학적이고 주관적이라는 명목하에 중요성을 인정받지 못해왔다. 이 실증주의적 사고방식은 현재 체육교육학뿐 만 아니라, 앞 절에서도 보았듯이, 체육학 전반에 널리 퍼져있다. Dewar(1990)는 이 형태의 스포츠교육학에서는, '실증주의적 방식으로 체육수업을 연구하는 것에 대한 비판은 이단이며 신중한 고려의 대상이 되지 못하는 것으로 간주된다'고 말한다. 스포츠교육학의 연구방법론적 성격(연구대상을 어떻게 탐구할 것인가?)은 '단일 패러다임적'으로 간주되고 있다.

둘째, 이 실증주의적 스포츠교육학에서는 '교육과정'의 개념이 차지하는 역할이 매우 제한적으로 축소되었다. 지난 20년간 학교수업에 관한 연구가 일반 교육학 분야에서 점차 발전되기 시작함에 따라, 체육 교육과정과 수업을 전문적으로 연구하던 교수들은 체육수업을 과학적으로 연구하고 이해하는 방향으로 학문적 관심을 바꾸게 되었다. 이 과정에서 많은 교육과정 연구자들이 변하는 학문세계에서 살아남기 위해 관심의 초점을 수업연구로 돌리게 되었다. 이후로는, 체육수업연구가 계속해서 발달하는 것에 반해, 교육과정 연구자의 수와 체육교육과정 연구업적은 급격히 감소하게 되었다. 그 결과, 비록 몇몇 소수의 스포츠교육학자들은 스포츠교육학이 교육과정 연구와 수업 연구 두 분야를 모두 포함한다고 주장하고 있으나, 대부분의 학자들은 '수업연구' 분야만을 스포츠교육학으로 인정하고 있다(Metzler, 1992; Pieron & Cheffers, 1988).

'교육과정'의 개념이 이렇듯 스포츠교육학에서 소외되어온 가장 중요한 이유 중의 하나는 그 개념을 기능적이고 제한적으로 이해해 온 것에 있다. 대부분의 스포츠교육학자들에게 있어서 교육과정은 학교의 공식적 수업내용이나 수업계획을 의미한다. 이들은 '문서적 수준'에서 무슨 내용을 가르치고 이 내용을 어떻게 가르치는 가에 대하여 주의를 기울인다. 사실, 주요 스포츠교육학자들은 교육과정 연구자들이 교육과정 이론과 모형개발에만 관심을 쏟고 교사와 학생들이 '실제로' 학교에서 무엇을 하는지에 무관심했다는 것을 비판해왔다(Anderson, 1980; Siedentop, 1981).

교육과정을 '수업을 위한 계획'과 '프로그램 개발'로 간주하는 전통적 개념은, 수업의 관찰가능한 측면만을 중요시하는 경향과 함께, 스포츠교육학 연구의 영역을 좁혀 놓았다. 현재 지배적인 스포츠교육학자들은 학교체육의 중요한 영역들을 제외시켜 놓은 채, 그동안 연구대상으로 수업의 관찰가능하고 측정가능한 측면들만을 연구하였다.

근본적으로 사회적 · 의도적 · 대인적 활동인 체육교육을 일련의 단순한 '자극과 반응' 관계로 이루어지는 심리적 현상으로 이해되게 되었다....[그리고 체육교육학] 연구는 양적으로 표현될 수 있는 요인과 빈도수를 찾아내는 것에 한정되었고, 역사적 측면이나 참가자들의 의도성은 중요한 고려의 대상으로 전혀 간주되지 않게 되었다. (Evans & Davies, 1986, p. 14)

이것의 결과는, 측정가능하고, 관찰가능하고, 양적표현이 가능한 스포츠교육의 측면에 이러한 강조를 둔 결과로 스포츠교육학자들은 체육을 가르치는 과정이나 체육수업이 가져다주는 '잠재적 영향'에 관해서는 거의 아무것도 모르고 있다. 간단히 말하면, 스포츠교육학의 연구대상의 성격은 단일 차원적으로 개념화된 것이다.

이 두 가지 중요한 문제는 현재 지도적 위치에 있는 스포츠교육학자들에게 문제로서 제대로 인식되지 못하고 있다. 이들은 연구할 가치가 있는 것이 어떤 것이며 그것을 연구하는 합법적 방법이 무엇인지를 결정하는 위치에 놓여있는데, 이 같은 문제를 무시함으로써 스포츠교육분야의 자화상을 실증주의적 방식으로 그려놓게 된 것이다. 현재의 스포츠교육학 운동으로 인하여, 스포츠교육연구는 경험과학적 연구방법과 관찰가능하고 측정가능한 측면만을 연구대상으로 하는 '체육 교육과정과 수업의 과학적 연구'로 그 모습을 완전히 갖추게 되었다. 합법적 탐구방법으로서 대안적 연구 패러다임들이 갖는 중요성은 거의 무시되었다. 또한, 연구대상을 체계적으로 관찰가능한 수업행동에만 제한시켜온 '단일 영역적' 개념화는 근본적으로 한계가 있어 그밖의 다른 연구영역이 소홀히 되어 왔다.

그러나, 어떤 단일 패러다임적, 단일 영역적 접근방법도 학교체육에서 벌어지는 복잡한 삶의 모든 측면을 담을 수가 없다(Bredo & Feinberg, 1983; K. Graham,

1989; Schempp, 1984,1987; Soltis, 1984). 이것은 대안적 연구 패러다임과 연구 영역을 병렬적으로 함께 위치시켜 놓는 작업이 필요하다. 스포츠교육학의 연구대상으로서의 수업과 교육과정은 상당히 복잡한 개념이며 동시에 활동이고, 벌어지는 상황의 사회적, 문화적, 역사적 환경에 의해서 영향을 받는다. 따라서, 만약 우리가 학교체육의 성격을 이해하려면, 우리는 체육수업의 관찰가능한 측면뿐만 아니라 교사와 학생들의 의도, 이해, 행동, 그리고 이들이 함께 생활하는 사회적·역사적 상황의 눈에 뜨이지 않는 특색들에도 민감한 연구가 필요하다.

이 두 가지 문제점은 반드시 해결되어야만 한다. 스포츠교육학이 가진 실증주의적 성격은 '스포츠교육 실천'이 어떠한 양상을 띠게 되는가에 중대한 영향을 미치기 때문이다. 실증주의적 스포츠교육학은 McKay, Gore, & Kirk(1990)가 말한 '기능주의적 체육교육'이라고 불릴 만한 체육 실천체계를 만들어 내는 데에 이론적 바탕을 제공해주었다. 다음 절에서는 연구형태, 체육수업, 그리고 체육교사교육의 3분야에 어떠한 형태의 실천이 만연하게 되었는지를 알아보도록 한다.

 # Ⅳ '스포츠교육'의 실제

바로 앞에서도 잠깐 언급했듯이, 스포츠교육학의 학문적 성격을 규정짓고 그 성격을 올바로 아는 것은 상당히 중요하다. 스포츠교육학의 성격을 어떻게 정의내리며, 어떤 개념들을 사용하느냐 하는 것(이론)은 연구자, 교사, 그리고 교사교육자로서 우리들이 '하는 일'(실천)과 밀접한 관련을 가지고 있기 때문이다. 실증주의적 스포츠교육학은 이에 상응하는 스포츠교육의 실천체계를 창조해내었는데, McKay, Gore, and Kirk (1990)는 이러한 실천체계를 '기능주의적 스포츠교육'이라고 부르고 있다. 가설검증적 연구형태의 채택, 과학적 수업방법에의 집착, 그리고 기능적 사고방식을 육성시키는 형태의 기술중심 교사교육의 개발 등이 기능주의적 스포츠교육의 특징이다(Graham, 1991; Lawson, 1990b; McKay, Gore, & Kirk, 1990).

실증주의적 스포츠교육학에서 가장 지배적으로 이용되고 있는 연구형태는 '경험과학적 연구'로써 체육수업의 객관적 측정을 통한 가설검증을 강조한다. 이러한 측정은 연구가설을 설정하고, 체계적 관찰도구를 만들어 운동장에서의 학생과 교사의 행동을 관찰하여 자료를 수집한 다음, 복잡한 통계학적 테크닉을 이용해 자료를 분석하고, 얻어진 결과를 바탕으로 설정된 가설을 검증함으로써 이루어진다. 많은 학자들이 이러한 경험분석적 연구형태는 '연구하는 사람'(주로 대학교수)과 '연구당하는 사람'(주로 교사와 학생)간에 구분을 가정한다고 주장하고 있다(Carr & Kemmis, 1986; Cochran-Smith & Lytle, 1990; Kirk, 1989). 이론과 실제, 아는 것과 하는 것, 연구와 실천 간에 연결이 어려운 확실한 구분이 존재한다는 것이 가정되어있다. 이러한 구분은 체육교사와 스포츠교육 연구자 간에 '노동의 분화와 위계'를 조장한다. 연구하는 일은 대부분 대학에서 일하는 스포츠교육 연구자의 전유물로 여겨지고 체육교사는 이론적으로 결핍되어 있는 사람으로 간주된다.

실증주의적 스포츠교육학자들이 주장하는 학교체육수업의 형태는 '효과적 수업'(Metzler, 1990; Randall, 1992; Rink, 1985; Siedentop, 1991a)이다. 수업활동은 과학적 방법을 이용하여 이해할 때에만 가장 올바른 결과를 얻을 수 있다는 '응용과학적 수업관'(Tom, 1984)을 기초로 한 효과적 수업의 개념은 수업의 양적으로 평가가 능한 '효율성' 측면에만 강조를 둔다. 효과적 수업에서는 객관적 방법으로 측정하기 어려운 규범적 측면은 거의 고려 대상이 되지 못한다. 수업의 효율성은 행동주의적 용어로 쓰여진 수업목표를 달성하는 것을 기준으로 하여 수량적으로 평가된다. 경험분석적 연구를 통하여 얻어진 연구결과가 효과적 수업을 진행하기 위한 '기본지식'으로 이용되어진다. 이 연구결과는 대부분의 경우 수업의 '법칙'으로서 교사들에게 전달된다. 체육교사의 역할은 학생의 시험성적 향상을 위해서 스포츠교육 연구자들이 처방한 이 수업의 법칙들을 그대로 적용만 하는 것이다.

실증주의적 스포츠교육학이 장려하는 형태의 교사교육은 '기능중심 교사교육'이다. 기능중심 교사교육은 교사교육모형중 '기능주의적 모형'에 소속하고 있으며, 수업과 그에 관련된 임무를 효과적이고 효율적으로 수행해나갈 수 있는 교사를 기르는 것에 중심을 삼고있다. 학교 학생의 학습성취를 증진시킬 수 있는 수업기술을 개발하는 것이 기능중심 교사교육의 기본 목적이다. 각각의 수업기술은 그것이 학습성취에 얼마나 효과를 미치는 가에 따라 선정되고 정의된다. 각 수업기술의 효과성은 수업의 경험과학적 연구를 통하여 그 타당성을 인정받는다. 기능중심 교사교육을 받는 대학 학생들은 '수업효율성 연구'를 통해 얻어진 수업원칙과 수업방법들을 배운다(Rink, 1985; Siedentop, 1991).

이상 간단히 기술한 '기능주의적 스포츠교육'은 경험과학적 연구, 효과적 체육수업, 그리고 '기능중심 교사교육' 현재 기존의 비과학적, 비체계적인 전통적 교육활동을 비판하며 스포츠교육의 각 영역내에서 새로운 형태의 실천체계를 빠른 속도로 전파시켜 나가고 있다. 일반사회와 학교사회 전반에 만연해 있는 기능주의적 사고방식이 이러한 가속적 성장을 가능하게 해주고 있다(McKay, Gore, & Kirk, 1990).

 # 결론

스포츠교육학 운동의 결과로 이제 스포츠교육학은 체육학의 합법적 하위 학문영역의 하나로 분명한 자리를 구축하였다. 스포츠교육학 운동을 통하여 학교체육의 체계적 이해는 하나의 독립된 연구영역으로 성장하게 되었으며, 체육교육과정과 수업을 연구하던 사람들은 스포츠교육학자라는 명칭으로 불리게 됨으로써 체육학 학문공동체 내의 공식 일원으로서 인정받게 되었다.

하지만, 학문화 과정 도중 스포츠교육은 그 학문적 성격을 실증주의적으로 굳혀 버리게 되었다. 연구방법과 연구대상의 성격을 각각 단일 패러다임적이고 단일 차원적으로 못 박아버림으로써 대안적 연구방법과 연구대상들이 무시되어왔다. 또, 실증주의적은 그 이론적 성격에 부합하는 실천체계를 마련하고 널리 전파시켜, 현재 스포츠교육의 여러 영역(연구, 수업, 교사교육)에는 기능주의적 체육교육이 그 자리를 확고히 잡아가고 있다.

실증주의적 스포츠교육학에 내포된 이론적 문제점과 기능주의적 스포츠교육이 가진 실제적 문제점을 해결하려면, 가장 먼저 스포츠교육학의 학문적 성격을 재조정하는 노력이 필요하다. 이 '대안적 스포츠교육학'은 연구대상과 연구방법을 인정하는 데에 있어서 실증주의적 스포츠교육학의 단일 차원적이고 단일 패러다임적인 접근과는 달리 다차원적이며 동시에 다패러다임적이어야 할 것이다. 즉, 체육수업의 관찰가능하고 측정 가능한 차원 뿐만 아니라 비가시적이고 양적 측정이 어려운 차원까지도 포함하고, 경험과학적 방법은 물론, 해석학적 패러다임과 비판적 패러다임도 합법적인 연구방법으로 인정되어야 할 것이다. 이러한 다차원적·다패러다임적 접근만이 학교체육의 복잡한 측면들을 다양한 각도에서 입체적, 또는 종합적으로 이해하도록 보장할 것이다. 이러한 접근은, 궁극적으로, 보다 포괄적인 스포츠교육학의 성립을 가능하게 해줄 것이다.

재조정된 학문관의 기초 위에서 기능주의적 스포츠교육의 한계점을 극복하는 어떤 대안적 실천체계의 구성을 계획해야 할 것이다. 이 실천체계는 스포츠교육에의 제일차적 참여인인 학생과 교사의 자주적이고 반성적인 능력을 최대한으로 반영하여야 할 것이다. 예를 들어, '현장개선연구'(Tinnig, 1992), '반성적 수업'(Hellison & Templin, 1991), 그리고 '탐구중심 교사교육'(Kirk, 1986) 등이 기능주의적 실천체계를 대신하여 새로이 강조될 만한 대안적 실천체계로 검토될 수 있다.

따라서, 스포츠교육학 연구자와 체육교사들이 앞으로 노력해야 할 일은 실증주의적 스포츠교육학의 문제점을 대응하는 대안적 이론체계와 이에(이 대안적 이론체계에) 상응하는 실천체계를 개발해내도록 하는 것이다. 나는 이러한 실천체계를 '반성적 스포츠교육'이라고 부른다. 이러한 과정에서 전문연구자는 스포츠교육연구에 있어 체육교사가 차지하는 중요성을 항상 의식하고, 체육교사는 체육교육연구가 자신의 실천을 이해하고 개선하는 데에 어떻게 도움을 줄 수 있는가를 알려고 노력해야 한다. 스포츠교육 '연구'와 학교체육 '실천'(이론과 실제, 체육학자와 체육교사)의 뚜렷한 구별을 가정하는 현재의 실증주의적 학문구조와 기능주의적 학교풍토를 극복하는 어떤 대안적 스포츠교육학과 스포츠교육 실천체계의 등장은 '실천적 이론'을 개발하고 '이론적 실천'을 이행하려는 시도가 동시에 이루어질 경우에 보다 신속히 이루어질 수 있다.

참고문헌

강신복·최의창 (1991). 체육 학문화 운동과 체육교과의 성격: 학문성 강조 체육교과교육 모형의
   탐색. 체육연구소논집, 제 12권 2호.

최의창 (1988). "학문성 강조 체육교과교육 모형 개발을 위한 이론적 탐색", 서울 대학교 대학원,
   석사학위논문.

Abernathy, R., & Waltz, M. (1964). Toward a discipline: First steps first, *Quest*, 2, 1-7.

Anderson, W. (1980). *Analysis of teaching physical education.* St. Louis: Mosby.

Anderson, W., (1989). Curriculum and program research in physical education:Selected approaches.
   Journal of Teaching in Physical Education, 8(2), 113-122.

Annarino, A., Cowell, C., & Hazleton, H. (1980). *Curiculum theory and designin physical
   education.* Prospect Heights, IL: Waveland Press.

Bain, L. (1990a). Visions and vocies. *Quest*, 42, 1-12.

Bain, L. (1990b, July). Research in sport pedagogy: Past, present, and future. Paper presented at
   the WOrld Convention of the Association Internationale Des Ecoles Superierures
   d'Educatione Physique, Loughborough, England.

Bain, L. (1990c). Physical education teacher education. In W.R. Houston (Ed.), *Handbook of
   research on teacher education*(pp. 758-781). New York: Macmillan.

Bain, L. (1991). Further reactions to Newell: Knowledge as contested terrain. *Quest*, 43, 214-217.

Bredo, E., & Feinberg, W. (Eds.) (1983). *Knowledge and values in social and educational
   research.* Philadelphia: Temple University Press.

Broekhoff, J. (1982). A discipline-So who needs it? *Proceedings of NAPEHE Conference(Vol. III)
   (pp. 28-36).* Champaign, IL: Human Kinetics.

Brooks, J. D., & Whiting, H.T.A. (1973). *Human movement: A field of study.* London: George
   Allen & Unwin.

Brooks, G.A.(Ed.) (1981). *Perspectives on the academic discipline of physical education.*
   Champaign, IL: Human Kinetics.

Brown, R. & Cassidy, C. (1963). *Theory in physical education: A guide to program change.* Phila
   delphia: Lea & Febiger.

Carr, W., & Kemmis, S. (1986). *Becoming critical: Education, knowledge and action research.*
   Lewes, UK: Falmer.

Choi E. (1992). *Beyond positivist sport pedagogy: Developing a multidimensional,
   multiparadigmatic perspective.* Unpublished Doctoral Dissertation. University of Georgia.

Chu, D. (1982). *Dimensions of sport studies.* New York: John Wiley.

Conant, J. (1963). *The education of American teachers.* New York: McGraw-Hill.

Cochran-Smith, M., & Lytle, S. (1990). Research on teaching and teacher research: The issues that
   divide. *Educational Researcher*, 19(2), 2-11.

Darst, P. & Zakrajsek, D. B., & Mancini, V. H. (Eds.) (1989). *Analyzing physical educaiton and
   sport instruction(2nd ed.).* Champaign, IL: Human Kinetics.

Dewar, A. (1990). Oppression and privilege in physical education: Struggles in the negotiation of
   gender in a university programme. In D. Kirk & R. Tinning (Eds.), *Physical education,
   curriculum and culture: Critical issues in the contemporary crisis (pp. 67-99).* Lewes,
   UK:Falmer.

Evans, J. (Ed.) (1986). *Physical education, sport, and schooling: Studies in the sociology of
   physical education.* Lewes, UK: Falmer.

Evans, J. (Ed.) (1988). *Teachers, teaching and control.* Lewes, UK: Falmer.

Evans, J., & Davies, B. (1986). Sociology, schooling and physical educaiton. In J. Evans (Ed.), *Physical education, sport and schooling: Studies in the sociology of physical educaiton (pp. 11-37).* Lewes, UK: Falmer.

Feiman-Nemser, S. (1990). Teacher preparation: Structural and conceptual alternatives. In W.R. Houston (Ed.), *Handbook of research on teacher education (pp. 212-233).* New York: Macmillan.

Fraleigh, W. (1966). The perplexed progessor. *Quest,* 7, 7-14.

Giroux, H. (1981). *Idelogy, culture and the process of schooling.* Philadelphia: Temple University Press.

Graham, K. (1989). Paradigms for the study of teacher student behaviors: An alternative perspective. *Research Quarterly for Exercise and Sport,* 60, 190-194.

Haag, H. (1978). *Sport pedagogy: Content and methodology.* Baltimore: University Park Press.

Henry, F. (1964). Physical education: An academic discipline. *Proceedings of the 67th Annual Meeting of the NCPEAM (pp. 6-9).* Champaign, IL: Human Kinetics.

Jewett, A., & Mullan, M. (1977). *Curriculum design: Purposes and processes in physical educaiton teaching-learning.* Reston, VA: AAHPERD.

Kenyon, G. (1968). A conceptual model for characterizing physical activitiy. *Research Quarterly,* 39, 96-105.

Kirk, D. (1986). A critical pedagogy for teacher education. *Journal of Teaching in Physical Education,* 5(4), 230-246.

Kirk, D. (1989). The orthodoxy in RT-PE and the research practice gap: A critique and an alternative view. *Journal of Teaching in Physical Education,* 8(2), 123-130.

Kirk, D. (1990). Knowledge science and the rise and rise of human movement studies. *The ACHPER National Journal,* March, 8-11.

Kirk, D. (1991, January). Languaging physical education teaching. Paper resented to the AIESEP/NAPEHE Convention, Atlanta, GA.

Kirk, D. & Tinning, R. (Eds.) (1990). *Physical Education, curriculum, and culture: Critical issues in the contemporary crisis.* Lewes, UK: Falmer.

Kretchmar, R.S. (1989). The naming debate: Exercise and sport science. *Journal of Physical Education, Recreation and Dance,* 60, 68-69.

Kroll, W. (1980). *Graduate study and rsearch in physical education.* Champaign, IL: Human Kinetics.

Lawson, H. (1984). *Invitation to physical educaiton.* Champaign, IL: Human Kinetics.

Lawson, H. (1990a). Sport pedagogy research: From information-gathering to useful knowledge. *Journal of Teaching in Physical Education,* 10(1), 1-20.

Lawson, H. (1990b). Beyond positivism: Research, practice, and undergradute professional education. *Quest,* 42(2), 161-183.

Locke, L. (1977). Research on teaching physical education: New hope for a dismal science. *Quest,* 28, 2-16.

Locke, L. (1987). The future of research on pedagogy: Balancing on the cutting edge. *The Academy Papers,* 21, 83-95.

Locke, L. (1989). Qualitative research as a form of scientific inquiry in sport and physical education. *Research Quarterly for Exercise and Sport,* 60, 1-20.

Locke, L. (1990). Conjuring kinesiology and other political parlor tricks. *Quest,* 42, 323-329.

McKay, J., Gore, J., & Kirk, D. (1990). Beyond the technocratic physical education, *Quest,* 42(1), 52-76.

Metheny, E. (1975). *Moving and knowing in sport, dance and physical educaiton: A collection of speeches.* Mountain View, CA: Peak Publications.

Metzler, M. (1989). A review of research on time in sport pedagogy. *Journal of teaching in physical education.* Champaign, IL: Human Kinetics.

Metzler, M. (1990). *Instructional supervision for physical education.* Champaign, IL: Human Kinetics.

Metzler, M. (1992). Bring the teaching act back into sport pedagogy. *Journal of Teaching in Physical Education,* 11(2), 150-161.

Newell, K. N. (1990a). Kinesiology: The label for the study of physical activity in higher education. *Quest,* 42, 269-278.

Newell, K. N. (1990b). Physical activity, knowledge types, and degree programs. *Quest,* 42, 243-268.

Newell, K. N. (1990c). Physical education in higher education. *Quest,* 42, 269-278.

Nixon, J., & Locke, L. (1973). Research on teaching physical education. In R. Travers (Ed.), *Second handbook of research on teaching (pp. 1210-1242).* Chicago: Rand McNally.

Pangrazi, R., & Darst, P. (1985). *Dynamic physical edcuation curriculum and instruction for secondary school students.* Minneapolis, MN: Burgess Publishing.

Park, R. (1989). The second 100 years: Or, can physical education become the renaissance field of the 21st century. *Quest,* 41, 2-27.

Pieron, M., & Cheffers, J. (1988). *Research in sport pedagogy: Empirical analytical perspective.* Schorndorf, FRG: Hofmann.

Pieron, M., & Graham, G. (Eds.) (1986). *Sport pedagogy.* Champaign, IL: Human Kinetics.

Popkwetz, T. (1984). *Paradigm and ideology in educational research.* Lewes, UK: Flamer.

Randall, L. (1992). *Systematic supervision for physical ducation.* Champaign, IL: Human Kinetics.

Rarick, L. G. (1967). The domain fof physical education as a discipline. *Quest,* 8, 49-57.

Renshaw, P. (1975). The nature and study of human movement: A philosophical examination. *Journal of Himan Movement Studies,* 1, 1-11.

Rink, J. (1985). *Teaching physical education for learning.* St. Louis: Time Mirror/ Mosby College.

Schempp, P. (1984). A call for balance in physical edcucational inquiry. *Education Research and Perspectives,* 11(2), 82-90.

Schempp, P. (1987). Research on teahcing in physical education: Beyond the limits of natural science. *Journal of Teaching in Physical Education,* 6(2), 111-121.

Shea, T. J. (1973). Sport as a theoretical base for physical education. *The Academy Papers,* 7. 16-17.

Siedentop, D. (1980). *Physical education: An introductory analysis.* Dubuque, IA: W.C. Brown.

Siedentop, D. (1981). The functional curriculum. In W. Harrington (Ed.), *Proceedings of the second conference on curriculum theory in physical education* (pp. 169-185). Athens, GA: University of Georgia.

Siedentop, D. (1983). Research on teaching in physical education. In T. Templin & J. Olson (Eds.), *Teaching in physical education* (pp. 1-15). Champaign, IL: Human Kinetics.

Siedentop, D. (1986). The modification of teacher behavior. In M. Pieron & G. Graham (Eds.), *Sport pedagogy (pp. 1-15).* Champaign, IL: Human Kinetics.

Siedentop, D. (1989). Do the lockers really smell?. *Research Quarterly for Exercise and Sport,* 60(!), 36-41.

Siedentop, D. (1990). Introduction to physical education, fitness, and sport. Mountain View, CA: Mayfield.

Siedentop, D. (1991a). *Developing teachign skills in physical education (3rd ed.).* Mountain View, CA: Mayfield.

Siedentop, D., Mand, C., Taggart, A. (1986). *Physical education: Teaching and curriculum strategies for grades 5-12.* Mountain View, CA: Mayfield.

Silverman, S. (1991). Research on teaching in physical edcuation. *Research Quarterly for Exercise and Sport,* 62(4), 352-264.

Soltis, J. (1984). The nature of educational researh. *Educational Researcher,* 13(9), 5-10.

Stanley, W. B. (1991). Teacher competence for social studies. In J. Shaver (Ed.), *Handbook of research on social studies teaching and learning (pp. 249-262).* New York: Macmillan.

Steinhardt, M. (1992). Physical education. In P. Jackson(Ed.), *Handbook of research on curriculum (pp. 964-1001).* New York: Macmillan.

Tinning, R. (1987). *Improving teaching in physical education.* Geelong, Australia: Deakin University Press.

Tinning, R. (1991). Teacher education pedagogy: Dominant discourses and the process of problem setting. *Journal of Teaching in Physical Educaiton,* 11(1), 1-20.

Tinning, R. (1992). Reading action research: Notes on knowledge and human intesets. *Quest,* 44(1), 1-14.

Tom, A. (1985). Inquiry into inquiry-oriented teacher education. *Journal of Teacher Education.,* 35(5), 35-44.

Ulrich, C. & Nixon, J. (1972). *Tones of theory.* Reston, VA: AAHPERD.

VanderZwagg, H. J., & Sheehan, T. (1978). *Introduction to sport studies: From the classroom to the ball park.* Dubuque, IA: W. C. Brown.

Wade, M. G. (1991). Further reactions to Newell: Unravelling the Larry and Darryl magical mystrty tour. *Quest,* 43, 207-213.

Chapter **03**

전개 1: 양적 연구

● ● ● ● ● ● ● ● ● ● ● ●

전문학회지가 발간된 해를 출발점으로 볼 수 있다면, 스포츠교육학 분야는 이제 막 청년기에 들어선 신생 학문분야라고 할 수 있다. 미국의 마이클 메츨러가 중심이 되어 출간한 스포츠교육학 분야의 핵심저널인 *Journal of Teaching in Physical Education* 이 1981년 가을에 처음 나왔기 때문이다. 처음에는 내용도 빈약하고 연구도 단순한 것들이었지만, 지금은 많은 연구자들이 논문 게재를 기다리며 출판을 바라는 훌륭한 저널이 되었다. 이 밖에도 영국과 호주 등지에서 영문으로 된 많은 논문과 서적들을 출판하며, 이제 스포츠교육학은 여타 하위 학문 분야들과 어깨를 나란히 할 정도로 성장하였다고 할 수 있다. 많은 연구자들이 질 높은 연구들을 수행하고 연구업적들을 생산해놓고 있는 중이다. 한국에서도 지난 10여 년간 공식적으로 학회가 설립되고 학회지가 출판되면서, 스포츠교육학이 하위 학문 분야의 하나로 견고히 성립하게 되었다. 본 장에서는 국내외적으로 이렇듯 성장한 스포츠교육학의 연구물들을 전체적으로 살펴보려고 한다. 제2절에서는 분야의 역사적 발전을 간단히 살펴본다. 제3절에서는 그동안 이루어진 연구성과들을 양적 연구를 중심으로 전반적으로 정리한다. 제4절에서는 한국스포츠교육학의 성과와 발전에 대하여 알아보고, 제 5절에서는 스포츠교육학연구의 문제점과 전망을 살펴본다.

Ⅰ 서언

현재 전 세계적으로 스포츠교육학 연구는 그다지 오래지 않은 학문적 탐구 분야임에도 불구하고 상당한 양의 연구성과를 보이고 있으며 학자나 연구자도 다른 분야에 비하여 많은 수가 관여하고 있다. 이것은 체육학이 지금과 같이 모학문 중심으로 세분화되기 이전에는 체육활동을 교육적으로 이해하는 사람들이 대부분이었고, 또 현재에도 많은 사람들이 초·중·고등학교에서 교육적 목적으로 체육을 다루고 있기 때문인 것으로 보인다. 한국에서의 상황도 이와 유사한 양상을 띠면서 스포츠교육학에의 관심을 표명하는 학생이나 대학교수가 계속적으로 증가하고 있다. 교육에 대한 관심이 남달리 강하고 오래된 우리나라에서 상당수의 체육 관련 전문인들이 체육 교직에 몸담고 있다는 사실에 원인을 두고 있는 것으로 판단된다. 그 이유야 어찌 되었든, 지난 10여 년간 스포츠교육학에 관련된 서적과 논문의 출판이 증가하고 학회나 세미나의 참가 인원이 증가하는 것으로 비추어볼 때, 한국에서의 스포츠교육학도 이제는 그 학문적 정체성을 뚜렷이 갖추어가고 있다고 말할 수 있다.

국내외적으로 체육교육 활동에 관한 교육학적 탐구에 이처럼 많은 관심이 쏟아지고 있는 이때에, 스포츠교육학의 학문적 성장을 되돌아보고 현재를 점검해보는 것은 매우 의의있는 일이다. 이 같은 자기성찰을 통하여 스포츠교육학에 관심을 가지고 있는 동료 연구자와 동료전문인들로 하여금 스포츠교육학 영역에 대한 보다 올바른 이해를 갖도록 하고, 그 과정에서 앞으로의 발전 방향에 대한 전반적 조망까지도 가능할 수 있기 때문이다. 이 글은 그것을 목적으로 하고 있다. 이하 본장은 다음과 같이 구성된다. 다음 제2절과 3절은 각각 스포츠교육학 분야의 학문적 성장 과정과 현재 상황을 그린다. 제2절에서는 스포츠교육학의 성장배경을 역사적으로 살펴봄으로써 스포츠교육의 학문적 연구가 어떤 과정을 거쳐 성숙하게 되었는지를 대략적으로 기술한다. 제3절에서는 스포츠교육학자들의 연구 노력에 의해서 그동안 이루어진 학문적 성과를 펼쳐보인다. 주된 연구 동향과 연구성과가 주요 연구자를 중심으로 소개된다. 이 두 절은 영어 사용권 국가, 주로 미국 중심으로 전개된 스포츠교육학의 연구성과를 다룬다. 제4절에서는 한국에서 전개된 스포츠교육학의 발전과정과 현재까지의 연구성과를 요약한다. 이 절의 내용은 1970년 이후의 동향에 대해서만 한정시킨다. 제 5절에서는 스포츠교육학 연구가 학문적, 실제적으로 당면하고 있는 몇 가지 문제점들을 소개하고, 한국 스포츠 교육학 연구의 전망을 간단히 그려본다.

 # II 역사적 성장

스포츠교육학이 체육학의 정식 하위 학문 분야의 하나로 성숙하기까지에는 분야 내에서 연구하는 전공자들의 노력이 주된 내적 동인으로 작용하였으나, 그 성장을 촉진시킨 외부적 여건에도 힘입은 바 크다. 스포츠교육학의 태동을 촉진시킨 외적 동인은 바로 1960년대 초반 Henry(1964)에 의해 촉발된 '체육 학문화 운동'이다. 미국을 중심으로 시작된 체육 학문화 운동은 체육 분야가 과학적, 체계적 연구를 통하여 학문적 지식체계를 갖춘 독자적인 학문적 탐구영역으로 성립할 수 있도록 해주었다. 체육 학문화 운동이 진행되어온 지난 30여 년 동안, 체육의 성격은 '신체를 통한 교육' 또는 '신체의 교육'으로서 간주되는 '교육의 이미지'에서 이론적 연구를 주된 목적으로 하는 '학문의 이미지'로 탈바꿈을 하였다. 이 학문 이미지에 담겨있는 기본적 가정은 체육은 다양한 학문적 관점들로부터 탐구되어질 수 있는 학문 분야라는 것이다. 이에 따라 운동역학, 운동생리학, 스포츠사회학, 스포츠심리학, 체육철학, 스포츠역사학, 스포츠경영학 등과 같은 하위 학문영역이 점차 개발되어 발전하기 시작하였다('체육 학문화 운동'에 관한 보다 자세한 내용은 강신복·최의창, 1991 참조).

체육 학문화 운동은, 비록 대다수 체육전문인들의 긍정적 지지를 받았지만, 체육 분야 자체 내 특정 소수그룹으로부터의 비판적 대응에 당면하게 되었다. 체육 학문화 운동의 비판자들은 학문화 주의자들이 '학문'의 개발에 지나치게 사로잡힌 나머지, 현장에서 활동하는 전문인과 대학교수들로 하여금 학교체육의 실천과 교사 양성에 소홀하게 만들고 따라서 체육교육의 질을 저하시킬 것을 염려하였다. 하지만 이 비판자들 자신조차도 이 당시 체육 분야를 몰아치던 학문화 운동의 거센 물결을 이겨낼 수가 없었다. 그래서 한편으로는 체육의 교육적 이해에 관심을 갖지 않는 체육 학문화 운동을 비판하면서도, 이들은 다른 한편으로는 수업, 교육과정, 그리고 교사교육을 중심대상으로 하는 '체육교육의 학문적 연구 분야'를 만들기 시작하였다.

이들은 이 분야에 '스포츠교육학'(일부에서는 '체육교육학'이라고 번역하여 부르기도 함)이라는 이름을 주었다. Kirk(1990)에 따르면, 스포츠교육학은 교사양성과 수업 방법을 주로 다룬 전통적 영역을 체육 학문화 추세에 발맞추어 체육학의 하위 학문영역으로 인정받을 수 있도록 새로이 개념화한 것이다. Bain(1990)도 스포츠교육학을 새로운 학문영역으로 주장한 것은 최근의 연구 동향을 이전의 (체육)교육적 연구와 구별하고 체육학 학문사회에서 스포츠교육학자들의 지위를 향상시키려는 수사학적 수단이었다고 말하고 있다.

비록 대학과 대학원에서 체육교육과 학교체육을 연구한 역사는 20세기 초반 무렵까지 거슬러 올라가지만, 체육학의 합법적 하위 학문영역으로서의 스포츠교육학은 1970년 후반에나 와서야 그 모습이 뚜렷해지기 시작하였다. Locke(1977), Hagg(1978) 그리고 Jewett(1980) 등의 학자들이 이 새로운 연구영역의 출현을 예시하였다. 이 이후부터, 교육적 상황에서 체육현상을 이해하려는 학자들은 체육교육학을 체육학의 한 분야로 성장시키려는 어려운 작업을 계속해왔다. 체육수업을 운동기술의 습득을 촉진시키는 방법으로 간주하는 관점으로부터, 체육수업 시간에 어떤 일들이 벌어지는가를 관찰하는 '수업 활동 기술분석 연구', 수업 효율성을 평가하는 '과정-결과 연구', '실제 학습 시간 연구', 그리고 최근 들어, '교사 사회화 연구'와 '교육과정 연구'에 이르기까지 다양한 연구주제와 연구 방법을 이용하여 많은 연구업적을 이루었다(다음절 참조). 스포츠교육학 분야는 이제 상당한 양의 문헌, 세련된 연구설계법, 체계적인 연구영역, 여러 종의 전문저널, 그리고 계속해서 교육학적 연구를 진행하고 있는 우수한 젊은 연구인들을 가지고 있다.

유럽 여러 나라 그리고 최근 들어 오스트레일리아에서 활발히 진행되고 있는 학문적 연구 활동 또한 이 분야가 체육학의 한 영역으로 성립하는 데 많은 도움이 되었다. 독일의 헤그와 벨기에의 피에론과 같은 제1세대 학자들은 스포츠교육의 국제적 학문공동체가 발전하는 것에 중요한 역할을 하였다. 특히 '국제체육교육학협회'와 '국제스포츠교육학위원회'의 주선 하에 학교체육과 교사 교육에 관한 주제로 많은 노장ㆍ소장 학자들이 국제학회와 워크샵에서 교류를 갖는다. 이러한 회의의 발표논문 모음집들은 스포츠교육학적 지식이 누적되는 데 공헌을 하고 있으며, 이 누적된 지식들이 다음 세대의 스포츠교육학자들을 이 분야로 입문시키는 데 있어 유용한 기본 지식체계로 이용되고 있다. 미국과 전 세계 스포츠교육학자들의 노력(스포츠교육학 운동)은 그동안 그 대가가 나타났고, 실지로 이 운동의 선두주자 가운데 한 사람은 이미 오래전에 스포츠교육학이 체육학의 합법적 지식으로 인정되었다고 주장하였다(Siedentop, 1983).

스포츠교육학은 이 같이 체육 분야를 학문적 탐구 분야로 성장시키려는 체육 학문화 운동의 직접적 자극을 받아 출산되었다. 이후 성장을 위한 연구의 방향과 도구를 제시해준 것은 교육학 분야에서의 발전이었다. 서론 부분에서도 잠깐 언급했듯이, 20세기 초반까지도 교육학 분야는 경험적 연구를 통하여 실증적 자료를 얻어 구체적으로 확인된 지식보다는 사변적인 규범적 이론 중심의 연구가 진행될 뿐이었다. 이 같은 상황에서 20세기 초반 사회 전반의 분위기가 과학과 합리성에 근거한 지식만을 우위에 두는 쪽으로 흐름에 따라 교육학적 지식도 경험적 연구에 근거한 사실을 중시하게 되었다. 이 같은 사회적 분위기와 함께 국가적으로 소련과의 경쟁에서 앞서가기 위하여 교육에 대한 투자가 증가하면서 교육 연구가 활성화되기 시작하였다.

1950년대 이후 교육학 분야의 연구는 '수업 활동'에 관한 연구가 주종을 이루었고 연구의 방향은 학생의 학업성취를 효과적으로 증가시키는 수업 관련 요인이 무엇인가를 파악해내려는 것에 집중되었다. 이후 이 연구는 '수업 효율성' 연구라는 이름으로 불리면서 체육수업에서도 동일한 성격의 연구가 급격하게 확산되도록 만들었다.

수업 효율성 연구는 몇 단계의 발전을 거치면서 성장하였다. 가장 처음에는 학생의 성적을 향상시키는 것에 영향을 미치는 '교사 특성' 관련 요인들을 알아내려고 하였다. 즉, 교사의 대학교 성적, 교사의 열의 또는 인성 특성, 교사의 지능지수, 또는 교사의 지식 등과 같이 교사가 가지고 있는 개인적 변인이 학생의 성적 향상과 어느 정도의 연관을 맺고 있는지 알아내려고 하였다.

교사 특성에 관한 연구 결과가 그다지 만족스러운 결과를 얻지 못하자, 둘째 단계에서 연구자들은 가장 효과적인 수업 방법이 어떤 것인가에 대한 경험적 실증작업에 몰두하였다. 하지만 결과는 어떤 방법도 언제나 어느 곳에서나 가장 효과적인 성과를 거둘 수 없다는 것이었다. 셋째 단계에서는 교사와 학생들의 구체적 수업 행동을 체계적으로 관찰하고 관찰대상 행동의 빈도와 학생의 학업성취와의 관계를 분석하여 효율적 학습 효과를 성취하는 행동 변인들을 구별해내려고 하였다. '과정-결과 연구'라고 불리는 이 단계는 '교사의 어떤 행동(과정)이 학생의 높은 학업성취(결과)를 유발하는가'라는 문제 의식에서 출발하였다. 가장 최근의 넷째 단계에서는 교사의 행동보다는 학생과 관련된 변인이 학업성취와 직접적 관련이 있음을 깨닫고, 수업의 과정에서 학생이 보여주는 다양한 수업행위들과 학업성취와의 관계를 밝히고 있다. 이 연구에서는 시간변인이 중요한 요인으로 간주되어 '과제 집중시간'이라든가 '실제 학습 시간' 등의 개념들이 연구 되었다.

최근 Shulman(1986)은 1980년대 이후 수업의 효율성을 파악하려는 이 같은 연구 동향 이외에도 다른 주제에 관한 연구도 활발하게 진행되었음을 보여주고 있다. '교사 사고 과정 연구', '학생 사고 과정 연구', '교사 지식 연구', '교사 교육 연구' 등 수업 활동과 교사 교육 활동을 이해하기 위한 다양한 연구주제가 양적·질적 방법을 동원하여 탐구되어 왔다. 수업 활동에 관련된 연구업적은 그동안 4번의 연구총서의 출판으로 정기적으로 정리되어 왔다. 『수업연구핸드북』은 1963년에 제1판(Gage, 1963)이, 1973년에 제2판(Travers, 1973), 1986년에 제3판(Wittrock, 1986), 그리고 2001년에 제4판(Richardson, 2001)이 각각 출판되었다. 이 연구총서들은 1950년대 이후 교육학 연구분야의 업적과 성과를 체계적으로 정돈하여 다음 세대의 연구가 보다 효율적으로 이루어질 수 있도록 하는 길잡이 역할을 해왔다. 스포츠교육학은 일반 교육학 연구의 이 같은 일반적 흐름을 거의 그대로 이어받으며 성장하였고, 또 현재에도 발전하고 있다. 스포츠교육학이 지속적이고 신뢰성 있는 연구 결과를 쏟아낼 수 있었던 것은 바로 교육학 분야에서의 연구가 그 이론적, 실질적 원천으로 기능하고 있었기 때문이다. 다음 절에는 이 같은 배경을 가지고 성장한 스포츠교육학 연구가 그동안 추구한 연구동향과 그 성취한 성과를 9영역으로 구분하여 알아보도록 한다(최의창, 1996a; Bain, 1990; Choi, 1992; Lee, 1996; Nixon & Locke, 1973; Silverman, 1991).

Ⅲ 연구의 성과

01. 운동기능습득 연구

일반 교육학 분야에서의 수업 활동 연구자들이 효과적 교사의 특성과 그들이 어떠한 수업 방법을 사용하는지를 알아내는 것에 관심을 갖고 있는 동안, 스포츠교육학 연구자들은 운동기능의 습득을 어떻게 하면 보다 촉진시킬 수 있는가의 문제를 놓고 씨름하고 있었다. 이 당시에 행해진 대부분의 연구는 운동학습에 관심을 가지고 있는 연구자들에 의해서 행해졌다. 1960년대 이전에 체육교육 분야는 '가르치는 것'에만 관계하는 분야로 인식되었기 때문에 체육과의 학생들은 거의 전적으로 교사로 일하기 위한 준비를 받고 있었다. 이 때문에, 운동학습 전문가나 다른 연구자들은 현직교사나 예비교사들을 위한 내용에 연구의 초점을 맞추었다. 이 당시에는 주로 '수업 단원 형태'(예를 들어, 1주일에 3일 연습과 2일 연습의 차이), '수업 보조자료의 유용성', '서로 다른 내용제시 방법의 효과 차이', '수업과제의 분석' 등과 같은 주제로 연구를 행하였다(Nixon & Locke, 1973).

이때 전형적으로 행해지던 '수업 방법연구'는 기초기능을 배울 때 두 가지 수업 방법이 그 효과 면에서 어떠한 차이를 갖는가를 알아보기도 했다. 『수업연구핸드북』제2판에 처음으로 수록된 Nixon과 Locke(1973)의 스포츠교육학 연구 동향 리뷰에는 운동기능 습득을 촉진시키기 위한 한 가지 수단으로서만 체육수업 활동을 간주하는 연구들에 초점을 맞추었다. 이들은 연구를 설계하기 위해 필요한 이론의 부재와 같은 다양한 방법론적 어려움 때문에 이 같은 종류의 연구 결과는 체육수업을 향상시키는 것에 아무런 유용한 정보도 제공하지 못했다고 결론을 내렸다.

이들은 또한 그동안의 연구 결과에 기초하여 교사들을 위해서 다소간의 실용적 제안을 하면서, 한편으로는 교사들이 습관, 우연, 관습, 전통 등과 같은 요인에 보다 의지해야만 하는 현실에 대하여 한탄하였다. 이들은 마지막으로 운동기능 학습에 있어서 학생과 교사의 행동을 체계적으로 관찰하고 기록하는 방법을 사용한 '기술 및 분석연구'의 필요성을 제기하였다.

이들의 예견대로 1970년대에는 체육수업에서의 교사와 학생의 행동에 대한 체계적 관찰연구가 물밀듯이 번져나가기 시작하였고, 이와 함께 체육 장면에서 이용할 수 있는 많은 체계적 관찰 도구들이 개발되기 시작하였다. 체계적 관찰 도구를 이용한 연구 노력은 1970년대 후반에 시작된 '기술 및 분석연구'와 '과정-결과 연구'를 촉진하는 계기가 되었다.

02. 기술 및 분석 연구

1970년대에 이르자 교육학 분야에서는 1950년대와 1960년대에 관심을 가졌던 '수업 방법연구'에서 벗어나서 관찰 도구를 사용하여 교실에서 일어나는 수업 활동을 체계적이고 객관적으로 기술하기 시작하였다. 이때 출판된 Dunkin과 Biddle(1974)의 『수업 활동의 연구』는 수업 연구의 새로운 방향을 길 잡아주었다. 이들은 수업활동을 이해하고 연구하기 위한 한 가지 유용한 모델을 제안하였는데, 그것은 수업에 관련된 변인을 개인 변인, 상황 변인, 과정 변인, 결과 변인으로 조직하여 구조화한 것이었다. 이들이 구조화한 수업 연구모형은 연구를 설계하고 이해하는 것에 지대한 도움을 주었고 이후 수업 연구 분야의 연구 방향을 재조정하는 영향을 미쳤다. 상황 변인은 교사들이 반드시 적응해야만 하는 조건들을 말하며, 과정 변인은 수업에서 행하는 활동이나 교사/학생들의 행동을 말한다. 이들은 신뢰도와 타당도 높은 도구를 사용하여 체계적 관찰 연구를 하는 것이 가져다주는 유용성을 설득력 있게 설명하였다.

스포츠교육학 연구자들도 교육학 연구의 이 같은 동향을 그대로 따라서 운동장과 체육관에서 벌어지는 체육교사와 학생의 행동을 계량적으로 기록하고 분석하기 위한 체계적 관찰 도구들 개발하고 표준화하는 것에 중점을 두었다. 연구자로 하여금 교사의 교수 행동을 직접 관찰하여 자료를 얻을 수 있도록 해주기 때문에 체계적 관찰 도구의 개발은 지극히 중요한 것으로 여겨졌다.

스포츠교육학자들은 체계적 관찰 도구를 사용하여 교사와 학생의 행동을 직접 관찰하여 연구 성과를 거두기 시작하였다. '기술 및 분석연구'라고 불리는 이 같은 연구를 통하여 체육수업에 관한 여러가지 사실들에 관한 정보를 얻게 되었다. Anderson과 Barrette(1978)은 『체육수업에서 어떤 일이 벌어지고 있는가?』이라는 연구 결과물을 출간하였다. Cheffers(1973)는 'Flanders Interaction Analysis System ^{FIAS}'을 체육수업 상황에 맞도록 응용하여 'Cheffers' Adapatation of Flanders Interaction Analysis System ^{CAFIAS}'을 개발하였다. Siedentop(Siedentop & Hughley, 1975) 은 교생의 수업행동은 물론 교생 지도교사와 현직교사의 행동까지도 기록 가능한 'OSU Teacher Behavior Instrument'를 개발하였다. 초기 연구자들의 노력은 이후 계속 이어져 다른 많은 관찰 도구들이 개발되었고 Darst, Zakrajsek 및 Mancini에 의하여 1983년과 1989년 2번에 걸쳐 한 권의 책으로 모아졌다(Darst, Zakrajsek, & Mancini, 1983, 1989).

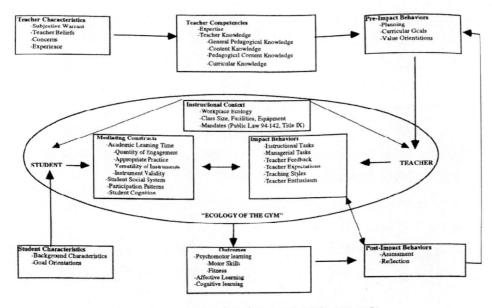

〈그림 1〉 Kim Graber(2001)의 스포츠교육학 연구 모형

표 1   북미 스포츠교육학 연구주제(1987-1997)

Adapted physical education
Academic learning time
Academic work & student achievement
Audio-cueing: Effect on teaching
Achievement motivation & student achievement
Assessment & grading

Basic stuff(AAHPERD curriculum)
Beginning teachers
Behavioral analysis system
Children's perception of teacher behavior
Children's feeling of loneliness and dissatisfaction
Coaching behavior
Cognitive styles & instructional strategies
Concerns of teachers
Computer assisted information
Critical thinking
Critical pedagogy
Curricular knowledge; development of
Curriculum: Purpose Process Framework
Curriculum; special/extended

Decision-making
Direct instruction

Effective teaching
Elementary physical education
Equity
Expertise in teaching

Female leadership
Fitness instruction

Gender and student-teacher interaction
Gender differences in student attitudes toward PE
Gender equity

Indirect instruction
Information source utilization
Instructional strategies & student achievement

Knowledge development in sport pedagogy
Knowledge restructuring
Knowledge structures in concept based curriculum

Learning characteristics of field dependent children
Learning helplessness
Learning trials and student achievement

Marginality of physical education
Moral judgment in teaching
Moral development of student
Movement education

Naturalistic inquiry

Occupational Socialization of teachers
Participation styles of students
Peer tutoring
Pedagogical reflection
Planning
Principals; impact of
Professional knowledge base
Pupil assessment
Pupil misbehavior

Recruitment into teaching
Research paradigms in sport pedagogy
Role of secondary teachers
Routines and rules

Sex role stereotyping
Self-responsibility model
Socialization of teachers
Specialist versus non-specialist teachers
Sportsmanship
Student teaching
Student achievement
Student perceptions of physical education
Styles of teaching
Systematic observation of teaching

Task accountability
Task refinement
Task systems; analysis of
Teacher appearance
Teacher efficacy
Teacher effectiveness
Teacher expectancy
Teacher feedback
Teacher goals
Teacher isolation
Teacher planning
Teacher stress

University-school/agency collaboration

Value development
Value orientation in curriculum
Workplace; conditions of

03. 과정-결과 연구

체계적 관찰 도구를 사용하여 교사와 학생행동의 '기술'에 초점을 맞춘 연구가 일정 기간 행해지고 나자, 교사 행동을 '과정 변인'으로 하고 학생의 학습성취를 '결과 변인'으로 삼아 이 둘 간의 상관관계를 알아보려는 형태의 수업 활동 연구가 체육분야에서도 활발해지기 시작하였다. Oliver(1980)의 연구는 체육교사의 수업행동과 학생의 성적을 관련시켜 그 관계를 알아보려는 초창기 연구 중의 하나였다. Yerg(1981)의 연구는 교사의 행동 가운데 어떤 것도 학생의 성취와 의미있는 상관관계를 맺고있지 않음을 보고하고 있다. 예를 들어, 당시에는 교사의 피드백이 가지고 있는 가치에 대하여 강한 신뢰를 하고 있었기 때문에, 피드백과 학습성취와의 관계에 대해서 많은 연구가 있었다. 그러나 피드백의 효과에 대한 그동안의 스포츠교육학 연구성과를 리뷰한 최근의 한 연구는 연구 결과가 일정하지 않음을 결론내리고 있다(Lee, Keh & Magill, 1993). 이들이 분석한 대부분의 연구들은 교사의 피드백이, 다양한 방법으로 할 수 있는 데까지 객관적으로 측정하였음에도 불구하고, 학생의 학습성취 증진과는 통계적으로 아무런 유의한 관련이 없음을 보고하고 있다(Silverman, Tyson, & Krampitz, 1992).

초창기에 행해진 '과정-결과 연구'가 비록 스포츠교육학 연구가 하나의 중요한 연구 분야라는 것을 인식시켜주는 데 기여하기는 했지만, 연구자들은 이 연구 방법의 방법론적 문제점들을 발견하기 시작하였다. 이들은 어떤 일관성 있는 연구 결과가 도출되지 않았던 이유를 방법론적 측면에서 찾으려고 하였다. 이들은 일관성 있는 결과가 나오지 않은 것에 영향을 미친 이유로 수업 시간을 지나치게 짧게 잡은 것과 교사의 능력 수준을 문제시하였다. Graham과 Heimerer(1981)는 수업효율성을 요약하는 한 논문에서, 수업이 성공적으로 행해지기 위해서는 다양한 수업 관련 행동들이 오케스트라를 연주하듯 각자의 역할을 멋지게 수행해야 하기 때문에, 피드백과 같은 한 가지만의 수업행동만을 기준으로 효율적이고 비효율적인 교사를 판별해내기는 불가능하다고 말하였다.

04. 실제학습시간 연구

　'과정-결과 연구'가 활발하게 진행되자 한편에서는 이 연구의 취약점을 비판하는 목소리가 드높아지기 시작하였다. 우선 몇몇 교사 행동은 학생의 성취와 관련을 맺고 있는 것처럼 보이기는 했지만, 일반적으로 관련 정도가 낮았고 언제나 통계적으로 유의미한 정도를 보여주지 못했다. 그리고 이보다 더 심각한 문제로 관련이 있다고는 하더라도 '왜 그러한 관련을 갖는지'를 설명해주는 이유를 제시하지 못했다(Doyle, 1978). 그래서 1970년대 말과 1980년대 초 한편으로는 '과정-결과 연구'가 맹렬히 진행되면서 다른 한편으로는 그 약점을 보완해줄 수 있는 대안적 연구 형태로 '학생매개 변인'을 가정하는 연구가 제안되기 시작하였다. 이 연구는 교사 행동보다는 학생의 즉각적 반응행동이 수업의 효율성을 측정하는 보다 정확한 척도를 제공해준다는 가정을 바탕으로 하며, 수업 중에 학생이 보여주는 관찰 가능한 행동들이 교사 수업 행동의 매개변수로서 간주된다. '학습 시간'에 대한 Carrol(1963)과 Bloom(1974)의 이론적 개념들을 바탕으로 하면서 학생의 수업 참여 시간에 관심이 솟구치기 시작하였다(Berliner, 1979). 여러 가지 학습 시간의 개념이 제안되기는 하였으나, '실제 학습 시간'의 아이디어가 수업 효율성을 평가하는 가장 근접한 척도로 인정되었다.

　체육 분야에서는 Metzler(1979)에 의해서 처음으로 '실제 체육수업 시간' academic learning time in physical education: ALT-PE 이 개발되고, 이후 개선된 관찰 도구가 1982년 새롭게 선보였다(Siedentop, Tousignant, & Parker, 1982). 이와 함께 학생의 학습 참여 시간과 성취와의 관련을 파악하려는 체육 분야에서의 연구가 활발히 진행되기 시작하였다. 연구자들은 가장 우선적으로 체육수업 시간에 시간이 어떻게 사용되고 있는지를 정확히 관찰하는 일련의 연구들을 수행하였다.

　이후 이들은 학생의 학습 참여 시간을 매개변인으로 채택하여 과정-결과 연구를 수행하기 시작하였다. ALT-PE와 학생성취라는 두 가지 변인 사이에 어떤 관련을 찾으려는 초창기의 노력은 성공적이지 못했다(Silverman, 1983). 연구자들은 그 이유를 과제의 난이도와 학생 수행의 질을 판단하는 것이 어려웠기 때문으로 보았으며, 보다 최근의 연구는 이 점을 확인하고 수업 활동이 벌어지는 상황과 수업내용의 성격을 고려하고 있다. 그 결과, 수업 참여 시간이 학습성취와 관련을 맺고 있음이 밝혀지고 있다. Sliverman, Tyson 및 Morofrd(1988)는 피드백이 주어지며 행해진 기능연습에 소요된 시간이 학습성취와 정적인 상관을 맺고 있음을 발견하였다. 이들은 또한 기능연습의 종류가 중요한 요인이 됨을 밝혀내었다. 이밖에, 정확한 기술을 성공적 수행의 척도로 간주하면서 연습 시행의 횟수를 이용한 연구들은 참여 시간과 학습성취가 상관관계가 있음을 보여주고 있다(Ashy, Lee, & Landin, 1988; Silverman, 1990). 이들의 연구는 실제 수행의 횟수보다는 수행의 질이 학생의 학습성취에 더욱 중요한 요인이 된다는 점을 시사하고 있다(Metzler, 1989).

05. 교사 사고과정 연구

교사의 수업 행동이 학생의 학습성취를 직접적으로 야기한다는 소박한 가정이 점차 인정받지 못하게 되고 학생매개 변인의 중요성을 인식하게 됨에 따라, 인지심리학적 관점에서 수업행위를 이해하는 사람들이 겉으로 드러나는 행동보다는 교사나 학생들의 머릿속에서 진행되는 사고 과정의 중요성을 강조할 수 있는 환경이 마련되기 시작하였다. 『수업연구핸드북』 제3판에 소개된 '교사의 사고 과정 연구'는 교사 사고 과정 연구가 '수업 전 계획마련', '수업 중 의사결정', 그리고 '교사의 개인적 이론과 믿음'의 3영역으로 세분되어 진행되어져 왔다고 요약하고 있다(Clark & Peterson, 1986).

체육 교사의 수업계획에 관한 연구는 Sherman(1979)에 의해서 처음으로 시도되었다. 그는 체조에 문외한인 체육교사와 전문가인 체육교사의 수업계획을 비교하였다. 이후로 많은 스포츠교육학 연구자들이 체육수업 계획의 여러 측면들을 연구하였다(Byra & Sherman, 1993; Griffy & Housner, 1991; Solmon & Lee, 1991). 극히 소수의 연구를 제외하고는 이 방면의 연구자들은 교사들로 하여금 자신이 수업 준비단계에서 계획할 때 했던 생각들을 언어화하여 말하도록 하는 '명료하게 생각하기' 방법을 사용하여 자료를 수집하였다. 이 방법으로 수집한 자료는 녹음기에 기록되어 교사가 내린 계획의 횟수나 종류를 파악하여 분석하였다.

일반적으로 이 방면의 연구들은 전문가나 문외한을 막론하고, 교사가 내리는 계획

시의 결정은 수업의 목표나 목적보다는 수업의 내용과 보다 밀접한 관계를 맺고 있음을 보여주고 있다. 이 점에서 통상적으로 학자들이 받아들이고 있던 Tyler(1949)의 전통적 수업계획모형과 같이 목표나 목적을 가장 우선적으로 고려해야 한다는 주장은 그 타당성을 의심받게 되었다. 또한 Placek(1983)의 연구가 체육 교사들이 학생의 학습성취보다는 아이들이 '바쁘고, 신나고, 착하게' 행동하는 것에 보다 관심을 두고 있다는 사실을 밝혀내자, 체육교사를 준비시키는 교사 교육기관이 그 기능을 제대로 수행하지 못하고 있음에 당황하게 되었다. '전문가-초심자를 비교하는 연구'는 노련한 교사와 미숙한 교사는 수업 전 계획에 관한 사고 과정과 의사결정에 있어서 차이를 보임을 보고하고 있다. 보다 경험많은 교사는 미숙한 교사에 비교했을 경우 수업상황에 대한 보다 많은 자료를 이용하였고, 보다 세밀하게 계획을 세웠으며, 수업과제를 실시하기 위한 방법들을 생각할 때 보다 다양한 결정들을 내렸다.

두 번째, 수업 시간 동안의 교사 사고 과정 연구는 주로 '자극 회상 질문법'을 사용하여 실제 수업상황 동안에 행해지는 교사 사고 과정을 탐색하고 있다(Housner & Griffey, 1985). 통상적으로 이 방법은 교사의 수업이 끝난 직후 비디오 촬영한 내용을 시청하고 그 당시의 생각이나 사고 과정에 대한 일련의 질문을 묻는 식으로 진행된다. 노련한 교사와 미숙한 교사를 비교한 연구들로부터 얻어진 결과는, 수업이 의도한 대로 진행되고 있지 않다고 판단되었을 때, 미숙한 교사보다는 노련한 교사가 다른 방법을 사용할 가능성이 높은 것으로 밝히고 있다. 그 반면 미숙한 교사는 수업이 제대로 되고 있지 않다고 판단됨에도 불구하고 준비한 수업계획을 그대로 따라하는 경향이 높음을 보여주고 있다. Walkwitz와 Lee(1992)는 경험이 풍부한 교사는 교과 지식을 수업의 상황에 적절하게 해석해서 풀어놓을 수 있음을 보여주고 있다.

세 번째, 체육교사가 가지고 있는 가치관이나 신념이 수업 활동에 어떠한 영향을 미치는가에 대한 연구도 행해졌는데, 이 방면의 연구는 Jewett과 Bain(1985)의 이론적 아이디어를 바탕으로 하여 행해지고 있다(Ennis, Ross, & Chen, 1992; Ennis & Zhu, 1991). Ennis(1994)는 교사가 개인적으로 믿고 있는 생각이 지식의 습득과 이용에 미치는 영향에 관한 연구들을 훑어보는 과정에서 체육교사들은 수업내용, 수업방법, 그리고 수업 활동의 선정과 관련된 의사결정을 하는 것에 영향을 미치는 '교육적 신념의 체계'를 발달시킨다는 점을 지적하였다. 이 점을 증명하기 위해서 그녀는 교사는 자신의 신념체계와 갈등을 일으키는 지식은 거부한다는 증거를 들고 있다.

06. 학생 사고과정 연구

체육수업 시에 학생들이 어떻게 배우게 되는가에 관심을 갖는 인지심리학적 연구가 1980년대 들어 시작되고 있다. 이 연구는 학생매개 변인을 고려했던 수업 참여 시간 연구의 연장선상에서 학생의 행동을 주목하지만 가시적으로 드러나는 행동에는 많은 관심을 두지 않는다. 앞에서도 잠깐 언급했듯이, 교사는 학생의 수업성취를 직접적으로 야기시키지 않고 다만 학생들로 하여금 특정한 방식으로 생각하고 행동하도록 유발시키도록 한다는 점을 근간으로 하고 있다. 따라서 이 연구는 학생들의 느낌, 생각, 동기, 의식 등이 학습성취에서 기능하는 역할에 대하여 관심을 갖는다. Lee와 Solmon (1992)는 체육 상황에서의 학생 사고 과정에 관한 연구들을 요약하고 있다. 이 방면의 연구는 그동안 학생들이 교사가 하도록 규정한 수업과제를 행하기로 결정하는 정도에 영향을 미치는 배후요인들을 알아내었고(Greenockle, Lee, & Lomax, 1990), 운동 기능을 연습함에 있어서 학생들의 생각과 느낌이 어떻게 교사가 행하는 수업 활동을 중개하는지를 분석해내었다(Lee, Landin, & Carter, 1992). 이 밖에도 학생들이 교사의 수업 행동에 대하여 어떻게 인식하는지를 알아보려는 연구(Martinek, 1988)와 학생들이 교사의 수업행동에 어떻게 다양한 의미를 부여하는지를 알아보려는 연구 (Hanke, 1987) 등이 행해지고 있다.

학생들이 어떠한 방식으로 학습을 매개하는지를 알려고 하는 이 방면의 최근 연구는 학습 동기를 사회 인지적 관점에서 설명하는 모형들이 유용한 정보를 제공함을 밝혀내려 하고 있다. Solmon과 Lee(1996)는 '기능 수준'과 같이 학생이 수업 시에 지니고 들어오는 성향들이 동기 관련 신념과 학습 방법의 이용과 함께 수업 중의 실제 참여 형태를 결정하는 데 중요한 역할을 하는 것으로 보고하고 있다. 이 같은 연구에서는 학생들이 스스로 작성한 기록을 연구자료로 이용하고 있다. 이 점에서 기존의 연구자들은 다소 회의적인 반응을 보이지만, 사회적 중개 변인과 인지적 중개 변인을 통합시키려는 이 같은 연구는 학생의 학업 성취동기와 학습에 관련된 복잡한 문제들을 보다 분명하게 이해하는 데 도움을 줄 수 있다. 신중하게 수집하고 엄밀하게 분석하기만 한다면, 학생들이 스스로 작성하고 보고한 기록도 훌륭한 연구자료가 될 수 있다. 하지만 아직까지 체육에서의 '학생 사고 과정 연구'는 활발히 이루어지고 있지도 명확한 연구결과를 산출해내고 있지도 못한 상태이다.

07. 교사지식 연구

한편에서는 '과정-결과 연구'와 '실제 학습 시간 연구'의 문제점에 대한 비판이 제기되고 다른 한편에서는 '교사와 학생의 사고 과정에 대한 연구'가 진행되면서, '교사가 가지고 있는 다양한 지식'에 대한 관심이 고조되기 시작하였다. Shulman(1986)은 과정-결과 연구는 연구설계 시 '교과내용'에 대한 고려가 전혀 없이 이루어지기 때문에 문제점이 있으며, 교사 사고 과정 연구도 사고의 '과정'에만 관심을 가지고 있을 뿐 그 과정을 통하여 처리되는 '내용'에 대한 관심이 배제되어 있다고 지적한다. 그는 수업 활동 연구에서 '교육내용'이 반드시 중요한 요인으로 인정되어야 하며 그에 대한 교사의 지식이 중요 연구대상으로 삼아져야 한다고 주장하였다. 그는 교사가 알아야만 하는 최소한의 중요한 지식영역으로서 교과내용에 관한 지식, 수업 방법에 관한 지식, 교육과정에 관한 지식, 특정 교과내용을 가르치는 것에 관한 지식, 학습자에 관한 지식, 교육상황에 관한 지식, 교육철학과 역사에 관한 지식 등을 설정하고 이것들이 어떤 과정을 거쳐 습득되며 어떠한 방식으로 수업 활동에 영향을 미치는가에 대한 연구를 촉구하였다(Shulman, 1987).

'교사 지식'에 관한 연구는 1980년대 후반 이후 활발히 이루어져 현재 가장 많은 연구관심사로 떠오르고 있다. 이 방면의 연구에서 보이는 몇 가지 결과는, 우선 자신이 가르치는 교과내용에 대하여 교사가 가지고 있는 지식은 수업 시에 교육내용을 선정하고 조직하는 방식에 영향을 미치며, 자신이 가르치는 교과내용에 대한 이해의 수준과 그것을 어느 만큼 체계적으로 가지고 있는가 하는 조직 정도가 교사들이 수업 중에 내리는 몇 가지 측면의 결정에 영향을 미친다는 것을 보여주고 있다(Ball & Macdiarmid,

1990; Grossman, 1992).

그다지 활발하지는 않지만 체육 분야에서도 교사의 지식에 대한 연구가 조금씩 행해지고 있다. Rovegno(1992)는 교생실습에 참여한 초등학교 교생들이 교과내용에 관한 지식을 어떠한 방식으로 획득하는가를 연구하였다. 초등학교체육의 중요한 접근으로 대학 수업에서 배운 '움직임 교육'의 주요 개념들을 교생들이 현장에서 어떻게 이해하고 실시하는가를 알아보았다. 이 연구의 교생들은 움직임 교육의 개념을 수업 시간에 적극적으로 적용하려고 하였으나, 움직임 교육의 의미를 지나치게 단순화시킨 형태로 수업을 행하였다. Rovegno는 교생들이 핵심 개념에 대하여 제대로 이해하지 못하고 있을 뿐 아니라, 피상적 수준에서의 이해만 보였을 뿐 보다 깊은 수준의 이해를 갖지 못하고 수업을 행하고 있다고 주장하였다. 그리고 교과내용에 관한 교사의 이해가 수업을 제대로 하는 데 막중한 역할을 하므로 그에 대한 체육교사 교육프로그램의 시급한 조처가 필요함을 강조하였다. 한편, Tan 등(1994)은 수업 방법에 관한 초임 체육교사와 경력 체육교사의 차이를 조사한 연구를 실시하였다. 이들은 초임 교사와 경력 교사 간에 학생이 겪는 학습 상의 어려움이 기인하는 원인 인식, 새로운 교과내용을 접하게 될 때의 태도, 그리고 수업계획 시에 고려해야 하는 제반 사항에 대한 이해 등의 측면에서 차이점을 보이고 있음을 밝혀내었다. 이 밖에도 교사 교육프로그램이 교사의 여러 가지 지식 획득에 미치는 영향(Graber, 1995), 교과내용에 대한 이해 정도가 그 내용을 가르치는 것과 맺고 있는 관계(Manross et al., 1994), 경력 교사와 초임 교사 간의 지식의 차이(Housner, Gomez, & Griffey, 1993) 등에 관한 연구가 수행되었다. 앞으로 스포츠교육학 분야에서는 이 방향으로의 연구가 더욱 활발히 이루어질 전망이다.

08. 교사 사회화 연구

교육학 분야에서는 1970년대 이후 교사 사회화에 관한 연구가 활발히 수행되었다. '교사 사회화 연구'에 불을 당긴 것은 Lortie(1975)가 출판한 『학교교사』였다. 그의 노력으로 교사로서 성장하는 과정에 대한 보다 체계적인 관심이 불러 일으켜졌으며, 교사의 세계를 이해하는 작업에 중요한 수많은 개념적 아이디어들이 소개되었다.

일반적으로 교사 사회화 연구자들은 사회화 과정이 일방적, 단선적 과정이 아니고 역동적이고 복잡한 과정으로 간주하며, 교사는 그 과정을 소극적으로 받아들이는 존재가 아니라 적극적, 능동적으로 구성해나가는 주체적 존재로 본다. 예를 들어, 예비교사들은 사범대학이나 교육대학에 입학할 때 이미 교육과 수업에 대한 뚜렷한 신념과 교사로서의 가치관을 가지고 있으며 이것이 교사 교육프로그램과 갈등, 협상, 지지 등의 과정을 거쳐 유지되거나 새롭게 변신한다. 사회화 과정이 역동적 성격을 띤다는 점은 연구방법의 선택에 있어서 양적 접근보다는 질적 접근을 보다 선호하도록 요청한다. 질적 연구에서는 과정의 이해에 초점을 맞추며 그를 위해서 사태의 단편적 인식보다는 상황의 총체적 인식을 중요시하기 때문에, 사회화 과정의 복잡한 성격을 입체적인 시각에서 바라볼 수 있도록 만든다(Zeichner & Gore, 1990).

스포츠교육학 연구 분야에서는 1980년대 후반 이후에 체육교사의 사회화 과정에 대한 폭발적인 관심이 일었다. 1980년 초반 Templin(1979, 1981)이나 Lawson (1983a, 1983b)에 의해 경험적 연구와 이론적 개념화가 시작되면서 체육교사의 교사로서의 성장 과정에 대한 연구가 서서히 일기 시작하였다. 이후 Templin과 Schempp (1989)의 노력으로 체육교사 사회화가 하나의 공식적 연구영역으로 표면화되었다. 연구자들은 체육교사의 사회화 과정을 여러 단계로 나누고 각 단계별로 발생하는 사회화 과정에 주목하는 연구 방법을 택하였다. 일반적으로 교사로 성장하는 단계는 교사 교육 전 단계, 교사 교육 단계, 충원 및 초임 단계, 중년 단계, 그리고 퇴임 단계의 5단계로 구분한다(Schempp & Graber, 1992). 몇 가지 주제들이 그간 연구되었으나, 첫째 각 단계별로 사회화를 촉진하거나 방해하는 사회화 요인들이 무엇이며 그 과정은 어떻게 이루어지는가를 밝히려 시도하거나(Dodds, 1989), 둘째 각 단계에 위치한 예비교사나 현직교사들의 가치관, 인식, 태도가 어떤 것인지 그리고 그것이 어떤 과정을 거쳐 형성되고 변화하는가를 파악하려고 한(Templin, Sparkes, & Schempp, 1991) 연구로 구분된다.

09. 교육과정 연구

전반적으로 말해 스포츠교육학 분야는 교육과정에 관련된 문제에 대한 관심보다는 수업활동에 관계된 문제에 보다 많은 관심과 노력을 기울여 왔다. 그것은 스포츠교육학이 정식으로 형성되기 이전에는 학교프로그램과 교육과정 구성에 체육교육의 관심이 많이 주어지고 있었으나, 연구가 대부분 이론적인 수준에서 규범적 주장으로 그쳤기 때문에 객관성을 잃고 기타 연구자들에게 신뢰감을 주지 못했다. 이런 연유로 그 당시 교육학 연구 분야의 수업활동에 관한 연구 동향과 연구 방법을 적극적으로 차용하여 '체육교육 과정과 수업'이라고 불리던 분야를 '스포츠교육학'이라는 공식적 하위 학문 영역으로 성장시킬 수 있었다. 1970년대 이후 일반 교육학 분야에서는 '교육과정의 재개념화' 운동이 전개되면서 새로운 활력이 불어넣어진 것에 반하여, 체육교육 과정에 관한 연구는 하향길을 걷게 되었다.

그러나, 1970년대 후반 이후 수업활동에 관한 연구가 주류를 이루어 온 사실에도 불구하고 Jewett과 Bain(1985)과 Hellison(1985) 등은 체육교육 과정에 관한 연구를 지속적으로 수행해왔다. Jewett(1994)은 체육교육 과정의 개발을 위한 개념적 틀을 개발하여 그것을 더욱 세련화하기 위한 경험적 연구를 지속적으로 수행해 왔다. '목적-과정 개념틀'(the Porcess-Product Conceptual Framework PPCF)이라고 부르는 이 개념틀은 체육 분야에서 경험적 검증을 거친 거의 유일한 교육과정 개발틀로서 인정받고 있다. 그녀는 또한 교과 숙달, 자아실현, 학습과정, 사회적응 및 생활통합으로 구분되는 '체육 가치관'(또는 가치 정향)의 개념을 도입하여 체육교육 과정이 성취하고자 하는 교육적 이상에 대한 이해를 도왔다. Hellison(1985, 1995)은 인간중심적인 체육교육 과정 모형을 지지하고 그 실천을 위하여 오랫동안 노력해왔다. 그는 '사회성 개발 모형'이라는 실제적인 체육교육과정을 개발하여 그 효과성을 검증하고 더욱 세련화하기 위한 연구를 수행하고 있다. 그는 학생의 사회성이 무책임 단계, 자기통제 단계, 자발적 참여 단계, 책임감 인식 단계, 사려적 태도 단계, 그리고 책임감 단계를 거쳐 발달하게 됨을 주장하고 있다.

'체육교육 과정 연구'는 1980년대 후반 이후 교육사회학적 이론을 적용하기 시작한 일단의 스포츠교육학자들에 의해 다소 활기를 띠게 되었다(Evans, 1986, 1988; Kirk, 1988; Kirk & Tinning, 1990). 이들은 주로 해석학적, 비판 이론적 관점에서 학교체육과 체육교육 과정의 여러 측면에 대하여 연구하기 시작하였는데, 그 가운데 '잠재적 교육과정'의 분석에 초점이 맞추어졌다. 체육에서의 잠재적 교육과정은 Bain(1985, 1990)에 의해서 다루어지긴 했으나 이론적으로 밑받침된 본격적인 경험적 연구는 이 때에 비로소 전개되었다. 주로 학교체육의 '재생산적 기능'에 주목한 이 연구는 학교체육의 각 측면들이 어떤 방식으로 지배적인 이데올로기와 사회적 실천을 학교와 대학의 학생과 교사에게 재생산하는지를 보여주었다. 예를 들어, George와 Kirk(1988)는 개인주의, 건강 제일주의, 레크리에이션주의 등과 같은 이데올로기가 학교 체육교육의 프로그램과 체육교육 과정 속에 강하게 붙박혀있으며, 체육교사의 사고 방식과 행동 그리고 개인적 체험 속에도 깊숙이 뿌리박고 있음을 밝혀내고 있다. 이 결과 학생들에게 참다운 체육적 체험을 제공하지 못하고 사회에 만연하는 지배와 불평등과 같은 부정의를 학교체육을 통하여 암암리에 재생산하도록 만든다는 것이다. 최근에는 이같이 교육 사회학적 입장에서 학교체육을 연구한 논문만을 싣는 「Sport, Education and Society」(영국)라는 새로운 저널이 등장함으로써 이 방면의 연구는 더욱 활발해질 것으로 예상된다.

 # Ⅳ 한국 스포츠교육학 연구의 현황

현재 스포츠교육학은 하위 체육학 분야의 하나로 외국은 물론 한국 내에서도 인정을 받고 있다. 국내의 경우 '한국체육학회'의 정식 분과로 등록되어 학회나 학회발표의 경우 독립된 발표지면과 발표장소를 배정받고 있다. 체육교육의 학문적 이해에 관심을 가지고 있던 체육교수, 체육교사 및 대학원생들이 중심이 되어 '한국스포츠교육학회'를 구성하여 정기세미나와 학회지 발간 등 공식활동을 펼쳐나가고 있다. 학회에서의 논문

발표나 기타 활동을 두고 볼 때 다른 분과학회에 비하여 적은 회원 수에도 불구하고 활발한 연구 활동을 보이고 있다. 이하에서는 그동안 수행된 주된 연구성과를 앞 절에서 구분한 연구프로그램들과의 관련 속에서 정리하도록 한다.

1980년대에는 '체육교육 과정'이라는 명칭으로 보다 많이 불렸듯이 연구는 대부분이 체육교육 과정과 관련된 주제를 다루었다. 이 당시의 연구는 연구자의 부족으로 인하여 동일한 주제에 대하여 계속적인 연구가 이루어지지 않고 단발적인 연구로 그친 것이 대부분이고, 지나치게 많은 연구 주제가 체계성 없이 산발적으로 이루어졌던 것이 특징이라고 하겠다. 가장 일반적인 연구 형태는 체육교육 과정 모형의 이해와 개발에 관한 이론적 논의였다. 황현자(1983)는 당시 국내외 교육학계의 주된 관심사였던 인간 중심적 모형의 체육교육 과정에서의 적용 가능성과 그 의미를 탐색하였고, 최의창(1988)은 체육 학문화 운동이 체육교과의 성격 변화에 영향을 주었다고 설명하고 학문성이 강조된 탐구 중심적 체육교육 과정의 대략적 모습을 제시하였다. 강신복·조미혜(1987)는 잠재적 교육과정의 개념을 분석한 후 체육에서 나타나는 잠재적 교육과정의 양태와 그동안의 연구 결과를 정리하였다. 이와 함께, 학교 체육교육 과정의 개선을 위한 실제적 방안의 제시가 많은 관심을 받았다(강신복, 1982, 1985).

'수업 활동의 연구'는 1980년대 후반에 들어서면서부터 주된 연구 동향으로 대두되기 시작하였다. 우선 미국 유학생들이 학위논문으로 한국 학생들의 체육수업 시간활용에 관하여 연구하기 시작하였다(Kim, 1986; Son, 1989). 이와 함께 스포츠교육학 전공으로 박사과정을 개설하고 있던 서울대학교에서 초·중·고등학생을 대상으로 하여 교사 수업 행동과 실제 학습 시간을 분석하는 연구들을 배출하기 시작하였다(김문규, 1992; 성기훈, 1995; 윤명희, 1991). 예를 들어, 송명환(1988)은 체육수업에서의 실제 학습 시간이 여교사(10.0%)가 남교사(8.3%)보다 높았고 공립학교교사(9.1%)가 사립학교교사(7.0%)보다 높았으며, 학사학위 교사(9.5%)가 석사학위 교사(7.0%)보다 높았음을 보여주면서 체육교사의 특성에 따라 다소간의 차이를 보이고 있음을 보고하고 있다. 그의 연구에서 학생들의 실제 학습 시간은 평균 8.9% 정도에 그치고 있었다. 초등학교에서는 그것이 더욱 낮아 5.9% 밖에 되지 않는 것으로 보고되었다(송명환·강신복, 1989). 현재까지 행해진 이 밖의 다른 연구에서 밝혀진 일반적인 결과는 한국의 초중고등학교의 경우 체육수업에서의 실제 학습 시간이 매우 적다는 것을 보여주고 있다. 수업 활동에 관한 연구는 현재 급격히 증가하고 있으며 '한국스포츠교육학회지'나 기타 학술회지에 빈번히 게재되고 있다. 특히, 효율적 수업에 관한 Siedentop(1983) 과 Rink(1985)의 책이 번역되면서 체육수업의 체계적 연구에 대한 인식이 전반적으로 확장되고 있다(강신복·손천택, 1989, 1993). 최근 체계적 관찰 도구 모음집이 편집되어 체육 교사들에 의해서 이용되고 있다(손천택·백병주·곽은창, 1996).

'교사 사고 과정 연구'나 '학생 사고 과정 연구'는 아직까지는 거의 행해지지 않고 있으며, 다만 최근에 '교사 지식 연구'의 하나로서 초등학교 교사가 자신이 가르치는 교과 내용에 대한 지식의 수준이 어떠한가와 그것이 수업 지식에 어떤 영향을 미치는가를 알아보려는 연구가 행해졌다(안양옥, 1995). 이 연구는 초등학교 교사들이 운동 종목에 경험이 있거나 없거나에 상관없이 모두 낮은 수준의 교과 내용 이해도를 보이고 있음을 밝혀주었다. 그리고 교과 내용에 대한 이해정도가 그 내용을 가르치는 방식에 영향을 미치는 것으로 나타났다. '교사 사회화 연구'가 최근 들어 많은 관심을 받고 있으며, 미국 유학생들의 학위논문 준비(Lee, 1993, Park, 1993)에 의해 시작된 한국에서의 체육교사 사회화 연구는 스포츠교육학 분야에서의 질적 연구에 대한 이해를 넓히도록 촉진하여 후속 연구가 수행될 수 있는 계기를 마련해주었다. 중등학교 초임 체육교사(이재용, 1993)와 초등학교 초임 교사(이효진, 1996)가 어떤 교수 가치관을 가지고 있으며 그것의 형성에 영향을 미치는 요인들이 무엇인가에 관한 자료를 제공하는 연구가 수행되었다. 박명기(1994)는 현행 중학교 체육교사들이 학교에서 맡는 역할이 무엇인지를 파악하고, 그 역할을 인지하고 수행하는 과정에서 갈등과 만족을 통하여 교사로서의 자기 정체성을 형성하며, 그것에 미치는 여러가지 영향요인들을 언급하고 있다.

체육수업 활동과 체육교사에 대한 국내 스포츠교육학 연구자들의 관심이 점차 고조되고 있는 한편, '체육교육 과정'에 대한 새로운 관심이 일어나고 있다(강신복, 1993). 우선 Jewett이 개발한 PPCF를 국내에 적용시켜 활용해보려는 연구가 있었다(조미혜, 1992; 김윤희, 1993). 이 밖의 대부분의 연구들은 대체로 질적 연구방법론을 채택하여 행해지고 있으며 교육사회학 이론들의 영향을 받은 연구들이다. 문호준(1990)은 중학교 체육수업에서 나타나는 잠재적 교육과정의 양태를 분석하였고, 류태호(1992)는 국내에서는 최초로 참여관찰 방법을 이용한 문화 기술적 연구를 수행하여 중학교 체육수업의 실상을 보여주었다. 이옥선(1996)은 참여관찰과 인터뷰를 이용하여 초등학교 학생들이 체육수업에 어떤 형태로 참여하는가를 유형별로 구분하였다. 이 같은 경험적 연구 수행과 함께, 최의창(1994, 1996a)은 스포츠교육학 영역에서 체육교육 과정에 대한 교육사회학적 탐구를 수행한 외국에서의 그동안의 연구를 정리하여 소개함으로써 질적 연구 수행을 위한 이론적 배경을 제공해주었다. 현재 이 방면에서의 연구는 주로 해석적 접근으로 수행되고 있으며 비판적 접근은 아직 행해지지 않고 있다.

질적 연구 방법에 대한 인식이 증진되고 비판적 관점에서의 체육 이해가 증가함에 따라, 교사 효율성 연구의 등장 이후 중요한 체육수업의 개념으로 간주되던 '효율적 수업'에 대한 비판이 제기되고 그 대안적 아이디어를 추구하게 되었다. '반성적 수업' (Tinning, Kirk, & Evans, 1993)의 개념이 그 대안으로 제시되고 있으며 소개되고 있다. 반성적 수업에서는 체육교사가 자신의 수업 활동을 체계적으로 탐색하여 문제를 발견하고 그것을 스스로 해결해나가는 능력을 중시한다. 따라서 반성적 수업을 하기 위해서 체육교사는 스스로가 연구하는 '교사 연구자'가 되어야 하며 '현장개선연구'를 수행한다. 체육교사로 하여금 반성적 전문인으로 성장하도록 만들기 위한 '탐구중심 체육교사교육'이 제안되고 있다(강신복·최의창, 1994a, 1994b; 최의창, 1995a, 1995b).

 ## V 문제점 및 전망

스포츠교육학은 이제 국내외적으로 독자적인 하나의 탐구영역으로 확고한 기반을 다져가고 있다. 국외에서는 스포츠교육학의 연구내용을 싣고 소개하는 *Journal of Teaching in Physical Education*(미국), *International Review of Physical Education: A review publication*(독일) 등의 전문학술지가 학계의 인정을 받고 있으며, 국내에서는

'한국스포츠교육학회'가 체육학계의 많은 사람들에게 인식되고 있다. 국제학술대회가 자주 열리고 많은 연구자들이 연구논문을 발표하고 있으며, 스포츠교육학의 내용이 점차 널리 소개되면서 체육교사들의 관심이 높아짐에 따라 국내 연구자의 수효도 점차 증가하고 있는 중이다. 그러나 이 같은 외형적 성장과 함께 여러 가지 문제점들이 생겨나고 있기도 하다. 본 절에서는 중요한 문제점 3가지와 그것을 해결하기 위한 스포츠교육학 연구자들의 노력에 대하여 살펴보고 앞으로의 전망에 대하여 간단히 서술한다.

첫째, 국내외를 막론하고 가장 두드러지게 대두되고 있는 문제는 '연구'와 '실제'의 간격을 좁히는 문제이다. 스포츠교육학 연구가 체육교육의 현실을 개선하는 것에 그다지 효과적이지 못하다는 지적이 많이 제기되고 있다. 체육교사들은 자신의 수업에 연구의 결과를 활용하기는커녕, 연구를 읽어보지도 않는 것이 통례라는 것이다. 이것은 연구자들이 관심을 가지고 있는 문제들이 교사들이 관심을 가지는 문제와 서로 성격이 다르기 때문이기도 하며, 그들이 제안하는 해결방안들이 대부분 현실성이 희박하거나 결여되어 있는 데 기인하기도 한다. 물론 무사안일주의나 변화를 거부하는 태도와 같은 체육교사들의 무반성적 자세도 이론과 실제의 간격을 넓히는 데 한몫하고 있다. 스포츠교육학자들은 이 문제를 해결하기 위하여 현직 및 직전 교사 교육프로그램을 이용하여 체육교사들이 스포츠교육학적 지식에 대한 올바른 이해를 갖고 그 지식을 활용할 수 있는 능력을 길러주기 위한 노력을 경주하고 있다(Siedentop, 1991). 한편에서는 연구의 과정에 체육교사를 적극적으로 참여시킴으로써 체육교사의 관심을 자극시키고 그가 필요한 형태의 연구가 될 수 있도록 하는 방안을 마련하기도 하고, 더 나아가서 대학과 학교가 연계되어 연구를 수행할 수 있도록 기회를 만들고 있기도 하다(Martinek & Schempp, 1988). 가장 최근의 해결책으로 체육교사들 자신이 스스로 자신에게 필요로 하는 연구를 수행하도록 하는 '교사 연구'의 아이디어가 제공되고 있다(최의창, 1996b).

둘째, 체육교육 현상을 이해하고 탐구하는 연구 패러다임에 관한 문제이다. 어떤 방법이 가장 올바른 스포츠교육학적 지식을 얻을 수 있도록 해주는가에 대한 의견의 차이가 심각하게 존재한다(Schempp, 1987; Siedentop, 1987). 그동안 지배적 연구방법론으로 채택되어왔던 실증적 패러다임이 해석적 패러다임과 비판적 패러다임의 관점에서 검토되고 비판되면서 체육교육을 정확하게 이해할 수 있는 적절한 관점인가에 대한 논란이 활발하였다. 그동안의 논쟁은 각 연구방법론은 서로의 패러다임이 밝혀내지 못하는 측면을 보완해주기 때문에 장단점을 공히 가지고 있다는 점을 드러내주었다(손천택, 1994; 최의창, 1996a; Silverman, 1996). 이리하여 각 패러다임이 갖는 한계점에 주목하여 서로의 단점을 드러내어 밝히는 초창기의 비난적 경향은 대부분 수그러들고, 서로의 거울에 비추어보았을 때 자신이 지지하는 연구 패러다임의 한계가 무엇인지를 깨닫고 그 점을 보완하려는 반성의 경향이 싹트고 있다(O'sullivan, Locke, & Siedentop, 1992; Rovegno & Kirk, 1995). 이 반성의 결과로 각 패러다임에서는 기존의 주된 연구방법론이 갖는 한계를 보완하는 새로운 연구방법론의 개발에 지대한 관심이 쏟아지고 있다(Sparkes, 1992). 그러나 아직까지도 연구의 현실에서는 어느 하나의 방법, 대부분의 경우 실증적 방법의 타당성만을 인정하는 풍토가 만연하고 있는 실정이다.

셋째, 국내의 스포츠교육학이 당면하고 있는 가장 큰 문제로서 '학문적 종속성'의 문제이다. 현재 수행되고 있는 거의 모든 연구가 미국에서 행해진 선행연구를 모형으로 하고 있다. 체육학계 전반에 걸쳐 보이고 있는 미국적 학문 성향이 스포츠교육학 분야에도 예외없이 전염되어 있는 것이다. 아직 역사가 오래되지 않아 연구의 결과가 충분히 축적되지 않았기 때문에 현재로서는 당연한 학문적 추세라고는 할 수 있으나, 이 경향이 다소 고개를 숙이거나 개선될 징후는 보이지 않는다. 주도적으로 활동하고 있는 연구자의 대부분이 미국에서 공부하고 돌아왔으며 한국 내에서 연구 경험을 쌓은 연구자들도 미국의 스포츠교육학을 주된 내용으로 공부했다는 점에서 앞으로도 이 추세는 지속될 것이다. 이것은 예비 스포츠교육학 연구자로서 대학원에서 학습하게 되는 내용이 거의 전적으로 미국의 스포츠교육학 연구들인 것에 기인하는데, 연구자가 되기 위해 받은 교육이 미국적이므로 이후에도 계속 미국적 공부에 의존하게 될 것은 당연한 일이다. 이 같은 상황은 '한국적인' 연구주제를 개발하여 그의 해결을 위한 노력을 경주함으로써 개선되도록 해야 할 것이다. 그를 위한 첫 단계로 그동안 국내에서 성숙되어 온 일반교육학 연구 분야의 동향을 국내 스포츠교육학 연구에 적극적으로 반영시키는 방법이 있을 수 있다. 일례로, 근래 국내에서는 교육철학적 접근과 교육사회학적 접근으로 교육과정과 학교 교육을 이해하는 독자적인 시도가 성과를 보이고 있다. 김기석 ·

류방란(1994)은 한국 근대교육의 성립 과정을 역사 사회학적으로 이해하여 기존의 기능주의적인 시각을 탈피하려고 하였으며, 이홍우(1991, 1992)는 교육과정과 관련된 철학적·이론적 이슈들을 독특한 관점에서 종합하여 비판하고 설명하고 있다. 스포츠교육학 분야에서도 교육철학적인 입장에서 체육교육 과정과 수업 활동을 해석해내려는 연구가 시도되고 있으나 현재로서는 극히 미미한 실정이다(최의창, 1995c).

이론과 실천의 문제, 연구 패러다임의 문제, 학문적 자립성의 문제 등은 넓게는 스포츠교육학 분야 전반이, 좁게는 한국 스포츠교육학이 끊임없이 고민하면서 해결하도록 힘써 나가야 할 문제들이다. 물론 이 밖에도 크고 작은 실제적, 이론적 문제들이 산적해있으나 많은 경우 이 세 가지 문제와 직접적, 간접적으로 관련되어 있으며 그 해결의 실마리가 숨겨져 있는 근원적 문제들이다. 그동안 괄목할 만큼 성장한 스포츠교육학 연구분야가 보다 성숙한 단계로 진일보하기 위해서는 이 문제들의 해결에 집단적 노력을 기울이지 않으면 안된다. 보다 밝은 미래를 위해서 한국은 물론 전 세계 스포츠교육학 연구자들의 공통적 관심과 단결된 의지가 절실히 요청되는 것이다.

참고문헌

강신복 (1982). 학교체육교육과정 운영의 정상화 방안. 제 2회 국민체육진흥세미나.

강신복 (1985). 학교체육교육과정의 개선방향. 제 5회 국민체육진흥세미나.

강신복(역) (1993). 체육교육과정이론. 서울: 보경문화사.

강신복 · 손천택(역) (1991). 체육교수이론. 서울: 보경문화사.

강신복 · 손천택(역) (1993). 체육학습교수법. 서울: 보경문화사.

강신복 · 조미혜 (1987). 체육의 잠재적 교육과정 연구. 서울대학교 체육연구소 논집, 8(1). 15-23.

강신복 · 최의창 (1991). 체육 학문화 운동과 체육교과의 성격: 학문성 강조 체육교과교육 모형의 탐색. 서울대학교 체육연구소 논집, 12(2). 1-11.

강신복 · 최의창(역) (1994a). 체육수업탐구. 서울: 태근문화사.

강신복 · 최의창 (1994b). 체육교과교육의 재조명: 탐구중심적 접근모형. 이돈희 외, 교과교육학 탐구(pp. 251-294). 서울: 교육과학사.

김기석 · 류방란 (1994). 한국 근대교육의 기원 1880-1895. 교육이론, 7 · 8, 73-148

김문규 (1992). "능력본위 개입이 체육교수행동에 미치는 영향", 서울대학교 박사학위논문.

김윤희 (1993). "중등체육교사의 가치정향에 관한 연구", 서울대학교 석사학위논문.

류태호 (1992). "중학교 체육수업에 대한 문화기술적 분석", 서울대학교 석사학위논문.

문호준 (1990). "중학교 체육수업에서의 잠재적 교육과정의 분석 연구". 서울대학교 석사학위논문.

박명기 (1994). 체육교사의 역할수행현황과 직업만족도. 한국스포츠교육학회지, 창간호,63-79.

성기훈 (1995). "국민학교 체육전담교사와 학급담임교사의 체육수업 분석", 서울대학교 박사학위논문.

손천택 (1994). 체육교수연구의 패러다임논쟁. 한국스포츠교육학회지, 창간호, 11-28.

손천택 · 백병주 · 곽은창 (1996). 체육학습지도의 체계적 분석. 서울: 21세기 교육사.

송명환 (1988). "중등학교 체육수업의 교사집단 특성별 학습시간(ALT-PE) 분석연구", 서울대학교 박사학위논문.

송명환 · 강신복 (1989). 국민학교 체육수업의 학습시간 분석. 한국체육학회지, 28(1), 139-152.

안양옥 (1995). "체육 교과내용지식의 수준과 수업지식의 관련성", 서울대학교 박사학위논문.

윤명희 (1991). "자기관리기법이 교생의 교수행동에 미치는 효과", 서울대학교 박사학위논문.

이옥선 (1996). "초등학생의 체육수업 참여유형 분석", 서울대학교 석사학위논문.

이재용 (1993). 초임 체육교사의 교수가치관 형성. 서울대학교 체육연구소 논집, 14(1), 35-42

이홍우 (1991). 교육의 개념. 서울: 문음사.

이홍우 (1992). 증보 교육과정탐구. 서울: 박영사.

이효진 (1996). "초등체육지도교사의 교직사회화 연구", 서울대학교 석사학위논문.

조미혜 (1992). "개인의미 교육과정에 의거한 체육목표개념 분석연구", 국민대학교 대학원 박사학위논문.

최의창 (1988). "학문성 강조 체육교과교육 모형 개발을 위한 이론적 탐색.", 서울대학교 대학원 석사학위논문.

최의창 (1994). 체육교육과정의 사회학적 탐구. 한국교육, 21, 207-237.

최의창 (1995a). 체육교사로 일하며 성장하기. 서울: 태근문화사.

최의창 (1995b). 교사전문능력개발의 합리주의적 관점과 그 대안. 교육학 연구, 33(1), 331-348.

최의창 (1995c). 두 가지 내용과 두 가지 방법: 체육교육내용과 교육방법의 재음미: 서울대학교 체육연구소 논집, 16(1), 108-121.

최의창 (1996a). 체육교육과정 탐구. 서울: 태근문화사.

최의창 (1996b). 교사연구와 체육교사교육. 한국스포츠교육학회지, 3(1), 1-20.

황현자 (1983). "인간중심 체육수업 전개방안을 위한 이론적 탐색". 서울대학교 석사학위논문.

Anderson, W., & Barrette, G. (Eds.) (1978). What's going on in gym. *Motor Skills: Theory into Practice, Monograph 1.*

Ashy, M. H., Lee, A. M., & Landin, D. K. (1988). Relationship of practice using correct technique to achievement in a motor skill. *Journal of Teaching in Physical Education, 7*, 115-120.

Bain, L. (1990b, July). Research in sport pedagogy: Past, present, and future. *Paper presented at the World Convention of the Association Internationale Des Ecoles Superierures d'Eduationa Physique*, Loughborough, England.

Ball, D. L., & McDiarmid, G. W. (1990). The subject matter preparation of teachers. In W. R. Houston (Ed.), *Handbook of research on teacher education* (pp. 437-449). New York: MacMillan.

Berliner, D. C. (1979). Tempus Educare. In P. L. Peterson and H. J. Walberg (Eds.). , *Research on teaching.* Berkeley, CA: McCutchan.

Bloom, B. S.(1974, September). Time and learning. *American Psychologist, 29*, 682-688.

Byra, M., & Sherman, M. A. (1993). Preactive and interactive decision-making tendencies of less and more experienced preservice teachers. *Research Quarterly for Exercise and Sport, 64*, 46-55.

Carroll, J. B. (1963). A model of school learning. *Teachers College Record, 64*, 723-733.

Cheffers, J. (1973). *The validation of an instrument designed to expand the Flanders System of Interaction Analysis to describe nonverbal interaction, different varieties of teacher behavior and pupil responses.* Unpublished doctoral dissertation, Temple University, Philadelphia.

Choi, E. (1992). *Beyond positivist sport pedagogy: Developing a multidimensional, multiparadigmatic perspective.* Unpublished Doctoral Dissertation. University of Georgia.

Clark, C., & Peterson, P. L. (1986). Teachers' thought processes. In M. C. Wittrock(Ed.), *Handbook of research on teaching* (3rd ed., pp. 255-296). New York: Macmillan.

Darst, P., Zakrajsek, D., & Mancini, V. (Eds.) (1983). *Systematic observation instrumentation in physical education.* Champaign, IL: Leisure Press.

Darst, P., Zakrajsek, D., & Mancini, V. (Eds.) (1989). Analyzing physical education and sport instruction (2nd ed.). Champaign, IL: Human Kinetics.

Dodds, P. (1989). Trainees, field experience, and socialization into teaching. In T.J. Templin & P.G. Schempp (Eds.), *Socialization into physical education: Learning to each* (pp. 81-104). Indianapolis: Benchmark Press.

Doyle, W. (1978). Paradigms for research on teacher effectiveness. In L. S. Shulman(Ed.). *Journal of Teacher Education, 28*, 51-55.

Dunkin, M. J., & Biddle, B. J. (1974). *The study of teaching.* New York: Holt, Reinhart & Winston.

Ennis, C. D. (1994). Knowledge and beliefs underlying curricular expertise. *Quest, 46*, 164-175.

Ennis, C. D., & Zhu, W. (1991). Value orientations: A description of teachers' goals for student learning. *Research Quarterly for Exercise and Sport, 62*, 33-40.

Ennis, C. D., Ross, J., & Chen, A. (1992). The role of value orientation in curricular decision making: A rationale for teachers' goals and expectations. *Research Quarterly for Exercise and Sport, 63*, 38-47.

Evans, J. (Ed.) (1986). *Physical education, sport, and schooling: Studies in the sociology of physical education.* Lewes, UK: Falmer.

Evans, J. (Ed.) (1988). *Teachers, teaching and control*. Lewes, UK: Falmer.

Gage, N. L. (Ed.). (1963). *Handbook of research on teaching*. Chicago: Rand McNally.

George, L., & Kirk, D. (1988). The limits of change in physical education: ideologies, teachers and the experience of physical activities. In J. Evans (Ed.), *Teachers, teaching and control in physical education* (pp. 125-144). Lewes, UK: Falmer.

Graber, K. (1995). The influence of teacher education programs on the beliefs of student teachers: General pedagogical knowledge, pedagogical content knowledge, and teacher education course work. *Journal of Teaching in Physical Education., 14*, 157-178.

Graham, G., Heimerer, E. (1981). Research on Teacher effectiveness: A summary with implications for teaching. *Quest, 33*, 14-25.

Graham, G., Soares, P., & Harrington, W. (1983). Experienced teachers' effectiveness with intact classes: An ETU study. *Journal of Teaching in Physical Education., 2*, 3-14.

Greenockle, K., Lee, A., & Lomax, R. (1990). The relationship between selected student characteristics and activity patterns in a required high school physical education class. *Research Quarterly for Exercise and Sport, 61*, 59-69.

Griffey, D., & Housner, L. D. (1991). Planning, behavior and organization climate differences of experienced and inexperienced teachers. *Research Quarterly for Exercise and Sport, 62*, 196-204.

Hagg, H. (1978). *Sport pedagogy: Content and methodology*. Baltimore: University Park Press.

Hanke, U. (1987). Cognitive aspects of interaction in physical education. In G. T. Barrette, R. S. Feingold, C. R. Rees, & M. Pieron (Eds.), *Myths, models, and methods in sport pedagogy*(pp. 135-141). Champaign, IL: Human Kinetics.

Hellison, D. (1985). *Goals and strategies for teaching physical education*. Champaign, IL: Human Kinetics.

Hellison, D. (1995). *Teaching responsibility through physical activity*. Champaign, IL: Human Kinetics.

Housner, L., & Griffey, D. (1985). Teacher cognition: Differences in planning and interactive decision-making between experienced and inexperienced teachers. *Research Quarterly for Exercise and Sport, 56*, 45-53.

Housner, L. D., Gomez, R. L., & Griffey, D. C. (1993). Pedagogical knowledge structures in prospective teachers: Relationships to performance in a teaching methodology class. *Research Quarterly for Exercise and Sport, 64*, 167-177.

Jewett, A. (1980). The status of physical education curriculum theory. *Quest, 32*(2), 163-173.

Jewett, A. (1994). Curriculum theory and research in sport pedagogy. *Sport Science Review, 3*(1), 56-72.

Jewett, A., & Bain, L. (1985). *Curriculum Process in physical education*. Dubuque, IA: Wm. C. Brown.

Kim, D. W. (1986). *A comparison of academic learning time between high-rated and low-rated Korean secondary physical education teachers*. Unpublished doctoral dissertation, University of Idaho.

Kirk, D. (1988). *Physical education and curriculum study: A critical introduction*. London: Croom Helm.

Kirk, D. (1990). Knowledge science and the rise and rise of human movement studies. *The ACHPER National Journal, March*, 8-11.

Kirk, D., & Tinning, R. (Eds.). (1990). *Physical education, curriculum and culture: Critical issues in the contemporary crisis*. Lewes, UK: Falmer.

Lawson, H. (1983a). Toward a model of teacher socialization in physical education:The subject warrant, recruitment, and teacher education (Part I). *Journal of Teaching in Physical Education, 2,* 3-16.

Lawson, H. (1983b). Toward a model of teacher socialization in physical education: Entry into schools, teachers' role orientations, and longevity in teaching (Part 2). *Journal of Teaching in Physical Education, 3,* 3-15.

Lee, A., & Solmon, M. (1992). Cognitive conceptions of teaching and learning motor skills. *Quest, 42,* 57-71.

Lee, A., Keh, N., & Magill, R. (1993). Instructional effects of teacher feedback in physical education. *Journal of Teaching in Physical Education, 12,* 228-243.

Lee, A., Landin, D., & Carter, J. (1992). Student thoughts during tennis instruction. *Journal of Teaching in Physical Education, 11,* 256-267.

Lee, A. M. (1996). How the field evolved. In S. J. Silverman & C. D. Ennis (Eds.), *Student learning in physical education*(pp. 9-33). Champaign, IL: Human Kinetics.

Lee, J. Y. (1993). *The socialization of beginning physical education teachers.* Unpublished doctoral dissertation, University of Oregon.

Locke, L. (1977). Research on teaching physical education: New hope for a dismal science. *Quest, 28,* 2-16.

Lotie, D. (1975). *Schoolteacher: A Sociological study.* Chicago: University of Chicago Press.

Manross, D., Fincher, M., Tan, S. K., Choi, E., & Schempp, P. (1994). *The influence of subject matter expertise on pedagogical content knowledges.* Paper presented at the American Educational Research Association annual meeting. New Orleans, LA.

Martinek, T. J. (1988). Confirmation of a teacher expectancy model: Student perceptions and causal attributions of teaching behaviors. *Research Quarterly for Exercise and Sport, 59,* 118-126.

Martinek, T. J., & Schempp, P. G. (1988). An introduction to models for collaboration. *Journal of Teaching in Physical Education, 7,* 160-164.

Medley, D. (1979). The effectiveness of teachers. In P. Peterson & H. Walberg (Eds.), *Research on teaching: Concepts, findings, and implications*(pp. 11-27). Berkeley, CA: McCutchan.

Metzler, M. W. (1989). A review of research on time in sport pedagogy. *Journal of Teaching in Physical Education, 8,* 87-103.

Nixon, J., & Locke, L. (1973). Research on teaching physical education. In R. Travers (Ed.), *Second handbook of research on teaching* (pp. 1210-1242). Chicago: Rand McNally.

Oliver, B. (1980, April). *Process-outcome relationships and motor skills learning.* Paper presented at the annual meeting of the American Educational Research Association, Boston.

Park, M. G. (1993). *The occupational socialization of Korean secondary school physical education teachers.* Unpublished doctoral dissertation.

Placek, J. (1983). Conceptions of success in teaching: Busy, happy, and good? In T. J. Templin & J. K. Olson (Eds.), *Teaching in Physical Education,* (pp. 46-56). Champaign, IL: Human Kinetics.

Revegno, I., & Kirk, D. (1995). Articulations and silences in socially critical work on physical education: Toward a broader agenda. *Quest, 47,* 447-474.

Rink, J. (1985). *Teaching for learning in physical education.* St. Louis: C. V. Mosby.

Rosenshine, B. (1979). Content, time, and direct instruction. In P. Peterson and H. Walberg, (Eds.), *Research on teaching: Concepts, findings, and implications. Berkeley,* CA: McCutchan.

Rovegno, I. (1992). Learning to reflect on teaching: A case study of one preservice physical education teacher. *The Elementary School Journal, 92*(4), 491-511.

Schempp, P. (1987). Research on teaching in physical education: Beyond the limits of natural science. *Journal of Teaching in Physical Education., 6(2)*, 111-121.

Schempp, P., & Graber, K. (1992). Teacher socialization from a dialectical perspective: Pretraining through induction. *Journal of Teaching in Physical Education., 11(3)*, 329-348.

Sherman, M. (1979, December). *Teacher planning: A study of expert and novice gymnastics teachers.* Paper presented at the Pennsylvania State Association of HPER Annual Convention, Philadelphia.

Shulman, L. S. (1986). Paradigms and research programs in the study of teaching: A contemporary perspective. In M. C. Wittrock. (Ed.), *Handbook of research on teaching*(3rd ed.) (pp. 1-36). New York: Macmillan.

Shulman, L. S. (1987). Knowledge and teaching: Foundations of the new reform. *Harvard Educational Review, 57*, 1-22.

Siedentop, D. (1980). *Physical education: An introductory analysis.* Dubuque, IA: W. C. Brown.

Siedentop, D. (1983). *Developing teaching skills in physical education.* 2nd Ed. Mountain View, CA: Mayfield.

Siedentop, D. (1983). Research on teaching in physical education. In T. Templin & J. Olson (Eds.), *Teaching in physical education* (pp. 3-15). Champaign, IL: Human Kinetics.

Siedentop, D., Tousignant, M., & Parker, M. (1982). *Academic learning time-physical education coding manual.* Columbus, OH: The Ohio State University.

Silverman, S. (1990). Linear and curvilinear relationships between student practice and achievement in physical education. *Teaching and Teacher Education, 6*, 305-314.

Silverman, S. (1991). Research on teaching in physical education. *Research Quarterly for Exercise and Sport, 62*(4), 264-352.

Silverman, S. (1996). How and why we do research. In S. Silvermam & K. Ennis (Eds.), *Student learning in physical education: Applying research to enhance instruction* (pp. 35-52). Champargn, IL: Human Kinetics.

Silverman, S., Tyson, L. A. & Morford, L. M. (1988). Relationships of organization, time, and student achievement in physical education. *Teaching and Teacher Education, 4*, 247-257.

Silverman, S., Tyson, L. A., & Krampitz, J. (1992). Teacher feedback and achievement in physical education: Interaction with student practice. *Teaching and Teacher Education, 8*, 333-344.

Solmon, M. A., & Lee, A. M. (1991). A contrast of planning behaviors between expert and novice adapted physical education teachers. *Adapted Physical Activity Quarterly, 8*, 115-127.

Solmon, M. A., & Lee, A. M. (1996). Entry characteristics, practice variables, and cognition: Student mediation of instruction. *Journal of Teaching in Physical Education, 15(2)*, 136-150.

Son, C-T. (1989). *Descriptive analysis of task congruence in Korean middle school physical education classes.* Unpublished doctoral dissertation, The Ohio State University, Columbus.

Sparkes, A. (Ed) (1992). *Research in physical education and sport: Exploring alternative visions.* Lewes, UK: Falmer.

Stroot, S. (1993). Socialization into physical education. *Journal of Teaching in Physical Education* [Summer Monograph].

Tan S. K. S. et al. (1994). *Differences in novice and competent teachers' knowledge.* Paper presented at the American Educational Research Association annual meeting. New Orleans, LA.

Templin, T. (1979). Occupational socialization and physical education student teacher. *Research Quarterly, 50,* 482-493.

Templin, T. (1981). Student as socializing agent. *Journal of Teaching in Physical Education, Introductory Issue,* 71-79.

Templin, T., & Schempp, P. (Eds.) (1989). *Socialization into physical education: Learning to teach.* Indianapolis, IN: Benchmark Press.

Templin, T., Sparks, A., Schempp, P. (1991). The professional life cycle of a retired physical education teacher: A tale of bitter disengagement. *Physical education review, 14,* 143-156.

Tinning, R., Kirk, D., & Evans, J. (1993). *Learning to teach physical education.* Singapore: Prentice-Hall.

Travers, R. (1973). *Handbook of research on teaching* (2nd ed.). Chicago: Rand McNally.

Tyler, R. (1949). *Basic principles of curriculum and instruction.* Chicago: University of Chicago Press.

Walkwitz, E., & Lee, A. (1992). The role of knowledge in elementary physical education: An exploratory study. *Research Quarterly for Exercise and Sport, 63, 179-*185.

Wittrock, M. C. (Ed.) (1986). *Handbook of research on teaching* (3rd ed.). New York: Macmillan.

Yerg, B. J. (1981). The impact of selected presage and process behaviors on the refinement of a motor skill. *Journal of Teaching in Physical Education, 1,* 38-46.

Zeichner, K., & Gore, J. (1990). Teacher socialization. In R. Houston (Ed.), *Hadndbook of research on teacher education* (pp. 329-348). New York: Macmillan.

Chapter 04

전개 2: 질적 연구

● ● ● ● ● ● ● ● ● ● ●

    국내외 교육학 연구는 지난 30여 년간 빠른 속도와 다양한 측면으로 발전하였다. 교육학 연구 분야의 다양한 변화 가운데 가장 특기할 만한 것으로 질적 연구의 일반화를 들 수가 있다. 통계적 방법을 사용한 양적 연구 일변도의 교육연구에서 문화기술법과 사례연구 등의 질적 방법 활용이 이제는 많은 연구자들에게 널리 활용되고 있는 것이다. 그리고 외국은 대학원에서도 교육연구자들의 필수교육내용으로 많이 채택되고 있는 실정이다. 스포츠교육학 분야도 이 추세에 예외는 아니어서, 지난 동안 질적 연구가 많은 관심을 받아왔으며 실지로 연구도 많이 행해지고 있다. 본 장의 목적은 스포츠교육연구 분야에서 행해진 질적 연구의 발전과정, 현황, 그리고 전망을 분석적으로 살펴보는 것이다. 이를 위하여 첫째, 연구패러다임 간의 논쟁이 어떻게 전개되었으며 어떤 식의 타협이 이루어졌는지 알아본다. 둘째, 사용된 연구방법들을 살펴보고, 스포츠교육, 특히 학교체육을 중심으로 그동안 행해진 질적 연구의 경향을 연구 장르별로 분류한다. 셋째, 한국 스포츠교육학에서 이루어진 질적 연구동향을 파악한 후, 앞으로의 전망에 대해서 살펴본다.

I 질적 연구의 시대

    교육은 참으로 오래된 인간 활동의 하나다. 약 오천 년 전 문명이 시작되었을 때부터 인류는 교육에 대한 관심을 조금도 늦추어오지 않았다. 그러나, 교육을 체계적으로 실행하는 학교가 누구나 다닐 수 있는 공적 기관으로 된 시기는 그리 오래지 않다. 더욱이, 교육학자들이라는 연구 집단이 사회에 가시적인 전문가 집단을 형성하고 인정받기 시작한 것도 겨우 20세기 초반부터이다. 그리하여 공적 기관으로서의 학교에서 벌어지는 교육 현상에 대하여 교육학자들이 체계적이고 과학적인 관심을 기울인 것은 극히 최근의 일이다. 이런 짧은 역사에 비하면, 그동안 교육학자들의 연구성과는 참으로 대단한 성취라고 할 수 있다. 이제 교육학 연구를 통해 얻어진 문헌과 지식과 결과들은 그 양적인 면에서 엄청나게 축적이 되어있다. 아마도, 지난 백여 년간 탐구해서 알아낸 새로운 지식들이 그 이전까지 쌓아온 교육학적 지식들의 총량과 맞먹을지도 모를 정도이다.

    교육에 관한 새로운 지식을 얻어내는 이 과정의 초기에, 교육학자들은 학교 교육 현상에 대한 정확한 파악은 특정한 절차(즉, 합리주의에 근거한 과학적 절차)를 따를 때에만 얻어진다고 간주하게 된다. 과학적 연구설계에 따라 계량적 방법을 채택한 후, 경험적 자료를 체계적으로 수집해서는, 그 결과를 논리적으로 분석하여 얻어진 결론을 가지고 학교교육 현상을 제대로 이해하고 개선할 수 있다고 생각한 것이다. 학교교육 실천을 제대로 해내기 위해서는 경험과 주관에 근거한 것이 아니라, 합리적 절차에 따라 확실하게 검증된 객관적 지식이 절대적으로 필요하다는 생각을 굳게 가진 것이다. 이리하여 교육학 연구는 거의 전적으로 계량적, 객관적, (자연)과학적 특성을 지닌 심리측정, 여론조사, 실험 등의 연구방법을 통해서 이루어지게 된다(Jackson, 1992; Wittrock, 1986).

    조금 전문적 용어를 섞어 말하면, 교육학 연구는 사회과학의 지배적 인식론이던 "양적 패러다임"의 영향 아래서 진행된 것이다. 한편으로 기울어진 이런 동향은 오랫동안 지속되다가 최근에 와서야 조금씩 바뀌고 있는 실정이다. 사회과학 분야에서의 영향을 받아 교육학 연구 분야에서도 "질적 패러다임"의 인식론이 소개되고 인정받기 시작하면서, 다양한 질적 연구방법을 동원한 연구들이 많이 행해지고 있다. 양적 패러다임의 위세에 눌려 소극적으로 행해지던 몇 가지 연구방법들이 적극적으로 활용되는 것은 물론이고, 전문연구자들이 기존에 가능한 모든 연구방법들을 활용하고 또 새로운 탐구방식들을 탐색하고 개발해 내고 있다. 질적 연구만을 위한 새로운 저널들이 속속 출간되고 있으며, 단행본 서적과 문헌의 양도 급속도로 증가하고 있다. (적어도, 영어 사용권 국가에서는) 가히, 질적 연구의 황금시대라고 부를 수 있을 정도이다(Denzin & Lincoln, 1994; LeCompte, Millroy & Pressile, 1992).

스포츠교육학 분야도 이런 추세에 예외는 아니다. 교육학 연구의 동향을 그대로 답습하며 지난 30여 년간 발전해온 학교체육의 체계적, 과학적 연구도 질적 연구가 널리 인정받고 실행되고 있다. 교육학 연구의 발전에 비하면 아직 걸음마 단계라고 볼 수 있지만, 그럼에도 불구하고 전 세계에서 벌어지는 체육교육학 연구는 최근 비약적 발전을 거듭하고 있다. 학회활동, 연구발표, 문헌저술, 논문작성 등으로 알 수 있는 발전의 정도가 따라 잡기가 힘들 정도이다. 응용학문이라는 연구 분야의 특성상 연구주제와 연구방법을 전적으로 교육학으로부터 차용해옴에 따라, 스포츠교육학 연구는 교육학의 발전과정을 어느 정도의 시간적 거리를 두고 거의 그대로 뒤따라가고 있다고 말할 수 있다. 질적 연구방법론에 대한 스포츠교육 연구자들의 생각과 태도의 변화가 바로 그 좋은 한 가지 예를 보여주고 있다.

스포츠교육학은 운동, 스포츠, 게임, 놀이, 무용 등 체육현상의 교육적 측면을 체계적으로 탐구하고 개선하는 것을 목표로 하는 연구 분야다. 스포츠교육에 관한 사람들의 관심은 오래 전부터 있어왔으나, 과학적, 체계적 접근을 활용해서 보다 본격적으로 스포츠교육 현상을 탐구하기 시작한 것은 체육 분야에서 소위 "체육 학문화 운동"이 시작된 1960년대 후반이다. 이때부터 박사학위논문이 쓰여지고, 학술저널에 전문논문이 실리며, 독자적인 학술대회가 서서히 열리기 시작한다. 그리고는 1981년 미국에서 스포츠교육 전문저널인 *Journal of Teaching in Physical Education* **JTPE**이 발간되면서 체육학 내에서 공식적으로 하위 학문 분야의 하나로 인정받는 계기를 마련한다. 스포츠교육학은 학교체육, 생활체육, 전문체육 등의 분야를 망라하여 연구가 진행되고 있으나,

지금까지는 거의 전적으로 학교체육 분야에서의 체계적 연구에만 관심을 집중시켜 왔다(최의창, 1996, 1999, Bain, 1997).

본 장은 지난 동안 이루어진 스포츠교육에서의 질적 연구에 대한 전반적 이해를 목적으로 한다. 제2절에서는, 질적 연구가 어떤 과정을 거쳐 스포츠교육 연구자들에게 소개되고 인정받게 되었는지를 '연구 패러다임'에 관한 이론적 논쟁을 중심으로 살펴본다. 제3절에서는 그동안 사랑받아온 주요 질적 연구방법의 종류와 연구기법의 활용 현황을 알아본다. 제4절에서는 이러한 연구방법과 기법을 활용해서 행해진 연구들을 연구주제별로 분류하여 연구 장르화시켜 알아본다. 제5절에서는 스포츠교육 연구자들간에 최근 논의의 대상이 되고 있는 질적 연구에 관련된 몇 가지 이슈들을 살펴본다. 제6절에서는 지난 10년간 한국에서 행해진 학교체육 관련 질적 연구들을 간단히 소개한다. 마지막으로 국내 스포츠교육학 연구의 문제점과 질적 연구 발전을 위한 전망을 알아본다.

 ## II 논쟁의 전개와 타협

스포츠교육연구 분야에 있어서 질적 연구의 대두와 수용은 처음부터 우호적인 분위기 속에서 이루어진 것은 아니다. 각각 다른 접근을 택하는 연구자들의 반목과 논쟁, 그리고 상호이해와 타협의 과정을 거치면서 진행되었다. 양적 연구에 대한 질적 연구자들의 강한 비판과 그 대안으로서 질적 연구를 주장하자, 양적 연구자들의 강한 대응이 뒤따르고 그에 대한 질적 연구자들의 역대응의 논쟁이 벌어진다. 그리고는 서로의 이해가 이루어지면서 한 발씩 뒤로 물러나 서로의 장단점을 인정하는 타협의 상태로 들어선다. 질적 연구가 처음으로 공식적인 목소리를 내기 시작한 1980년대가 열띤 논박의 시기였다면, 다양한 연구가 활발히 행해지기 시작한 1990년대는 상호이해와 타협의 시대라고 할 수 있다.

표 1		질적 연구 패러다임 논쟁의 전개	
년도	저자	논문	출처
1986	Neal Earls	Conflicting research assumptions and complementary distinctions,	*Journal of Teaching in Physical Education,* 6(1), 30-40.
1987	Paul Schempp	Research on teaching in physical education: Beyond the limits of natural science.	*Journal of Teaching in Physical Education,* 6(2), 111-121.
1987	Daryl Sidentop	Dialogue of exorcism? A rejoinder to Schempp.	*Journal of Teaching in Physical Education,* 6(4), 373-376.
1989	Larry Locke	Qualatative research as a form of scientific inquiry in sport and physical education.	*Research Quarterly for Exercis and Sport,* 60(1), 1-20.
1989	Andrew Sparkes	Paradigmatic confusions and the evation of critical issues in naturalisitic research.	*Journal of Teaching in Physical Education,* 8(2), 131-151.
1991	Andrew Sparkes	Towards understanding, dialogue and polyvocality in the reseach community: Extending the boundaries of the paradigms debate.	*Journal of Teaching in Physical Education,* 10(2), 103-133.
1992	Andrew Sparkes	Validity and the research process; An exploration of meanings.	*Physical Education Review,* 15, 29-45.
1995	Andrew Sparkes	Writing people: Reflections on the dual cries of representaition and legitimation in qualitative inquiry.	*Quest,* 47, 158-195

스포츠교육 현상을 질적으로 접근해야 한다는 본격적이고 공식적인 주장은 1980년 대 중반부터 미국과 영국을 중심으로 시작되었다. 미국의 Earls(1986)는 JTPE의 특집 호에서 스포츠교육연구에서의 질적 접근의 이론과 실제 연구들을 체계적으로 요약, 정 리, 소개함으로써 스포츠교육 연구자들에게 질적 연구의 활성화를 촉구하였다. 얼스는 "자연주의적 접근naturalistic inquiry"이라는 표현을 사용하여 지금까지 스포츠교육 연구들 이 거의 전적으로 실증주의적 인식론에 근거한 양적 연구방법을 사용하였음을 비판적 으로 지적하고 그 단점들을 밝혔다. 얼스는 객관성을 강조하는 양적 접근과 주관성을 강조하는 자연주의적 접근방법의 이론적 배경을 비교하고, 연구문제설정, 연구자료수

집, 연구보고작성 등 자연주의적 연구접근의 구체적인 절차에 대해서 자세하게 설명하고 있다. 그리고 마지막에는 그동안 산발적으로 행해진 질적 연구들을 총망라해 요약해서 설명해 줌으로써 체육교육에서의 질적 연구가 어떤 모습을 가지고 있는가를 최초로 분명하게 그려서 보여주었다.

질적 연구의 전통이 보다 강하고 교육사회학적 영향을 많이 받은 영국에서는 Evans (1986)가 교육사회학적인 관점에서 질적 방법으로 학교체육 현상을 연구한 글들을 모아 최초로 가시화하였다. 에반스는 머리글에서 실증주의적 패러다임이 갖는 한계성과 그를 보완해줄 수 있는 해석적 패러다임의 특징을 세밀히 설명한 후, 질적 연구를 통한 학교체육 현상의 보다 정확하고 세밀한 이해를 강조하였다. 얼스의 연구가 개인에 의한 요약, 정리 단계의 수준이었던 것에 반하여, 에반스의 연구는 튼튼한 이론적 배경 위에서 실지로 행해진 구체적인 경험적 연구들의 모음집으로 훨씬 본격적 수준에 놓여있었다.

우연의 일치로 이처럼 같은 해에 미국과 영국에서 질적 접근에 의한 스포츠교육의 이해와 학교체육의 연구가 이루어져야 한다는 목소리가 크게 들리자, 다른 연구자들도 곧바로 양적 연구의 한계와 질적 연구의 가능성을, 보다 강도 높게, 외치고 나서기 시작했다. 그 대표적인 결과가 바로 미국의 두 학자 간에 벌어진 "엑소시스트 논쟁"이었다. JTPE에는 얼스의 특집호가 나온 지 바로 뒤에 자연과학적 접근의 한계를 지적하고 질적 연구의 장점을 강력하게 주장하는 Schempp(1987)의 글이 실린다. 다소 온건한 목소리로 질적 연구의 필요성을 주장했던 얼스와는 달리, 쉠프는 아주 설득력 있는 논리와 강력한 어조로 질적 연구의 필요성을 설파하였던 관계로 가뜩이나 불편하던 양적 연구자들의 심기를 자극하였다.

그 당시 체육교육에 관한 양적 연구의 대부라고 할 수 있는 Siedentop(1987)은, 쉠프를 포함한 질적 연구의 주장자들이, 서로 간에 이해를 높이기 위한 대화를 하자는 것이 아니라, 마치 사람에게 덧씌워진 악마를 몰아내는 의식을 펼치는 무당인 "엑소시스트"처럼 양적 연구를 몰아세우며 쫓아버리려는 짓을 하고 있다고 강하게 반박한다. 시덴톱은 질적 연구는 여러 가지 한계점을 지니고 있으며, 따라서 스포츠교육에 관한 체계적 지식을 쌓는 일에 할 수 있는 공헌에도 한계가 있다고 지적한다. 시덴톱의 이러한 대응에 쉠프는 다시 "엑소시스트 II"라는 글을 발표하여 어떤 한 가지의 관점과 접근방법으로는 우리의 지식이 성장할 수 없으며, 다양한 관점과 접근방법이 공존해야만 보다 총체적인 스포츠교육의 모습을 볼 수 있다고 거듭 말한다.

이렇듯 영국과 미국에서의 질적 연구에 대한 옹호는 주로 해석적 패러다임의 입장에서 제기되었다. 이에 덧붙여 비판적 패러다임의 관점에서 질적 연구를 옹호하는 다른 그룹이 나타나기 시작했다. 비판적 패러다임에서도 실증주의에 근거한 양적 접근으로는 사회현상, 교육현상, 체육현상을 제대로 파악하고 정확히 이해할 수 없다는 입장을 견지하면서, 질적인 연구방법의 타당성을 주장하고 나선다. 스포츠교육분야에서는 주로 호주의 학자들이 비판적 입장에서 질적 연구의 중요성에 대해서 언급하였다. 비판적 스포츠사회학 연구가 강세를 보인 호주에서는 Kirk와 Tinning(1990)이 학교체육에서의 문제가 사회문화적 차원의 이슈들과 어떤 관련을 맺고 있는가를 보여주는 비판적 관점에서의 거시적 분석의 중요성을 주장하며, 그러한 입장 위에서 행해진 경험적 연구들을 모아 출판하였다. 이 책에 실린 모든 경험적 연구들은 질적 연구방법들을 채택해서 행해졌다. McKay, Gore 및 Kirk(1990)도 실증주의적 세계관에 입각하여 행해지는 스포츠교육의 실천들이 기능주의적 성격으로 왜곡되어 간다는 것을 지적하고, 비판적 세계관에 기초한 새로운 체육교육의 실천이 행해져야 한다고 주장했다.

이들은 기능주의적 스포츠교육의 실천이 바로 양적 연구를 통해 얻은 객관적 지식의 바탕 위에서 이루어진다고 갈파하며, 여러 가지 스포츠교육의 실천 가운데 대안적 지식을 발견해낼 수 있는 질적 연구의 채택을 강조했다.

1990년대 들어서는 그동안 지배적이던 연구패러다임의 한계를 들추어내며 등장한 새로운 대안적 연구패러다임으로서 질적 접근이 보다 포용적인 자세로 받아들여지기 시작한다. 한편으로는, 사회과학 전반과 교육학 분야에서의 질적 접근이 널리 인정받기 시작한 것이 영향을 주긴 했지만, 다른 한편으로는 미국 내에서 존경받던 원로 체육교육학자이던 Locke(1989)가 가장 권위있는 연구논문지인 *Research Quarterly for Exerice and Sports* **RQES**에 질적 연구방법론에 관한 장편의 특집 논문을 기고한 사건의 영향이 컸다. 우선, RQES라는 학술지는 미국 내에서 가장 오래된 양적 연구만을 싣는 저널이었으나, 질적 연구에 관한 특집을 실었다는 것이 중요한 의미를 가졌다. 그리고 그 연구가 두 관점의 연구자들 모두에게 인정받는 학자에 의해서 직접 작성되었던 것도 미국 내의 양적 연구자들에게 많은 점을 시사해주었다. 로크는 이 논문에서 질적 연구의 이론적 특징을 설득력 있게 펼쳐놓으며 그 장단점을 소상하게 기술하였으며, 자신이 지도한 질적 연구로 행한 박사학위 논문을 실예로 활용하여 설명하면서 질적 연구의 방법적 특성들을 구체적으로 상세히 보여주었다.

이리하여 1990년대에는 서로 다른 패러다임의 관점에서 연구를 수행하는 연구자들은 상대 관점에 대하여 보다 관용적인 자세에서 서로의 장단점을 수용하려는 입장을 취하게 된다. 이 가장 첫 번째 신호가 바로 미국학자들인 O'Sullivan, Siedentop 및 Locke(1992)의 논문이다. 이들은 한편으로는 비판적 관점에서 실증주의적 패러다임, 양적 연구, 과학적 지식을 강도 높게 비판하던 연구자들의 지적을 많은 부분 겸허하게 받아들이면서, 다른 한편으로는 비판적 연구자들의 자기 모순과 한계점들을 구체적으로 지적한다. 그리고는 서로 함께 힘을 합하여 스포츠교육 현상을 보다 잘 이해하고 스포츠교육 현장을 보다 잘 개선하도록 노력하자는 "협동적 전문가주의collegiallity"를 주장한다.

Sparkes(1992)는 실증적, 해석적, 비판적 연구패러다임의 개념적 특징과 한계점들을 연구방법 철학적 수준에서 심도 있게 정리한 후, 각각의 접근들은 서로 다른 존재론적, 인식론적 가정 위에 놓여있기 때문에, 서로 동일 차원에서 우열을 비교할 수 없다고 말한다. 각 패러다임은 각자 서로 총체적인 체육현상의 각각 다른 측면들을 보다 더 자세하고 정확하게 파악할 수 있도록 해준다. Choi(1992)도 스팍스와 같은 인식론적, 존재론적 차원에서 각 패러다임의 가정들을 분석한 후, 스포츠교육 현상의 연구는 단일 패러다임이 아닌 복합 패러다임을 채택해야만 보다 풍부하고 온전하게 이루어질 수 있다고 주장한다. 그리고 Schempp와 Choi(1994)도 실증적, 해석적, 비판적 패러다임에 의한 스포츠교육연구가 구체적으로 어떤 장점들을 가지고 있는지 요약하며, 복합적인 연구방법론을 채택할 것을 주장한다. 대표적인 양적 연구자의 하나인 Silverman (1996)도 질적 연구의 중요성을 강조하며 다양한 연구방법을 활용함으로써 스포츠교육학 연구의 발전이 이루어지고 있다고 말한다. 그 과정에서 질적 연구의 공헌은 명확하게 인정받아야 하며 계속적인 발전이 북돋워져야 한다고 주장한다.

최근 들어서는 양적 연구와 질적 연구의 단점을 들춰내고 장점을 강조하며 각 관점의 상대적 우월성을 부각하려는 연구는 거의 찾아보기 어렵게 되었다. 일반 사회과학분야와 교육학 분야에서도 이제는 대립적 논쟁의 단계는 훨씬 넘어섰으며, 질적 연구자들도 질적 연구의 학문적 타당성에 대한 근본적이지만 지루한 논리를 재차 강조해서 펼치지 않아도 되는 정도가 되었다. 그만큼 질적 연구에 대한 이해가 보편화된 것이다. 1990년대 후반 들어 체육분야에 연구패러다임에 대한 논쟁이 이해와 타협의 단계로 접어든 것도 이러한 분위기와 무관하지 않을 것이다. 스포츠교육연구자들 사이에 질적 연구의 개념에 대한 이해도 넓어지고, 실지로 많은 질적 연구들이 행해지고, 한 연구자가 다양한 연구방법을 혼용해서 활용하는 사례가 많아지면서, 기초적인 수준에서의 소모적 논쟁은 자취를 감추게 되었다.

 # Ⅲ 질적 연구방법의 종류와 기법활용 현황

1980년대에 개념적 주장과 이론적 논쟁이 전면에서 진행되는 동안에도 연구 현장에서는 꾸준히 질적 연구가 수행되었다. 1990년대에 들어서는 JTPE와 RQES와 같은 미국의 주요 저널들에서 본격적으로 질적 연구들을 받아들이기 시작하면서, 많은 연구자들이 질적 접근에 따른 연구들을 수행하였다. 질적 연구의 전통이 강하던 영국에서의 부흥은 특히 질적 연구논문을 주로 싣는 *Sport, Education and Society*가 1990년대 중반 들어 창간되면서 본격화되었다. 본 절에서는 실제로 수행된 질적 연구들에서 활용된 주된 연구방법과 자료수집 기법들의 활용 정도를 정리해본다. 연구기법은 자료를 모으기 위한 하나의 구체적 수집기술을 말하며, 방법은 여러 기법을 활용하여 일관된 방식으로 자료를 수집하고 분석하는 하나의 체계적 조합을 말한다(조용환, 1999).

01. 주요 연구방법

1) 해석적 패러다임의 질적 방법

➜ 문화기술법

문화기술법 **ethnography** 은 어떤 특정한 문화 속에 들어가 그곳에서 일정 기간 함께 생활하면서 그곳에서 벌어지는 일상적 사건, 행사, 언어, 관습, 의례 등 모든 일을 경험하고 관찰해서 기록하는 방법이다. 이 기록을 필드 노트라고 한다. 문화기술법이 성공적으로 수행되기 위해서는 그 문화에 참여할 수 있도록 허락을 받는 것, 그곳의 일상생활에 가능한 한 아무런 영향을 끼치거나 소동을 일으키지 않으면서 참여관찰하는 것, 그곳 사람들의 신뢰를 얻는 것 등이 필수적이다. 그곳에 사는 사람들과 함께 생활하면서 연구자는 많은 대화를 나누고, 비공식적 방식으로 인터뷰를 함으로써 그곳에 사는 사람들의 행동과 생각을 그들의 입장에서 이해한다. 내부자적 관점에서 자료를 수집하고 해석하기 위해서 문서를 분석하거나 물건들을 분석하는 등 다양한 원천에서 자료를 얻는다.

➜ 사례연구법

사례연구 **case study** 는 특정한 하나의 사회적 대상을 완전하게 이해하려는 노력이다(Stakes, 1995). 여기서 "사회적 대상"이란 사회적으로 독립된 하나의 개체를 말한다. 사회적 대상은 한 교사나 학생, 어떤 특정한 학급, 학교, 또는 한 동네가 될 수도 있다. 사례연구는 이러한 사회적 대상에 관한 이야기를 들려준다. 사례연구에서의 자료수집 기법들은 문화기술법에서와 마찬가지로 인류학과 사회학에서 차용해온 것이다. 있는 그대로의 상황에서 행하는 관찰, 인터뷰, 문서분석 등의 기법들이 쓰인다.

➜ 개인생애사

개인생애사 **life history** 는 교사들이 자신의 삶의 경험들에 부여하는 의미들을 재해석하기 위해 필요한 자료들을 얻을 수 있도록 해준다. 1920년대와 30년대

시카고 학파들에 의해서 활발히 사용된 후 사장된 채 있다가, 최근 들어 교육학 분야에서 Goodson(1992)과 Woods(1987)의 노력에 의해서 다시 사용되기 시작하고 있다. 개인생애사 방법은 관찰, 대화, 문서분석 등 여러 가지 기법들을 활용한다. 개인생애사는 체육교사 사회화 연구에서 아주 중요하게 이용되고 있다.

표 2　　연구패러다임별 특징

	패러다임		
	실증적	해석적	비판적
연구목적	인간활동의 제 측면을 기술, 예측, 변화시키기	인간의 활동을 구체적 상황 속에서 참여자의 관점으로 이해하기	사회 속에서의 권력구조 이해하기와 억압받는 개인과 집단을 해방하기
연구방법	양적 접근	질적 접근	
연구설계	기술적 연구 상관적 연구 실험적 연구	문화기술지 사례연구 개인생활사 중요사건기록법 문화기술적 소설	
자료수집	여론조사 설문지 테스트 주요 그룹 면담 체계적 관찰	(비)참여관찰 (비)형식적 인터뷰 자극회상법 드러내어 생각하기 저널쓰기 문서분석 이야기기술 개방형질문지 슬라이드보기 비디오코멘트	
자료분석	통계학적 기술 통계학적 검증	범주와 주제 발견	

2) 비판적 패러다임의 질적 방법

해석적 패러다임의 방법들과 비판적 패러다임의 방법들은 거의 동일하다. 다만, 이 두 패러다임에서 사용하는 질적 방법들 간의 차이는, 사용하는 연구기법들이 다른 것이 아니라, "연구의 의도, 방식, 그리고 사용하는 언어"의 차이에 불과하다(Scraton & Flintoff, 1992). 이런 유사점을 염두에 두고 비판적 패러다임에서 활용되는 질적 방법들을 간단히 소개한다.

➡ 비판적 문화기술법

비판적 문화기술법 **critical ethnography**은 문화기술을 통해서 얻어진 상세한 사항들을 거시적인 사회구조와 권력관계의 시스템에 연결해 분석함으로써, 겉으로 드러나는 억압적인 사회관계들의 이면으로 파고 들어가 그 기재를 이해하는 것을 목적으로 한다(Harvey, 1990). 이 유형의 문화기술법에는 운동장에서의 일상적 활동과 그 기저에 깔려있는 불평등한 사회적 관계가 서로 어떻게 연결되어 있는지를 드러내는 비판적 내용의 이야기들이 쓰여진다(van Mannen, 1988). 비판적 문화기술지 연구자는 개인적 사건과 사회적 이슈들을 서로 연결시켜 그 보이지 않는 연관성을 파악해낼 수 있는 사회학적 상상력이 요구된다. 운동장에서 벌어지는 일들을 비판적으로 관찰함으로써 사회구조적 요인들이 체육교사와 학생들의 현실 속에서 작용하는가를 파악해낼 수 있어야 한다.

➡ 비판적 사례연구

비판적 사례연구 **critical case study**에서는 연구자가 의도적으로 연구할 사례를 선정한다. 사례연구 기법들을 활용하여 경험적 자료를 모으고 치밀하게 분석하여 그 사례에 대한 잘못 알려진 사항들과 모순된 사실들을 발견해낸다. 비참여 관찰이나 심층인터뷰가 적극 활용된다. 수집된 자료에 대한 비판적 분석을 통하여, 학교체육과 운동장에서 이루어지는 스포츠교육적 실천에 영향을 미치는 사회구조적 이슈들을 탐색하고 그 연관관계를 파악해낸다.

→ 여성학적 방법

　　여성학적 방법 feminist methodology 은 학교교육과 교육과정이 사회에 만연해있는 성 불평등을 강화하고 유지하는 과정을 알아내려고 한다. 여성학적 방법은 자기 혁신적 연구과정을 통해서 체육교육의 장면에서 이 같은 변화를 이루려고 한다. 여성학적 방법도 다른 질적 연구방법들과 자료수집 기법상으로 특별하게 구별되는 방법론이라기보다는, 연구목적과 거시적 분석 방향에 있어서 차이점을 가지고 있다.

02. 연구기법의 활용

　　최근 들어 미국의 스포츠교육연구자 Byra와 Goc Karp(2000)는 1988년부터 1997년까지 10년 동안 JTPE와 RQES(스포츠교육학 섹션)에 실린 스포츠교육 관련 연구논문들을 조사하여 질적 연구의 현황을 살펴보았다. 이들이 파악한 총 332편의 논문 중 경험적 자료를 수집하여 행한 스포츠교육학 연구는 258편이었다. 하나 또는 그 이상의 질적 자료수집기법을 활용한 것을 기준으로 구분했을 때, 이중 113편(43.8%)이 질적인 연구들이었다. 1988년부터 1992년까지의 초반 5년간에는 질적 연구방법을 활용한 논문들이 약 30%에 불과했으나, 1993년부터 1997년까지의 후반 5년간에는 그 비율이 50% 이상으로 급증했다. 이 사실은, 앞 절에서 말했듯이, 90년대 들어 질적 연구에 대한 포용적인 분위기를 직접적으로 보여주는 것이다.

　　질적 연구로 분류된 논문들에서 활용된 연구기법들을 보다 자세히 파악한 결과, 이들은 이 기법들이 크게 두 가지 부류로 대별된다는 점을 알아내었다. 한 부류의 기법은 "상호작용적 기법"이라고 부를 수 있는 것으로서, 연구자와 연구대상(학생 또는 교사) 간의 직접적인 상호작용이 이루어지면서 자료를 수집하는 방법들이다. 다른 부류의 기법은 "비상호작용적 기법"들로서 연구자와 연구대상자 간의 직접적 교류가 없이 자료수집이 이루어지는 것이다. 상호작용적 기법에는 인터뷰, 참여관찰, 생각드러내기, 자극회상, 슬라이드보기의 다섯 가지 범주가 포함되었다. 비상호작용적 기법에는 문서분석, 개방형질문지, 주요사건기록법, 비디오코멘트의 네 가지 범주가 포함되었다.

연구자들이 가장 선호한 기법들은 인터뷰와 참여관찰이었다. 약 80.5%의 연구가 어떤 형태로든 인터뷰를 사용하였으며, 보다 구체적으로 개인인터뷰(85.7%), 특정 그룹 인터뷰(8.8%), 그리고 현상학적 인터뷰(5.5)가 활용되었다. 참여관찰을 사용한 연구들은 43.4%였다. 이 중 89.9%의 연구들에서 중간 정도 또는 소극적 참여만을 하였고, 약 10% 정도만이 완전참여 또는 적극적 참여를 한 연구였다. 인터뷰와 참여관찰은 일반 사회과학과 교육분야에서도 가장 많이 활용되고 있는 연구기법들이다. 자극회상법 stimulated recall 과 생각드러내기 think aloud 기법은 동일하게 5.3%씩 활용되었으며, 슬라이드보기 기법을 활용한 연구는 1%도 되지 않았다. 상호작용적 기법에서는 이 세 가지 기법들이 가장 적은 활용도를 보였다. (부록 참조)

비상호작용적 기법은 총 49회가 활용되었다. 가장 빈번하게 활용된 기법은 문서분석으로 27.4%를 차지했다. 문서의 형태로는 연구대상자가 직접 작성한 "일지"가 제일 많았다. 개방형질문지와 중요사건기록법은 각각 8.0%와 5.3%의 연구에서 채택하였으며, 비디오코멘트는 2%도 되지 않게 활용됨으로써 가장 적게 쓰여진 기법이었다.

한 연구에서 활용한 수집 기법의 숫자는 하나에서 넷까지 다양했다. 1가지만을 활용한 연구 41.6%, 2가지를 채택한 연구 35%, 3가지를 사용한 연구 23%, 그리고 4가지를 사용한 연구는 4.4%였다. 1가지 방법만을 채택한 연구는 인터뷰(61.7%)를 가장 많이 사용했다. 2가지 이상을 사용한 나머지 연구들에서 한 가지로 인터뷰 방법을 사용한 경우가 87.3%였다. 이렇게 인터뷰를 채택한 연구들에서는 다른 방법으로 참여관찰을 가장 빈번하게 채택하였다(76.8).

이 같은 조사 결과는 스포츠교육에 관한 질적 연구에서는, 일반 교육학이나 사회과학연구에서와 마찬가지로(LeCompte, Millroy & Preisllie, 1992; Denzin & Lincoln, 1994), 상호작용적 자료수집 기법이 1차적 연구방법으로 활용되고 있으며, 비상호작용적 자료수집 기법은 인터뷰나 참여관찰으로부터 얻은 자료들을 강화하거나 반증하기 위해서 2차적으로 활용하는 것을 말해준다. (바이라와 곡카프가 조사한 저널은 둘 다 미국에서 발간되는 것들로서, 영국이나 호주에서 발간되는 저널들에 실린 질적 연구방법의 동향에 대해서는 그대로 적용되지 않을 수도 있다. 그리고 주로 교육사회학적 접근을 취하는 영국과 호주의 스포츠교육연구에서 자주 활용하는 개인생애사,

담화분석, 교육과정 역사분석, 이야기구술, 사례기록 등의 방법들이 미국에서는 거의 활용되지 않기 때문에, 9가지 기법들에 포함되지 않은 기법들도 상당수 있을 수 있다. 그러나, 미국 이외의 영어 사용권 국가들에서 발간되는 저널을 계속해서 읽어온 연구자의 경험에 비추어볼 때, 이들 나라에서 행해지는 질적 연구에서도 인터뷰와 참여관찰, 그리고 문서분석이 주된 일차적 연구기법이라는 데에는 동감한다.)

표 3   질적 연구를 싣는 주요 체육교육학 저널

번호	창간년도	명칭	연간회수	국가
1	1981	*Journal of Teaching in Physical Education*	4회	미국
2	1995	*European Physical Education Review*	4회	영국
3	1995	*Physical Education and Sport Pedagogy*	6회	영국
4	1996	*Sport, Education and Society*	8회	영국

Ⅳ   주제별 연구 장르

그동안 (학교)스포츠교육에 관해서 수행된 연구들을 연구주제의 성격과 관련해서 구분해볼 수 있다. 본 절에서는 각각의 구분된 범주를 "연구 장르"라고 부르도록 하겠다. 스포츠교육연구의 장르는 구분하기에 따라 상당히 다양할 수 있으며, 실지로 그동안 다양한 연구들을 범주화하여 분류하는 작업이 지속적으로 진행되어 왔다(최의창, 1996, 1999; Bain, 1996; Lee, 1996; Schempp, 1996; Silverman & Skonie, 1997). 체육교육 연구들을 주제별로 구분하는 기존의 리뷰 연구들에서는 양적 방법과 질적 방법을 함께 다루었으나, 주로 수적으로 많은 연구가 행해진 양적 방법들 중심으로 소개가 이루어졌다. 지금까지 질적 방법만을 사용한 연구들만을 독립적으로 분류해서 연구주제별로 범주화는 경우는 거의 없었다(Evans, 1986). 본 절에서는 기존 리뷰

들과의 중복을 최소화하는 범위 내에서 체육교육에 관해 행해진 주요 질적 연구 장르들을 살펴보도록 한다. 체육교사사회화연구, 체육교육과정 개선 및 변화연구, 체육교육에서의 여성성과 남녀불평등 연구, 체육교사지식 및 전문성 연구, 반성적 수업 및 현장개선연구의 5개 장르로 구분하여 대표적 연구의 소개가 이루어진다.

01. 교사사회화 연구

교사사회화 연구는 예비체육교사가 체육교사가 되고 일하며 살아가는 전 과정을 알아보려는 연구목적을 가지고 수행된다. 이 연구는 어떠한 과정을 거쳐서 체육교사로서 성장하는가를 보다 상세하게 파악함으로써, 스포츠교육의 실천을 더욱 효과적이고 바람직하게 개선하도록 하는 기초자료를 제공한다. 체육교사가 되기 위해서 사범대학이나 교육대학에 입학하고, 직전교사교육을 받으며 지식과 태도와 방법들을 습득하며, 교사로 발령을 받아 초임으로 현장에 적응하고, 경력교사로서 점차로 발전하고 성숙해가며, 나중에 퇴임하게 되는 일련의 과정들을 자세하게 탐색한다. 그간 스포츠교육 분야에서는 이 주제에 관한 연구가 제일 많은 관심을 받아왔다.

1980년대 초반 경험적 연구와 이론적 개념화가 시작되었으며, Templin과 Schempp(1989) 그리고 Stroot(1993)은 그동안의 연구들을 집대성하여 체육교사의 교사사회화 과정에 대한 체육교육연구자들의 이해의 수준을 한 차원 높여주는 역할을 하였다. 연구자들은 체육교사의 사회화 과정을 여러 단계로 나누고 각 단계별로 발생하는 사회화 과정에 주목하는 연구방법을 택하였다. 일반적으로 교사로 성장하는 단계는 교사교육 전 단계, 교사교육단계, 충원 및 초임단계, 중년 단계 그리고 퇴임 단계의 5단계로 구분한다(Schempp & Graber, 1992). 각 단계별로 초점을 맞추어 행해진 연구결과들을 간단히 정리해본다(Schempp, Tan, Sparkes & Templin, 1996).

→ 교사교육 전 단계

교사교육 전 단계(혹은 진입 단계)는 초중고등학교 학생들이 교사에 관심을 가지고 사범대학이나 교육대학에의 진학을 준비하는 과정을 말한다. Lawson

(1983a, 1983b)과 Dewar와 Lawson(1984)는 학생들로 하여금 체육교사가 되어야겠다는 마음을 먹도록 만드는 개인적 기대에는 이 학생들이 이미 가지고 있는 운동능력, 장래에도 스포츠나 기타 체육활동을 평생 할 수 있다는 기대, 그리고 좋은 업무환경 등이라고 보고하고 있다. Hutchinson(1993)은 보다 최근에 이러한 학생들의 생각은 체육 분야에 들어오기 오래전부터 생겨나며 체육교사교육 기간 전반에 걸쳐 지속되는 경향을 갖는다고 주장한다. 체육교사 지망 고등학생들에 관한 한 연구에서 Dewar(1989)는 학교에서 받는 체육수업에서의 경험이 체육교사가 하는 일에 대한 학생들의 생각을 형성하는 데 커다란 영향을 미친다는 점을 발견했다.

➡ 교사교육 단계

교사교육 기간은 교사사회화 과정 중에서도 매우 중요한 단계이다. 그 결과로 연구자들은 체육교사교육 프로그램의 중요성을 강조하고 교육과정 구조에 많은 관심을 두어 왔다. 그러나, 지금까지는 직전교사교육이 예비교사들의 사고방식과 행동방식의 긍정적 변화에 얼마만큼의 효과를 주는지에 대해서는 다소 회의적인 연구 결과가 지배적이다. Doolittle, Dodds & Placek(1993)은 학생들이 직전교사교육 프로그램에 들어올 때 가지고 오는 신념과 생각들을 바꾸는 데에 있어서 교사교육 프로그램은 그다지 큰 효과를 올리지 못하고 있다는 점을 발견했다. Rovegno(1992, 1993)도 교생실습을 나가는 학생들이 학교사회의 문화적 풍토와 고정관념들을 극복하지 못하고 비판적인 관점으로 체육교육을 바라보지 못한다는 연구 결과를 발표함으로써 이들의 주장을 뒷받침해 주고 있다. 그러나 Tinning 등(1995)은 학생들의 교육적 전문능력 향상에 직전교사교육 프로그램이 도움을 줄 수 있다는 연구 결과를 보여줌으로써 다소간의 긍정적 기대를 할 수 있도록 만들고 있다.

➡ 초임교사 단계

초임단계는 교사로서 발령을 받고 현장에 적용하는 3년에서 5년 사이의 기간을 말한다. Stroot, Faucette와 Schwager(1993)는 초임 체육교사가 현장에 들어가는 과정에 관련된 연구들을 종합적으로 리뷰한 후, 초임교사들은 발령 첫 해 특히 현실충격, 역할갈등, 고립 등의 문제를 겪으며, 특히 현장에서의 경험 때문에 대학에서 배운 내용들을 잊어버리는 "세탁 효과"를 경험함을 밝혀냈다. Macdonald(1995)와 Hutchins와 Macdonald(1993)은 초임체육교사들에게 많은 어려움을 던져주는 눈에 보이지 않는 요인들을 조사했다. 이들에 따르면 운동처방이나 스포츠경영 등 체육 분야에서 급속히 대두되는 전문직업영역들이 각광을 받음으로 인하여, 체육교사라는 직업이 "하급 직업화"되고 있으며, 이러한 사실이 초임체육교사들로 하여금 자신의 일이 전문직이 아니라는 자괴감을 갖도록 만든다고 밝혔다.

→ **경력교사 단계**

초임 단계와 퇴임 단계 사이의 기간을 경력교사 단계라고 본다. 주로 체육교사들의 업무와 생활과 진로에 관한 체육교사들의 체험과 생각과 태도 등에 대하여 자세하게 알아보는 연구들이 행해지고 있다. Sparkes, Templin 및 Schempp (1993) 그리고 Squires와 Sparkes(1996)는 개인생활사 방법을 활용해 교사들의 삶과 직업적 체험들을 연구하여, 교직에 계속 남아있거나 떠나고 싶은 생각에 영향을 미치는 요인과 그 이유에 대한 설명을 찾아냈다. 이 연구들은 이와 함께 인터뷰와 의견조사 방법을 통하여 체육교사의 직업적 정체성과 승진 기회의 획득 능력을 갖추는 데 성별과 사회계층이 중요한 역할을 한다는 점을 밝혀내었다. 최근에 Armour과 Jones(1998)는 심층인터뷰법을 사용하여 8명의 영국 중등학교 체육교사들의 교사로서의 생활과 경험을 연구하였다. 이들은 각 연구대상 체육교사들이 개인적 체육철학과 체육실천을 어떻게 형성해가는지, 어떻게 각자의 스포츠 경험들이 이 형성과정에 영향을 미치는지, 그리고 체육의 지위가 낮은 학교교육 현장에서 어떻게 각자 스스로 자신의 위치를 만들어내고 유지해나가는지를 알아보았다.

→ 퇴임교사 단계

퇴임 단계는 정년퇴임을 얼마 놔두지 않았거나 정년퇴임을 한 상태를 말한다. 퇴임한 체육교사에 대한 연구는 거의 행해지지 않고 있다. 다만, Templin, Sparkes 및 Schempp(1991)과 Templin, Sparkes, Grant 및 Schempp (1994)가 퇴임에 거의 가까워진 교사들에 관한 연구가 있을 뿐이다. 이 두 연구는 모두 사례연구법을 사용하였으며, 사례가 된 두 명의 교사들이 가진 교사로서의 체험과 체육교과의 교육적 지위와 관련된 다양한 교육적 인생역정들에 대해서 밝히고 있다.

02. 체육교육과정 개선 및 변화 연구

1980년대 중반부터 진행된 체육교육과정의 동향과 실천에 관한 연구들은 체육교육과정이 급격하게 변하고 있다는 점을 보여준다. 새로이 개발되어 실천되는 체육교육과정 정책과 모형들이 현실적으로 어떻게 적용되며 그 효과는 어떤가를 알아보는 연구들이다. 이 연구들의 중요한 특징은 이 같은 체육교육과정의 새로운 동향들을 보다 넓은 학교 정책과 사회체제 속에 위치하여 이해하려는 점이다. 주로 영국과 호주에서 행해진 이 연구들은 적용과 실행 과정에 대한 심도 있고 장기적인 탐색을 통하여 개발된 정책 아이디어가 현장에 실현되는 과정과 효과가 이론적으로 생각하듯이 그다지 낙관적이지 않음을 절실하게 보여주고 있다.

호주에서는 80년대 중반 여러 주에서 건강 강조 학교체육 프로그램이 널리 채택되어 행해졌다. Colquhoun(1990) 그리고 Tinning과 Kirk(1991)는 여러 학교에서 실행하는 프로그램들을 문서분석 및 인터뷰 그리고 의견조사를 통하여 조사한 후, 건강을 강조하는 프로그램 health-based physical education 의 도입을 서양 국가들의 중산층에서 나타나는 건강에 대한 새로운 인식과 연결시켜 분석하였다. 이 연구들은 건강을 중시하는 프로그램에서는 학생들에게 운동을 시키는 동안 거의 전적으로 체력을 증진하는 것에만 강조를 두기 때문에, 스포츠교육에서 성취해야 하는 중요한 교육적 결과들을 무시하거나 덜 강조하고 있다고 밝혔다.

건강강조 학교체육 프로그램과 함께, 90년대 들어서는 스포츠교육모형이 호주의 학교체육에 널리 활용되고 있다. 웨스턴 오스트레일리아주의 켄 알렉산더와 그의 동료들은 이 프로그램의 실질적 전파와 효과에 대한 일련의 연구를 진행하고 있으며, 뉴질랜드와 미국에서의 협동 연구도 진행하고 있다. Alexander, Taggart 및 Thorpe(1996)는 시즌구분, 역할배분, 리그전, 결승축제 등 스포츠교육모형에서 제시한 방식으로 학교체육 프로그램을 운영할 경우에는, 학생들의 참여율 증가와 새로운 지도법의 개발 등 학교체육의 실제에 긍정적이고 전면적인 변화가 가능하다는 것을 밝혔다.

이렇듯 체육교육과정의 새로운 아이디어들을 현장에 적극적으로 적용하여 개선하려는 과정을 살펴보는 체육교육학자들의 연구가 계속해서 진행되고 있다. 건강강조모형이나 스포츠교육모형 등 교육과정의 한 부분의 적용과 실행에 대한 연구와 함께, 주 체육교육과정의 전체 얼개를 새로이 개발하고 그것을 실제에 적용하는 연구도 행해졌다. Fitzclarence와 Tinning(1990, 1992)은 빅토리아 주 고등학교 2, 3학년들의 심화 체육 프로그램을 위한 새로운 체육교육과정을 개발하는 데 있어서 체육교사들의 강력한 저항이 있음을 보고하고 있다. 이들은 기존의 심화 체육 프로그램이 학생 간의 경쟁을 부추기는 지식 중심의 교육과정이었음을 주장하고, 이로 인하여 이론적, 과학적 지식이 주로 강조되는 상황을 초래하고 덕분에 새로운 교육과정을 성공적으로 적용하는데 역작용을 하였다고 말한다. McDonald와 Brooker(1997)는 퀸즈랜드주의 고등학교 2, 3학년을 위하여 개발된 체육교육과정의 학교 현장 적용과정을 조사하였다. 이 새로운 체육교육과정은 영국의 체육교육 철학자 Arnold(1988)가 개발한 모형을 기반으로 한 것으로, "신체활동을 통한, 신체활동에 관한, 신체활동을 위한 학습"을 강조하며 이론과 실천의 통합, 정신과 신체의 통합을 강조하는 새로운 강점을 지니고 있었다. 하지만, 탄탄한 이론적 토대를 가지고 있고 평가 절차가 매우 치밀하다는 이 교육과정의 장점은 학생 측의 입장에서 볼 때 문제점을 가진 것으로 드러났다. 예를 들어, 학교들이 어떻게 성별과 능력과 가정형편과 체형이 다른 학생들 모두에게 평등한 방식으로 가르칠 내용들을 선정할 수 있는가가 난제로 남아있게 된다.

영국에서는 Penny와 Evans(1999)를 중심으로 1988년 개정 공포되어 실시되고 있는 교육개혁안 ERA 의 효과에 대하여 장기적인 연구가 진행되고 있다. 이 교육개혁안의 특징은 "국가 교육과정"의 개발인데, 체육과의 관련에서는 학교에서 체육교과와 스포츠활동을 어떻게 제공해야 하며, 국가 체육교육과정을 개발하고 시행하는 내용을 담고 있었다. 이들의 연구는 국가 체육교육과정이 개발된 과정 속에 숨겨진 이데올로기적 요인들과 그것을 현장에 적용하여 실행하는 과정에서 발견되는 다양한 정책적, 현실적 문제점들을 파악하였다. Evans(1990)는 정부가 체육교과를 남성적 가치와 경쟁적 스포츠를 강조하는 보수적이고 전통적인 성향을 가진 학교 교육과정 속에 위치시키는 작업에 한 몫을 담당한 이데올로기적 요인들을 분석하였다. 또한 정부 기관 및 교육부, 지역교육청, 그리고 학교 등 3단계의 정책 입안과 집행 주체들이 학생들에게 제공될 수 있는 학교체육의 형태를 편협하게, 주로 스포츠와 게임에만 한정시키도록 만드는 과정에 각각 어떠한 역할을 하는지를 자세히 분석하였다.

교육정책의 변화에 따라 학교체육에 다양한 변화들이 계속 진행되면서, 몇몇 연구자들은 변화의 과정 그 자체에 관심을 갖기도 하며, 체육교사들이 어떠한 방식으로 변화를 진행시키고 받아들이는지 파악하기도 하고, 체육교육과정 정책과 실천에 변화를 가져다주는 사회경제문화적 요인들에 대해서 주목하기도 한다. 그동안 스포츠교육 연구자들은 학교 내에서 벌어지는 미시정치학적 변화과정, 교육체제 안에서 진행되는 변화과정의 성격, 그리고 시간에 따라 이루어지는 변화의 과정에 대한 이해 등의 측면에 관심을 집중시켜 연구를 진행해오고 있다.

첫째, Bell(1986)과 Sparkes(1990)는 문화기술법을 활용하여 학교의 체육부서에서 일어나는 개선과정의 미시정치학을 조사하고 교사들이 어떻게 그 같은 변화에 대처하고 수용하는지를 보고하고 있다. 벨은, 그가 연구한 대상학교에서는 합리적 변화를 주장하는 교사들이 내어놓은 개선을 위한 처방안 자체들이 많은 경우 비합리적이고 부적절한 것이었으며, 새로운 환경 변화와 개선안들에 대해서 대다수가 사후약방문식 반응을 보였음을 보여주고 있다. 스팍스는 학교 내 교사들에 의해서 시작된 변화과정을 연구하였는데, 학교 내의 제한된 자원을 두고 각 부서 및 교사들 간에 선취하기 위한 복잡한 미시정치학적 과정을 자세하게 보여주고 있다. 스팍스의 연구대상이었던 체육교사들은, 실지로는 그렇게 실천하지 않으면서도, 다른 교과교사들에게 자신들이 채택한 새로운 방법들을 과시하기 위해서 전략적 수사학을 동원하거나 잘 알려진 교육철학을 내세웠다. 이 두 연구들은 모두 학교 현장 수준에서 벌어지는 변화는 자세히 들여다볼수록 아주 복잡한 과정이며, 근본적 수준에서 변화를 이루는 것은 교사의 가치관 자체를 변화시켜야 하기 때문에 매우 힘들다는 것을 밝혀냈다.

둘째, 체육 부서 내부에서의 변화 차원에서 한 단계 뒤로 물러서서, 시도교육청 또는 지역교육청 단위 전체에서의 변화로 인하여 각 학교가 받는 영향을 고려하게 되면 문제는 더욱 복잡해진다. Evans(1990)와 Kirk(1990)는 교육사회학자들의 연구를 활용하여 한 시도교육청이나 지역교육청 단위 내에 속해있는 학교들 간의 서로 복잡하게 연결되고 의존적인 관계를 이론화하고 그것을 경험적 자료로 확인하려고 하였다. 이들의 연구는 교사들의 교육 실천을 이데올로기적으로, 관료주의적으로 규정하고 제한하는 것과 새로운 아이디어들을 실천에 옮기는 교사들의 노력 간에 서로 밀고 당기는 팽팽한 긴장 상태를 자세히 보여주었다.

그리고, 셋째, 수십 년에 걸쳐 장기간에 진행되는 스포츠교육과 체육교육과정에서의 변화과정을 알아보는 연구들이 있다. 이 연구들은 역사적 자료를 활용하고 사회학적 개념들을 적용하는 교육역사 사회학적 접근을 취한다(최의창, 2000). Kirk(1992, 1998)과 Wright(1996)은 역사적 자료와 문헌을 분석하여 현재의 체육교육 장면에서 벌어지고 있는 여러 가지 문제 상황이 어떠한 역사적 과정을 거쳐 형성되어 왔는지 그리고 그 원인은 무엇인지를 밝히고 있다. 예를 들어, Kirk(1998)는 1880년대에서 1940년대까지 호주의 각 지역에서 병식 및 도수체조, 스포츠게임 그리고 신체검사 등과 같은 체육활동들이 시행되게 된 역사적 연원을 밝히려고 한다. 이 당시 학교 체육활동의 대부분을 구성하던 이 같은 활동들이 인간의 신체를 규율하고 억압하고 특정한 방식으로 취급되도록 하면서 사회적, 문화적으로 형성되도록 하는 커다란 역할을 하였다. 이 과정은 물론 사회, 정치, 문화 일반에서 진행되고 있던 담론들이 결정적 영향을 미쳤고, 학교체육은 이러한 담론들이 현실화되어 이루어지는 사회적 실험실을 마련해준 것이라고 주장한다. 라이트도 호주의 스포츠교육 분야는 지난 수십 년 동안 남성중심적 성격을 띤 주제들이 논의의 중심이 되어왔으며, 그에 따라 다른 관점이 배척된 것은 물론이고 게임과 스포츠가 아닌 다른 형태의 체육활동이 학교체육에서 제외되는 결과를 낳았다고 주장한다. 이로 인하여 학교체육에서 여학생의 체육활동에 대한 실제적 참여가 극도로 제한되고, 체험의 기회가 줄어들어 여학생들을 약하고 열등한 존재로 인식하게 만들고 있다고 말한다.

03. 체육교육에서의 여성성과 남녀불평등 연구

우리 모두가 잘 알고 있다시피, 스포츠교육은 남성들의 직업영역이 되어왔다. 그 한 가지 결과로, 지난 수십 년간 남자 체육교사들에 의해서 지속적으로 강화되어온 체육수업은 경기를 강조하는 구기종목 수업들이었다. 이러한 경향은 우리나라는 물론이고 미국, 영국, 호주도 마찬가지이다. 그리하여 지난 20여 년간 스포츠교육의 장면에서 어떠한 방식으로 여성성과 남성성이 만들어지고 불평등화되고 고착화되는가에 관한 연구가 진행되어오고 있다. 이 연구들은 주로 학교체육과 교사교육 프로그램에서 여학생들과 여대생들이 어떠한 체험을 겪는가에 주목하고 있다.

Griffin(1984, 1985)은 문화기술법을 사용하여 중학교 남녀공학 체육수업에서 나타나는 학생들의 참여유형을 연구하였다. 그리핀은 학생들 간에 서로 나누는 상호작용의 형태와 그에 따르는 학습 기회가 학생의 성별에 강하게 영향을 받는다는 점을 발견하였다. 각 성별 내에서도 참여유형이 다양하게 발견된다는 점과 함께, 남학생들의 참여 방식은 지나치게 공격적이고 신체적인 성향을 띠는 반면, 여학생들은 함께 협동하며 언어적인 방식을 띤다는 점을 알아냈다. 이 연구 결과들을 토대로 그리핀은 체육교육에서 성이 중요한 사회화 요인이면서 동시에 학생의 학습에 핵심적인 매개 요인이라고 주장하였다(Griffin, 1989).

Scraton(1990, 1992)은 학교체육에서의 성차와 여학생에 관한 연구에서 거시적인 접근을 시도하였다. 스크래튼은 영국의 학교에서 여학생들이 체험하는 체육 경험이 남성 중심의 사회 속에서 여자들이 받는 억압과 어떠한 관련을 맺고 있는지를 밝히려고 하였다. 여학생들이 체육수업에서 겪는 체험을 통하여 여성성과 성에 적합한 행동에 대한 사람들의 고정된 이미지가 어떻게 형성되며 합법화되는지를 탐색하여, 영국의 학교체육은 일반 사회에 만연하는 성차별적 이데올로기들을 강화하는 역할을 한다고 주장한다. 여학생들이 받는 학교 체육이 남성 위주 사회에서 남자들의 우위를 유지하는 기능을 담당하는 온순함, 모성애, 신체적 능력의 열세, 그리고 여성다움 등과 같은 틀에 박힌 특성들을 재생산하도록 만드는 성향을 보인다고 주장한다. 이러한 비판과 함께, 스크래튼은 여성의 자유가 체육교육을 통하여 어떠한 방식으로 좀 더 성취될 수 있는지 그 가능성들을 탐색하고 있다(Scraton & Flintoff, 1992).

체육교사교육 프로그램에 있어서 남녀 차별적 관행들과 그 과정이 인식형성과 행동 방식에 어떠한 영향을 미치는 연구들도 있었다. Flintoff(1993)와 Dewar(1990)는, 각각 영국과 북미에서, 문화기술법을 사용해서 여성성과 남성성에 대한 사람들의 인식이 어떤 사회적 과정을 거쳐서 구성이 되는지를 알아보고, 체육교사교육 기관들이 세분되면서 남녀 공학적 구조로 재편성되는 과정에서 어떻게 여성의 불평등이 재생산되는가를 탐색하였다. 두 연구 모두에서, 여학생들은 교사교육기관에서 지배적인 남성 중심의 풍토에 적합한 방식과 형태로 자신들의 성적 정체성을 타협 받도록 강요당하고 있다는 것을 발견하였다. 교사교육 프로그램을 대상으로 한 이 두 연구에서 밝혀진 결과는 학교체육교육에 많은 시사점을 던져주며, 성별의 사회적 형성에 관련된 중요한 이슈들을 풀이하는 데 있어서 체육교사교육 프로그램이 상당히 중요한 변화와 도전을 감내해야 한다는 점을 시사해주고 있다. Wright와 King(1991) 그리고 Wright(1993)는 문화기술법, 담화분석기법, 그리고 인터뷰 및 녹화기법을 다양하게 활용하여 체육교육에서의 여성성의 구분에 관한 연구를 수행했다. 이 연구들은, 교사의 발언 내용을 분석한 결과, 여학생들은 운동기능, 인내력, 그리고 활용 능력 등과 같이 체육교사들이 중요하게 간주하는 자질들이 부족한 것으로 그려지고 말해지고 있다는 것을 파악했다. 학생들과 의사를 교환하기 위해서 교사들이 사용하는 언어 속에는 여학생과 남학생이 각각 따라야 하는 적절한 행동들이 무엇인가에 대한 깊게 뿌리 박힌 편견들이 반영되어 있었다. 라이트는 연구의 과정 속에서 연구자의 개인적 이력과 추구하는 정치적 이상들을 분명하게 드러내며, 비판적이고 반성적 절차를 따르려는 노력을 함으로써 체육교육에서 사용하는 질적 연구방법론의 수준을 한 단계 높여주었다.

04. 체육교사지식 및 전문성 연구

지금까지 소개한 스포츠교육에서의 질적 연구는 전적으로 (교육)사회학적 관점에서 행해진 것들이다. 스포츠교육에서 질적 방법을 채택한 연구들이 대부분 (교육)사회학적 이론을 토대로 해서 실행되었고, (교육)사회학에서는 오래전부터 질적 연구의 전통이 강하게 내려왔기 때문이다. 그러나 (교육)심리학적 관점에서도 질적 연구가 행해지고 있으며, 그중 가장 대표적인 연구 장르가 체육교사의 전문지식과 수업지식에 관한 연구이다. 이 연구들은 주로 심층인터뷰, 참여관찰, 생각드러내기, 자극회상법을 활용하여 체육교사가 평소에 가지고 있던 생각이나 지식, 수업 중 특정 행동을 왜 했는가에 대한 이유설명, 교과 내용에 대한 전문적 이해정도 등에 대하여 얼마나 알고 있고 자세히 설명할 수 있는가를 파악한다.

일반적으로 스포츠교육연구 분야에서는 양적 방법을 활용하여 교사의 수업 효과성을 연구하는 '과정-결과연구'나 '실제 체육학습 시간연구' 또는 '교사 사고과정 연구'가 많이 행해졌으나, 교사가 가지고 있는 다양한 지식에 대한 관심이 1980년대 중반 이후 고조되기 시작했다. 교사 지식에 대한 연구 관심을 불러일으킨 시발점은 교육학자 Shulman (1986, 1987)이었는데, 그는 교사의 교과 지식과 교과를 가르치는 지식이 교육의 효과성을 높이는 데에 가장 중요한 지식이라고 주장하였다. 그는 과정-결과 연구는 연구설계 시 교과 내용에 대한 고려가 전혀 없이 이루어지기 때문에 문제점이 있으며, 교사 사고과정 연구도 사고의 '과정'에만 관심을 가지고 있을 뿐 그 과정을 통하여 처리되는 '내용'에 대한 관심이 배제되어 있다고 지적한다. 그는 수업 활동 연구에서 '교육내용'이 반드시 중요한 요인으로 인정되어야 하며 그에 대한 교사의 지식이 중요 연구대상으로 삼아져야 한다고 주장하였다. 그는 교사가 알아야만 하는 최소한의 중요한 지식영역으로서 교과 내용에 관한 지식, 수업 방법에 관한 지식, 교육과정에 관한 지식, 특정 교과 내용을 가르치는 것에 관한 지식, 학습자에 관한 지식, 교육상황에 관한 지식, 교육철학과 역사에 관한 지식 등을 설정하고 이것들이 어떤 과정을 거쳐 습득되며 어떠한 방식으로 수업 활동에 영향을 미치는가에 대한 연구를 촉구하였다 (Shulman, 1987). '교사 지식'에 관한 연구는 1980년대 후반 이후 활발히 이루어져 현재 가장 많은 연구관심사로 떠오르고 있다.

그다지 활발하지는 않지만 체육 분야에서도 교사의 지식에 대한 연구가 조금씩 행해지고 있다. Rovegno(1992)는 교생실습에 참여한 초등학교 교생들이 교과 내용에 관한 지식을 어떠한 방식으로 획득하는가를 연구하였다. 초등학교체육의 중요한 접근으로 대학 수업에서 배운 '움직임 교육'의 주요 개념들을 교생들이 현장에서 어떻게 이해하고 실시하는가를 알아보았다. 이 연구의 교생들은 움직임 교육의 개념을 수업 시간에 적극적으로 적용하려고 하였으나, 움직임 교육의 의미를 지나치게 단순화시킨 형태로 수업을 행하였다. 로베그뇨는 교생들이 핵심 개념에 대하여 제대로 이해하지 못하고 있을 뿐 아니라, 피상적 수준에서의 이해만 보였을 뿐 보다 깊은 수준의 이해를 갖지 못하고 수업을 행하고 있다고 주장하였다. 그리고 교과 내용에 관한 교사의 이해가 수업을 제대로 하는데 막중한 역할을 차지하므로 그에 대한 체육교사교육 프로그램의 시급한 조치가 필요함을 강조하였다. 이 밖에도 교사교육 프로그램이 교사의 여러 가지 지식 획득에 미치는 영향(Graber, 1995), 그리고 교과 내용에 대한 이해정도가 그 내용을 가르치는 것과 맺고 있는 관계(Manross et al., 1994) 등에 관한 연구가 수행되었다.

체육교사의 지식에 관한 연구와 함께, 경력교사와 초임교사 간에 어떤 전문지식의 차이가 있는가를 알아내려는 연구가 수행되고 있다(유정애, 2000; Schempp, Tann, Manross & Fincher, 1998). 이들 연구에 의하면, 초임교사와 경력교사는 수업계획, 상호작용, 수업 흐름 등의 측면에서 서로 상이한 모습을 보인다. 초임교사는 교재와 대학 수업자료가 주된 수업계획 자료원인 반면, 경력교사는 주로 현장경험에 의존해서 수업계획을 마련하였다. 학생과의 상호작용에 있어서 초임교사는 전체 학생을 대상으로 일반적인 피드백을 주로 하였으나, 경력교사는 칭찬과 자세한 지적을 많이 주고 학생 개개인들에 관심을 두었다. 수업 흐름의 측면에서 초임교사는 여유의 부족으로 수업 내용의 설명이나 전개에 초점을 맞추는 데 급급하였으나, 경력교사는 학생들 개개인의 필요와 배움에 보다 자세한 중점을 두었다. Tan과 동료들(1994)은 수업 방법에 관한 초임체육교사와 경력체육교사의 차이를 조사한 연구를 실시하였다. 이들도 마찬가지로 초임교사와 경력교사 간에 학생이 겪는 학습상의 어려움이 기인하는 원인 인식, 새로운 교과 내용을 접하게 될 때의 태도, 그리고 수업계획 시에 고려해야 하는 제반 사항에 대한 이해 등의 측면에서 차이점을 보이고 있음을 밝혀내었다.

05. 반성적 수업과 현장개선연구

1990년대 들어 교육학 분야에서 질적 방법을 활용하여 적극적으로 수행하고 있는 연구 장르로서 반성적 수업과 교사 현장개선에 관한 연구들이 있다. 이 연구들은 주로 교수나 교사가 동료교수나 동료교사의 도움을 받아 자신의 교육 및 수업 활동을 스스로 탐구하여 보다 자세한 이해와 현장개선을 하는 것을 목적으로 행해진다. 직전교사교육 프로그램에서 교육관련학과의 전공 학생들을 대상으로 가르치는 교수의 수업활동이나 학교에서 각 교과를 가르치는 교사의 수업 활동이 탐구 대상이며, 연구를 수행하는 주체는 바로 그 수업을 가르치는 교수나 교사 당사자인 것이 특징이다. 자신이 가르치는 과정과 학생들의 반응에 대한 분석과 반성을 통하여 연구 결과가 곧바로 자기 교육 활동의 개선으로 이어지기 때문에, 최근 들어 많은 관심을 받고 있다(최의창, 1998; Tinning, 1992).

학교체육분야에서는 이론적 주장들이 많이 개진되어 있으나, 아직 경험적 연구가 실제적으로 행해진 경우는 그리 많지 않다. 그리고 학교 현장에서 체육교사에 의해서 보다는, 주로 체육교사교육 프로그램에서 교사교육자에 의해 행해진 경우가 대부분이다. Tinning(1987)은 학생들로 하여금 교생실습 기간 동안 현장개선연구를 실행하도록 함으로써 학생들로 하여금 반성적 능력을 촉진시키려는 연구를 수행하였다. 현장개선연구를 통하여 학생들은 자신에게 중요하다고 생각하는 수업 능력의 측면들을 보다 개선시킬 수 있었으며, 수업과 관련된 다양한 이슈들을 보다 잘 이해할 수 있었다.

Gore(1990)는 대학 상황에서 현장개선연구 방법을 활용해서 행해진 반성적 수업의 좋은 본보기를 보여주고 있다. 체육교육 전공 학생들에게 반성적 능력을 키우는 체육교수법 과목을 가르치고 있었던 고어는 스스로 반성적 수업을 실천하기 위하여 자신의 수업에 대한 현장개선연구를 수행하였다. 일지를 기록하고 수업을 관찰하고 인터뷰를 실행한 후, 그 내용을 반성적으로 성찰하고 학생들의 경험을 분석한 결과, 고어는 반성적 능력증진에 대한 학생들의 반응이 "저항형", "순종형", "열심형"의 3그룹으로 나뉘는 것을 알아냈다. 저항형 학생들은 수업에 대해 반성하길 싫어했으며 일지를 왜 기록해야 하는가를 이해하지 못했다. 이 학생들은 가르치는 일에 있어서 반성이란 것이 지엽적인 것이거나 아예 관련이 없는 것으로 간주했다. 순종형 학생들은 반성하기 과제를 싫어하긴 했으나, 수업에서 나쁜 성적을 받지 않기 위해서 마지못해 따라왔다. 교육과 수업에 대해서 반성적으로 생각하긴 했어도, 그것은 오로지 학점을 따기 위한 수단에 불과했다. 열심형의 학생들은 학생들을 가르치고 교육을 실천하는 데 있어서 반성이 핵심적 요소라는 점을 이해하였다〈표 4 참조〉.

표 4   질적 연구를 싣고있는 주요 서적

년도	저자(편집자)	제목	출판사
1986	John Evans(Ed.)	*Physical education, sport and schooling: Studies in the socioligy of Physical education.*	Falmer.
1988	John Evans(Ed.)	*Teachers, teaching and control.*	Falmer.
1989	Thomas Templin & Paul Schempp(Eds.)	*Learning to teach: Socialization into Physical education.*	Benchmark Press.
1990	David Kirk & Richard Tinning(Eds.)	*Physical education, curriculum and culture: Critical issues in the contemporary crisis.*	Falmer.
1992	David Kirk	*Defining physical education: The social construction of a school subject in postwar Britain.*	Falmer.
1992	Sheila Scraton	*Shaping up to womanhood: Gender and girls' physical education.*	Open University Press
1992	Andrew Sparkes(Ed.)	*Research in physical education and sport: Exploring alternative visions.*	Falmer.
1992	John Evans(Eds.)	*Equality, education, and physical education.*	Falmer.
1993	Claude Pare(Ed.)	*Better teaching in physical education? Think about it!*	Universite de Quebec a Trois-Rivieres
1996	Paul Schempp(Ed.)	*Scientific development of sport pedagogy.*	Waxmann
1996	Steven Silverman & Catherine Ennis(Ed.)	*Student learning in Physical education: Applying research to enhance instruction.*	Human kinetics.
1997	Juan-Miguel Fernandez-Balboa(Ed.)	*Critical postmodernism in human movement, physical education, and sport.*	SUNY Press.
1998	Kathleen Armour & Robyn Jones	*Physical education teachers' lives and careers: PE, sport And educational Status.*	Falmer.
1999	Dawn Penny & Jones Evans(Eds.)	*Politics, policy and practice in physical education.*	E&FN SPON.
1999	Colin Hardy & Mick Mawer(Eds.)	*Learning and teaching in physical education.*	Falmer.
2000	Anne Williams(Eds.)	*Primary school physical education: Research into practice.*	Routledge-Falmer.

Tsangaridou와 O'Sullivan(1994)은 반성적 수업전략들이 체육교육전공 학생들로 하여금 반성적으로 사고하는 능력을 향상시키는 데에 어떠한 영향을 미치는지를 알아보는 연구를 하였다. 여섯 명의 학생들을 두 그룹으로 분리해서는, 한 그룹에게는 새로 개발한 반성과제들을 해결하라고 하고 다른 그룹에게는 기존의 반성과제들을 풀어보라고 시켰다. 일지와 비디오코멘트 그리고 인터뷰를 통해 얻은 자료를 바탕으로, 이들은 새로 개발한 반성 전략과 과제들이 학생들의 반성 능력을 향상시키는 것에 더 효과적이었음을 밝혀냈다. 이들은 후속연구(Tsangaridou & O'Sullivan, 1997)에서 네 명의 경력 초중등교사들을 대상으로 수업상황에서 교사의 반성이 어떻게 이루어지며, 교사로서 성장하는 데 반성이 어떤 역할을 하는가를 알아보았다. 참여관찰, 인터뷰, 일지 등을 통해 자료를 수집하고 분석한 결과, 교사들이 하루하루 업무를 수행하면서 머리속으로 행하는 "일상적 반성"에는 지도방법, 교과 내용, 윤리적, 도덕적, 사회적인 내용들이 다루어진다는 것을 발견하였다. 그리고 이런 일상적 반성은 시간이 지속됨에 따라 교사의 수업활동과 전문능력 향상에 변화를 가져오는 요인이 되었다.

 # V 질적 연구의 최근 이슈

지금까지 스포츠교육연구 분야에서 질적 연구가 어떻게 발전하였고 현황은 어떤 상태인지에 대해서 알아보았다. 질적 연구 패러다임의 소개와 수용 과정을 알아보았고, 해석적 패러다임과 비판적 패러다임에서 활용된 질적 연구방법들을 훑어보았으며, 질적 연구기법을 사용하여 행한 연구의 현황과 다양한 연구 장르에 관해서 살펴보았다. 제2절에서 밝혔듯이, 현재 스포츠교육연구에서의 질적 연구에 관한 논의는 질적 연구의 타당성을 왈가왈부하는 차원을 넘어서 있다. 지금은 질적 연구의 다양한 측면들에 대한 심도 있는 논의가 진행되고 있는 중이다(Sparkes, 1992, 1995). 특히 최근 들어 후기구조주의적 관점의 영향을 받아 체계적 연구행위에 대한 텍스트 분석적 접근이 시도되고 있다. 그동안 연구방법에 있어서 객관적 태도와 제삼자적 태도를 강조한 실증적 연구 진행 과정을 지양하고, 연구행위에 연구자의 온 마음이 함께 담겨진 주관적, 당사자적 관여를 중요시하는 반성적 연구 진행을 강조한다.

일반적으로 우린 연구방법론에 대하여 이야기할 때, 연구를 어떻게 실행하는가에 중점을 맞춰 이야기한다. 통상적으로 연구방법론에 관한 언급은 연구행위의 기능적 측면, 즉 '어떻게 그것을 실행하느냐?'에 집중된다. 논문을 작성하는 쓰기 과정이나 논문을 보는 읽기 과정은 일반적으로 무시해버린다. 최근 들어 체육교육학 연구 분야에서는 모든 형태의 기존 논의양식이 재검토되고 있는 후기구조주의적 관점에 대한 관심이 높아지고 있다.

이 관점에서는 그동안 연구방법론 논의에서 무시되거나 소홀히 되었던 측면들에 대하여 주목을 하고 있다. 본 절에서는 체육교육에서의 질적 연구방법에 관한 논의에서 새롭게 대두되고 있는 "글쓰기"와 "글읽기" 두 가지 이슈들을 살펴본다(김영천, 1997; Richardson, 1994).

01. 글쓰기

전통적으로 연구자들은 연구논문을 작성하는 일은 그다지 문제 삼아오지 않았다. 연구보고서는 통상적으로 거의 사전에 정해진 포맷(즉, 서문, 문헌분석, 연구방법, 결과, 그리고 논의)에 맞추어 끼워 넣듯이 써넣으면 되었다. Clifford(1986)의 표현을 빌면, 질적 연구에서의 논문 쓰기는 이제, 필드 노트를 작성하고 결과를 그냥 적어버리기만 하면 되는 "기법"이 되어버렸다.

연구보고서를 쓰는 데에 있어서 수사와 문체가 얼마나 중요한지에 대해서는 완전히 까먹었거나, 더 정확하게는 거부되어버렸다(Atkinson, 1990). 자료수집 절차를 보다 더 객관적 방법으로 기술하고 결과를 찾게 되면 될수록, 연구논문의 타당성은 보다 더 높은 점수를 받았다. 주관적 문장이나 객관성을 결여한 단어를 쓰는 것은 편견이 담겨있다거나 사적 견해라는 취급을 받고 무시되었다. 문체를 담은 글쓰기로 쓰여진 논문은 과학적이지 못한 논문으로 취급되었다. 문체가 없이 글을 써야만 했다. 하지만 이렇듯 문체가 없이 쓰는 것도 하나의 문체다. 완전히 객관적인 문체로 글을 쓰는 것, 그리하여 수사와 문체로부터 벗어나는 일은 전혀 가능하지 않다. 읽는 사람에게 글을 쓴 사람의 주장을 설득해야만 하는 과제는 과학적인 논문이건 소설이건 간에 예외 없이 적용된다.

Sparkes(1992)는 이런 관점에서 질적 스포츠교육연구자들은 자신이 글쓰는 방식에 대한 반성적 인식능력을 개발해야 할 필요가 있다고 주장한다. 반성적 인식능력이란 '다양한 형태의 언어들이 우리에게 부과하는 가능성과 제한점들에 대해서 보다 더 명확하게 느끼고 아는 것'을 말한다(p. 293). Evans(1992)는 연구자의 생각과 가치관이 연구대상자의 목소리와 관심사를 어떻게 눌러버리는지에 관해 반성적으로 생각하면서, 다음과 같은 결론을 내린다.

만약 우리가 이 같은 설명을 만들어 내놓지 않으려면, 우린 우리가 교사들의 행동을 어떻게 묘사하고, 밖으로 나타내며, 글을 쓰는가에 대해서 다시금 새롭게 생각해야 할 필요가 있다.... 그렇게 하려면, 새로운 실험적인 글쓰기를 얼마간 해봐야만 할 것이다. 우린 우리 자신과 다른 사람들이 살고 있는 이 사회적 세계가 얼마나 복잡한지, 얼마나 다층적인지, 얼마나 무질서하며 불확실한지, 그리고 서로 앞뒤가 맞지 않는지를 그려내는 다른 방식들을 찾아내야만 하는 것이다. (p. 245)

Sparkes(1995)는 질적 연구방법론 영역에서 연구자료를 어떠한 방식으로 제시할 것인가의 문제가 새롭게 대두되고 있음을 구체적으로 주장하면서, 체육교육 분야에서 어떠한 방식으로 연구논문을 작성해야 할 것인가를 다루고 있다. 스파크스는 양적 연구에서의 지배적인 과학적 글쓰기와 질적 연구에서의 실제적 글쓰기를 비판적으로 검토한 후, 질적 연구에서 다양한 글쓰기가 가능하다는 것을 주장한다. 다양한 질적 연구논문 작성을 위해서 고백적 글쓰기, 인상주의적 글쓰기, 자아성찰적 내러티브쓰기, 시적 글쓰기, 문화기술적 드라마쓰기, 그리고 문화기술적 소설쓰기 등의 대안들을 소개한다. 새로운 글쓰기, 다양한 논문 쓰기 방식에 대한 스포츠교육 연구자들의 관심은 지속적으로 증가하고 있다(Whitson & McIntosh, 1990).

02. 글읽기

　스포츠교육을 연구하는 연구자들에게, 아니 모든 연구자들에게, 연구논문을 읽는 행위는 핵심적이며 피할 수 없는 과제다. 그러나 이 과제를 어떻게 해결할 것인지에 대해서는 그동안 거의 안내가 없어 왔다. 글쓰기와 마찬가지로, 글읽기도 그다지 문제가 될 것 없는 연구기술로 간주되어온 것이다. 아니, 아예 연구기술로조차도 인정받지 못했다고 말할 수 있다. 이런 경향은 학문적 글쓰기의 성격을 스포츠교육연구자들이 제대로 이해하지 못하고 무관심해 온 것에 그 원인이 있다. 실증주의자들이 주장하듯이 연구논문이 객관적인 방식으로 쓰여져 있으면, 논문 읽기란 오직 글쓴이가 써놓은 것을 수동적으로 받아들이는 과정의 수준을 벗어날 수 없게 된다.

　하지만 최근 들어 후기 구조주의자들이 주장하듯, 글읽기는 수동적 활동이 아니다. 글을 읽는 행위는 읽는 사람으로 하여금 계속해서 책의 내용을 구성하고, 해체하고, 재구성하도록 만든다(Atkinson, 1990). 글을 읽는 사람과 글을 쓴 사람은 모두가 글의 내용을 통해서 의미를 만들어 나가는 과정에 적극적으로 참여하는 사람들이다. 체육교육학 연구자들이 연구 과정에서 좀 더 세밀하고 세심하게 되기 위해서는 '적극적 독서태도'(Sparkes, 1991)가 반드시 필요하다. Hammersley(1991)는 질적 연구논문을 읽는 데 있어서 적극적 독서태도를 개발하기 위한 효과적 방안을 제시하고 있다.

VI 한국 스포츠교육에서의 질적 연구

　본격적인 의미에서의 국내 스포츠교육학 연구는 1980년대 후반 대학원 학생들의 학위논문으로 시작되었으며, 1992년 한국스포츠교육학회의 설립과 1994년 『한국스포츠교육학회지』의 발행으로 가시화되었다. 물론 한국스포츠교육학회지 발간 이전이었던 1980년대 후반과 1990년대 초반에도 체육학 종합학술지인 『한국체육학회지』에 간헐적으로 스포츠교육학 관련 연구논문들이 실리긴 했으나, 이 학술지의 출간은 스포츠교육연구가 본격적으로 진행되는 자극제 역할을 하였다(강신복, 최의창, 1997).

질적 연구는 체계적 관찰법에 의한 연구가 주류를 이루던 1980년대 후반과 1990년대 초반에는 수행되지 않다가, 질적 연구방법론 훈련을 받은 외국 유학생의 귀국으로 조금씩 질적 연구가 수행되기 시작하였다. 그러나, 한국스포츠교육학회지와 한국체육학회지에 실린 체육교육학 연구논문들을 분석한 최근의 한 조사에 의하면(김승재, 2000), 아직도 질적 연구는 양적 연구에 비해 매우 적게 실행되고 있는 실정이다. 1990년부터 1999년까지 137편의 연구논문 가운데, 양적 연구는 82.5%, 질적 연구는 12.4%, 혼합 연구는 5.1%로 나타났다. 이러한 실태는 외국과는 달리 아직도 우리나라에서는 실증적 연구 패러다임이 지배적인 관점으로 인정되고 있음을 말해준다.

국내 스포츠교육학에서는 질적 연구 패러다임의 이론적 특성과 장단점에 대한 심도 있는 학문적 논의가 전혀 없이 실제 연구부터 행해졌다. 교육학 분야에서는 실제 연구를 수행하는 작업과 함께, 연구자들이 양적 연구와는 다른 질적 연구의 특징과 이슈들을 소개하고 탐색하는 이론적, 개념적 작업을 함께 진행시키고 있다(김영천, 1997; 조용환 1999). 스포츠교육학에서는 질적 연구 방법의 이론적 쟁점과 다양한 연구방법들의 특징에 관한 이해는 영어 사용권 연구자들이 발표한 논문이나 서적에 전적으로 의존하고, 그들의 주장을 그대로 받아들이고 있는 실정이다(손천택, 1994).

질적 연구방법을 사용하여 행해진 연구들을 주제 중심으로 살펴본다면, 연구자의 부족으로 그리 많은 연구(연평균 13.7편)가 행해지지 않고 있어 어떤 뚜렷한 장르를 형성할 수준은 아니다. 대부분의 국내 체육학 연구와 마찬가지로, 우리 스포츠교육학 분야도 미국 중심의 연구 경향을 그대로 답습하고 있고, 이에 따라 미국 스포츠교육학에서 유행되는 연구 동향들이 많이 반영되고 있는 실정이다. 앞서 소개한 다섯 연구 장르 가운데, 체육교육과정의 개선과 변화 과정을 파악해보려는 연구는 현재 한 편도 발표되지 않았다. 스포츠교육에서의 여성성과 남녀불평등(배미해, 2001; 이영국, 1999), 반성적 수업과 현장개선연구(이충원, 1998; 조순묵, 1997), 그리고 체육교사지식 및 전문성(강신복, 1999; 안양옥, 1995) 영역에 속하는 연구들은 이제 막 시작되는 단계에 있다. 다만, 체육교사 사회화에 관한 연구들은 다른 연구 장르에 비해 좀 더 많은 관심을 받아 왔다. 본 절에서는 체육교사 사회화 연구와 반성적 체육수업 연구만을 요약한다(다른 연구 장르들에 대한 간략한 소개는 강신복, 최의창, 1997; 유정애, 2000; 최의창, 1996 참조).

첫 번째, 미국 유학생들의 학위논문 준비로 시작된 한국에서의 체육교사 사회화 연구는 스포츠교육학 분야에서의 질적 연구에 대한 이해를 넓히도록 촉진하여 후속연구가 수행될 수 있는 디딤돌 역할을 해주었다. 교사교육 전 단계, 교사교육 단계, 그리고 퇴임 단계에서 행해진 교사사회화 연구는 발견되지 않으나, 초임교사 단계와 경력교사 단계의 체육교사에 대한 연구는 몇 편 행해졌다. 중등학교 초임체육교사(이재용, 1993)와 초등학교 초임교사(이효진, 1996)가 어떤 교수 가치관을 지니고 있으며, 그것이 형성되는 과정에 영향을 미친 요인들이 무엇인가에 관한 자료를 제공하는 연구가 수행되었다. 최희진과 강신복(2000)은 중학교 초임체육교사가 첫 발령지에서 겪는 어려움과 그 원인을 이해하려고 하였다. 이들은 주로 심층인터뷰, 비참여관찰, 그리고 문서분석 등의 기법을 활용하였다.

최근 류태호(2000)는 개인생애사법을 사용하여 경력교사의 직업 정체성 형성과정과 그것에 영향을 미치는 요인을 탐색하였다. 고등학교에서 재직하고 경력이 16년 된 40대 초반의 남자 체육교사를 대상으로 심층면담, 참여관찰, 수업자료 및 창작자료 분석 등의 기법을 활용하여 다층적인 자료를 수집하였다. 연구대상 체육교사의 직업 정체성은 한편으로는 외부적 요인들에 의해서 형성되는데, 인간관계, 체육수업, 역할, 체육에 대한 사회적 인식 등의 요인들이 상호작용하면서 정체성을 규정한다. 다른 한편으로는 내부적인 요인들에 의해서도 만들어지는데, 체육교사는 주어지는 이미지를 자신의 안에서 만들어 가는 이미지로 대치, 정제, 그리고 수용하면서 다시 정체성을 형성하게 된다.

이러한 내부적, 외부적 요인들이 상호작용해서 만드는 직업 정체성은 교직경험을 쌓을수록 변화해간다. 연구대상 교사의 경우엔 네 가지 단계를 거치는데, 각 단계는 일방적이고 수직적인 단순한 모습이 아니라 발전, 퇴보, 반전 등의 복잡한 성격을 보인다. 첫 번째는 무형의 정체성 단계로서, 교사가 되기 이전의 사회생활과 대학 생활은 개인적 자아정체성의 형성에는 도움을 주었지만 교사로서의 직업 정체성에는 구체적 영향을 미치지 못한 단계이다. 두 번째는 기능적 정체성 단계로서, 교육 현실에 적응하려고 노력하며 체육교사로서 주어진 업무를 제대로 수행하는 단계이다. 세 번째는 비판적 정체성 단계로서, 교육 운동 관련 서적의 숙독, 의식 있는 교사와의 만남, 학생들로부터의 배움 등을 통하여 전형적인 교사와는 다른 자신의 독특한 모습을 찾는 단계이다. 네 번째는 중용적 정체성 단계로서, 수업 방법에 대한 탄력성, 인간관계에서의 타인의 배려, 학생중심에서 인간중심으로의 수업 변화를 통하여 자신이 하는 일에 대한 여유로운 자부심과 사랑을 갖는 단계이다.

두 번째, 체육교사의 수업 활동을 반성적으로 탐구하고 분석해서 개선시키는 현장개선연구가 시작되고 있다. 조순묵(1998)은 수업 반성이 초등교사의 체육 교수활동에 어떠한 변화를 주는지 알아보았다. 교직경력이 3년 미만인 초임 초등교사 3명(남 2, 여 1)을 선정하여 12주간 수업에 대한 반성과 실천을 반복시켰다. 현장개선연구의 순환 싸이클을 활용하여 수업 반성을 하였으며, 학생 통제, 과제제시, 그리고 피드백의 형태에 어떤 변화가 일어나는가를 알아보았다. 비디오코멘트, 참여관찰, 심층면담, 반성일지를 사용하여 자료를 수집하였다.

첫째, 연구대상 교사들이 수업에서 사용하는 통제의 형태는 협박형, 금지형, 권유형, 동기 유발형이 있었다. 반성 전과 반성 후의 학생 통제 형태의 변화는 일방적이지 않고 강압적에서 권유적으로, 또는 권유적에서 강압적인 양방향적으로 이루어졌다. 둘째, 과제 제시의 형태는 지소효저형, 지소효고형, 지다효저형, 지다효고형으로 나타났다. 교사들은 반성의 과정을 통하여 과제를 효과적으로 전달하고자 노력했으나 이러한 노력이 수업에 반영되지는 못했다. 셋째, 피드백의 형태는 일반적-긍정적, 일반적-부정적, 구체적-긍정적, 구체적-부정적 피드백으로 구분되었다. 피드백 제공 형태의 변화는 무지단계, 인식단계, 실행단계, 반성적 실천단계의 과정이 일관성 있게 나타났다.

이충원(1999)은 현장개선연구의 맥락에서 자신이 설계한 "탐구중심 체육수업모형"을 자신이 맡은 중학교 1학년 3개 학급 110명의 학생들을 대상으로 핸드볼 단원 수업에 적용하고 그 효과를 알아보았다. 수업소감문 분석, 육성녹음, 비디오촬영, 교사수업반성일지, 심층면담 등을 활용하여 자료를 수집하고 분석한 결과, 학생들에게는 다음과 같은 여섯 가지 영향이 나타났다. 첫째, 움직임을 체험하고 이해하며 실천함으로써 방법적 지식을 체득했다. 둘째, 운동경기에 대한 안목과 태도의 변화가 나타났다. 셋째,

기존의 체육수업과는 다른 느낌과 인상을 받았다. 넷째, 체력이나 건강이 유지되고 증진되었다. 다섯째, 다양한 운동상황을 경험함으로써 온갖 감정을 체험하고 행복감을 느꼈다. 여섯째, 조별 활동 등을 통하여 사회성이 함양되었다.

이상과 같은 연구들 이외에도, 아직 많이는 행해지지 않았지만, 질적 연구방법을 활용하여 행해진 몇 가지 연구들이 있다. 우선, 수업에 대한 학생의 인식과 교사의 교수 가치관을 알아보려는 연구가 있다. 이 연구들은 문화기술법을 사용하여 체육전담교사의 수업에 대한 초등학생의 인식을 알아보거나(이승배, 1999), 주요 사건기록법을 활용하여 여고생들의 체육수업에 대한 인식을 살펴보거나(홍원택, 곽은창, 2000), 초등학교 초임 체육전담교사의 교수 가치관을 분석하고 있다(탁영희, 1997). 둘째, 수업 관찰과 면담기법을 주로 활용하여 학생들이 수업에 참여하는 방식을 유형별로 분류하는 연구가 있다. 이들은 초등학생들의 체육수업 참여유형(이옥선, 1996)과 중학생들의 체육수업 참여유형(강신복, 1999)을 분석하고 있다. 셋째, 새로운 체육교수모형이나 교육과정 모형을 적용하여 그 효과성을 알아보려는 연구가 있다. 이들은 사례연구법을 채택하여 중등학교에서 스포츠교육모형(문호준, 2000)과 초등학교에서 이해중심게임 수업모형(안양옥, 1998)이 새로운 교육과정 모형으로서 얼마나 한국 학교 현장에서 효과를 발휘할 수 있는가를 검토하고 있다.

 결론

지금까지 국내외 스포츠교육학 연구에서 질적 연구의 전통이 어떻게 발전해 왔으며 그 현황은 어떤가를 알아보았다. 외국의 경우, 스포츠교육학은 양적 연구의 전통이 강하게 자리 잡은 상태에서 질적 연구 패러다임이 도입되었기 때문에, 연구자들 간에 격심한 논쟁이 벌어지는 등 상당한 진통을 겪은 후에 지금같은 인정을 받게 되었다. 이것은 한편으로는, 연구자의 수도 증가하고 실제로 행해지고 발표되는 연구의 양이 많아짐

으로 인한 것이다. 그리고 다른 한편으로는, 소개가 시작된 초기부터 질적 연구의 개념적 토대와 이론적 특징을 확실하게 드러내어 밝힘으로써 학문적이고 논리적인 근거를 튼튼히 하여 양적 연구자들과의 논쟁에서 대응할 수 있었기 때문이다. 스포츠교육학에서 이제 상당한 지분을 확보했음에도 불구하고, 질적 연구의 발전을 위한 스포츠교육연구자들의 본격적인 이론적 논의는 아직도 진행되고 있다.

국내 스포츠교육학에서는 외형적으로 볼 때 실제 질적 연구가 양적으로 점차 증가하는 추세에 있다. 이 점만 볼 때, 국내에서의 질적 연구도 외국에서처럼 스포츠교육연구자들로부터 완전히 인정을 받은 상태라고 오해하기 쉽다. 스포츠교육 현상을 이해하고 개선하는 것에 질적 연구패러다임이 왜 필요하며 어떤 도움을 줄 수 있는가에 대한 설득력 있는 개념적 설명과 논의가 공개적인 방식으로 전혀 진행되지 않았기 때문에, 아직도 많은 연구자들이 질적 연구에 대한 의구심과 잘못된 이해를 갖고 있다. 이러한 오해와 의심은 논문이나 에세이 등 이론적 수준에서는 드러나지 않지만, 체육학회나 스포츠교육학회의 학술발표장에서는 아주 극명한 방식으로 흔히 목격할 수 있다. 외국의 경우와는 달리 국내 체육학 연구나 스포츠교육학 연구에서는 아직은 질적 연구의 위상이 안정적이지 않은 것이다.

19세기 말의 영국 사회상을 다룬 찰스 디킨스의 소설 『어려운 시절』은 이런 장면으로 시작된다. 이 장면은 현대 과학과 기계적인 인간관이 객관적으로 확인된 단순명료한 '사실'에 편협하게 올바른 지식을 국한시킨 모습을 토마스 그래드그라인드 교수를 통해서 보여준다. 그래드그라인드 교수는 수업중 '22번 학생' 시씨 주페를 불러 집안에서 하는 일이 무엇인가에 대해서 물어본다. 수줍음을 잘 타고 겸손한 성격의 시씨는 교수님의 부름에 떨면서 일어나서는, 아버지가 동네 서커스단에서 말을 훈련시키는 조련사임을 밝힌다. 그래드그라인드 교수의 기준에 비추면 아주 저급한 직업을 가지고 있는 셈이었는데, 교수는 시씨의 무식을 드러낼 목적으로 다른 학생들에게 말의 '사실적' 정의를 한 번 이야기해보라고 시킨다. 시씨가 말에 대해서 머뭇거리며 몇 마디 하려고 하자마자 교수는 그녀가 말에 대한 '사실'은 하나도 가지고 있지 않다는 점을 지적하며 야단친다. 그리고는 비져라는 다른 남학생에게 한번 말해보라고 시킨다. 비져는 조금도 주저하지 않고 다음과 같이 교수가 원하는 대로의 말의 정의에 대해서 암송한다.

사지동물. 잡식성. 치아 40개 - 어금니 24개, 송곳니 4개, 앞니 12개. 봄에 털갈이하며, 습한 지역에서는 발굽도 갈이함. 발굽 단단함. 그러나 쇠발굽으로 갈아주어야함. 치아의 자국으로 나이 구별.

이 말을 끝내자 교수는 시씨에게 이렇게 말한다, '자, 22번 여학생, 이제 말이 무엇인지 알겠지.'

이 소설 전체의 주제를 압축해서 보여주는 이 첫 장면의 아이러니는 바로, 실지로는 시씨를 제외하고는 아무도 말이 어떤 동물인지를 모른다는 점이다. 그래드그라인드 교수와 비져까지도 말이다. 이 장면의 제목은 '제1장. 가장 필요한 것'이다. 디킨스가 말하고자 하는 것은 사물, 세상과 인간에 대한 사랑으로부터 나온, 정말로 우리에게 필요한 지식이 그래드그라인드 교수 같은 사람들이 필요로 하는 피상적 사실에 의해 대체되어버린 것을 말한다. 그리하여 지금 우리의 시대가 정말로 '어려운 시절'이 되어버린 것을 암시해준다. 우리에게 정말로 필요한 것은 시씨가 아버지와 함께 말과 살면서 돌보면서 얻은 그런 지식들이다. 이런 지식은 비져처럼 참고서에 적힌 대로 머리속에 넣은 채 말을 하나하나 나누어서 알고 있는 것이 아니라, 말을 '통짜로', 말을 '말로서' 온전하게 알고 있는 것이기 때문에, 말의 본질에 좀 더 가까운 지식이라고 말할 수 있을 것이다.

통상적으로 스포츠교육학을 공부한 연구자들은 대부분, 그랜드그라인드 교수처럼, 양적 방식만으로 스포츠교육 현상을 이해하고 생각하도록 훈련받는다. 그리하여 과학적이고, 객관적인 방식이 최상이고 그런 방식으로 모은 자료와 분석만이 올바른 지식으로 인정받을 수 있다고 믿게 된다. 물론, 이런 과학적, 객관적, 계량적인 사고방식도 세상을 바라보고 풀이하는 방식이다. 그러나, 그것은 어디까지나 '하나의' 방식이다. 세상을 이해하는 방식은 다양하며, 주관적, 질적 방식도 그 중 하나이다. 어느 하나의 방식만 고집하고 다른 방식은 배척해버리는 태도는 스포츠교육 현상을 총체적으로 이해하는 데에 하등의 도움을 주지 못한다. 이러한 방법론적 쇄국주의는, 마치 대원군의 쇄국정책이 그러했듯이, 학문적 개화의 문을 굳게 닫게 만든다. 이것이 계속되면, 마치 그랜드그라인드 교수가 말에 대한 시씨의 생각보다는 비져의 개념 정의를 더 옳다고 믿었듯이, 스포츠교육 현상을 어떻게 이해하는 것이 보다 더 올바른 것인가에 대한 연구자들의 착각이 고착되어 버릴 것이다.

현재 외국에서는 교육학 분야는 물론 스포츠교육학 분야에서도 질적 연구의 황금기를 맞이하고 있다. 질적 연구 전문학술지의 계속되는 창간, 학술대회의 빈번한 개최, 학위논문의 출간 증가, 질적 연구방법론 서적 출판의 급증 등등이 모두 이것을 증언해 주고 있다. 이것이 가능했던 것은 무엇보다도 질적으로 수준 높은 연구 결과를 발표함으로써 양적 연구자는 물론 교육 현장의 교육자들에게도 신뢰감을 줄 수 있었기 때문이다. 우수한 연구는 우수한 연구자로부터 나온다. 우수한 연구자는 우수한 훈련과 교육으로부터 나온다. 따라서 국내 체육교육학 분야에서 앞으로 외국과 같은 질적 연구의 황금기를 맞이하기 위해서는, 우수한 연구자질을 갖춘 예비연구자의 교육에 최선을 다해야 할 것이다. 대학원 프로그램의 질을 높이고 질적 연구 능력의 개발을 전문적 수준으로 끌어올려야 할 것이다. 이것이 스포츠교육에서의 질적 연구가 스포츠교육 현상을 올바로 이해하고 학교체육 현장을 제대로 개선하는 데 도움을 줄 수 있도록 하는 가장 근원적 차원에서의 조처이다.

참고문헌

강신복 (1999). 중학교 체육수업의 학습참여 유형분석. 한국스포츠교육학회지, 6(1), 1-17.

강신복, 최의창(1997). 스포츠교육학연구의 발전과 전망. 한국스포츠교육학회지, 4(2), 29-54.

김영천(1996). 질적/후기 실증중의 연구작업에서 고려해야 할 방법적 이슈들. 교육과정연구, 14(3), 41-72.

김영천(1997). 질적 연구의 지적 전통과 그 예: 문화기술지에서 포스트모더니즘까지. 교육학연구, 35(1), 225-251.

류태호 (2000). 체육교사의 직업정체성 형성에 관한 생애사적 연구, 서울대학교 대학원 박사학위논문.

문호준 (1990). 중학교 체육수업에서의 잠재적 교육과정의 분석 연구. 서울대학교 대학원 석사학위논문.

문호준 (2000). 스포츠교육모형의 중등체육수업 사례연구. 한국스포츠교육학회지, 7(1), 1-20.

박명기 (1994). 체육교사의 역할수행현황과 직업만족도. 한국체육교육학회지, 창간호, 63-79.

배미해 (2001). 양성평등적 관점에서 본 혼성체육수업 탐색. 서울대학교 대학원 석사학위논문.

손천택 (1994). 체육교수연구의 패러다임논쟁. 한국체육교육학회지, 창간호, 11-28.

안양옥 (1995). 체육 교과내용지식의 수준과 수업지식의 관련성. 서울대학교 대학원 박사학위논문.

안양옥 (1998). 게임수업의 질적 제고를 위한 대안적 접근. 한국스포츠교육학회지, 5(1), 15-30.

유정애 (2000). 교사전문성연구. 한국스포츠교육학회지, 7(2), 41-60.

이승배 (1999). 초등학교 체육전담교사의 수업에 대한 학생의 인식. 서울대학교 대학원 석사학위논문.

이옥선 (1996). 초등학생의 체육수업 참여유형 분석, 서울대학교 대학원 석사학위논문.

이재용 (1993). 초임 체육교사의 교수가치관 형성. 서울대학교 체육연구소 논집, 14(1), 35-42

이충원 (1999). 탐구중심 체육수업 모형의 설계 및 분석. 서울대학교 대학원 석사학위논문.

이효진 (1996). 초등체육지도교사의 교직사회화 연구, 서울대학교 대학원 석사학위논문.

조순묵 (1998). 수업반성을 통한 초등교사의 체육교수활동 변화. 서울대학교 대학원 박사학위논문.

조용환(1999). 질적 연구: 방법과 사례. 서울: 교육과학사.

최의창 (1994). 체육교육과정의 사회학적 탐구. 한국교육, 21, 207-237.

최의창 (1995). 교사현장개선연구. 한국스포츠교육학회지, 2(1), 91-102.

최의창 (1996). 체육교육과정 탐구. 서울: 태근문화사.

최의창 (1997). 교사전문능력 개발의 합리주의적 관점과 그 대안. 교육학연구, 33(1), 331-348.

최의창 (1998). 학교교육의 개선, 교사연구자, 그리고 현장개선연구. 교육과정연구, 16(2), 373-401.

최의창(1999). 체육교육탐구. 서울: 태근.

최희진, 강신복(2000). 중학교 초임체육교사의 초기곤란에 관한 연구: 한 체육교사의 사례연구. 한국스포츠교육학회지, 7(2), 1-14.

홍원택, 곽은창 (2000). 여고생의 체육수업인식에 관한 주요사건기록 연구. 한국스포츠교육학회지, 7(2), 61-74.

Aatkinson, P. (1990). *The ethnographic imagination: Textual constructions of reality*. New York: Routledge.

Alexander, K., Taggart, A., & Thorpe, S. (1996). A spring in their steps? Possibilities for professional renewal through sport education in Australian schools. *Sport, Education, and Society*, 1(1), 23-46.

Armour, K. M., & Jones, R. L. (1998). *Physical education teachers' lives and careers; PE, sport and educational status*. London: Falmer.

Arnold, P. (1988). *Education, movement and the curriculum*. Lewes, UK: Falmer.

Bain, L. (1990, July). Research in sport pedagogy: Past, present, and future. *Paper presented at the World Convention of the Association Internationale Des Ecoles Superierures d'Eduationa Physique*, Loughborough, England.

Bain, L. (1996). History of sport pedagogy in North America. In P. Schempp (Ed.) (1996). *Scientific development of sport pedagogy*(pp. 15-40). New York: Waxman.

Bell, L. (1986). Managing to survive in secondary school physical education. In J. Evans (Ed.), *Physical education, sport and schooling: Studies in the sociology of physical education*. Lewes, UK: Falmer.

Byra, M., & Goc Karp, G. (2000). Data collection techniques employed in qualitative research in physical education teacher education. *Journal of Teaching in Physical Education*, 19(2), 246-266.

Choi, E. (1992). *Beyond positivist sport pedagogy: Developing a multidimensional, multiparadigmatic perspective*. Unpublished Doctoral Dissertation. University of Georgia.

Colquhoun, D. (1990). Images of healthism in health-based physical education. In Kirk, D & Tinning, R. (Eds.), *Physical education, curriculum and culture*(pp. 225-252). Lewes, UK: Flamer.

Cutforth, N., & Hellison, D. (1992). Reflections on reflective teaching in a physical education teacher education methods course. *The Physical Educator*, 49(3), 127-135.

Darst, P., Zakrajsek, D., & Mancini, V. (Eds.) (1989). *Analyzing physical education and sport instruction* (2nd ed.). Champaign, IL: Human Kinetics.

Denzin, M., & Lincoln, Y. (Eds.) (1994). *Handbook of qualitative research*. London: Sage.

Dewar, A. (1989). Recruitment in physical education teaching: Toward a critical approach. In Templin, t. & Schempp, P. (Eds.), *Socialization into physical education*(pp. 39-58). Indianapolis, IN: Benchmark Press.

Dewar, A. (1990). Oppression and privilege in physical education: Struggles in the negotiation of gender in a university programme. In Kirk, D & Tinning, R. (Eds.), *Physical education, curriculum and culture*(pp. 67-100). Lewes, UK: Flamer.

Dewar, A., & Lawson, H. (1984). The subjective warre\ant and recruitment into physical education. *Quest*, 36, 15-2.

Dodds, P. (1989). Trainees, field experience, and socialization into teaching. In T.J. Templin & P.G. Schempp (Eds.), *Socialization into physical education: Learning to each* (pp. 81-104). Indianapolis: Benchmark Press.

Doolittle, S., Dodds, P., & Plac다, J. (1993). Persistence of beliefs about teaching during formal training of preservice teachers. *Journal of Teaching in Physical Education*, 12(4), 355-365.

Evans, J. (1990). Defining a subject: The rise and rise of the New PE? *British Journal of Sociology of Education*, 11(2), 155-169.

Evans, J. (1992). A short paper about people, power and education reform. Authority and representation in ethnographic research. Subjectivity, ideology, and educational refrom: The case of physical education. In A. Sparkes (ed.), *Research in physical education and sport: Exploring alternative visions*(pp. 231-247). London: Falmer.

Evans, J. (Ed.) (1986). *Physical education, sport, and schooling: Studies in the sociology of physical education.* Lewes, UK: Falmer.

Evans, J. (Ed.) (1988). *Teachers, teaching and control.* Lewes, UK: Falmer.

Evans, J., & Penny, D. (1992). Investigating ERA: Qualitative methods and policy oriented research. *British Journal of Physical Education*, Research Supplement, 11, 2-7.

Fizclarence, L. & Tining, R. (1990). Challenging hegemonic physical education: Conteztualizing physical education as an examinable subject. In Kirk, D & Tinning, R. (Eds.), *Physical education, curriculum and culture*(pp. 169-192). Lewes, UK: Flamer.

Flintoff, A. (1993). Gender, physical education and initial teacher education. In Evans, J. (Ed.), *Equality, education and physical education*(pp. 169-192). London: Flamer.

George, L., & Kirk, D. (1988). The limits of change in physical education: ideologies, teachers and the experience of physical activities. In J. Evans (Ed.), *Teachers, teaching and control in physical education* (pp. 125-144). Lewes, UK: Falmer.

Goodson, I. (Ed.) (1992). *Studying teachers' lives.* New York: Teachers College Press.

Graber, K. (1995). The influence of teacher education programs on the beliefs of student teachers: General pedagogical knowledge, pedagogical content knowledge, and teacher education course work. *Journal of Teaching in Physical Education., 14,* 157-178.

Griffey, D., & Housner, L. D. (1991). Planning, behavior and organization climate differences of experienced and inexperienced teachers. *Research Quarterly for Exercise and Sport, 62,* 196-204.

Griffin, P. (1984). Girls' particiaption styles in a middle school team sports unit. *Journal of Teaching in Physical Education,* 4(1), 30-38.

Griffin, P. (1985). Boys' particiaption styles in a middle school team sports unit. *Journal of Teaching in Physical Education,* 4(2), 100-110.

Griffin, P. (1989). Gender as a socialization agent in physical education. In Templin, t. & Schempp, P. (Eds.), *Socialization into physical education*(pp. 59-80). Indianapolis, IN: Benchmark Press.

Hammersley, M. (1991). *Reading ethnographic research: A critical guide.* New York: Longman.

Harvey, L. (1990). *Critical social research.* London: Unwin Hyman.

Housner, L. D., Gomez, R. L., & Griffey, D. C. (1993). Pedagogical knowledge structures in prospective teachers: Relationships to performance in a teaching methodology class. *Research Quarterly for Exercise and Sport, 64,* 167-177.

Housner, L., & Griffey, D. (1985). Teacher cognition: Differences in planning and interactive decision-making between experienced and inexperienced teachers. *Research Quarterly for Exercise and Sport, 56,* 45-53.

Houston, R. (Ed.) (1990). *Handbook of research on teacher education.* New York: Macmillan.

Huatchinson, G. E. (1993). Prospective teachers' perspectives on teaching physical education: An interview study on the recruitment phase of teacher socialization. *Journal of Teaching in Physical Education,* 12(4), 344-354.

Hutchinson, G. E., Macdonald, D. (1993). Beginning physical education teachers and early career decision-making. *Physical Education Review,* 16(2), 151-160.

Jackson, P. (Ed.) (1992). *Handbook of research on curriculum.* New York: Macmillan.

Kirk, D. (1990). School knowledge and the curriculum-as-text. *Journal of Curriculum Studies,* 22(5), 449-464.

Kirk, D. (1998). *Schooling bodies: School practice and public discourse*. London: Leichster University Press.

Kirk, D., & Tinning, R. (Eds.). (1990). *Physical education, curriculum and culture: Critical issues in the contemporary crisis*. Lewes, UK: Falmer.

Lawson, H. (1983a). Toward a model of teacher socialization in physical education:The subject warrant, recruitment, and teacher education (Part I). *Journal of Teaching in Physical Education, 2*, 3-16.

Lawson, H. (1983b). Toward a model of teacher socialization in physical education: Entry into schools, teachers' role orientations, and longevity in teaching (Part 2). *Journal of Teaching in Physical Education, 3*, 3-15.

LeCompte, M. D., Millroy, W. L., & Preissle, J. (Eds.) (1992). *Handbook of qualitative research in education*. San Diago, CA: Academic Press.

Lee, A. M. (1996). How the field evolved. In S. J. Silverman & C. D. Ennis (Eds.), *Student learning in physical education*(pp. 9-33). Champaign, IL: Human Kinetics.

Macdonald, D. (1995). The role of proletarianization in physical education teacher education: An Australian initiative. particiaption styles in a middle school team sports unit. *Journal of Teaching in Physical Education*, 16(2), 155-175.

Macdonald, D., & Brooker, R. (1997). Moving beyond the crisis in secondary physical education: An Australian initiative. *Journal of Teaching in Physical Education*, 16(2), 155-175.

Manross, D., Fincher, M., Tan, S. K., Choi, E., & Schempp, P. (1994). *The influence of subject matter expertise on pedagogical content knowledges*. Paper presented at the American Educational Research Association annual meeting. New Orleans, LA.

Manross, D., Fintcher, M., Tan, S., Choi, E., & Schempp, P. (1994). *The influence of subject matter expertise on pedagogical content knowledge*. Paper presented at the American Educational Research Association annual meeting. New Orleans, LA.

McTaggart, R. (1991). *Action research: A short modern history*. Geelong, Australia: Deakin University Press.

Miles,M., & Huberman, M. (1994). *Qualitative data analysis*(2nd ed.). London: Sage.

Nixon, J., & Locke, L. (1973). Research on teaching physical education. In R. Travers (Ed.), *Second handbook of research on teaching* (pp. 1210-1242). Chicago: Rand McNally.

Penny, D., & Evans, J. (1996). When breadth and balance means balancing the books: Curriculum planning in schools post-ERA. In C. Pole & R. Chawla (Eds.), *Educational change in the 1990s: Perspectives on secondary schooling*. London: Flamer.

Revegno, I., & Kirk, D. (1995). Articulations and silences in socially critical work on physical education: Toward a broader agenda. *Quest*, 47, 447-474.

Richardson, L. (1994). Writing: A method of inquiry. M. Denzin, & Y. Lincoln (Eds.) (1994). *Handbook of qualitative research*(pp. 516-529). London: Sage.

Rovegno, I. (1992). Learning a new curricular approach: Mechanisms of knowledge acquisition in preservice teachers. *Teaching and Teacher Education*, 8, 253-64.

Rovegno, I. (1992). Learning to reflect on teaching: A case study of one preservice physical education teacher. *The Elementary School Journal*, 92(4), 491-511.

Rovegno, I. (1993). Content knowledge aquisition during undergraduate teacher education: Overcoming cultural templates and learning through practice. *American Educational Research Journal*, 30, 611-642.

Schempp, P. (1987). Research on teaching in physical education: Beyond the limits of natural science. *Journal of Teaching in Physical Education.*, 6(2), 111-121.

Schempp, P. (Ed.) (1996). *Scientific development of sport pedagogy.* New York: Waxman.

Schempp, P., & Choi, E. (1994). Research methodologies in sport pedagogy. *Sport Science Review*, 3(1), 41-55.

Schempp, P., & Graber, K. (1992). Teacher socialization from a dialectical perspective: Pretraining through induction. *Journal of Teaching in Physical Education.*, 11(*3*), 329-348.

Schempp, P., Tan, S., Manross, D., & Fincher, M. (1998). Differences in novice and comptent teachers knowledge. *Teachers and Teaching: Theory and Practice*, 4(1), 9-20.

Schempp, P., Tann, S. K., Sparkes, A., & Templin, T. (1996). Teacher socialization in sport pedagogy. In P. Schempp (Ed.) (1996). *Scientific development of sport pedagogy*(pp. 63-81). New York: Waxman.

Scraton, S., & Flintoff, A. (1992). Feminist research and physical education. In Sparkes, A. (Ed.), *Research in physcial education: Exploring alternative visions*(pp. 167-187). Lewes, UK: Falmer.

Shulman, L. S. (1986). Paradigms and research programs in the study of teaching: A contemporary perspective. In M. C. Wittrock. (Ed.), *Handbook of research on teaching*(3rd ed.) (pp. 1-36). New York: Macmillan.

Shulman, L. S. (1987). Knowledge and teaching: Foundations of the new reform. *Harvard Educational Review, 57*, 1-22.

Silverman, S. (1996). How and why we do research. In S. Silvermam & K. Ennis (Eds.), *Student learning in physical education: Applying research to enhance instruction* (pp. 35-52). Champargn, IL: Human Kinetics.

Silverman, S., & Skonie, R. (1997). Research on teaching in physical education: An analysis of published research. *Journal of Teaching in Physical Education*, 16(3), 300-311.

Solmon, M. A., & Lee, A. M. (1991). A contrast of planning behaviors between expert and novice adapted physical education teachers. *Adapted Physical Activity Quarterly, 8*, 115-127.

Solmon, M. A., & Lee, A. M. (1996). Entry characteristics, practice variables, and cognition: Student mediation of instruction. *Journal of Teaching in Physical Education, 15*(2), 136-150.

Sparkes, A. C. (1990). *Curriculum change and physical education: Towards a micropolitical understanding.* Geelong: Deakin University Press.

Sparkes, A. (Ed) (1992). *Research in physical education and sport: Exploring alternative visions.* Lewes, UK: Falmer.

Sparkes, A. (1993). Challenging techincal rationality in physical education teacher education: The potential of a life history approach. *Physical Education Review*, 16(2), 107-121.

Sparkes, A. (1995). Writing people; Reflections on the dual crises of representation and legitimation in qualitative inquiry. *Quest, 47*, 158-195.

Squires, S., & Sparkes, A. (1996). Circles of silence: Sexual identity in physical education and sport. *Sport, Education & Society*, 1(1), 77-102.

Stakes, R. (1995). *The art of case study research.* New York: Sage.

Stroot, S. (Ed.) (1993). Socialization into physical education. *Journal of Teaching in Physical Education* [Summer Monograph].

Stroot, S. A., Faucette, N., & Schwager, S. (1993). In the beginning: Perspectives on socialization research. particiaption styles in a middle school team sports unit. *Journal of Teaching in*

Physical Education, 12(4), 375-446.

Tan S. K. S. et al. (1994). *Differences in novice and competent teachers' knowledge.* Paper presented at the American Educational Research Association annual meeting. New Orleans, LA.

Templin, T. (1979). Occupational socialization and physical education student teacher. *Research Quarterly,* 50, 482-493.

Templin, T. (1981). Student as socializing agent. *Journal of Teaching in Physical Education, Introductory Issue,* 71-79.

Templin, T., & Schempp, P. (Eds.) (1989). *Socialization into physical education: Learning to teach.* Indianapolis, IN: Benchmark Press.

Templin, T., Sparkes, A., & Schempp, P. (1991). The professional life cycle of a retired physical education teacher: A tale of bitter disengagement. *Physical Education Review,* 14(2), 143-156.

Templin, T., Sparkes, A., Grant, B. & Schempp, P. (1994). Matching the self and aging gracefully: A life history of a late career teacher/coach. *Journal of Teaching in Physical Education,* 13(2), 274-294.

Templin, T., Sparks, A., Schempp, P. (1991). The professional life cycle of a retired physical education teacher: A tale of bitter disengagement. *Physical Education Review,* 14, 143-156.

Tinning, R. (1987). Beyond the development of a utilitarian teaching perspective: An Australian case study of action research in teacher preparation. In G. Barrette, R. Fiengold, R. Rees, & M. Pieron (Eds.), *Myths, models and methods in sport pedagogy.* Champaign, IL: Human Kinetics.

Tinning, R. (1992). Reading action research: Notes on knowldege and human interests. *Quest,* 44, 1-14.

Tinning, R., & Fizclarence, L. (1992). Posrmodern youth culture and the crisis in Australian secondary school physical education. Quest, 44, 287-303.

Tinning, R., & Kirk, D. (1991). *Daily physical education: Collected papers on health-based physical education in Australia.* Geelong: Deakin University Press.

Tsangaridou, N., & O'Sullivan, M. (1994). Using pedagogical reflective strategies to enhance reflection among preservice physical education teachers. *Journal of Teaching in Physical Education, 14(*1), 13-33.

Tsangaridou, N., & O'Sullivan, M. (1997). The role of reflection in shaping physical education teachers' educational values and practices. *Journal of Teaching in Physical Education,* 17(2), 2-25.

Tsangaridou, N., & Siedentop, D. (1995). Relective teaching: A literature review. *Quest,* 47(2), 212-237.

van Mannen, J. (1988). *Tales of the field: On writing ethnography.* Chicago: University of Chigago Press.

Walkwitz, E., & Lee, A. (1992). The role of knowledge in elementary physical education: An exploratory study. *Research Quarterly for Exercise and Sport,* 63, 179-185.

Whitson, D. & McIntosh, D. (1990). The scientization of physical education: Discourses of performance. *Quest,* 42, 40-51.

Wittrock, M. C. (Ed.) (1986). *Handbook of research on teaching* (3rd ed.). New York: Macmillan.

Woods, P. (1987). Lofe histories and teacher knowledge. In J. Smith (Ed.), *Educating teachers: Changing the nature of pedagogical knowledge*(pp. 121-135). Lewes, UK: Falmer.

Wright, J. & King, R. C. (1991). 'I say what I mean', said Alice: An analysis of gendered discourse in physical education. *Journal of Teaching in Physical Education*, 10(2), 210-225.

Wright, J. (1993). Regulation and resistance: The physical education lesson as speech genre. *Social Semiotics*, 3, 23-56.

Wright, J. (1996). Mapping the discourses of physical education: Articulating a female tradition. *Journal of Curriculum Studies*, 28(3), 331-352.

Wright, J. (1997). A feminist poststructuralist methodology for the study of gender construction in physical education: Description of a study. *Journal of Teaching in Physical Education*, 15(1), 1-24.

Zeichner, K., & Gore, J. (1990). Teacher socialization. In R. Houston (Ed.), *Hadndbook of research on teacher education* (pp. 329-348). New York: Macmillan.

Chapter **05**

발전 1: 교육사회학적 연구

• • • • • • • • • • •

하나의 학문영역이 성립하기 위해서는 일반적으로 연구대상과 연구방법을 그 필요조건으로 한다. 제1장에서 소개된 체육교육학 운동을 통해서 성장한 스포츠교육학은 체육교육과정과 수업을 그 주된 탐구대상으로 하며, 자연과학적(실증주의적)인 연구패러다임, 보다 구체적으로는 행동주의적 연구방법을 이용한다. 자연과학적 패러다임은 가설설정과 실험을 통한 가설검증을 그 방법의 핵심으로 삼으며, 행동주의적 방법은 가시적이고 측정 가능한 측면과 그로부터 얻은 양적 자료만을 중요한 탐구의 재료로 인정한다. 가시적인 것과 측정 가능한 것의 강조는 스포츠교육학자들로 하여금 교육과정보다는 교사와 학생의 수업행동에 보다 많은 관심을 두도록 만들었다. 교육과정은 규범적 판단에 의해 좌우되는 주관적 측면이 관여되는 분야로 객관적 탐구대상이 되기 부족한 것으로 간주되었다. 연구대상에 대한 이 같은 태도는 주로 교육심리학적 관점으로 학교체육을 바라보는 연구자들에 의해 견지되었다. 초기에 행해진, 그리고 현재까지도, 거의 대부분의 연구가 '체계적 관찰도구'를 이용한 교육심리학적 성격을 띤 연구들이었다. 본 장의 의도는 스포츠교육연구에 있어서 새롭게 성장하고 있는 교육사회학적 관점을 전반적으로 소개하는 것이다. 교육사회학적 관점에서는 체육교사와 학생의 '수업행동'보다는 체육교육과정에 보다 많은 관심을 둔다. 제1절에서는 체육교육과정에 대한 학문적 관심의 변천과정이 간단히 소개된다. 제2절에서는 교육학 분야 내에서 교육과정 사회학의 성장이 기술되고, 제3절에서는 교육과정을 교육사회학적 관점으로 이해하는 데 도움이 되는 개념적 틀인 연구패러다임들이 다루어진다. 제4절에서는 앞 절에서 다룬 연구패러다임별로 행해진 체육교육과정의 교육사회학적 연구를 연구영역별로 분류하고 요약한다. 제5절에서는 현재까지 행해진 교육사회학적 연구가 나타낸 문제점을 알아보고 발전 전망에 대해서 살펴본다.

Ⅰ 체육교육과정의 학문적 연구

1918년 Franklin Bobbit의 『*The curriculum*』 저작과 함께 '교육과정'이란 영역이 교육학자들의 학문적 관심대상의 하나로 인식된 지 100여 년이 지났다. 뒤늦은 출발을 한 체육교육분야에서는 1964년 John Nixon과 Ann Jewett이 『*Physical Education Curriculum*』이라는 체육교육과정에 관한 최초의 전문서적을 출판하였다. 이 책이 소개된 지 정확히 60년이 지났으며 그동안 '체육교육과정' 분야는 학문적 부침을 거듭하면서 조금씩 발전해왔다.

1960년대 중반 이후 1980년대 중반까지 약 20여 년간은 주로 미국학자들의 관심 속에 체육교육과정이 연구되어 왔다. 대부분의 미국 체육교육과정학자들은, Tyler(1949)로 대표되는 교육과정에 대한 '기능적 접근'을 취하여, 교육과정 '개발절차'에 관련된 사항들을 파악하고 이해하는 것에 연구의 주된 초점을 맞추었다. 이 기능적 관점은 교육과정을 '교육목표를 설정하고, 교육내용을 선정하며, 학습활동을 조직해서, 교육평가를 실시하는 과정'으로 보고, 각 단계를 효율적으로 운영하는 방법을 효과적으로 개발하는 순서에 관련된 문제만을 중요시한다(김민환, 1992). '교육목표 설정' 단계가 가장 핵심적인 단계로 간주되는데, 교육을 통해서 성취하고자 하는 바를 '뚜렷'하게 제시할 수 있을 경우에만 학생들에게 교육목표가 습득되었는지를 객관적으로 평가할 수 있기 때문이다. 그 결과, 학생들의 학습성취를 행동적 용어로 표현하는 '행동적 수업목표'의 아이디어가 집중적 주목을 받아왔다(박성익, 1985; 이홍우, 1977).

Jewett과 Mullan(1977)은 체육교육분야에서는 처음으로 『*Purpose-Process Conceptual Framework*』 PPCF 라고 불리는 체육교육과정의 체계적·합리적 개발을 위한 개념틀을 제시하였다. 이 개념틀은 Tyler(1949)의 기능적 접근 모형을 체육교육에 그대로 적용한 모형이다. 목표·내용·조직·평가의 네 가지 측면을 가장 중요한 체육교육과정 영역으로 삼고, 체육수업의 목표를 설정하고 내용을 선정하며 수업활동을 조직하고 학습성취를 평가하는 가장 합리적이고 효율적인 절차를 마련해놓았다. 이 밖에도, Cassidy와 Caldwell(1974), Melograno(1979), Willgoose(1979) 등이 마찬가지로 기능적 관점으로 체육교육과정을 이해하려고 하였다. 이 기능적 관점은 1980년대에 들어서도 계속해서 체육교육과정을 이해하고 연구하는 지배적인 관점으로 남게 되었다 (Underwood, 1983). Jewett과 Bain(1985)의 『The Curriculum Process in Physical Education』은 이 관점을 체계적으로 종합한 대표적 저술이다.

체육교육과정에 대한 미국 학자들의 관심은, 그러나, 1970년대 말 이후 점차로 쇠퇴하기 시작하였다. '체육수업연구' 분야가 발전하기 시작함에 따라, 1980년대 들어서는 소수의 노장학자들만이 관심을 쏟는 비인기 영역이 되어버렸다. 기능적 관점이 우세하던 교육과정 연구분야에 '재개념주의적 관점'(윤병희, 1989, 1991; 김민환, 1992; Giroux, Penna, & Pinar, 1980)이라는 새로운 시각을 제시해 활로를 찾은 일반 교육과정 연구분야와는 달리, 체육교육과정분야는 새로운 대안적 관점의 부재로 인한 학문적 정체 상태에 머무르게 되었다.

이러한 상황에서, 1980년대 중반 이후 영국과 오스트레일리아를 중심으로 젊은 체육교육과정 연구자들이 사회학 이론을 이용하여 학교체육과 체육교육과정을 이해하는 새로운 관점을 제시하기 시작하였다(즉, Evans, 1986, 1988; Kirk, 1988; Kirk & Tinning, 1990). 이들의 접근방법은 체육교육과정을 어떻게 개발하는가에 관한 방법을 강조하는 기능적 관점과는 달리, 교육과정으로 '어떠한' 교육내용이 '왜' 선정되며, 이러한 교육과정이 어떠한 과정을 거쳐 실제로 교사와 학생 간에 교환되고 협상되는지에 관해서 관심을 둔다. 체육교육과정의 사회학적 접근이 가진 가장 특기할 점은, 어떤 '이론적 틀'이 없이 체육교육과정을 이해했던 기능적 관점의 무이론적 태도와는 달리, 주로 교육사회학과 사회학에서 널리 인정되고 있는 이론들을 체육교육과정 현상을 분석하고 비판하는 것에 적용한다는 점이다.

본 장은 체육교육과정을 이해하는 이 새로운 교육사회학적 탐구의 발전과정, 현재 모습, 그리고 앞으로의 전망을 그려보는 것을 목적으로 하고 있다. 다음 절에서는 이 새로운 접근방식의 성립을 보다 넓은 맥락 안에서 이해하기 위하여 '교육과정 사회학'의 발전과정을 간단히 살펴본다. 학교체육현상의 분석과 비판을 위해 동원된 이론적 관점과 연구방법에 관한 설명이 제3절에 뒤따른다. 그동안에 수행된 체육교육과정의 교육사회학적 연구가 제4절에서 연구주제별로 소개되며, 마지막으로 제5절에서 체육교육과정의 교육사회학적 연구가 가지고 있는 문제점과 앞으로의 연구전망에 대하여 살펴본다.

 ## II 교육과정 사회학의 성립

교육과정 사회학의 발전은 영국을 위시한 유럽에서의 '새로운' 교육사회학과 미국을 중심으로 한 북미의 '비판적 교육과정 이론' 간의 결합을 통하여 이루어졌다(김기석, 1983; 박부권, 1983). '새로운' 교육사회학과 '비판적 교육과정 이론'은 그 세부적 주장에는 차이를 보이나, 학교교육내용으로 다루어지는 '지식의 성격'을 의문시한다는 점에서 공통된 문제의식을 가지고 있다. 이 관점들에서는

> ...학교에서 명시적으로 또는 묵시적으로 다루는 지식을, 주어진 것으로 받아들여진 상태에서 효과적인 전달방법이나 학생들의 성취정도 여부를 탐구하는 것이 아니라, 그 자체를 탐구의 대상으로 보고 어떤 종류의 지식이, 왜, 어떤 이유로 선정되어 교육과정으로 제시되고 있는가를 검토하려 한다... (김기석, 1983, pp. 55-56)

또한 여러 가지 사회학 이론들(예를 들어, 지식사회학, 상징적 상호작용론, 비판이론 등)을 이 문제의 탐구를 위한 개념틀로서 활용하고 있다.

01. '새로운' 교육사회학

'새로운' 교육사회학은 1971년 Young의 『Ideology and control』 발간으로 그 모습을 드러내게 되었다. 이 책은 학교교육이 수행하는 사회적 기능에 관해 그동안 영국

교육사회학자들이 가지고 있던 이해에 혁신적인 대안을 제공해주었다. 이전의 '구조기능적' 관점에서 행해지던 교육사회학적 연구는 교육체제의 개선과 교육프로그램의 개발을 통하여 노동계층 아동들의 재능 손실을 막고 계층적 불평등을 해소하고자 했던 영국인의 노력에 큰 성과를 가져다 주지 못하였다. 이 실패는 1960년대 말 1970년대 초 사회적 상황의 변화와 함께 구조기능주의적 관점에 대한 회의와 비판을 초래하게 만들었다. 따라서 이전에는 관심을 많이 받지 못했던 사회이론들에 새로운 이목이 집중되기 시작하였다.

대안적 이론의 탐색과 함께, 그 당시 사회학계에서는 전통적인 실증주의적 연구방법론에 대한 비판이 진행되고 있었다. 구조기능주의 이론과 연합하고 있던 실증주의적·계량적 연구방법은 구조기능주의 이론에 대한 회의와 함께 그 효용성을 의심받기 시작하였다. 이 당시 사회학계에서는 지배적이던 정량적 연구방법의 '일원적 연구방법론' 모형이 무너지고, 양적·질적 연구방법들을 모두 수용하는 '다원적 연구방법론' 모형으로 조금씩 발전해 나가고 있었다(윤병희, 1993). 이 다원적 연구방법론 모형의 채택은 상징적 상호작용론, 현상학적 사회학, 비판이론, 구조주의 마르크스론 등과 같이 구조기능주의 이론에의 대안적 이론에의 관심과 함께 '새로운' 교육사회학이 성장할 수 있는 이론적·방법론적 토대를 마련해주었다.

'새로운' 교육사회학자들의 주된 관심은 학교 교육내용(지식)의 성격이다. 즉, '새로운' 교육사회학자들은 '전통적'(구조기능주의) 교육사회학에서 주장하는 '실증주의적 지식관'을 거부하고 학교에서 다루는 지식의 성격을 전면적으로 재검토한다. 이 실증주의적 지식관은

> 지식을 객관적·가치중립적인 것으로 생각하였으며, 따라서 보편타당한 것으로 여겼다. 특히 학교교육에서 다루는 지식은 사회적 합의에 근거해 추출된 것으로 '누구에게나' 적합한 것으로 간주하기 때문에 기존의 교육과정 이론은 그것을 '어떻게' 가르칠 것인가에 관심을 집중하였다. 따라서 지식이 생성되는 '사회적·역사적 조건'에는 관심이 없으며 교육과정을 '누가' 구성하며, 교육내용은 '누구'의 지식이며, '누구'에게 봉사하는가에 대한 의문은 제기되지 않았다. (심미옥, 1990, p. 117)

이와는 반대로, '새로운' 교육사회학자들은 '지식은 사회적으로 구성된다'고 주장한다. 이들은 지식은 '주어진' 것으로서 '인식하는 주체의 저 멀리 밖에' 독립적으로 존재하는 것이 아니고, 인식하는 주체가 보다 적극적으로 그 대상을 현재의 사회적 상황속에서 해석하고 구성함으로써 '만들어지는' 것이라고 주장한다.

'새로운' 교육사회학자들은 행위 주체자와 사회적 맥락의 역동적 상호작용을 통한지식의 형성이라는 '구성주의적 지식관'을 받아들이고 있다. 따라서, 학교에서 다루어지는 교육내용은, 이들의 관점에 의하면, 우리가 일반적으로 생각하듯이, 절대적인 것도 객관적인 것도 아니라는 것이다. 학교지식은 이익을 달리하는 집단들이 상호 협상과조정을 거쳐 선정한 사회적 선택의 산물일 뿐이다. 특정 집단의 이익을 반영하는 학교지식만이 학교에서 다루어지면 그 집단에 소속되지 않은 아이들은 피해를 입는다는 가정이 이 '새로운' 교육사회학에 담겨져 있다. 따라서 교육내용의 선정과 배분, 그리고교육내용을 매개로 행해지는 교사와 학생 간의 상호작용의 성격에 관한 주제가 많은관심을 받았다. 무엇이 교육과정 지식으로 인정되는가? 교육과정에 포함되는 지식은어떤 과정을 거쳐 생산되는가? 교육내용으로 선정된 지식은 교실에서 어떻게 전달되는가? 일반 사회의 지배적 사회관계에서 받아들여지고 있는 가치나 기준의 재생산이나유지에 기여하는 학급 내에서의 사회적 관계는 무엇이고, 어떤 과정을 거치는가? 이러한 지식들은 누구의 이익에 기여하는가? 등이 주로 제기되는 질문들이다(김민환, 1989; 한준상, 1983).

02. 비판적 교육과정 이론

'새로운' 교육사회학자들이 영국의 구조기능적 교육사회학을 비판하는 가운데 등장한데 비해, 미국을 중심으로 북미에서 발전한 '비판적 교육과정 이론'은 미국에 지배적이던 타일러 중심의 '기능적 교육과정 모형'을 반성적으로 재검토하는 가운데 전개되었다. 김기석(1983)은 비판적 교육과정 논의의 이론적 특징을 다음과 같이 요약하여 말하고 있다.

...미국의 비판적 교육과정 논의는 Tyler 원리를 넘어서는 새로운 지평의 문을 열고 그러한 모형에서 제외된 중요한 다른 국면 -- 교육내용 선정의 '윤리적' 문제와 그것의 한 부분으로서의 '정치적' 측면 -- 을 논의에 포함시키었다. (p. 72)

Huebner(1966)와 Kliebard(1970)는 Tyler 모형이 마치 '유일한' 모형인 것으로 여겨짐에 따라 교육과정 논의의 기본적 사고체계와 지적 지평이 심각하게 제한되어 왔다고 비판함으로써 비판적 교육과정 이론의 등장을 예고하였다. Huebner(1966)는 현재 교육과정 연구는 지나치게 기술 공학적 측면만을 강조하여 이해하고 있다고 주장한다. 하지만 그는 교육과정을 이해하기 위해서는 교육과정의 여러 측면을 모두 연구해야 한다고 말한다. 즉, 테일러 모형은 교육과정의 기술적 측면을 이해하는 것에는 유용하나, 교육과정의 다른 측면들 -윤리적, 미학적, 과학적, 정치적 측면-을 이해하기 위해서는 각각에 상응하는 논의양식들을 도입하여야 한다는 것이다. Kliebard(1970)는 테일러 모형은 Bobbit(1918)가 제시한 학교교육과정의 '과학적 경영원리'를 수정한 것에 지나지 않는다고 주장하고, 과학적 교육과정 논의에 대한 비판을 가한다. 교육과정의 과학화는 교육의 기능적 통제를 위한 주요 수단으로서 역할을하기 때문이다(윤병희, 1989, 1991 참조).

타일러의 과학적 교육과정 모형에 대한 비판 이외에 비판적 교육과정 논의는 '잠재적 교육과정'에 대한 분석에 초점을 집중하였다. Apple(1979)은 학교교육과정에서 명시적으로 의도되지 않은 학습으로서 잠재적 교육과정의 성격을 분석한다. 하지만, 애플의 분석은 Parsons(1959)나 Dreeben(1968)이 행한 의도되지 않은 학습에 대한 기능주의적 해석과는 그 성격을 달리한다. 그 대신, 애플은 실제로 가르쳐지고 있는 사회교과와 과학교과를 관찰한 결과로 사회 전반에 만연하고 있는 지배적 이데올로기와 그 맥을 같이 하는 가정들이 교과교육 중에 보이지 않게 학습된다는 사실을 밝혔다. Anyon(1979)은 중고등학교 역사교과서에 실린 교육내용의 분석을 통하여 한 사회의 지배적 이데올로기가 교육내용을 선정하고 조직하는 방식에 적극적으로 반영되어 특정한 집단의 이익을 보호하고 있다는 것을 발견하였다. Giroux(1981)는 기술, 효율성, 객관성 등에만 관심을 두는 실증주의적 문화가 어떻게 학교 교육과정의 내용과 형식 안에 붙박여 있고, 또 그 내용과 형식을 통해서 재생산되는지를 분석하고 있다. 사회의 지배적 이데올로기가 보이지 않는 가운데 어떻게 교육내용이 선정되고 전달되는 과정과 방식에 관련되고 있는가에 대한 비판적 교육과정 학자들의 검토는 학교지식에 대한 지식사회학적 분석을 가한 '새로운' 교육사회학의 연구 태도와 그 맥을 같이 한다.

다음 절에서는 교육과정 사회학의 발전 과정에 대한 이해를 바탕으로 그동안 적용된 사회학 이론과 실제적 연구방법에 관해서 알아본다. 본 절에서 다루었듯이, 교육과정 사회학은 주로 '새로운' 교육사회학과 비판적 교육과정 논의를 주된 이론적 관점으로 채택하고 있으나, 구조기능론도 상당한 영향을 미치는 이론적 관점으로 아직까지 자리하고 있다.

 # 이론적 관점과 연구방법

구조기능주의론, 상징적 상호작용론, 지식사회학, 구조주의적 마르크스론, 프랑크푸르트학파 비판이론 등 다양한 사회학 이론들이 교육현상과 교육과정을 이해하는 작업에 활용되었다. 서로 관련 없어 보이는 이 이론들은 일반적으로 3개의 메타이론으로 구분되어 포함된다. 메타이론 혹은 패러다임이란 어떤 사물이나 현상을 파악하는 인식의 틀로서, 그 사물이나 현상을 이해하는 하나의 총체적 세계관이라고 볼 수 있다. 실증적 패러다임, 해석적 패러다임, 비판적 패러다임이 사회학과 교육사회학에서 일반적으로 인정되고 있는 메타이론들이다(김경동, 1985; Bernstein, 1976; Bredo & Feinberg, 1982; Carr & Kemmis, 1986). 본 절에서는 각 패러다임의 특성과 각 패러다임에서 선호되고 있는 연구방법에 대한 설명을 소개한다(표 1에 이 3가지 패러다임의 특징이 요약되어 있다).

표 1	실증적, 해석적, 비판적 패러다임의 특징		
패러다임	특 징	주 요 이 론	학 자
실증적	실재론적 존재론 객관주의적 인식론 예측과 통제의 목적	논리실증주의 구조기능주의	Carnap, Russell Parsons, Merton
해석적	이상주의적 존재론 상대주의적 인식론 이해와 해석의 목적	상징적 상호주의 현상학적 사회학 민속방법론	Mead, Blumer Schutz, Burger & Luckmann Garfinkel, Goffman
비판적	실재론적 존재론 이상주의적 존재론 상대주의적 인식론 해방과 비판의 목적	구조적 마르크스주의 인본적 마르크스주의 비판이론 페미니즘	Althusser Gramsci Habermas Barrett

01. 실증적 패러다임

실증적 패러다임은 자연과학 분야의 지배적 관점이다. 사회과학 분야에서도 마찬가지로 지배적인 실증적 패러다임의 기본가정은 사회현상의 연구는 자연현상의 연구와 동일한 방식으로 행해진다는 것이다. 사회현상은 물론 자연현상보다 복잡하기는 하지만, 이 둘은 본질적으로 차이가 없다. 사회과학도 자연과학과 같이 실험이나 관찰에 의하여 제반 사회현상이나 사건들 사이의 법칙적 관계를 발견하는 것을 목적으로 한다. 자연현상에는 자연법칙이 있듯이 사회현상에는 사회법칙이 존재하고, 이 법칙을 발견함으로써 사회의 제 현상을 설명하고 통제하려는 것이 실증적 패러다임의 목적이다(김경동, 1985; 정진곤, 1987).

비엔나학파로 불리는 논리실증주의와 Robert Merton으로 대표되는 구조기능주의가 실증적 패러다임의 모습을 가장 뚜렷하게 반영하고 있는 이론들이다. 논리실증주의자들은 모든 탐구영역을 하나로 묶는 '통일과학'을 실현하고자 했으며, 과학적 지식(분석적-경험적 명제)과 비과학적 지식(형이상학적 지식)을 명백히 구분하고 과학적 지식의 추구를 학문 탐구의 목적으로 삼았다. 구조기능주의자들은 사회과학적 설명의 논리와 자연과학적 설명의 논리가 그 '형식'면에서 동일함을 주장하였다(Merton, 1958). 구조기능주의적 관점은 사회를 구성원들 간의 합의와 질서에 의해 평형상태를 유지하고 있는 합리적인 체제로 간주한다. 교육의 기능은 '사회화'로 여겨진다. 사회화란 아동이 '사회구성원으로서 생활해나가는데 필요한 각종 사회규범 및 규칙 등을 내면화시켜 한 사회구성원으로서 부족함이 없는 인간을 형성하는 것'이다(김은주, 1988, p. 124). 능력에 따른 사회선발과 배치가 가정되어 있다.

실증주의 패러다임을 위한 연구방법은 '실험법'이 가장 이상적이나, 자연과학적 연구처럼 실험실 안에서의 연구가 용이치 않으므로 '통제된 실험법'이나 '유사실험법'을 사용한다. 이론에 기초하여 선정한 변인 간의 관계를 밝히기 위해 가설을 설정하고, 통제집단과 실험집단을 구분한 후, 실험적 처치를 통하여, 가설의 진위여부를 결정한다. 증명된 가설은 이때부터 과학적 지식으로 인정되어 원리나 법칙의 형태로 시간과 장소에 관계없이 참인 것으로 확정된다.

02. 해석적 패러다임

실증적 패러다임에서와는 달리, 해석적 패러다임은 사회현상과 자연현상의 구별을 전제한다. 사회현상은 자연현상을 탐구하는 자연과학적 방법으로는 설명하거나 이해할 수가 없고, 그에 독특한 방법을 사용하여야 한다고 주장한다. 해석적 패러다임에 포함되는 사회학 이론들로는 상징적 상호작용론, 현상학적 사회학, 민속방법론 등이 있다. 이들의 주장은 세부적 사항에서 다소간의 차이를 보여주나, 앎의 과정에 있어서 사회적 상황과 인간의 의식을 강조한다는 점에서 그 공통점을 찾을 수 있다. 이는 인식대상의 객관성을 인정하는 실증적 패러다임에 정면으로 반대되는 입장이다. 해석적 패러다임에서는 우리가 인식 주체의 의식과 독립되어 존재하는 대상(객체)을 단순히 오관을 통해서 경험하는 것이 아니고, 의식이 포착하는 현상으로서의 대상이 있을 뿐이요, 그 대상의 의미는 우리의 의식 '속'에 구성되어 있는 의미세계의 틀 안에서 그 대상에게 주관적으로 주어지는 것이라고 본다. 즉 '의미의 틀은 우리의 의식 속에 사회적으로 형성되어 있는 것이지, 대상 자체가 그 나름의 의미를 애초부터 지니고 있는 것이 아니다'(김경동, 1985, p. 54).

George Herbert Mead의 철학을 기초로 하며 시카고학파라고도 불리는 상징적 상호작용론자들은 사회현상을 이해하는데 있어서 '자아'가 차지하는 적극적 역할을 중요시한다(Blumer, 1969). 이들에 의하면, 인간은 주변 사물과 자신에게 벌어지는 상황을 기계적으로 받아들이지 않고 적극적으로 해석하고 의미를 부여하는 존재이다. 인간은 행위의 주체인 동시에 그 행위에 대한 의미를 부여하는 주체인 것이다. 이 의미는 상징의 형태로 표현되고 교환된다. 사람들은 이 상징을 통해서 상호작용을 한다.

현상학적 사회학은 Alfred Schutz에 의해서 기초를 마련한 사회학적 관점이다. 현상학자들은 과학이 가지고 있는 객관성에 대한 신념을 일반화하고 예견하며 설명하려는 경향에서 탈피하려 한다. 반면, 세계에 대한 인간의 의식이나 지식은 해석을 거쳐야만 이루어진다고 주장한다. 사회과학의 목적은 일상적 경험 세계의 기본구조를 서술, 파악, 조명하는 것이다(Berger & Luckmann, 1968).

민속방법론은 Harold Garfinkel에 의해서 주창된 관점이다. 민속방법론자들은 사람들로 하여금 서로를 이해할 수 있도록 만드는 '기본 규칙'들이 무엇인지를 밝히려고 한다. 이들은 사람이 일상의 삶 속에서 서로의 의사를 알아듣고 함께 질서를 유지하며 살아가는 데 있어, 사람들이 사용하는 방법들을 알려고 한다. 사람들이 과연 어떻게 서로 합의했는지, 그래서 사회질서를 '어떻게' 구축해나가는지, 그 과정과 그 과정을 통해 만들어진 암묵적 규칙들에 관심을 갖는다(Garfinkel, 1967).

해석적 패러다임에서는 질적 연구방법을 요구한다(류태호, 1992; 이용숙, 1989). 질적 연구방법에서는 연구대상이 주관적으로 이해하는 세계를 포착할 수 있도록 해주는 기술적 자료를 산출하는 것을 주된 목적으로 한다. 구체적으로 사례연구, 참여관찰법, 심층인터뷰, 문화기술법 등의 방법이 이용된다.

03. 비판적 패러다임

비판적 패러다임에서는 실증적 패러다임과 해석적 패러다임에서 제기되는 물음과는 다른 성격의 질문에 관심을 갖는다. 비판적 패러다임의 가정은 첫째, 지식은 사회적·정치적으로 형성되며, 따라서 어떤 특정한 목적을 성취하려고 하고 어떤 특정한 이익을 반영하고 있다. 둘째, 사회 내에는 지배집단이 존재하고, 이 집단은 사회제도와 이들을 합법화시키는 지식을 생산해내고 유지하는 데 강력한 영향을 미친다. 셋째, 모든 연구는 어떤 규범적 입장을 내포하고 있으며 어떤 집단의 이익을 반영한다. 이 패러다임에서는 지식을 다음과 같이 본다.

지식은 특정 사회구조 속에서 장기간에 걸쳐 사람들이 상호작용하는 과정에서 생겨난 것으로 간주된다. 지식은 해석적 패러다임에서처럼 전적으로 사람들의 상호작용의 결과라고 여겨지지 않는다. 지식은 역사적으로 생겨나며 사회적으로 형성된다. 가장 주목받는 것은 인간이 가진 모든 가능성을 실현시키려는 사람들의 노력에 도움을 주는 방식으로 억압의 여러 측면을 밝히고 사회적 정의를 실현하는 것이다. 지식의 역할, 즉 비판적 패러다임의 목적은, 규범적이고 해방중심적이다. (Cornbleth, 1990, p. 196)

비판적 패러다임은 사회적 통제를 통해 기존의 사회구조가 어떻게 유지되고 재생산되는가를 밝히려고 한다. 기존 사회구조의 유지와 재생산은 이러한 상황을 자연스럽고 바람직한 것으로 여기도록 만드는 지배집단의 이데올로기적 합리화 과정을 통해서 이루어진다고 여겨진다. 비판적 패러다임의 목적은 모든 형태의 독재와 억압으로부터 사람들을 해방시키고, 사회정의의 구현을 가져오는 대안적 방법들을 개발하는 것이다(Popkewitz, 1984).

구조론적 맑스주의, 인본주의적 맑스주의, 프랑크푸르트학파 비판이론 등이 일반적으로 비판적 패러다임에 포함되는 사회학적 관점들이다. 구조론적 맑스주의는 하부구조인 경제가 사회의 모든 분야, 즉 상부구조를 결정한다는 경제결정론을 기저로 한다. 구조론은 자본주의 경제구조의 치밀성을 강조하고 교육이 도구적으로 이용되는 현실의 부당성을 비판하는 데 역점을 둔다. Althusser(1972)는 교육은 재배계급의 의도대로 자본주의 생산체제를 유지하는데 필요한 기술을 습득케 할 뿐만 아니라 현존질서를 수용하는 태도나 가치도 가르친다. 교육을 포함한 모든 '이데올로기적 국가장치'들은 생산관계의 재생산을 확립하는데 구조의 부분으로서 주어진 역할을 기계적으로 수행할 뿐이다(경제적 재생산론). Bowles와 Gintis(1976)는 자본주의 사회에서의 교육은 자본주의 경제구조를 그대로 반영하고 있다는 '대응이론'을 발표하였다. Basil Bernstein 과 Pierre Bourdieu는 문화구조도 재생산된다는 문화적 재생산론을 제기하였다(김기석, 1987).

인본주의적 맑스주의는 구조론적 맑스주의가 경제구조의 역할을 지나치게 강조한 나머지 상부구조가 갖는 '상대적 자율성'을 무시했다고 주장한다. 경제구조의 힘에 대한 무기력이 사회의 변화는 불가능한 것처럼 보이게 만들었다. Grimsci(1971)는 구조론적 맑스주의의 결정론을 거부하고 '인간의 의지'가 갖는 힘을 믿었다. 대중은 자신이 처한 사회적 상황과 그들 앞에 놓인 가능성에 대한 명확한 인식을 해야 하며, '비판적 지식인'들이 대중교육을 통하여 의식의 개혁과 함께 사회변화를 이룰 것이라고 주장했다.

비판이론은 20세기 초반 이후 Horkheimer를 중심으로 독일 프랑크프루트대학에서 활동했거나 현재 활동하는 학자들의 이론적 관점을 포괄적으로 지칭한다. 이들은 사회 전반과 사회과학 영역에 만연해 있는 실증주의적 이데올로기를 비판하였다(황원영, 1988). 이들은 또한 실증주의적 세계관이 일종의 허위의식을 조장해 기득권을 가진 집단의 권력 유지에 기여하고 있다고 말한다. 비판이론의 역할은 이러한 전통적 실증주의 이론을 타파하고 사람들로 하여금 스스로 허위의식에서 벗어나 억압과 해방으로부터 자유로워질 수 있도록 하는 것이다(Horkheimer, 1949). Habermas(1971)는 실증주의적 세계관이 유일하고도 보편타당하지 않음을 밝히고 해석적·비판적 세계관도 동등한 지위를 차지하고 있음을 주장하였다. 이러한 비판이론은 교육이론에도 적용되어 Giroux(1983)와 Apple(1982)은 학교가 문화적·경제적 재생산의 기능뿐만 아니라, 이와 반대로 교사와 학생들로 하여금 부당한 억압에 저항하여 변화의 주체가 될 수 있는 장으로서의 기능도 한다는 '저항이론'을 제안하였다.

비판적 패러다임에서 일반적으로 이용되는 연구방법론은 '비판적 문화기술방법'이라고 불리는 질적 연구방법이다. 비판적 문화기술방법은 기본적으로 참여관찰법을 사용하는 인류학적 방법이다. 하지만 이 방법은 비판적 사회학과 철학의 가정들을 그 기본 바탕으로 삼고 있다. 비판적 문화기술방법은 일상생활에서 보여지는 매일매일의 사건과 이 사건들 뒤에 숨겨져 있는 물질적 조건과 사회적 관계 간의 관계를 파악하도록 해준다. 사회적 사건들을 비판적으로 분석함으로써, 거시적 사회구조와 생활의 미시적 사건들 간에 어떤 관계가 존재하는지를 알 수 있도록 해준다(Anderson, 1989).

Ⓥ 체육교육과정 사회학

사회학 이론과 연구방법론을 적용한 체육교육과정 연구는 주로 영국과 오스트레일리아의 학자들에 의해서 1980년대 중반부터 발표되기 시작하였다. 물론 1970년대에도 교육사회학의 새로운 흐름을 학교체육연구에 적용시키려는 시도가 있었지만, 이들의 노력은 많은 호응을 얻지 못했다(Bain, 1979; Hoyle, 1977; Loy, 1972). 사회학적 탐구는 1986년 영국의 John Evans가 '새로운' 교육사회학의 영향을 받은 글들을 모아 출판한 것과 1988년 오스트레일리아의 David Kirk가 그 당시 전개되고 있던 비판적 교육과정 논의의 아이디어를 체육교육과정 논의에 적극 수용하여 발표한 것을 시작으로 그 모습을 조금씩 나타내기 시작했다.

본 절에서는 초기의 구조기능주의적 연구에 대해서는 간단하게 기술하고, 1980년대 중반 이후 Evans(1986)와 Kirk(1988) 등과 같이 '새로운' 교육사회학과 비판적 교육과정 이론에 직접적 영향을 받아 전개된 체육교육과정에 대한 사회학적 탐구를 주로 논의한다.

표 2   패러다임별 주요 연구영역

패 러 다 임	연구영역	
실 증 적	· 사회화 요인 · 사회적 선발 기능	
해 석 적	· 체육수업 참여형태 · 체육교사의 삶과 직업 · 체육교과의 사회적 역사	· 체육교사와 학생의 전략 · 체육교사 사회학 · 체육교육과정 개선의 가능성과 한계
비 판 적	· 잠재적 체육교육과정 · 노동으로서의 체육교직	· 체육교육과정의 이데올로기 · 학교체육에서의 남녀평등

01. 실증적 연구

　　1960년대에 수행되었던 몇몇 연구들이 학교체육에서의 사회 정의와 능력 부족 문제를 다루었다. 구조기능론을 이론적 관점으로 채택하여 학교체육이 사회화와 사회적 통합의 도구로서 역할함으로써 사회통제의 기능을 수행하는가를 증명하려고 하였다. 학교체육은 사회의 발전을 위한 사회구성원들을 기존의 사회규범 체계 속으로 사회화시키고, 사회적 통합을 통하여 사회 각 부분 간의 갈등 해소에 공헌하는 것으로 간주되었다. 학생들의 사회경제적 배경과 학교교육과정이 학교에서의 체육활동 참여에 영향을 미친다는 연구가 행해졌다. 체육에 대한 학생들의 무관심과 외면에 대해 걱정하던 체육교육학자들은 운동에의 자발적 참여와 학생들의 사회계층이, 특히 여학생에게 있어서, 관련을 맺고 있음을 밝혀내었다. 또한 학교 중도 탈락자들의 신체활동 참여가 점차 감소하고 있음도 발견하였다(Sanders & White, 1976; Hendry, 1978).

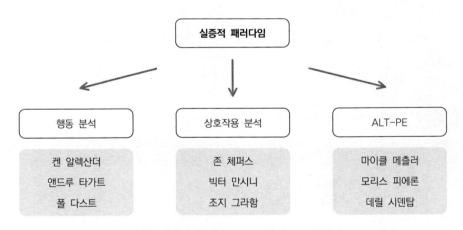

〈그림 1〉 실증적 패러다임의 연구유형과 연구자들

02. 해석적 연구

Hoyle(1977)은 '새로운' 교육사회학을 체육교육연구에 적용하려고 하였다. Hoyle은 현상학적 사회학의 주요 특징들을 파악하고, 이 관점이 개인이 지각하는 대로의 사회현상에 대해 어떠한 관심을 가지며 우리가 당연한 것으로 여기는 가정들을 어떻게 문제시하는가를 보여주었다. 사회구조, 사회질서, 사회화 등 개인의 의식밖에 존재하는 대상들에 주로 관심을 두던 구조기능주의와는 달리, 해석적 관점은 체육수업상황 내에서 학생과 교사가 서로 얼굴을 맞대고 주고받는 대화와 행동에 초점을 맞추고, 체육교과가 학교에서 차지하는 교과로서의 지위를 문제시하며, 이데올로기, 이론, 그리고 실제 간의 괴리를 조사한다. Hoyle은 한 걸음 더 나가, 이 현상학적 관점이 '체육교육과정의 사회학'을 개발하는 데 어떠한 시사점을 줄 수 있는지 논의하였다.

이 체육교육과정의 사회학은 이후 관심을 끌지 못하다가, 1986년 John Evans가 여러 편의 글을 모아 『*Physical Education, Sport and Schooling: Studies in the Sociology of Physical Education*』이란 제목으로 출판하면서 그 모습을 드러내기 시작하였다. Evans는 그 책에 반영되어 있는 이론적 관점이 해석적임을 밝히며, 체육수업이 행해지는 상황이 만드는 사회적 세계에 교사와 학생들을 귀속시키고 또 끌어내는 의미들과 관련지어 학교체육의 교육내용을 이해하려고 한다고 말한다. 교사와 학생들이 자신이 생활하고 있는 상황을 어떻게 해석하고 협상하며 어떠한 의미를 부여하는가에 관심을 가진다.

비록 그리 많지 않은 연구가 수행되었으나, 체육교육과정의 해석적 연구는 대략 다섯 영역으로 구분되어 행해져 온 것으로 볼 수 있다. 첫 번째 연구영역은 질적 연구방법을 사용하여 학생 또는 교사의 체육수업 '참여형태'를 알아보는 기술적 연구이다. 미국에서 주로 행해진 이 연구들은 어떤 특정의 사회학적 이론을 연구틀로 하고 있다기보다는, 체육수업연구가 지나치게 계량적인 방법으로 이루어지는 것에 대한 반발로 행해진 '질적인 연구들'이다. 문화기술적 방법을 통해서 학생들의 체육수업 참여유형에 대한 기술적 연구가 많이 수행되었다(Bain, 1985; Griffin, 1983, 1984, 1985). Griffin(1984, 1985)은 중학교 체육수업 참여에 있어서 남학생과 여학생 간에 구별되는 참여형태가 발견됨을 밝혔다. Bain(1985)은 대학생들이 교양체육수업에 어떠한 형태로 참여하는가를 연구하였다.

관심을 받고 있는 두 번째 영역은 학교생활과 교직업무를 수행해나가는데 학생과 교사가 사용하는 '전략'에 관한 것이다(Scarch, 1987; Sparkes, 1987). 전략이란 처한 상황을 벗어나거나 딜레마를 해결하기 위해서 학생과 교사들이 사용하는 행동이나 행동을 말한다. 이 형태의 연구에서는 교사나 학생들이 '당면하게 되는 문제를 해결하는 여러 가지 다양한 행동들 가운데 신중하고 의식적으로 선정하는 능력을 가진'(Scarch, 1987, p. 246) 것으로 보고 있다. 어떤 구체적 전략들을 사용하는지에 관한 연구와 이러한 전술의 사용을 방해하거나 촉진하는 사회적·제도적 요인이 무엇인지를 파악하려는 연구들이 행해졌다(Graber, 1989; 1991; Griffin, 1986).

세 번째 연구영역은 '교사들의 삶과 직업'에 관한 것이다(Evans, 1988; Goodson, 1992). 교직생활의 각 단계마다 겪는 교사의 직업적 체험을 알려고 하는 연구자들의 관심이 늘고 있다. 이 연구 주제는 이러한 체험들이 교사들이 가지게 되는 교육관과 그들의 행동에 직접적 영향을 미치기 때문에 상당히 중요하다. 교사들의 직업적 체험은 사회적으로 형성되며 개인적으로 시간을 거쳐 체험된다. Templin(1988)과 Sykes (1988)는 중년기의 체육교사의 삶을 연구하였고, Templin, Sparkes, & Schempp (1991)는 퇴임한 체육교사의 체험을 연구하였다. 이들은 체육이 주변교과의 위치를 가짐으로써 교직생활동안 겪은 자신의 경험과 인식에 관해 연구했다. 한 가지 일반적으로 보여지는 양상은 이들이 가지고 있었던 개인적 문제가 주지교과를 선호하는 영국과 미국의 교육풍토와 긴밀한 연관을 맺고 있었다는 것이다.

네 번째 연구영역은 교실과 학교를 문화적이고 사회적인 조직으로 간주하고, 사회적 그룹들이 그 안에서 어떠한 과정을 거치며 각자의 하위문화를 형성하는가에 관심을 갖는다. '직업적 사회화'의 개념은 이 협상, 해석, 그리고 생성의 과정에 대한 연구자의 관심을 잘 반영해주고 있다(Lawson, 1983a, 1983b). 최근의 '교사사회화' 연구는 체육교사가 되는 과정과 다양한 사회화 요인들을 파악하고 이해하는데 도움을 준다 (Templin 및 Schempp, 1989). 이 사회화 과정은 변증적이고 역동적인, 하지만 참여자들에게는 명시적으로 느껴지지 않는 과정으로 이해되고 있다(Zeichner & Gore,

1990). 사회화 과정은 일반적으로 충원단계, 교사교육단계, 초임단계, 중년단계, 퇴임단계 등의 5부분으로 분류되며, 각 단계에 대한 연구가 조금씩 수행되고 있다. 한국의 교사사회화에 대한 연구도 최근 시작되고 있어, 박명기(1993)는 전국 체육교사들의 전공선택에 영향을 미치는 요인들을 조사하였고, 이재용(1993)은 심층인터뷰를 통하여 초임체육교사들의 사회화 요인을 파악하였다.

다섯 번째 연구영역은 '학교 교과목의 사회적 역사'에 관한 연구로서, 체육교과가 학교교과목의 한 영역으로 어떠한 사회역사적 과정을 거쳐 발전하게 되었는가를 알아본다. Young(1971)은 학교 교과목들은, 교육철학자들이 말하듯이, 시대와 장소에 구애받지 않는 근본적 지식형태로 봐서는 안 된다고 주장하였다. 반면, 학교 교과목은 이 교과들을 서로 다른 방식으로 규정하려고 다투고 갈등하는 집단들 간에 투쟁의 결과로 얻어진 사회역사적 산물로서 보아야 한다. 더욱이, 이 과정은 사회에서 지배적인 집단들이 자신이 원하는 정의를 강요할 수 있는 그러한 과정이었다. Young에 따르면, 교과 간의 이러한 갈등과 논쟁은 과거에만 있던 것이 아니라, 현행 교과를 통합하거나 재조정하려는 노력에도 나타나듯이 지금도 계속 진행되고 있다. 이것은 무엇이 정당하고 가치있는 지식인가에 대한 자신들의 정의를 채택하려고 하는 집단 간의 다툼을 극명하게 보여준다(Goodson, 1988 참조).

Evans와 Davies(1986)가 이러한 접근의 중요함을 강조하였지만, 현재까지 이 '체육교육과정의 역사사회학적 접근'을 보여주는 유일한 연구자는 Kirk(1990, 1992)이다. Kirk는 1945~65년의 기간 동안 영국 체육교육계 내에서의 '체조' 과목의 운명에 관해 다루고 있다. 그는 학교체육 프로그램의 형태와 내용이 일련의 사회적·문화적 영향권 내에서 서로 다른 대립적 집단들에 의해서 어떻게 '협상'되고 '규정'되는가를 보여주려고 한다. Kirk는 대립되는 두 집단, 즉 한 집단은 여자들에 의해 한 집단은 남자들에 의해 주도되는 두 집단에 의해 체육교과의 정의가 어떠한 방식으로 논란의 대상의 되어왔는가를 다룬다. Kirk는 요즈음의 체육교육자들이 이 예를 통하여 교육과정과 관련된 논쟁들에 대하여 많은 것들을 배울 수 있다고 주장하고 있다. 특히, 교육과정 개혁과정과 사회적·문화적 요인들에 의하여 이 과정이 어떻게 진행되는가에 관해서 배울 수 있다고 말한다.

여섯 번째 주된 연구영역은 교육과정의 실제적 개선을 저해하는 '물리적·이데올로기적 장애물'에 관한 연구이다. 체육교육과정에서는 이 영역이 그동안 많은 관심을 받아왔다(Almond, 1986; Kirk & George, 1988; Sparkes, 1987; 1989). 여러 연구들 가운데, 특히 Sparkes(1990a, 1990b)는 교육과정 개선과정이 일반적으로 이해되듯 합리적이고 효율적인 방식으로 진행되는 것이 아니라, 이익과 관심을 사이에 놓고 벌어지는 사람들 간의 갈등과 반목의 과정임을 밝히고 있다. 그는 이러한 교육과정 개선과정을 '미시정치학적' 성격으로 규정하고 그 과정과 제반 요인들에 관해서 분석한다. 교육과정 개선을 저해하는 이데올로기적 방해물에는 교사들이 가지고 있는 스포츠 중심 체육교육관(Sparkes, 1989), 건강제일주의, 레크리에이션주의, 개인주의(Kirk & George, 1988), 건강제일주의(Coloquhoun, 1990) 등이 있다. 체육교사와 체육부서에 만연하는 이러한 이데올로기는 개선이 이루어지지 않았음에도 외부적으로는 변화를 가져오는 것으로 보이도록 만들어 체육교육과정 상의 새로운 아이디어들이 변화 없는 개선을 가져다 주도록 만들었다(Evans, 1990).

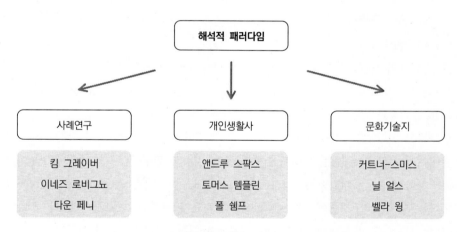

〈그림 2〉 해석적 패러다임의 연구유형과 연구자들

03. 비판적 연구

비판적 연구자들은 학교체육교육과정을 이해하는 데 있어 학교 외적 요인들의 중요함을 지적하고, 학교와 운동장에서 벌어지는 사건들은 보다 큰 사회문화적 맥락 안에 위치시켜 이해하고 분석하려고 한다. 이들은 신체와 신체활동이 가지는 사회적·문화적 중요성을 인지하고, 학교체육이 사회적·문화적·도덕적으로 가치 있다고 여겨지는 종류의 신체활동과 지식을 규정하고 전달하고 정당화시키는 데 중요한 기능을 한다고 주장한다. 이들에 의하면, 학교체육 프로그램에 선정되는 신체활동은 사회 내 특정집단의 이익에 봉사하기 때문에 선정된다. 이들은 교육과정은 정치적 성격을 띠며, 교육과정내용은 지배집단의 정치적 파워가 반영되어 있다고 주장한다. Kirk(1988)의 『*Curriculum study and physical education: A critical introduction*』은 처음으로 이 아이디어들을 체육교육과정의 제 측면에 체계적으로 적용하였다.

'잠재적 교육과정'에 대한 연구가 비판적 연구자들의 가장 많은 관심을 끌어왔다. 비판적 연구자들은 잠재적 교육과정에 관한 논의를 거시적 사회체계 내에 위치시킨다(Kirk, 1992). 이들은 잠재적 교육과정에 대한 이해는 이것을 단지 명시적 교육과정에 포함되지 않은 기술이나 가치들로 이해하거나 교사와 학생 간의 미시적 상호작용을 통해서 발생하는 것이라고 이해해서는 부족하다고 주장한다. 이와는 달리, 학교생활에 대한 보다 심층적 이해는 학교 밖의 '구조적 요인'의 영향을 이해했을 때만 가능하다고 주장한다. 즉, 학교와 교실 밖에서 존재하는 사회구조적 요인은 우리의 일상적 경험과 학교생활의 결과에 지대한 영향을 미치기 때문이다(Bain, 1990; Kirk, 1988; 1992).

'재생산'과 '저항'이라는 용어가 학교교육의 잠재적 측면을 이해하는데 중요한 개념이 되어 왔다. 재생산적 접근에서는 학교는 미래의 시민들을 지배적인 사회적 규범들에 사회화시킴으로써 기존의 사회구조와 불평등한 사회질서를 유지하고 재생산하는 기능을 한다. 교사는 단지 학생들에게 자본주의 사회관계만을 심어주는 역할만을 할 뿐이다. 학생들은 기존의 사회적 규범과 가치들을 무조건적으로 받아들이기만 하는 문화적 바보들일 뿐이다.

저항적 접근에서는 재생산 관점에서 취하는 지나친 결정론적 시각이 부정된다. 학교를 지배적 실천에 대한 저항문화를 육성시킬 수 있는 가능성을 가진 곳으로 본다. 학교는 지배집단의 문화적·사회적 가치가 암묵적으로 강요되는 것에 대한 지속적 저항과 갈등과 투쟁이 발생하는 곳이다. 학생들은 사회적·구조적 제한으로부터 상대적인 자율성을 가지고 있는 존재들이다. 교사는 학생들에게 참교육적인 경험을 제공하고 민주적이고 평등한 사회를 건설하는 데 공헌할 수 있는 '변화를 주도하는 지식인'이다(Kirk, 1988).

체육교육과정 분야에서 수행된 잠재적 교육과정 연구들은 대부분이 재생산적 관점을 채택하였다(Bain, 1989, 1990). 체육교육과정의 각 측면들이 학교와 대학의 학생들과 교사들에게 어떤 방식으로 지배적인 이데올로기와 사회적 실천을 재생산하는지를 보여주려고 하였다. 저항의 흔적과 대항적 문화를 찾으려는 노력은 그다지 실시되지 않았다(Kirk, 1988과 Bain, 1990은 예외). 초·중·고등학교에서의 연구는 주로 체육교육이 개인주의, 보수주의, 성차별주의 등과 같이 사회에 만연하는 지배적 이데올로기를 암묵적으로 재생산해내는지를 밝히는 것이었다. George와 Kirk(1988)는 개인주의, 건강제일주의, 그리고 레크리에이션주의 등과 같은 이데올로기가 학교체육교육의 프로그램과 체육교육과정 속에 강하게 붙박여있으며, 교사의 사고방식과 행동 그리고 개인적 체험속에도 깊숙이 뿌리박고 있음을 밝혀내었다. 이 결과 학생들에게 참다운 교육적 체험을 제공하지 못하고, 지배·불평등·부정의 등과 같은 억압을 깨닫지 못하게 만드는 원인이 된다고 주장하였다.

대학교에서의 잠재적 교육과정 연구는 대학 체육학과 교육과정의 내용과 형식이 체육전공학생들에게 미치는 잠재적 영향들에 관해서 다룬다(Bain, 1985, 1990b; Ginsberg & Clift, 1990). Dewar(1987, 1990)는 캐나다 소재의 한 대학 체육과 프로그램에서 '성의 구분'에 관한 지식이 체육교육과정 내에서 조직되고 가르쳐지는 방식에 대하여 연구하였다.

Dewar의 연구 목적은 남성 주도의 헤게모니가 체육학과 내에서 어떻게 재생산되고 유지되고 있는가를 알아보는 것이었다. 교육과정은 자연과학 과목들과 인문사회과학 과목들로 크게 구분되어 조직되어 있었는데, 각 과목들은 '성의 구분'에 관하여 서로 상이한 관점을 가르치고 있었다. 자연과학 과목들에서는 성별을 '주어진 것'으로 보도록 했으며, 남자와 여자의 운동 수행상의 차이점들에 대하여 주로 관심을 가졌다. 반면, 인문사회과목에서는 성별은 사회적 이슈로 간주되었으며. 지식이 남자들의 헤게모니를 재생산하고 유지하는 과정에 초점을 맞추었다. 운동수행의 향상을 가져오는 데 도움을 준다는 이유로 학생들은 자연과학 과목들로부터 나온 지식을 유용한 것으로 규정하였다. 인문사회과목들은 현재의 사회적 틀에서 생활하는데 도움을 주지 않기 때문에 별로 중요하지 않은 것으로 여겨졌다. Dewar는 이러한 연구결과를 바탕으로 체육과의 프로그램이 사회에 만연하는 남자 중심적 지배 이데올로기를 반영하고 따라서 남자 중심적 사회구조를 재생산하는 데 도움을 준다고 결론을 내린다.

두 번째 연구동향은 '노동'으로서의 체육교사의 업무에 관한 것이다. 비판적 연구자들은 교사의 업무를 노동으로 간주한다(Apple, 1986; Evans & Davies, 1988). 이들에 의하면, 가르치는 일은 노동이고, 교사는 노동자이며, 학교는 노동하는 장소라는 것이다. 수업의 노동은 교실이나 학교 안에서 시작하고 끝나는 것이 아니다. 이 과정은 개인이 사회생활을 통해 얻은 경험과 사회적 요인들이 모두 영향을 미친다. 간단히 말하면, 교사의 개인적 문제는 사회적 이슈들과 긴밀한 관련을 가지고 있으며, 따라서 교사가 하는 일을 사회정치적으로 분석하는 일은 불가피하다.

이 연구형태에서는 교사업무의 하급노동직화가 연구의 초점이 되어왔다. 하급노동직화란 '노동자가 자신이 할 일을 주도적으로 시작할 수 있는 능력을 상실당했을 때 따르는 과정'을 말한다(Ozga & Lawn, 1988). 이 과정은 일의 이론과 실천을 분리하였을 때 발생한다. 이 과정은 노동의 분화를 놓으며, 전문가는 아이디어를 개발하고 노동자는 개발된 아이디어를 실천하기만 한다. 이 과정은 교사들의 자율성과 통제력을 감소시킴으로써 그들을 탈기능화시키고 탈전문화시킨다. Dewar(1985)는 『Basic Stuff』 교과서가 체육교사들의 전문적 자율성을 향상시킬 의도로 개발되기는 했지만, 그와는 반대로 체육교사들의 일을 하급노동직화시켰다고 주장한다.

세 번째 주된 연구대상은 '이데올로기'의 개념이다. 이데올로기란 '개인의 의식은 물론 집단의 의식도 형성하는 믿음, 가치, 그리고 실제적 행동들의 체계를 말하며 명시적 수준과 암시적 수준에 모두 존재'한다(Kirk, 1988, p. 139). Kirk(1988)에 따르면, 이데올로기는 개인적 수준은 물론 집단적 수준에 모두 작용한다. 이데올로기는 교사한 개인이 가지고 있는 신념, 가치, 그리고 행동체계인 것은 물론, 한 그룹의 교사들이 단체적으로 가질 수도 있다. 이데올로기는 정치강령이나 직업적 이데올로기처럼 명시적인 수준에서 존재할 수도 있으며, 사람들이 전혀 눈치채지 못하는 암시적인 수준에서도 작용할 수 있다. 이데올로기와 비슷한 개념으로 '관점'의 개념이 사용되기도 한다.

'어떠한 이데올로기나 관점이 학교체육, 체육교육과정, 교사의 사고방식에 만연되고 있는가?' 를 파악하려는 연구가 가장 많이 행해졌다. 학교체육에 가장 만연하고 있는 이데올로기는 '과학주의' 또는 '과학적 기능주의'로서, 이것은 학교체육에는 물론 서양사회 일반에도 지배적인 영향을 미치고 있다. 물론, 이론의 여지는 있지만, 과학적 기능주의는 현재 체육분야에서의 지배적 패러다임 또는 지배적 세계관으로서 자리 잡고 있다. 이 과학적 기능주의는 체육분야에 가장 적절한 지식의 형태로서 신체의 생리적 물리적 기능에 관련된 측정 가능하고 객관적인 정보만을 중요시한다. Fitzclarance와 Tinning(1990)과 Coloquhoun(1990)은 이런 과학적 기능주의가 어떠한 과정을 거쳐서 '생리신체적 지식(자연과학적 지식)'의 형태로 오스트레일리아 초중등학교의 프로그램과 교과서를 구성하는 기본토대로 되어버렸는가를 보여주고 있다. Bain(1990)은 '기능적 이데올로기'라는 명칭으로 이 과학적 기능주의가 미국 학교교육에 만연하고 있음을 드러내 준다. 이 기능주의적 이데올로기는 체육교육과 관련된 사회적·정치적·도덕적·윤리적 이슈들에 기능적·경제적 기준을 적용시키는 것을 말한다. Sparkes(1990a)는 교육과정 개발과 개선과정 속에 이 과학적 기능주의가 명백히 나타나고 있다는 것을 보여주고 있다. Gore(1990)는 현재의 체육수업연구들에 만연하는 교사효율성식 접근방법의 기본가정으로 역할하는 과학주의를 비판하고 있다. Kirk(1990)는 이 과학적 기능주의가 체육교육의 논의양식에 너무도 깊게 만연되어 있어서, 남성 중심의 가치들이 지배적 위치를 차지하고 여성체육교육인들이 소외되는 것을 보여주고 있다. 최의창(1992)은 체육교육과정 모형들에 담겨진 개인주의와 보수주의의 두 가지 이데올로기를 밝혀내고, 이러한 이데올로기가 극복되어진 사회비판적 체육교육과정 모형의 개발을 촉구한다. Sparkes(1989)는 체육교사들이 스포츠중심 관점과 이상주의적 관점들을 가지고 있음을 발견했으며, Tinning(1987)은 교생들이 도구주의적 수업관을 가지고 있음을 보고했다. 그리고 교사교육 프로그램에 들어오기 전에 가졌던 개인적 체험(Dewar, 1989), 교생실습시 담당교사(Templin, 1979), 동급생(Templin, 1981),

성차(Griffin, 1989), 그리고 학교의 풍토(Lawson, 1989) 등이 교사나 교생들로 하여금 특정한 관점을 가지도록 하는 사회화 요인들이다.

네 번째 연구영역은 페미니스트 연구자들에 의한 '체육에서의 남녀평등'이다 (Scraton, 1986, 1987, 1990). Scraton(1986, 1987)은 영국의 학교체육은 예전부터 일반 사회에 만연하는 성차별적 이데올로기들을 강화하는 역할을 하였다고 주장한다. Scraton은 여학생들이 받는 학교체육이 남성위주적 사회에서 남자들의 우위를 유지하는 기능을 담당하는 온순함, 모성애, 신체적 능력의 열세, 그리고 여성다움 등과 같은 틀에 박힌 특성들을 재생산하도록 만드는 성격을 가지고 있다고 주장한다. Evans(1990), Gore(1990), Bain(1990)과 Kirk(1990)의 연구들도 이 문제를 심각하게 다루고 있으며, 체육수업시간에 교육내용으로 선정되고 조직된 신체활동들이 갖는 '성격' 그 자체 때문에 여교사들과 여학생들이 수업시간에 불평등하게 대접받는다는 것을 보여준다. 왜냐하면, 수업내용이 되는 체육활동들이 체격과 힘, 경쟁심과 공격성 등과 같은 '남성적 가치'들을 강조하고 고취시키기 때문이다. Dewar(1990)와 Gore(1990)의 연구는 체육대학 프로그램에서 교육과정과 프로그램들이 얼마만큼이나 남성위주적이고 성적으로 차별화되어 있는가에 관하여 자세히 다루고 있다. Scraton(1990)은 남녀구별하지 않는 '남녀공학적 체육수업' 등과 같은 '비성차별적, 반성차별적 수업전략들'에 관해서, Evans(1990)와 Kirk(1990)는 여성체육교사들이 남성교사들과의 비교에서 캐리어를 향상시키고 지도력과 영향력을 행사하는 측면에서 차별적 대우를 받는 것에 관해 다루고 있다.

'운동엘리트주의' 또한 평등문제에 중요 관심사가 되고 있다. Bain(1990)은 미국에서는 체육수업시간에 경쟁적 성취에 관한 강조가 많고, 성·계층·인종에 근거한 구조적 불평등이 명백함에도 불구하고 학교교육에서는 능력위주적 이데올로기가 만연하고 있다고 주장한다. 체육수업은 능력위주적 성격이 뚜렷한 학교운동부에 어떤 도전을 제공하지 못하고, 이 이상을 실현시킴에 있어 비효과적이라는 이유로 인기가 없어졌다. Evans (1990)는 영국학교들에 관하여 이와 비슷한 주장을 한다. 이해중심 체육수업, 건강관련 체력향상 등과 같은 공리주의적 이상들을 강조하는 새로운 방법이 소개되었음에도 불구하고, 학생과 교사의 교육적 체험에는 어떤 변화도 가져다 주지 못하였다고 주장한다. Evans(1990)는 그 이유로서 이 두 가지 새로운 방법이 학교제도 속에 붙박

여 있고 학교체육 속에도 그대로 작용하는 구조적 불평등에 대하여 사회적 해결책이
아닌 개인적 해결책들을 강조했기 때문이라고 주장한다.

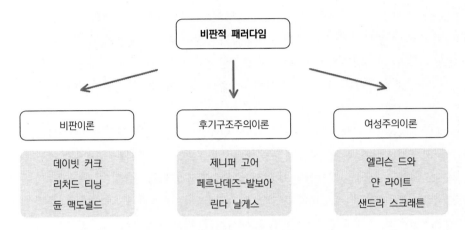

<그림 3> 비판적 패러다임의 연구유형과 연구자들

 문제점과 전망

　체육교육과정의 교육사회학적 연구는 꾸준한 학문적 성장을 계속해나가고 있다.
1980년 중반 이후 체육교육과정 사회학 연구자들의 활발한 활동이 계속되고 있다. 하
지만, 이 접근방법이 아무런 문제 없이 성장하고 있는 것은 아니다. 교육학계에서는 그
간 교육과정에 대한 교육사회학적 관점이 가지고 있는 문제들을 파악하는 데 주력해
왔다(김기석, 1983; 박부권, 1983; 오욱환, 1990; 김민환, 1989). 체육교육과정의 교
육사회학적 접근도 동일한 문제점을 공유하며, 또 이에 덧붙여 체육교육과정에만 독특
한 문제들도 안고 있다. 본 절에서는 특히 두 가지 문제점에 주된 초점을 맞추고자 한
다. 문제점을 간단히 살펴본 후, 앞으로의 전망에 대해서 다룬다.

01. 문제점

현재 체육교육과정의 사회학적 접근은 연구자의 부족과 연구의 단발성이라는 두 가지 문제점을 가지고 있다. 첫째, 아직 연륜이 오래되지 않은 분야라 체육교육과정 사회학 분야는 일군의 학자들만이 활동하고 있는 영역이다. 영국의 Andrew Sparkes, John Evans, Sheila Scraton, 오스트레일리아의 David Kirk, Richard Tinning, Derek Coloquhoun, 그리고 미국의 Alison Dewar, Paul Schempp, Linda Bain 등이 대부분의 교육사회학적 연구를 수행해나가는 몇 안 되는 연구자들이다. 지나친 단순화의 위험을 무릅쓰고 현재 각 나라에서 행해지는 연구의 특색을 지어본다면, 영국에는 해석적 관점의 연구가 가장 빈번하게 행해지고, 오스트레일리아 연구자들은 주로 비판적 입장에 서 있다. 미국 연구자들은 일반적으로 사회학 이론을 원용하여 연구를 하기보다는 연구주제를 중심으로 연구를 진행하여 이론적 틀은 부차적인 중요성을 갖는다. 소수의 연구자만이 관심을 갖는 관계로 체육교육학 분야 내에서는 아직 주변적인 위치만을 차지하고 있을 뿐이다. 이것을 증명하는 좋은 본보기는 체육학 하위 학문 분야의 연구동향을 종합하여 리뷰하는 *Sport Science Review* 최근호 (1994)에 실린 스포츠교육학 영역의 학문적 연구동향에 '(교육)사회학적 접근' 항목이 제외되었다는 점이다.

두 번째 문제점은, 첫 번째 문제점으로부터 파생하는 것인데, 연구의 단발성에 관한 것이다. 현재까지 행해진 교육사회학적 연구는 어떤 주제에 대하여 한두 명의 연구자만이 관심을 가지고 수행했기 때문에, 그 주제에 대하여 지속적이고 다양한 이해를 가능하게 하는 어떤 연구 프로그램이 성립되지 않았다. 주로 연구자의 박사학위 논문을 여러 편으로 나누어 게재한 연구가 주종을 이루는데, 이들의 입장을 지지 또는 발전시키거나 반박할 수 있는 후속적인 연구의 부족으로 그 주제에 관한 지식의 체계를 정립시킬 수 없다. 이는 학문의 발전에 저해되는 아주 중요한 문제로서, 한 연구자가 연구만 발표해놓으면 그 주제에 대한 자기 관점의 정통성을 무조건적으로 주장할 수 있게 된다. 하지만 학문의 건강한 발전은 '정'의 성립과 그를 견제하는 '반'의 대두 그리고 이 둘의 변증적 대립과 통합을 통한 '합'의 창출의 순환적 과정을 거쳐 이루어진다.

02. 전 망

체육교육과정을 사회학적으로 이해함에 있어서 앞으로 다양한 이론적 관점의 수용, 다양한 연구방법의 채택, 그리고 현장교사들과의 협동연구 등의 경향이 예상된다. 첫째, 기존의 연구에서 주종을 이루던 상징적 상호작용론과 비판이론의 보다 적극적 적용과 함께 이외의 사회학적 관점들이 활발히 이용될 것이다. 해석적 패러다임에서는 현상학(Smith, 1992), 해석학(Reynolds, 1989) 등의 새로운 관점이 체육교육과정 현상을 이해하는 유용한 관점으로 이용될 것이다. 비판적 패러다임에서도 프랑크푸르트학파의 비판이론적 관점 이외에도, 여성학(Scraton, 1990)적 관점이 보다 많은 연구자로부터 관심을 받을 것이다. 해석적·비판적 패러다임 이외에 후기 구조주의와 포스트모더니즘의 영향이 점차로 강하게 일 것이다. 비판적 연구자들 중 몇몇은 이미 비판이론의 한계점을 후기주조주의나 포스트모더니즘의 장점으로 보완하려는 움직임을 보이고 있다(Kirk, 1993; Fitzclarence & Tinning, 1992).

해석적 패러다임에서는 문화기술방법 이외에도 생활사, 사례방법, 현상학적방법, 대화분석 등의 방법이 새로이 개발되고 이용되어질 것이다. 생활사(Sparkes & Templin, 1992) 방법은 체육교사들이 체육교사로서 자신의 업무를 수행하고 생활해 나감에 있어 어떠한 인식과 경험을 하는지에 관해서 이해하는데 훌륭한 도구를 제공해준다. 현상학적 방법은 신체활동을 통해 아이들이 겪는 산체험을 이해하는 데 도움을 주며(Smith, 1991, 1992), 또한 체육교사가 자신의 교사로서의 경험이 갖는 의미를 스스로가 이해하고 파악하는 작업에도 도움을 준다(Woods, 1992). 대화분석법은 신체활동이 중요시되는 체육상황에서 그동안 소홀히 되왔던 언어적 측면에 새로운 관심을 쏟도록 우리의 주의를 환기시킨다. Clarke(1992)은 대화분석의 이론적 가정과 실제적 절차에 대하여 자세한 설명을 해준다. Write와 King(1991)은 이 방법을 실제로 이용하여 체조수업에서 벌어지는 교사의 언어행위를 분석하였다. 이들은 남교사와 여교사가 각기 다른 형태의 문법적 형태를 사용함으로써 남학생과 여학생에게 각기 다른 언어형태를 적용한다는 것을 주장하고, 이 차이를 통해 사회에 만연하고 있는 남녀 불평등적인 사회관계가 수업시간에 재생산되고 있음을 유추한다.

다양한 연구방법의 수용과 관련된 문제로서, 방법론에 대한 관심이 보다 깊어질 것이다. 자료의 수집과 분석만을 방법론의 핵심으로 보았던 기존의 관점과는 달리, 무시되었던 방법론의 다른 측면들, 예를 들어 철학적 측면, 글쓰기 측면, 그리고 글읽기 측면 등이 중요하게 대두될 것이다(Schempp & Choi, 1994). 체육교육과정의 사회학적 연구를 틀 잡기 위한 한 방편으로 기법에 중심을 두었던 연구방법론에 대한 그동안의 관심은 일반 사회학과 교육학 영역에서 '연구방법의 철학'에 관한 관심이 증가함에 따라 인식론적·존재론적 문제들에 주의를 집중시켰다(Phillips, 1987; Smith, 1989). 또한, 해석학 그리고 최근에는 후기구조주의와 포스트모더니즘의 영향으로 연구결과를 글로 발표하고 또 발표된 글을 이해하는 방식에 대한 관심이 높아질 것이다(Sparkes, 1992a; 1992b).

그동안 연구의 과정에서 소외되어왔던 현장교사들의 참여가 증가할 것이다. 이것은 단지 연구되어지는 '대상'으로서만 교사의 위치가 이해되는 실증적 패러다임의 가정에 대한 대안으로 제기된다. 어떤 현상의 이해와 파악은 그 속에서 생활하는 참여자가 가장 유리한 위치에 있다는 해석적 관점과 연구과정은 참여자 또는 연구대상의 해방을 목적으로 한다는 비판적 관점에서 보면, 체육교사의 위치는 필연적으로 연구의 대상인 동시에 '주체'가 된다. 따라서 현재 체육교사를 연구의 주체로 이끌어 들이려는 움직임이 활발하며, 특히 '교사연구자'와 '현장개선연구' 운동은 이 관점을 그대로 반영하는 중요한 아이디어이다. Almond(1986)는 교사연구자의 개념을 이용하여 체육교사들이 자신의 수업활동을 스스로 탐구하는 과정에 대한 연구를 하였다. Tinning(1992a, 1992b)은 현장개선연구의 철학적 가정들에 대하여 자세한 설명을 해준다. 최의창(1993)은 체육교사의 수업능력향상에 대한 '응용과학적 관점'과 '반성적 관점'을 대비시킨다. 응용과학적 관점에서는 교사는 연구자가 발견한 연구결과들을 자신의 수업현장에 응용시키기만 하는 연구의 '소비자'로서만 간주된다. 반성적 관점은 이와는 정반대로 체육교사들이 자신의 수업활동을 반성적·비판적으로 탐구해서 수업능력향상의 발판을 스스로가 마련하는 것으로 본다. 현장개선연구가 탐구적 관점을 실현시킬 수 있는 효과적인 방법임을 주장하고 그 방법적 절차를 자세히 소개한다(강신복·최의창, 1994; 최의창, 1995).

Ⅵ 결론

　　체육교육과정의 교육사회학적 탐구는 이제야 그 모습을 조금씩 갖추기 시작하는 태아기의 탐구영역이다. 체육교육과정을 탐구하는 이 새로운 관점은 교육과정개발과 관련된 절차에 관해서만 관심을 가지던 기능적 체육교육과정 연구에 대안적이며 새로운 안목을 제공해주고 있다. 우리 이해의 지평을 체육교육과정의 명시적·실제적·잠재적 측면 등 다양한 측면으로 넓혀줌으로써 그동안 가사 상태에서 깨어나지 못하던 체육교육과정 연구분야에 활력을 불어넣어 주는 계기가 되었다. 침체상태에 있는 우리나라의 체육교육과정 연구영역에도 이 새로운 관점이 생명력을 불러일으키는 역할을 할 수 있으리라 믿어진다.

　　다양한 관점이 서로 경쟁하면서 공존하는 현대 사회과학의 학문적 추세에 비추어 볼 때, 이 교육사회학적 관점은 스포츠교육학 내에서도 점차 자리를 잡아갈 것이다. (사회)심리학적 연구(Steindhart, 1992)가 지배적인 기존의 스포츠교육학연구는 철학적(Arnold, 1988), 역사학적(Naul, 1994), 인류학적(Grupe & Kruger, 1994) 접근이 점차로 증가하고 있으면서 그 인식의 지평을 넓히고 있다. 교육사회학적 관점은 이 여러 가지 대안적 관점들 중에서도 가장 빠른 성장을 보이고 있다. 이 성장을 보다 실질적이고 의미 있는 것으로 하기 위해서는 체육교육과정 사회학자들의 끊임없는 노력이 필요할 것이다. 그러한 노력 중 가장 중요한 것은 학교와 운동장에서 벌어지는 활동과 사건들을 교육사회학적으로 이해하려는 태도를 끊임없이 정련하는 것이다. 이를 위해서는 Mills(1959)가 말한 '사회학적 상상력'을 키우는 일이 무엇보다 시급하다. 학생이나 교사들이 겪는 '개인적 문제'들을 사회·문화·정치·경제적 맥락과 관계 속에서 이해해야 하는 '사회적 이슈'로서 바라보는 자세가 바로 체육교육과정의 교육사회학적 탐구를 살찌우고 성장시키는 가장 기본 된 조건인 것이다.

참고문헌

강신복·최의창(역)(1994). 체육수업탐구. 서울: 태근문화사.

김경동(1985). 현대의 사회학: 사회학적 관심. 서울: 박영사.

김기석(1983). 교육과정 사회학의 전개: 사회과학 패러다임의 정립과 관련하여. 한국교육문제연구, 1, 55-87.

김기석(1987). 문화재생산이론. 서울: 교육과학사.

김민환(1989) 교육과정에 관한 사회학적 접근의 본질과 비판에 관한 재음미:신교육사회학을 중심으로. 교육과정연구, 8(1), 19-34.

김민환(1992). Tyler 교육과정 모형의 실체와 비판. 김억환, 김민환 (저), 교육과정의 새로운 접근: 재개념주의(87-113). 서울: 교육과 학사.

김은주(1988). 학교교육 기능에 관한 교육사회학적 제 관점. 한국교육:교육사회학적 조명 (124-147). 서울: 한울

김태오(1990). 인식관심론이 갖는 교육적 함의. 교육학연구, 28(1), 107-118.

류태호(1992). 중학교체육수업에 대한 문화기술적 분석. 서울대학교 대학원 석사학위논문.

박명기(1993). 체육교사의 전공선택에 영향을 미친 주요요인. 한국체육학회 하계학술대회 발표논문.

박부권(1983). 신교육사회학의 비판적 고찰. 한국교육문제연구, 1, 89-111.

박부권(1991). 교육과정의 민주화와 교육의 자율성. 정신문화연구, 14(2), 157-182.

박성익(1985). 행동적 수업목표 활용에 대한 긍정적-부정적 논의. 한국교육, 12(2), 59-70.

오욱환(1990). 구조론적 마르크스주의 교육사회학의 딜레마. 교육학연구, 28(3), 123-135.

이미나(1982). 지식사회학적 관점에서 본 교육학. 교육학연구, 20(1), 5-18.

이용숙(1989). 문화기술적 수업연구방법. 한국교육, 16(1), 41-80.

이재용(1993). 교수가치관과 학교상황의 상호작용. 한국체육학회 하계학술대회 발표논문.

이홍우(1977). 교육과정탐구. 서울: 박영사.

윤병희(1989). 교육과정이론의 유형과 특성에 관한 고찰. 한국교육, 16(1), 229-252.

윤병희(1991). 재개념주의자들의 한계와 가능성. 이영덕(편). 인간교육을 위한 교육과정과 수업의 탐구 (97-134). 서울: 교육과학사.

윤병희(1993). 교육연구의 방법론적 다원주의: 축복인가 문제인가. 숙명여대 논문집, 34, 127-154.

심미옥(1988) 교육과정에 관한 사회학적 논의. 한국교육: 교육사회학적 조명 (101-123). 서울: 한울.

정진곤(1987). 실증사회과학의 사회역사적 맥락과 기본가정의 비판. 한국교육, 14(1), 93-108.

최의창(1992). 체육교과교육모형의 잠재적 이데올로기와 비판적 체육교육. 한국체육학회지, 31(1), 53-67.

최의창(1993) 체육교육 학문화 운동과 실증주의적 체육교육학의 성립. 서울대학교 체육연구소 논집, 14(1), 43-54.

한준상(1983). 새로운 교육학: 교육사회학 이론의 전개. 서울: 한길사.

황원영(1988). 변증법적 사회비판이론의 교육학. 교육철학, 6, 122-153.

Almond, L. (1986). Research-based teaching in games. In J. Evans (Ed.), *Teachers, teaching and control in physical education*(pp. 165-197). Lewes, UK: Falmer.

Althusser, L. (1972). *Lenin and philosophy and other essays*. London: New left Books.

Anderson, G. (1989). Critical ethnography in education: Origins, current status, and new directions. *Review of Educational Research*, 59(3), 249-270.

Anyon, J. (1979). Ideology and United States history textbooks. *Harvard Educational Review*, 49(3), 361-386.

Apple, M. (1979). *Ideology and curriculum*. London: Routledge & Kegan Paul.

Apple, M. (1982). *Education and power*. London: Routledge & Kegan Paul.

Apple, M. (1986). *Teacher and the text: A political economy of class and gender relation in education*. Boston: Routledge & Kegan Paul.

Arnold, P. (1988). *Education, movement, and the curriculum*. Lewes, UK: Falmer.

Bain, L. (1975). The hidden curriculum in physical education. *Quest, 24*, 92-101.

Bain, L. (1985a). A naturalistic study of students' responses to an exercise class. *Journal of Teaching in Physical Education, 5*(1), 2-12.

Bain, L.(1985b). The hidden curriculum re-examined. *Quest, 37*(2), 145-153.

Bain, L. (1989). Interpretive and critical research in sport and physical education. *Research Quarterly for Exercise and Sport, 60*(1), 21-24.

Bain, L. (1990). A critical analysis of the hidden curriculum in physical education. In D. Kirk, & R. Tinning (Eds.), *Physical education, curriculum, and culture: Critical issues in the contemporary crisis* (pp. 23-42). Lewis, UK: Falmer Press.

Barrett, M. (1980). *Women's oppression today: Problems in Marxist feminist analysis*. London: Verso.

Berger, R., & Luckmann, R. (1968). *The social construction of reality*. New York: Doubleday.

Bernstein, R. (1976). *The restructuring of social and political theory*. Philadelphia: University of Pennsylvania Press.

Blumer, M. (1969). *Symbolic interactionism*. Englewood Cliffs, PA: Prentice-Hall.

Bobbit, F. (1918). *The curriculum*. Boston: Houghton Mifflin.

Bowels, S., & Gintis, H. (1976). *Schooling in capitalist America*. New York: Basic Books.

Bredo, E., & Feinberg, W. (Eds.) (1982). *Knowledge and values in social and educational research*. Philadelphia: Temple University Press.

Carr, W., & Kemmis, S. (1986). *Becoming critical: Education. knowledge and action research*. Lewes, UK: Falmer.

Cassidy, R., & Caldwell, B. (1974). *Humanizing physical education*. Dubuque, IA: Wm. C. Brown.

Choi, E. (1992). *Beyond positivist sport pedagogy: Developing a multidimensional, multiparadigmatic perspective*. Unpublished doctoral dissertation. Athens, GA: University of Georgia.

Clarke, G. (1992). Learning the language: Discourse analysis in physical education. In A. Sparkes (Ed.), *Research in physical education and sport: Exploring alternative visions* (pp. 146-167). Lewes, UK: Falmer.

Coloqyhoun, D. (1990). Images of healthism in health-based physical education. In D. Kirk & R. Tinning (Eds.), *Physical education, curriculum, and culture: Critical issues in the contemporary crisis* (pp. 225-252). Lewes, UK: Falmer.

Cornbleth, K. (1990). *Curriculum in context*. Lewes, UK: Falmer.

Dewar, A. (1985). Curriculum development and teachers' work: The case of the Basic Stuff series in physical education. In M. Carnes (Ed.), *Proceedings of the Fourth Conference on Curriculum Theory in Physical Education* (pp. 158-167). Athens, GA: University of Georgia.

Dewar, A. (1987). The social construction of gender in physical education. *Women's Studies International Forum, 10*(4), 453-466.

Dewar, A. (1989). Recruitment in physical education teaching: Toward a critial approach. In T. Templin & P. Schempp (Eds.), *Socialization into physical education: Learning to teach* (pp. 39-58). Indianapolis, IN: Benchmark Press.

Dewar, A. (1990). Oppression and orivilege in physical education; Struggles in the negotiation of gender in a university programme. In D. Kirk & R. Tinning (Eds.), *Physical education, curriculum, and culture: Critical issues in the contemporary crisis* (pp. 67-99). Lewes, UK: Falmer.

Dreeben, R. (1968). *On what is learned in school*. Boston: Addison-Wesley.

Evans, J. (Ed.)(1986). *Physical education, sport and schooling: Studies in the sociology of physical education*. Lewes, UK: Falmer.

Evans, J. (Ed.)(1988). *Teachers, teaching and control in physical education*. Lewes, UK: Falmer.

Evans, J. (Ed.)(1993). *Equality, education, and physical education*. Lewes, UK: Falmer.

Evans, J., & Davies, B. (1986). Sociology, Schooling, and physical education. In J. Evans (Ed.)(1986), *Physical education, sport and schooling: Studies in the sociology of physical education* (pp. 11-40). Lewes, UK: Falmer.

Evans, J., & Davies, B. (1988). Introduction: Teachers, teaching and control. In J. Evans (Ed.), *Teachers, teaching and control in physical education* (pp. 1-19). Lewes, UK: Falmer.

Fitzclarence, L., & Tinning, R. (1990). Challenging hegemonic physical education: Contextualizing physical education as an examinable subject. In D. Kirk & R. Tinning (Eds.), *Physical education, curriculum, and culture: Critical issues in the contemporary crisis* (pp. 169-192). Lewes, UK: Falmer.

Fitzclarence, L., & Tinning, R. (1992). Postmodern youth culture and the crisis in Australian secondary school physical education. *Quest, 44*, 287-303.

Garfinkel, H. (1967). *Studies in ethnomethodology*. Englewood Cliffs, PA: Prentice-Hall.

George, L., & Kirk, D. (1988). The limits of change in physical education: Ideologies, teachers and the experiences of physical activities. In J. Evans (Ed.), *Teachers, teaching and control in physical education* (pp.145-156). Lewis, UK. Falmer Press.

Ginsberg, M., & Clift, R. (1990). The hidden curriculum of preservice teacher education. In R. Houston (Ed.), *Handbook of research on teacher education* (pp. 450-468). New York: Macmillan.

Giroux, H. (1981). *Ideology, culture and the process of schooling*. Philadelohia: Temple University Press.

Giroux, H. (1983). *Theory and resistance in education: A pedagogy for the opposition*. South Hadley, MA: Bergin & Garvey.

Giroux, H. (1988). *Teachers as intellectuals: Toward a critical pedagogy of learning*. Granby, MA: Bergin & Harvey.

Giroux, H., Penna, A. W., & Pinar, W. (1980). *Curriculum and instruction: Alternatives in education*. Berkeley, CA: McCutchan.

Gore, J. (1990). Pedagogy as text in physical education teacher education: Beyond the preferred reading. In D. Kirk & R. Tinning (Eds.), *Physical education, curriculum, and culture: Critical issues in the contemporary crisis* (pp. 101-138). Lewes, UK: Falmer.

Graber, K. (1989). Teaching tomorrow's teachers: Professional preparation as an agent of socialization. In T. Templin & P. Schempp (Eds.), *Socialization into physical education: Learning to teach* (pp. 59-80). Indianapolis, IN: Benchmark Press.

Graber, K. (1991). Studentship in preservice teacher education: A qualitative study of undergraduate students in physical education. *Research Quarterly for Exercise and Science, 61*(1), 41-51.

Gramsci, H. (1971). *Selections from the prison notebooks of Antonio Gramsci*. London: Lawrence & Wishart.

Griffin, P. (1983). Gymnastic is a girl's thing: Student participation and interaction patterns in a middle school physical education unit. In Templin & J. Olson (Eds.), *Teaching in physical educaiton* (pp. 71-85). Champaign, IL: Human Kinetics.

Griffin, P. (1984). Girls' participation patterns in a middle school team sports unit. *Journal of Teaching in Physical Education*, *4*(1), 30-38.

Griffin, P. (1985). Boys' participation styles in a middle school team sports unit. *Journal of Teaching in Physical Education*, *4*(2), 100-110.

Griffin, P. (1986). What have we learned? *Journal of Physical Education, Recreation, and Dance*, *57*(4), 57-59.

Griffin, P. (1989). Gender as a socialozing agent in physical education. In T. Templin & P. Schempp (Eds.), *Socialization into physical education: Learning to teach* (pp. 219-233). Indianapolis, IN: Benchmark Press.

Grupe, O., & Kruger, M. (1994). Sport pedagogy: The anthropological approach. *Sport Science Review*, *3*(1), 18-27.

Goodson, I. (1988). *The making of curriculum: Collected essays*. Lewes, UK: Falmer.

Goodson, I. (Ed.)(1992). *Srudying teachers' lives*. London: Routledge.

Habermas, J. (1972). *Knowledge and human interest*. (Trans. J.J. Shapiro). London: Heinemann.

Hargreaves, J. (1985) *Sport, power, and culture*. Cambridge: Polity Press.

Hellison, D. (1985). *Goals and strategies for teaching physical education*. Champaign, IL: Human Kinetics.

Hendry, L. (1978). *School, sport and leisure*. London: Lepus Books.

Horkheimer, M. (1972). *Critical theory*. New York: The Seabury Press.

Hoyle, E. (1977). New directions in the sociology of education and implications for physical education. In J. Kane (Ed.), *Movement studies and physical education: A handbook for teachers*. London: Routledge & kegan Paul.

Huebner, M. (1966). Curricular language and classroom meanings. In J. Macdonald and R. Leeper (ed.), *Language and meaning* (pp. 8-26). Washinton, D. C.: ASCD.

Jewett, A. (1994). Curriculum theory and research in sport pedagogy. *Sport Science Review*, *3*(1), 56-72.

Jewett, A., & Mullan, M. (1977). *Curriculum design: Purpose and processes in physical education teaching-learning*. Reston, VA: AAHPERD.

Jewett, A., & Bain, L. (1985). *Curriculum process in physical education*. Dubuque, IA: Wm. C. Brown.

Jewett, A., & Ennis, C. (1990). Ecological integration as a value orientation for curriculum decision making. *Journal of Curriculum and Supervision*, *5*(2), 120-131.

Kirk, D. (1988). *Physical education and curriculum study: A critical introduction*. London: Croom Helm.

Kirk, D. (1990). Defining the subject: Gymnastics and gender in British physical education. In D. Kirk & R. Tinning (Eds.), *Physical education, curriculum, and culture: Critical issues in the contemporary crisis* (pp. 43-66). Lewes, UK: Falmer.

Kirk, D. (1992). *Defining the subject: The social construction of physical education in Britain 1945-1965*. Lewes, UK: Falmer.

Kirk, D. (1993). *The body, schooling, and culture*. Victoria, Australia: Deakin University Press.

Kirk, D., & Tinning, R. (Eds.) (1990). *Physical education, curriculum and culture: Critical issues in the contemporary crisis*. Lewis, UK: Falmer Press.

Kliebard, H. (1970). Reappraisal: The Tyler rationale. *School Review*, *78*(3), 259-72.

Kliebard, H. (1986). *The struggle for the American curriculum, 1893-1958*. Boston: Routeledge & Kegan Paul.

Lawson, H. (1983a). Toward a model of teacher socialization in physical education: The subjective warrant, recruitment, and teacher education (Part I). *Journal of Teaching in Physical Education*, *2*(3), 3-16.

Lawson, H. (1983b). Toward a model of teacher socialization in physical education: Entry into schools, teachers' role orientations and longevity in teaching. *Journal of Teaching in Physical Education*, *3*(1), 3-15.

Lawson, H. (1989). From rookie to veteran: Workplace conditions in physical education and induction into the profession. In T. Templin & P. Schempp (Eds.), *Socialization into physical education: Learning to teach* (pp. 145-164). Indianapolis, IN: Benchmark Press.

Lawson, H. & Placek, J. (1981). *Physical education in secondary schools*. Boston, MA: Allen & Bacon.

Loy J. (1972). Sociology and physical education. In R. Singer et al. (Eds.), *Physical education: Foundations* (pp. 269-286). New York: Holt, Rinehart, and Winston.

McKay, J., Gore, J., & Kirk, D. (1990). Beyond the limits of technocratic physical education. *Quest*, *42*(1), 52-76.

Melograno, V. (1979). *Designing curriculum and learning: A physical coeducation approach*. Dubuque, IA: Kendall/Hunt.

Mills, C. W. (1959). *The sociological imagination*. New York: Penguin Books.

Naul, R. (1994). Historical perspectives of sport pedagogy. *Sport Science Review*, *3*(1), 11-17.

Nixon, J., & Jewett, A. (1964). *Physical education curriculum*. New York: Roland.

Ozga, J., & Lawn, M. (1988). Schookwork: Interpreting the labor process of teaching. *British Journal of Sociology of Education*, *9*(3), 323-336.

Parsons, T. (1959). The school class as a social system: Some of its functions in American society. *Harvard Educational Review*, *24*(3), 297-318.

Phillips, D. C.(1987). *Philosophy, science, and social inquiry*. Oxford: Pergamon Press.

Popkewitz, T. (1984). *Paradigm and ideology in educational research*. London: Falmer

Reynolds, W. (1989). *Reading curriculum theory: The development of a new hermeneutic*. New York: Peter Lang.

Scarch, J. (1987). Teacher strategies: A review and critique. *British Journal of Sociology of Education*, *8*(3), 245-262.

Schempp, P., & Choi, E. (1994). Research methodologies in sport pedagogy. *Sport Science Review*, *3*(1), 41-55.

Scraton, S. (1986). Images of femininity and the teaching of girls' physical education. In J. Evans (Ed.), *Physical education, sport and schooling: Studies in the sociology of physical education* (pp. 71-94). Lewes, UK: Falmer.

Scraton, S. (1987). Gender and physical education: Ideologoes of the physical and the politics of sexuality. In L. Barton & S. Walker (Eds.), *Changing policies, changing teachers* (pp. 169-189). Lewes, UK: Falmer.

Scraton, S. (1990). *Gender and physical education*. Geelong, Australia: Deakin University Press.

Smith, J. K. (1989). *The nature of social and educational inquiry: Empricism versus interpretation*. Norwood, NJ: Alex.

Stenhardt, M. (1992). Physical education. In P. Jackson (Ed.), *Handbook of research on curriculum* (pp. 964-1001). New York: Macmillan.

Smith, S. (1991). Where is the child in physical education research? *Quest*, *43*(1), 20-36.

Smith, S. (1992). Studying the lifeworld of physical education: A phenomenological orientation. In A. Sparkes (Ed.), *Research in physical education and sport: Exploring alternative visions* (pp. 61-90). Lewes, UK: Falmer.

Sparkes, A. (1987). Strategic rhetoric: A constraint in changing the practice of teachers. *British Journal of Sociology of Education*, *8*(1), 37-54.

Sparkes, A. (1989). The achievement orientation and its influence upon innovation in physical education. *Physical Education Review*, *12*(1), 36-43.

Sparkes, A. (1990a). Winners, losers and the myth of rational change in physical education: Towards an understanding of interests and power in innovation. In D. Kirk & R. Tinning (Eds.), *Physical education, curriculum, and culture: Critical issues in the contemporary crisis* (pp. 193-224). Lewes, UK: Falmer.

Sparkes, A. (1990b). *Curriculum change and physical education: Towards a micropolitical understanding*. Geelong, Australia: Deakin University Press.

Sparkes, A. (Ed.) (1992a). *Research in physical education and sport: Exploring alternative visions*. Lewes, UK: Falmer.

Sparkes, A. (1992b). Validity and the research process: An exploration of meanings. *Physical Education Review*, *15*(1), 29-45.

Sparkes, A., & Templin, T. (1992). Life histories and physical education teachers: Exploring the meanings of marginality. In A. Sparkes (Ed.), *Research in physical education and sport: Exploring alternative visions* (pp. 118-146). Lewes, UK: Falmer.

Sykes, P. (1988). Growing old gracefully? Age, identity and physical education. In J. Evans (Ed.), *Teachers, teaching and control in physical education* (pp. 21-40). Lewes, UK: Falmer.

Templin, T. (1979). Occupational socialization and the physicak education teacher. *Research Quarterly*, *50*(3), 482-493.

Templin, T. (1981). Student as socializing agent. *Journal of Teaching in Physical Education*, *1*(1), 71-79.

Templin, T. (1988).Settling down: An examination of two women physical education teachers. In J. Evans (Ed.), *Teachers, teaching and control in physical education* (pp. 165-197). Lewes, UK: Falmer.

Templin, T., Schempp, P., & Sparkes, A. (1991). The professional life cycle of a retired physical education teacher: A tale of bitter disengagement. *Physical Education Review*, *14*(2), 143-156.

Templin, T., & Schempp, P. (Eds.)(1989). *Socialization into physical education: Learning to teach*. Indianapolis, IN: Benchmark Press.

Tinning, R. (1987). Beyond the development of a utilitarian teaching perspective: An Australian case study of action research in teacher preparation. In G. Barrette, R. Feingold, C. Rees, & M. Pieron (Eds.), *Myth, models, & methods in sport pedagogy* (pp. 113-122). Champaign, IL: Human Kinetics.

Tinning, R. (1992a). Reading action research: Notes on knowledge and human interests. *Quest*, *44*(1), 1-14.

Tinning, R. (1992b). Action research as epistemology and practice: Towards transformative educational practice in physical education. In A. Sparkes (Ed.), *Research in physical education and sport: Exploring alternative visions* (pp. 188-209). Lewes, UK: Falmer.

Thaxton, A. et al. (1977). Comparative effectiveness of two methods of teaching physical education to elementary school girls. *Research Quarterly, 48*, 420-427.

Tyler, R. (1949). *The basic principles of curriculun and instruction.* Chicago: University of Chicago Press.

Underwood, G. (1983). *The physical education curriculum in the secondary school: Planning and implimentation.* Lewes, UK: Falmer.

Woods, S. (1992). Describing the experience of lesbian physical educators: A phenomenological study. In A. Sparkes (Ed.), *Research in physical education and sport: Exploring alternative visions* (pp. 90-118). Lewes, UK: Falmer.

Write, J., & King, R. (1991). 'I say what I mean', said Alice: An analysis of gendered discourse in physical education. *Journal of Teaching in Physical Education, 10*(2), 210-15.

Willgoose, R. (1979). *The curriculum in physical education*(3rd ed.). Englewood Cliffs, NJ: Prentice-Hall.

Young, M. F. D. (Ed.)(1971). *Knowledge and control.* London: Collier-Macmillan.

Zeichner, K., & Gore, J. (1990). Teacher socialization. In R. Houston (Ed.), *Handbook of research on teacher education* (pp. 329-348). New York: Macmillan.

Chapter **06**

발전 2: 교육역사철학적 연구

● ● ● ● ● ● ● ● ● ● ●

　스포츠교육학 연구는 지난 30여 년간 빠른 성장을 거듭하였다. 스포츠교육의 학문적 연구는 현재 국내외적으로 체육학의 하위 학문 분야의 하나로 확고한 위치를 인정받고 있다. 하지만 그동안의 연구는 주로 경험적 리서치 중심으로 이루어져 왔으며, 이로 인하여 개념적이고 철학적인 분석이 함께 이루어지지 않았다. 이와 함께, 리서치는 주로 심리학적, 사회학적 방향에서 이루어짐으로써 현재 중심적으로 진행되어왔다. 한편에서는 이 같은 경험연구중심, 현재연구중심의 연구동향은 외형적 성장을 가능하게는 하였으나, 스포츠교육학 분야가 지속적으로 성장할 수 있는 튼튼한 이론적 토대를 마련해 주는 데는 무력하였다고 주장하고 있다. 본 장은 이 같은 비판을 긍정적으로 받아들이고, 그동안 소수의 연구자들에 의해 산발적으로 진행되어 온 스포츠교육역사적, 스포츠교육철학적 연구 결과물들을 일정한 분석틀 속에서 요약정리한다. 또한 단순한 정리에서 그치지 않고 한국에서의 교육역사적, 교육철학적 연구현황을 이해하고 참조함으로써 이 방향으로의 연구가 스포츠교육학의 성장에 어떠한 실질적 도움을 줄 수 있을 것인가에 대한 아이디어도 제시한다. 스포츠교육의 역사적, 철학적 연구는 역사적 안목과 개념적 분석을 가능하게 함으로써 스포츠교육현상에 대한 보다 철저하고 사실에 근거한 이해를 가능하게 해줄 수 있을 것이다.

I 체육의 교육적 이해

10년 세월이 바꾸어 버리는 것은 강산만이 아니다. 그것은 학문 분야의 외양도 바꾸어버린다. 학문 분야의 모습은 그것이 탐구하는 주된 연구주제와 연구방법의 성격에 의해서 결정되며, 이것들이 바뀔 때 그 분야의 외모는 변모하는 것이다. 국내에서 스포츠교육학 연구가 본격적으로 시작되기 시작한 지난 10여 년간 체육에 대한 교육적 탐구는 괄목할 만한 외양적 성장을 보였다. 국외 스포츠교육학 연구 분야도 같은 기간 동안 이전과는 비교될 수 없을 정도로 학문적 성장을 이루었다. 그리고 이 외형적 성장은 주된 연구주제의 변화를 통하여 이루어졌고, 그전과는 사뭇 다른 체육의 교육적 측면들이 관심 집중의 주된 대상으로 부각되었다.

구미를 중심으로 볼 때, 1970년대 중반부터 뚜렷한 모습을 갖추기 시작한 스포츠교육 연구 분야는 1980년대 중반까지의 10년 동안(제1기라고 부르자) 거의 체육수업활동의 체계적 관찰 및 분석을 중심으로 이루어졌다. 이 양적 연구들은 수업 및 학습활동의 효과에 밀접한 영향을 미친다고 추정되는 변인 간의 상관관계 검증을 통하여 효과성을 파악하는 것을 주요 목적으로 하였다. 이러한 연구주제와 방법론을 가능하게 한 학문적 관점은 교육심리학이라고 볼 수 있으며, 이 연구를 행한 주체들은 주로 행동주의적 또는 인지적 교육심리학의 배경을 가지고 체육교수학습활동을 이해하려고 하였다. 1990년대 중반까지의 이후 10년간(제2기라고 부르자)은 교육학 분야에서 질적 연구방법론이 새로운 각광을 받게 됨으로써 스포츠교육의 질적 연구가 급성장하게 되었다(Schempp, 1996). 이 연구들은 학교라는 조직 내에서 체육이라는 교과목을 가르치는 교사와 학생의 수업활동과 삶과 체험을 보다 직접적이고 세밀하게 그려내고 분석하려는 의도로 행해졌다. 이들은 주로 교육사회학과 교육인류학적 관심을 가진 연구자에 의해서 수행되었다(최의창, 1994, 1996). 1990년대 후반 이후 현재까지(제3기라고 부르자)는 어떤 한 가지 특정한 관점이나 학문적 시각을 가진 연구주제나 방법론이 주류를 이루는 현상은 보이지 않는다. 주된 스포츠교육전문 학술지들에 나타난 연구논문의 검토는 연구주제나 방법의 춘추전국시대를 연상케 한다. 지난 양 십 년간 각각 볼 수 있었던 그러한 통일적 모습은 보이지 않는다(Bain, 1997; Lee, 1996; Steinhardt, 1991).

이 같은 현상은, 한편으로는, 이제 스포츠의 교육적 측면에 대한 학문적 탐구와 연구는 어느 정도 자리를 잡고 있다는 증거로 볼 수 있다. 어떤 분야 치고 독주는 미발달을 의미한다. 다양성과 공존이 발전의 필수 요소인 것이다. 우리나라에서의 연구도 1980년대 말부터 본격적인 스포츠교육학 연구가 이루어진 이후 지난 10여 년간 많은 성장을 보였다. 단지 성장 속도가 빨라 제1기와 제2기의 주기가 약 5년에 지나지 않았고, 현재는 외형상 거의 제3기의 문턱에 도착해있다는 느낌을 갖게 한다. 양적, 질적 연구가 혼재해 나타나고 다루는 연구주제가 연구자별로 거의 공통분모가 없을 정도로 다양하다. 주된 연구주제의 공동현상이 보이고 있는 것이다(강신복, 최의창, 1997).

그러나, 다른 한편, 이 현상은 새로운 연구주제와 연구방식을 찾아내지 못한 전문연구자들의 침체에 기인한 정체현상일 수도 있는 것이다. 기존의 연구주제로부터 알아낼 수 있는 것을 거의 다 알아냈다던가, 기존 연구방식의 활용에 안주하여 습관화되어 있다든지 함으로써 이러한 제자백가적 다양성을 보여주고 있는 것이다. 다시 말하여, 현재 보이고 있는 다양성은 각각의 어프로치가 전통을 이루며 깊게 뿌리를 내린 상태에서 보이는 내실화된 다양성이 아니라, 어디에도 뿌리를 내리지 못하고 이렇게 해보다 저렇게 해보다 하는 표피적 다양성일 수도 있는 것이다. 이 경우에는 스포츠의 교육학적 탐구는 그 나물에 그 밥인 상태로 조만간 조로 현상을 보이며 체육학의 주변으로 밀려나게 되고, 실천을 담당하는 스포츠교육전문인들로부터 외면당하게 되며, 결국에는 탐구를 이어갈 새로운 젊은 연구자들로부터 도외시되지 않으리라고 장담할 수 없게 될 것이다.

물론, 스포츠교육학 연구 분야의 현재 상황은 이 둘 모두일 수도 있을 것이다. 어떤 뚜렷한 연구집점의 부재는 성장의 증거일 수도 있고 퇴행의 전조일 수도 있다. 그리고 이 둘 모두일 수도 있는 것이다. 그러나, 치료보다는 예방이 효과가 큰 법. 지금 이 둘 모두의 징후를 보일 때 후자의 경우가 급성으로 내 치닫지 않도록 미연에 방지해야 할 것이다. 나는 새로운 연구주제와 방식을 제공함으로써 스포츠의 교육적 탐구에 신선한 공기를 환류시키는 것이 역사학과 철학적 방향으로 창문을 엶으로써 가능하다고 본다.

체육현상을 교육사학적, 교육철학적 방식으로 파악하고 분석하고 이해함으로써 빠른 시일 내에 정체현상을 보일 스포츠교육 연구에 새로운 물꼬를 틀 수 있는 것이다. 그러나, 다행스럽게도, 스포츠교육의 교육사학적, 교육철학적 탐구는 선례 없이 아무것도 없는 맨땅에서 새롭게 시작해야 하는 것이 아니다. 세인의 주목을 받아 겉으로 드러나지는 않았지만, 그동안 이 같은 연구들은 조금씩 그리고 간헐적으로 수행되어 왔다. 그리하여, 우리는 본격적으로 그 같은 탐구를 시작하기 전에 어떠한 연구가 어떻게 수행되어 왔는가에 대한 사전 지식이 있어야 할 것이다.

본 장은 그동안 수행되었던 교육사학적, 교육철학적 스포츠교육연구들에 대한 검토 작업이며, 이를 근거로 우선적으로 궁구되어야 할 몇 가지 연구주제들을 파악하려 한다. 다음절에서는 북미, 영국, 호주 등 영어 사용권 국가들에서 행해진 스포츠교육사적 연구들을 살펴보고, 제3절에서는 스포츠교육철학적 연구들을 둘러본다. 제4절에서는 국내 교육학 분야에서 이루어지고 있는 주요 교육사학적, 교육철학적 연구동향을 알아본 후 스포츠교육 탐구에의 시사점을 찾아보고, 제5절에서는 이 2가지 접근으로 인하여 스포츠교육학 연구가 새로운 활로를 찾기 위해서 노력해야 할 사항들을 간단히 언급하고 끝맺는다. (물론 본 고찰은, 범위 면에서, 한정된 자료를 바탕으로 한 제한된 고찰이 될 것이다. 그리고 내용 면에서도, 주로 연구주제에 관한 논의에 초점을 맞추고, 탐구방법에 관한 언급은 필요한 경우 이외에는 제한하게 될 것이다. 각각의 탐구방식에 관한 자세한 정보는 Kirk(1992)과 Best(1978)에서 찾아볼 수 있다.)

 ## 스포츠교육의 역사적 탐구

체육학 분야에서 역사학적 관심은 전적으로 스포츠라는 체육활동의 한 영역에만 집중하여 주어졌다. 그리하여 스포츠역사학은 체육학의 한 하위 학문영역으로 발전해 온 것에 비하여 스포츠교육의 역사적 연구는 그에 비례한 만큼의 관심을 얻어오지 못하였다. 그동안 스포츠교육에 관한 역사적 연구는 독자적 연구영역으로 성장하지 못하고 스포츠역사학과의 관련에서만 이루어졌다. 즉, 학교에서의 체육이나 체육의 교육적 활용 그 자체에 대한 역사학적 이해보다는, 스포츠활동에 대한 역사적 탐구의 한 부분으로 스포츠가 교육적으로 어떻게 활용되었는가를 파악하는 방식으로 이루어졌다. 스포츠역사학의 조그만 소영역으로 성장해온 것이다. 주로 중세 이후 14세기에서 19세기까지 근대의 태동기에 스포츠가 어떻게 성장하였는가를 밝히려는 작업의 한 일환으로 영국과 미국의 엘리트 중등학교에서의 스포츠를 연구하였다.

그러나 최근 들어 전반적인 교육사적 연구에 관한 학자들의 관심과 함께 학교교육, 교육과정, 그리고 교과목의 역사적 탐색에 관한 연구들이 줄이어 발표됨에 따라 체육교육에 관한 보다 전문적인 역사학적 관심이 주어지고 있다(Goodson, 1994; Musgrave, 1988). 그간의 연구결과를 정리하는 최근의 논문에서 Kirk(1998b)는 3가지 주된 연구 경향들을 찾아내어 정리하고 있다. 첫째, 영국과 기타 국가들에서 중상류층을 위한 엘리트학교에서 행해진 학교체육과 스포츠활동에 관한 연구. 둘째, 여성주의적 시각에서 학교체육과 스포츠를 바라본 연구. 셋째, 일반 학생들을 위한 공립학교에서의 학교체육과 스포츠에 관한 연구. 그에 따르면, 그동안 첫 번째 유형의 연구가 가장 많이 행해졌고, 두 번째 유형은 중류 계층과 남학생들을 위한 불평등 유지와 조장의 수단으로 학교체육에 관한 연구가 주종을 이루며, 세 번째 유형의 연구는 이제 막 그 연구가 시작되고 있는 형편이다. 이하에서는 각 유형의 연구를 차례로 살펴보도록 한다.

01. 엘리트 계층을 위한 학교체육과 스포츠

이 주제로 행해진 연구들은 대부분 영국에서 빅토리아 왕조와 에드워드 왕조 시대를 중심으로 남학생을 위한 사립학교를 대상으로 이루어졌다. 이 경향의 연구들은 그동안 스포츠와 운동경기가 교육적 이데올로기를 유지시키고 강화시키는데 활용된 이유와 과정에 관하여 학문적 설명을 가능하게 하는 주요 개념들을 제시하고 검증하는 중요한 업적을 이루고 있다. 가장 중요한 역할을 해온 연구자는 영국의 Mangan(1981, 1985)이라고 볼 수 있는데, 그는 '운동주의와 게임 윤리' athleticism and games ethics 에 관한 연구를 통하여 학교교육에서 스포츠가 영국 사회의 지배적 이데올로기를 어떻게 유지하고 전달하였는지를 모범적으로 보여주었다. 그는 이전의 연구들과는 질적으로 다른 개념과 방법을 사용하여 스포츠교육에 대한 역사학적 탐구의 수준을 한 단계 올려놓았다는 평가를 받고 있으며, 그가 처음으로 활용한 여러 아이디어들이 다른 연구자들에 의해서 적극적으로 재활용되고 발전되고 있는 중이다. 예를 들면, Humble(1988)은 서로 아주 다른 성격의 두 학교가 새로운 장소로 이전하게 된 서로 다른 이유를 밝히고 있다. 그는 이 두 학교가 옮긴 장소는 전보다 운동장이 넓고 스포츠시설이 많은 곳이었는데, 그 이전의 원인이 당시 영국사회에 만연하던 '게임 윤리'의 영향을 받은 것인지를 알고 싶었다. 그는 각각의 학교는 서로 다른 속사정으로 학교를 옮겨야만 했는데, 운동경기를 중시하던 게임윤리의 영향을 받아 체육적으로 좋은 환경이 마련된 곳으로 옮겼다는 것을 밝혀내었다.

Chandler(1988)는 영국의 사립학교에서 스포츠와 게임을 강조하는 운동주의가 부흥하게 된 경위를 알아보려는 연구를 행하였다. 그는 유명한 두 학교를 사례로 하여 1800년에서 1860년 동안의 과정을 살펴보았다. 그에 의하면, 운동주의가 부흥하게 된 것은 스포츠가 기숙사 생활을 하는 학생들을 통제하는 좋은 방도를 제공한다고 생각한 교장의 의도는 물론이고, 학생들, 교사들 그리고 부모들이 모두 그것을 받아들이는 분위기를 조성하고 있었기 때문이다. 즉, 만약 학교의 전반적 문화가 학생들에게 강압적이고 일방적으로 운동을 강조하는 분위기였다면 스포츠게임을 그렇게 오랫동안 해올 수 있지 못했다는 것이다. Bailey(1995)는 1382년부터 1680년 사이의 기간 동안 윈체스터 대학에서 행해진 레크리에이션활동에 관하여 연구하였다. 이를 통하여 19세기 훨씬 이전부터 학교에서는 교육적 목적을 가지고 체육활동을 활용하고 있음을 보여주었다. 그는 이 기간 동안 행해진 체육활동은 남학생들로 하여금 그 시기 지배계급으로서 갖추어야 하는 문화적 자본을 소유하도록 하는 구체적 목적을 가졌다고 주장하였다. 엘리트 계층의 학생들을 위한 교육활동으로서의 학교체육과 스포츠에 관한 주제와 관련해서는 이 밖에도 호주(Stewart, 1992), 캐나다(Eastman, 1988), 프랑스(Van de Poel-Knottnerus, 1992), 일본(Abe & Mangan, 1997) 등에서 행해진 연구들이 있다.

02. 여성을 위한 학교체육과 스포츠

이 주제로 행해진 연구들은 주로 여성주의적 관점에 의거해서 이루어졌다. 앞의 주제에 관해 행해진 연구경향보다는 이론적으로나 실제 연구 결과로나 다소 미흡한 수준에 있으나 점차 많은 여성학자들의 관심을 모으고 있어 상당한 발전의 여지를 가지고 있다. 이 연구들은 대부분 대상 면에 있어서 엘리트 계층의 여자학교를 중심으로 행해져왔다. 예를 들면, McCrone(1988)은 엘리트 계층의 여학생들을 위한 사립학교에서 스포츠게임이 부흥하게 되는 경위를 탐색하였는데, 여자 교장들은 게임활동이 여학생들에게 다양한 도덕적 가치들을 가져다준다는 믿음을 가지고 있었음을 밝혀내었다. 그러나, 거친 스포츠는 여자 아이들을 '여성답지 못하게' 만들기 때문에 완화된 형태로 행하도록 했고 여성답게 참가하는 것을 강조하였다. 이 여자 교장들은 정신적으로 강하고 새로운 아이디어를 가지고 있기는 했으나, 여자는 남자보다 못한 지위를 가져야 한다는 그 당시 남성우월주의적 이데올로기에 당면해서는 자신들의 견해를 수정해야만 했던 것이다. Hargreaves(1987) 또한 빅토리아왕조시대에 있어서 가족중심주의를 강조하는 사회적 분위기에 의한 여성체육의 억압에 관하여 연구하였다. 가족중심주의는 빅토리아왕조 시대에 남성우월적 사고가 가장 극명하게 드러난 상징이라고 볼 수 있다. 그리하여 이 당시의 여성체육교육인들이, 사회적으로 비난받지 않고 제한받지 않기 위하여, 자신의 의사와는 상반되게 '여성다운' 스포츠교육활동을 만들게 된 경위와 과정에 대하여 탐구하고 있다.

이와 함께, 일반 학생들을 대상으로 하는 스포츠교육의 영역에서 행해진 연구들도 있다. Fletcher(1984)는 1880년에서 1980년까지 영국의 스포츠교육분야에서 여자들이 차지하던 역할이 축소되고 제한되는 과정에 관한 모범적인 분석사례를 보여준다. 1890년대 이후 1940년대까지 영국의 스포츠교육분야에서 주도권을 이끌던 집단은 여자체육교사들이었다. 그러나 2차대전 이후 남자들이 대거 체육 분야로 옮겨 들어오게 되면서, 그리고 그 당시 영국 대학사회에 새롭게 닥쳐오던 사건들 때문에 여자 체육지도자들의 역할이 감소하게 되었음을 밝히고 있다. J. Wright(1996)도 호주의 스포츠교육분야는 남성 중심적 성격을 띤 주제들이 논의의 중심이 되어왔으며, 그에 따라 다른 관점이 배척된 것은 물론이고 게임과 스포츠가 아닌 다른 형태의 체육활동이 학교체육에서 제외되는 결과를 낳았다고 주장한다. 이로 인하여 학교체육에서 여학생의 참여가 극도로 제한되고, 체육활동에 대한 실제적 체험의 기회가 줄어들어 여학생들을 '약하고 열등한' 존재로 인식하게 만들고 있다고 말한다. 학교체육과 스포츠에 있어서 여성에 관한 주제로 행한 연구들은 이외에도 캐나다(Vertinsky, 1988), 뉴질랜드(Smith, 1997)에서도 행해지고 있다.

03. 일반 학교에서의 체육교육과 스포츠

앞서도 언급했듯이, 이 주제에 관한 연구는 최근 들어 본격적인 관심을 받고 있어서 뚜렷한 연구관점을 가지고 이룬 연구성과가 분명하지 않다. 아일랜드에서 체육교과가 학교에서 가르쳐지게 된 전반적인 과정을 다룬 O'Donoghue(1986)의 연구, 미국 매사추세츠 주정부가 19세기 말 학교에서 군사훈련을 필수교과로 법제화하려고 한 사실을 탐구한 Barney(1987)의 연구, 그리고 19세기 말 캐나다의 일부 지역에서 군사훈련적 성격을 띤 체육교과를 학교에서 가르치도록 한 사회적 요인들을 다룬 McNutt (1991)의 연구 등이 있다. 이 가운데 가장 체계적이고 지속적인 연구는 호주에서 활동하다 최근 영국으로 옮겨간 Kirk(1992, 1998a)에 의하여 이루어졌다. 그의 연구는 지식사회학과 교육과정역사학에서 사용하는 이론적 개념과 연구방식을 적극적으로 활용한 최초의 학교체육교육역사학적 연구라고 볼 수 있다. 그의 연구는 또한 스포츠사회학과 역사학의 연구성과와 함께 최근 문화연구의 한 영역으로 부각되고 있는 '신체의 사회학과 역사학'의 연구성과도 반영하고 있다. 학교의 정규교과목으로서 체육교과가 어떠한 사회적, 역사적 과정과 이해집단 간의 갈등 속에 성장하는가를 영국과 호주의 두 곳에서 보여주고 있다.

우선, 『체육교육만들기: 전후 영국에서의 체육교과의 사회적 형성』(Kirk, 1992)은 제2차 대전 이후 영국에서 체육교과가 어떠한 사회적, 정치적 우여곡절을 거쳐 학교교과목으로 자리를 잡아가고, 스포츠중심적인 과목으로의 성격을 형성해 가는가를 그리고 있다. 즉, 1940년대 이후 어떻게 스포츠교육의 개념에 대한 특정 관점들(스포츠중심 관점)만이 '정통적인' 스포츠교육으로 인정받게 되었으며, 이 개념들은 스포츠교육

분야 내의 특정 그룹(남성 지도자)에 대하여 보다 많은 사회적 재화를 가져다주었음을 보여주고 있다. 그리고 이러한 역사적 형성과정이 1980년대 중반 대처정부가 총선을 위한 정치적 도구로 학교체육을 이용하는 데에 어떻게 영향을 미쳤는가를 밝히고 있다. 호주의 체육교육을 대상으로 한 연구인 『학교에서 신체교육시키기: 학교체육의 실제와 사회적 담론 1880-1950』(Kirk, 1998a)에서는 1880년대에서 1940년대까지 호주의 각 지역에서 병식 및 도수체조, 스포츠게임, 그리고 신체검사 등과 같은 체육활동들이 시행되게 된 역사적 연원을 밝히는 것을 주된 내용으로 삼고 있다. 이 당시 학교체육활동의 대부분을 구성하던 이 같은 활동들이 인간의 신체를 규율하고 억압하고 특정한 방식으로 취급되도록 하면서 사회적, 문화적으로 형성되도록 하는 커다란 역할을 하였다. 이 과정은 물론 사회, 정치, 문화 일반에서 진행되고 있던 담론들이 결정적 영향을 미쳤고, 학교체육은 이러한 담론들이 현실화되어 이루어지는 사회적 실험실을 마련해 준 것이다.

III 스포츠교육의 철학적 탐구

스포츠교육에 관한 철학적 관심은 오래전부터 있어왔다. 제1차 대전 이후 1970년대까지는 체육활동이 지닌 교육적 가치를 주장하는 연구들이 많이 행하여졌다. 이들은 주로 유명한 철학자들의 사상 속에 담긴 체육활동의 가치를 찾아내 드러내거나, 대표적인 철학사조들에 내포되어 있는 체육에 대한 시사점들을 들춰내 밝혀내는 방식으로 철학적 탐구를 진행하였다. 초기 체육철학자의 대표자인 Zeigler(1975)와 Osterhoudt (1978)의 저작들에서 이 같은 경향의 좋은 예시를 찾아볼 수 있다. 이들은 한편으로는 플라톤, 아퀴나스, 루소, 듀이 등 고대부터 근대를 망라하는 철학자들의 체육사상을 추출하여 제시하였고, 다른 한편으로는 관념론, 실재론, 실용주의, 실존주의, 현상학 등 철학사조에 비추어본 스포츠교육적 현상에 대하여 설명하였다. 체육의 교육적 가치에 대한 '○○주의 체육철학', '○○의 체육사상'적 접근은 1970년대 들어 체육활동의 하나인 스포츠에 대한 본격적인 철학적 관심이 쏟아지면서 1980년대 이후에는 북미체육학계에서는 사라지게 된다. 이때부터는 '스포츠철학'이 성립되면서 교육철학적 관심은 뒷전에 밀려나게 된다(Kretchmar, 1996; Morgan & Meier, 1995).

이 같은 경향이 지금도 계속됨으로써 체육에 대한 교육철학적 탐구는 예전과 같은 활발한 활동이 이루어지지 않고 있다고 볼 수 있다. 그러나, 다행스럽게도 스포츠철학이 전면으로 부흥하게 되면서도 스포츠교육철학적 탐구는 이면에서 몇몇 2세대 연구자들에 의해서 지속적으로 진행되어왔다. 다만, 이들의 탐구방식은 이전의 개괄적인 사상, 주의중심적 접근이 아니라, 20세기 후반 철학의 주요 세력으로 등장한 분석철학적 성향을 띠게 된 것이다(Best, 1978). 스포츠교육의 분석철학적 탐구는 스포츠교육의 주요 개념들에 대한 철저한 개념분석과 그것을 통한 스포츠교육활동의 목적론적, 인식론적, 윤리학적, 미학적 측면에 초점을 맞추었다. 체육의 가장 기본적인 개념들인 스포츠, 게임, 놀이, 움직임, 무용, 스포츠맨십 등이 세밀한 분석이 이루어지고, 이들이 교육적 측면에서 어떤 의미를 가지고 가치를 지니고 있는가가 조금씩 논의되기 시작하였다.

분석적 교육철학의 체육에의 적용은 주로 영국을 중심으로 이루어졌는데, 이것은 분석철학의 교육에의 도입을 주도한 Peters(1966)와 Hirst(1974)가 영국 출신이었기 때문이었다. 그리하여 스포츠교육현상의 철학적 탐구는 현재까지는 주로 이 두 교육철학자로 대표되는 분석적 교육철학에서 개발된 탐구 방식과 탐구 주제를 중심으로 이루어지고 있는 형편이다. 물론 현상학(Whitehead, 1990), 실존철학(Standish, 1998), 또는 포스트모던철학(Kirk, 1997)의 영향을 받은 연구들이 있으나, 이들은 어떤 집중적이고 지속적인 연구성과를 보이지 못하고 간헐적이고 산발적인 형태로 이루어지고 있어 어떤 경향성을 지니고 있는지 언급하기가 곤란하다. 따라서, 분석적 교육철학의 영향을 받은 연구들을 중심으로 그동안 논의된 연구주제들을 정리하기로 한다. 그간의 연구는 대략적으로 체육교육의 정당화와 목적에 관한 논의, 스포츠교육에 독특한 지식에 관한 논의, 체육의 도덕교육적 성격에 관한 논의, 그리고 체육의 심미교육적 특성에 관한 논의를 중심으로 요약할 수 있다. 이들은 각각 교육목적론, 교육인식론, 교육윤리학, 그리고 교육미학의 범주에 소속되는 연구들이다.

01. 체육교육의 정당화와 목적

이 주제에 관한 연구는 거의 전적으로 교육철학자 Peters(1966)가 제기한 교육의 조건과 정당화 방식에 대한 체육적 대응을 찾는 과정으로 진행되었다. 피터스는 개념분석을 통하여 어떤 활동이 '교육적인 것'이 되려면 그것은 내재적으로 가치 있어야 하고, 모종의 인지적 안목과 이해를 가져다주어야 하며, 도덕적으로 온당한 방식으로 행해져야 한다고 주장하였다. 이런 조건을 만족시켜야만 교육활동이 되는 것이다. 그리고 이것은 훈련과 사회화와 같이 교육과 유사한, 그러나 결코 교육이 아닌 활동들로부터 교육을 개념적으로 구분시켜준다. 허스트는 이러한 조건을 만족시키는 활동들을 몇 개의 '지식의 형식'으로 구분하여 제시하고 학교에서는 이 지식의 형식들만을 교과로 삼아야 한다고 주장하였다. 그런데, 이 지식의 형식들에 체육교과는 제외되었고 이로 인하여 스포츠교육철학자들은 체육의 교육적 정당화에 주목하게 되었다.

Carr(1997)에 의하면, 피터스와 허스트의 이 같은 도전에 체육학자들이 보인 응전은 3가지 형태로 요약된다. 첫째, 이들의 주장이 기본적으로 올바른 것으로 인정하고 체육활동은 참된 교육적 가치를 지니지 않는 것을 받아들인다. 그리고 체육활동의 교육적 정당화는 포기하고 비교육적 정당화 방법을 채택하여 교과 외 활동으로 체육을 주장한다. 둘째, 이들의 주장이 기본적으로 올바른 것으로 인정하고 이들의 교육개념에 체육의 전통적 교육내용을 '끼워' 맞추려고 노력한다. 셋째, 이들의 주장이 부분적으로, 또는 전적으로 잘못된 것으로 파악하고, 이론적, 학문적 활동과 실천적, 신체적 활동을 모두 포괄적으로 인정하는 대안적인 교육의 개념을 찾는다. 첫 번째 시도는 체육교육이 학교의 정규교과로서 정당성을 가질 수 없게 만드는 접근방식이기 때문에 스포츠교육철학자들에게 그다지 환영받지 못해왔다. 두 번째 시도는 한동안 주로 채택되어 여러 학자들에 의해 논의된 방식이었다. Carlisle(1969)나 Aspin(1975) 등은 체육활동이 각각 도덕교육이나 미학교육의 한 방식이라는 것을 논증함으로써 스포츠교육이 자유교양교육임을 정당화하려고 하였다. 그러나 이 시도는 철학적으로도 설득력이 약했으며 그리 오랫동안 세인의 주목을 끌지 못하였다.

세 번째 시도는 피터스와 허스트가 주장한 교육의 개념이 가진 논리적 약점을 찾아내어 그것을 보완함으로써 체육교과의 교육적 정당성을 드러내려고 하였다. 이를 시도한 몇몇 사람들 가운데 Carr(1979, 1981a)가 가장 분명하고 설득력 있는 논의를 전개하였다. 그는 이론적이고 인지적인 방식만이 앎과 이해를 가질 수 있는 통로가 아니라고 반박하고, 실천적이고 신체적인 앎과 이해의 방식도 인간의 합리성, 인간의 이해를 구성하는 개념적 조건이라고 논증한다. 그는 지식의 형식이론을 수정 또는 확대함으로써 다양한 신체적 활동과 기술이 교육적으로 중요한 지식임을 주장한다. 카의 초기 논의를 이어받아 최근 들어 Reid(1996, 1997)와 McNamee(1998) 등에 의하여 실천적, 신체적 특성을 강조하는 방식으로 체육의 교육적 정당화 논의가 활발하게 진행되고 있다(이 논의는 체육에서 추구하는 독특한 종류의 지식에 관한 논쟁과도 긴밀하게 관련되어 있다. 이하 참조).

스포츠교육의 정당화에 관한 논의는 자연스럽게 스포츠교육의 목적이 무엇인가에 대한 논쟁으로 연결된다. 즉, 체육활동을 통해서 얻어지는 교육적으로 가치 있는 결과는 무엇인가? 피터스에 의하면 그것은 인지적 안목이다. 학생은 이 안목을 가짐으로써 지식의 형식에 입문되는 것이다. 그리하여 교육은 성년식과 같다고 주장한다. 앞의 대응방식에 따라 스포츠교육철학자들은 피터스의 주장 중에서 마지막 부분에 대해서는 대체적으로 동의하였다. 스포츠교육은 가치 있는 활동에 입문하는 성년식과 같다. 그러나 내재적으로 가치 있는 활동을 이론적 지식에 한정하지 않으며 학생을 정신적 존재만으로 제한하지 않는다. Parry(1988)는 내재적으로 가치 있는 활동이란 인간을 인간답게 만들어 주는 활동이며, 인간을 인간으로 성장하도록 하는 활동은 바로 인류가 '문화'의 형태로 이룩해놓은 활동이라고 주장한다. 그러므로, 교육은 문화에 입문시킴으로써 학생을 성인으로 만드는 성년식이다. 이때 체육활동은 문화의 한 형식이며 체육활동을 가르침으로써 학생을 온전한 의미에서의 인간으로 성장하게 만든다. 그러므로 체육은 교육적으로 정당화된다. Thatcher(1986)는 인간을 규정짓는 최종적 실체는, 심신이원론에서 이야기하듯이, 정신적 존재가 아니다. 인간은 정신적 속성과 육체적 속성을 동시에 '한꺼번에' 가지고 있는 존재이다. '인간(사람)'이란 개념에는 처음부터 신체적 상태와 정신적 상태가 하나로 붙박여져 있다. 교육의 목적이 인간을 온전한 형태의 '인간'으로 입문시키는 것이라면, 그것은 정신과 신체를 모두 포함시켜야 하며, 따라서 체육활동은 인간의 교육에 '개념적 조건', 즉 필수조건인 것이라고 주장한다(McNamee, 1992).

02. 체육교육만의 독특한 지식

체육교과가 학생에게 교육적으로 제공해주는, 체육교과만의 특별한 종류의 지식이 있다는 주장을 함으로써 스포츠교육철학자들은 교육과정상에서 체육교과의 존재를 정당화하고 있다. 이 주제는 그 독특한 종류의 지식이 어떤 성격의 것이며, 그것이 어떠한 과정을 거쳐서 획득되는가에 관하여 탐색 되어왔다(Reid, 1996). 우선, 주지교과에서 배우는 명제적 지식과는 종류가 다른 방법적 지식의 구체적 성격에 관해서 Carr(1981b)는 '실천적 지식' 이라고 부르면서, 아리스토텔레스의 실천 개념에 근거하여 앎의 종류를 이론적 앎과 실천적 앎으로 나눈다. 인간을 앎으로 이끄는 사고방식에는 서로 성격을 달리하는 이론적 사고와 실천적 사고가 있으며, 이 둘은 각각 종류가 다른 지식을 만들어낸다. 실천적 사고는 일을 잘하는 것이나 능숙한 기술을 발휘하는 것과 관련된 실천적 지식을 만들어내며, 기술을 발휘하는 것이나 게임을 잘하는 것에는 실천적 사고가 관여되는 실천적 지식이 활용된다고 말한다. Ross(1989, 1994)는 체육적 지식에 '신체행위적 지식'이라는 이름을 붙이지만, 그 성격은 동일한 것으로 파악된다. 이 지식은 연습을 통하여 획득되며 언어적으로 표현되지 않고 운동기능을 발휘할 때 표현된다. 이 둘의 공통점은 모두 그 이론적 근거를 '행위이론'에서 취한다는 것이다. 이와 함께, Arnold(1979)는 체육활동을 통해서 얻을 수 있는 신체적 지식을 학생들의 신체감각적 느낌과의 관련해서 파악하여 '운동감각'이라고도 부른다. 그리고 그것의 습득과정과 습득한 상태에 대하여 언급한다.

03. 체육활동의 도덕교육적 가치

상식적 통념에 의하면 스포츠를 포함한 체육활동은 도덕적, 윤리적 덕목을 함양하기 위한 가장 좋은 매개 역할을 한다. 체육활동은 인내심, 자긍심 등 개인적 덕성과 협동심, 정의심 등 사회적 덕성을 적극적으로 육성시켜준다고 믿어지고 있는 것이다. 스포츠교육철학자들은 이러한 상식적 통념에 만족하지 않고 체육활동의 '개념' 속에 도덕교육적 특성이 논리적으로 함의되어 있는가를 분석하고 주장하였다. 그 결과는 한편으로는 이 관련이 우연적이라고 주장하는 쪽과 다른 한편으로는 그것이 필연적이라고 주장하는 쪽으로 나뉘어져 왔다. 우선, L. Wright(1987)는 체육활동이 도덕적 특성을 육성하는데 도움을 줄 수 있기는 하지만, 체육활동에 참가한다고 해서 반드시 도덕성이 함양되는 것이 아니라고 주장하였다. 그것은 체육활동의 개념에는 도덕적 특성이 논리적으로 포함되어 있지 않기 때문이다. 그러므로, 체육활동을 통해서 덕성을 함양하려면 체육교사는, 가만히 앉아 아무 조치도 취하지 않아서는 곤란하고 반드시 도덕적 덕목을 교육목표로 '따로' 설정하여 특별한 노력을 쏟는 도덕교육적 자세를 취해야 한다고 말한다. Meakin (1981)은 이러한 주장의 연장선상에서 체육활동의 종류에 따라 도덕적 덕목의 육성 가능성이 많고 적음을 분석하고 있다. 그는 체육활동의 종류를 스포츠게임 활동, 체조활동, 무용활동, 그리고 야외활동으로 구분하였다. 경쟁적 성격이 강한 스포츠게임활동은 '상당히' 그리고 체조활동은 '어느 정도' 윤리적 덕성을 함양시킬 여지를 많이 가지고 있다. 반면 무용과 야외활동은 파트너와 단체로 행해지는 환경에서만 육성의 가능성이 '어느 정도' 있다.

이와는 달리, Arnold(1997, 1999)는 체육활동에는 그 개념의 한 부분으로 덕목의 특성을 포함시키며, 따라서 체육활동은 개념적으로 도덕교육적 특성을 가지고 있다고 주장한다. 그는 '스포츠'를 중심으로 McIntyre(1981)의 '사회적 인간활동'(practice) 이라는 아이디어를 빌어 이 주장을 펼치고 있다. 스포츠는 전 세계적으로 모든 사람들이 참여하는 전 인류적 현상이다. 스포츠는 역사적으로도 그래왔으므로 이것은 맥인타이어가 말하는 '사회적 인간활동'으로 취급될 수 있다. 사회적 인간활동은 인간이 오랜 시간 동안 노력을 기울여 성립시켜놓은 문명된 삶의 양식으로서, 전통을 가진 문화이며 내재적 가치를 갖는다. 사회적 인간활동으로서의 스포츠는 그것이 가지고 있는 내재적으로 가치로운 특성으로 인하여 도덕적 활동이다. 스포츠는 정의와 공정의 덕목을 기초로 하고 있으며 최고의 능력을 발휘하려는 과정에서 필연적으로 바람직한 덕목들을 내어놓는다. 그러므로 이것이 학교교육으로 가르쳐질 때는 도덕교육적 가치를 가질 수 있다. 한편, Carr(1998)는 스포츠나 게임활동이 학교교과로서 가르쳐질 때 도덕적 성품의 함양을 가져다준다는 점을 인정한다. 그러나 이것은 스포츠나 게임이 '스포츠교육'활동으로 간주될 경우에 한해서 만이며, 따라서 다른 인간의 활동과 마찬가지로 교사의 역할이 중요하다. 교사는 체육활동을 가르칠 때 그 운동의 전문가로 자신을 생각해서는 안 되고 '교육자'의 역할에 보다 주의를 기울여야 한다.

04. 체육활동의 심미교육적 특성

이 주제에 관한 연구는 아직 거의 이루어지지 않고 있다. 스포츠의 미학적 측면을 다룬 스포츠미학 연구들(Whiting & Masterson, 1974)이 대부분을 이룰 뿐, 체육활동이 학생의 미적 안목의 형성이나 미적 감상 능력의 발달에 어떤 도움을 줄 수 있는지에 관해서는 본격적 논의가 진행되지 않고 있는 실정이다. Arnold(1988)는 학교에서 이루어지는 심미적 교육은 각 교과별로 이루어져야 하며, 각 교과에 담겨진 심미적 차원에 대한 이해를 높이도록 하는 것이어야 한다고 주장한다. 체육교과의 경우 이 이해는 신체활동을 매개로 하여 심미적 지각 능력을 향상시키고 움직임의 체험을 심화시키는 방식으로 성취되어야 한다. McFee(1996)는 무용교육에 대한 최초의 본격적인 분석철학적 논증을 시도하면서, 무용활동을 중심으로 심미적 교육의 의미와 가능성을 분석하고 있다. 그는 무용이 교육적으로 가지는 가치를 내재적으로 정당화시키는 작업을 수행하면서, 그와 함께 예술교육으로서의 무용의 성격을 설명하고 논증한다.

Ⅳ 한국교육학 연구의 현황과 시사점

지금까지 스포츠교육학 연구의 새로운 방향성을 찾기 위하여 그동안 영어 사용권 국가들에서 간헐적으로 드러나지 않고 행해지던 스포츠의 교육사학적, 교육철학적 탐색들을 나름대로 정리해보았다.

물론, 우리나라에서도 스포츠교육에 대한 역사적, 철학적 탐색이 전혀 수행되지 않았다고 하면 그것은 거짓일 것이다. 그간 학교체육이 구한말(곽형기, 1991), 일제시대(유근직, 1999), 해방 후(김달우, 1992)에 어떻게 수립되고 발전되어 왔는가에 관한 연구들이 행해져 왔다. 그러나 이 연구들은 대부분이 교육역사학적 토대 위에서 분석방법론과 주제를 빌려오지 못하고 시간적 과정에 따른 사건의 발단과 전개를 기술하고 있을 뿐이다. 그리하여 역사관, 이론적 시각에 근거한 교육사학적 해석이라는 점에서 미흡하다고 볼 수 있다. 특히, Kirk(1992)가 보여주었던 것과 같이 학교교육의 일부분으로서 학교체육이 형성되고 변천하는 과정에 관한 자세하고도 치밀한 분석이 보이지 않고 있다. 또한, 스포츠교육의 철학적 측면에 관한 연구들도 행해져왔으나, 아직 그 내용과 방식이 60년대, 70년대의 '누구누구의 사상'이나 '무슨무슨 주의'적 접근방식을 벗어나지 못하고 있는 실정이다. 체육, 스포츠, 무용 등 스포츠교육의 핵심적 개념들에 대한 철저한 철학적 분석과 논의를 시도해오지 않고 있다. 다만, 초보적이나마 최근 들어 영국 스포츠교육철학자들의 논의를 바탕으로 스포츠교육의 철학적 탐구를 모색하는 조짐이 보일 뿐이다(최의창, 1995, 1997).

이처럼 현재 가사 상태에 있는 우리의 스포츠교육 연구에 교육사학적, 교육철학적 인공호흡을 해줄 수 있는 곳은 국내 교육학계의 연구동향이다. 다행스럽게도, 국내 교육학계에서는 그동안 교육역사학적, 교육철학적 연구를 적극적으로 수행해왔으며, 외국의 연구동향을 그대로 답습하는 수준에서 한 걸음 더 발전하여 한국적 연구주제와 동양적 탐구방식을 개발함으로써 교육연구의 새로운 지평을 열고 있다(서울대학교 교육연구소, 1998). 이 절에서는 여러 다양한 연구들 중에서 확고한 이론적 입장 위에서 일관성 있고 지속적인 연구성과를 내고 있는 연구프로그램 2가지만을 고찰한다. 하나는 교육역사학적 연구프로그램이며, 다른 하나는 교육(과정)철학적 연구프로그램이다. 국내 교육학에서 이루어진 이 2가지 방향의 연구성과를 살펴봄으로써, 제2절과 3절에서 정리한 영미의 스포츠교육역사와 철학적 연구들을 한국적으로 연결시킴으로써 우리 스포츠교육학 연구를 위한 시사점을 발견할 수 있을 것이다. 이 작업이 본 절의 과제이다.

우선, 최근에 '교육역사사회학'이라는 탐구양식의 이름을 빌려, 국가교육체제의 형성에 관한 심층적인 연구가 진행되고 있다(김기석, 1998, 1999). 국가교육체제의 형성은 한국의 근대 교육이 '시간을 매개로 가장 분명한 형태의 교육이념, 학교조직, 교과내용 및 사회적 기능을 갖추어 가는 과정'을 말하며, 그 과정에 관계하여 영향을 미친 요인들과 그것들과의 다면적 연관을 분석하는 것이다. 이 연구들은 '한국 교육의 특징은 무엇이며, 어떻게 그리고 왜 그러한 특징을 갖추게 되었는가?'를 핵심 연구질문으로 하여 국가교육체제의 형성을 검토한다. 그리하여 지금까지 조선 후기(우용제, 1999) 이래 전통적인 학교체제와는 질적으로 다른 구한말 서양식 교육체제(김기석, 유방란, 1994)가 등장하는 과정, 그리고 일제 시대의 식민지 교육체제(오성철, 1996)를 거쳐, 해방 이후 분단교육체제(김기석, 1997)로 굴절되며, 현대적인 입시 위주의 특이한 형태로 팽창하여 가는 과정을 역사사회학적 관점에서 치밀하게 분석하고 있다(서울대학교 교육연구소, 1997). 특히, 이 접근방식에서는 '과학적 실재론'이라고 부르는 사회과학철학을 채택하여 실증주의적 과학철학으로는 올바로 설명되지 않는 국가교육체제의 형성에 영향을 미쳤던 핵심요인들과 그것들이 상호작용하는 과정을 세밀하고 정확하게 파악해 내는 설명체계를 만들어내려고 한다.

이 연구프로그램이 스포츠교육 영역에 활용되는 모습은 다소간 규모가 작은 형태를 띠게 될 것이다. 한국 교육 전체가 아니라 교육의 한 부분으로 체육교과에 한정되게 적용하므로, 이 접근은 스포츠교육(과정) 역사사회학적 접근이라고 규정할 수 있을 것이다. 조선 후기 교육체제 내에서 체육활동을 다루는 교과가 어떤 위치에 있었으며 그것이 교육체제의 변천과 함께 어떤 모습으로 변하게 되는가에 관한 연구, 구한 말 신교육체제가 들어서고 변화해가면서 체조과목이 선택되고 변화하게 되는 경위와 그 사회적 요인들에 관한 연구, 일제 시대에 식민지 교육체제 내에서 체조교과목의 형성과 그것이 식민지 교육체제 유지에 있어서 시간적 변화에 따른 역할에 관한 연구, 해방되고 국가 재건 시기의 교육체제 내에서 체육과로 성격이 바뀌게 된 역사사회적 요인과 과정에 관한 연구, 70년대 이후 입시 위주의 교육체제가 형성되는 과정에 있어서 체육교과의 역할과 위치 변화에 관한 연구 등이 우선적으로 실천될 수 있을 것이다. 이러한 연구는 Kirk(1992, 1998a)가 행한 연구와 그 주제나 탐구방식 면에서 거의 동일한 종류의 연구가 될 것이다.

그리고, 교육의 본질과 목적에 대한 특정한 관점에서의 교육철학적 탐구가 진행되고 있다. 이 관점에서는 교육에 관련된 제반 이슈들, 특히 교육과정과 관련된 개념들(지식, 실재, 마음, 교과, 통합, 내용, 방법 등)에 대한 이론적 관심을 가지고 이것들의 의미를 다양한 철학적 시각에서 드러내려고 한다. 그리하여 이 연구프로그램은 '교육과정철학'이라고 불리기도 한다(유한구, 1998). 현재로서는 특히, 교과와 마음과 실재의 관계, 동양의 교육과정이론, 그리고 교과별 지식이론, 그리고 도덕교육론에 관하여 주목을 집중하고 있다(이홍우, 1998). 첫째, 교육의 목적과 완성된 인간에 대하여 형이상학적, 존재론적으로 탐구한다. 교과(내용)은 인간의 마음을 형성하기 위한 것이며 이 마음은 총체로서의 실재를 학습하여 그것을 자기화함으로써 완성된다. 교과는 실재의 모습을 담고 있는 양상화된 실재로서 학생을 전인으로 인도하는 가장 확실한 매개이다(이홍우, 1996; 조영태, 1998). 둘째, 동양의 철학이론 특히, 성리학과 불교이론을 교육적으로 해석하여 이것이 교육목적, 교육내용, 교육방법에 관하여 어떤 이론적 함의를 내포하고 있는가를 체계화시킨다(김광민, 1998; 장성모, 1991). 셋째, 수학, 국어, 사회 등 각 교과가 반영하고 있는 학문적 지식들의 성격이 어떠한 것인가를 인식론적으로 탐구하며, 교육이 지식의 성격을 이해하는 데 어떤 역할을 하는가를 탐색한다(유한구, 1989; 임병덕, 1992). 넷째, 인성교육을 위한 도덕교육의 본질과 목적과 방법에 관하여 탐색하여, 지식과 덕성의 본질적 관련을 파악하며 지식교육을 통한 도덕교육의 실현을 이론적으로 논증한다(임병덕, 유한구, 이홍우, 1997; 유한구, 김승호, 1998).

이같이 교육(과정)철학적 탐구방식을 스포츠교육 영역에 적용하려는 시도는 그동안 행해진 스포츠교육 연구에 획기적인 전환점을 마련해 줄 수 있다. 기존 교육심리학과 교육사회학 중심으로 이루어진 연구들은 수업과 교사활동의 한 작은 부분에 한정된 경험적 자료수집을 바탕으로 얻어낸 결과들을 모자이크 조각 붙이듯 활용하여 체육수업과 교사에 관한 이해를 하려고 하였다. 그러나 이 같은 귀납적 방식과는 반대로, 교육철학적 접근은 연역적인 방식으로 행해지므로 체육교육, 수업, 교육과정, 교사 등에 관한 전체적 모습을 쪼갠 상태가 아니라 하나인 상태로 총체적으로 이해하고 그것으로부터 구체적인 것을 그려내도록 한다. 그리하여 우리나라는 물론 구미의 스포츠교육학 연구가 가장 취약한 스포츠교육의 이론적 기반을 보다 견고하게 구축할 수 있도록 할 것이다. 체육교육의 목적과 그 정당화에 관한 유학적 설명체계에 관한 연구, 교육내용으로서의 체육활동의 의미와 가치에 관한 연구, 교육의 대상으로서의 전인의 개념과 체육활동의 역할에 관한 연구, 지식과 도덕과 감성과 운동기능의 관계와 그 통합에 관한 연구, 체육활동에서 다루는 실천적 지식의 성격과 그 습득 방법에 관한 연구 등을 통하여 스포츠교육의 본질에 대한 깊이 있는 이해를 가능하게 할 수 있을 것이다. 앞 절에서 검토한 Carr(1998)나 Reid(1996) 등과 같은 영국 스포츠교육철학자들이 활용하고 비판하는 교육철학적 개념들이 국내 교육(과정)철학자들이 활용하는 그것과 동일한 철학적 배경을 하고 있기 때문에 서로 비추고 견주어 우리의 스포츠교육철학적 탐구(스포츠교육존재론, 스포츠교육인식론, 스포츠교육윤리학, 스포츠교육미학)에 적극적으로 응용할 수 있다. 그리고 특히, 국내 교육학자들의 연구가 동양적 교육(과정)철학의 성립을 가능하게 할 수준으로 그 성과를 내고 있어, 우리의 사고방식과 현실에 보다 타당한 연구 주제와 이론을 개발할 수 있는 동양적 스포츠교육철학의 탐색을 적극적으로 추진할 수 있는 발판을 제공한다(최의창, 1999 참조).

 # V 한 가지 과제

스포츠교육학 연구는 이제 제3기(3.0)로 들어서고 있다고 볼 수 있는데, 국내외 공히, 그 양적 증가에도 불구하고 현재 제1기(1.0)와 2기(2.0)의 그것처럼 활발하고 집중된 연구프로그램이 운영되고 있지 않다. 한편에서 보면 이것은 다양성의 증대로 학문적 발전의 증거로 볼 수도 있지만, 다른 편에서 보면 학문적 정체의 조짐일 수도 있는 것이다. 나는 이것을 후자의 징후로 감지한다. 스포츠교육탐구의 제3기가 이렇듯 초점을 잃고 중심을 놓은 상태가 지속되면 스포츠교육에 관여하는 우리 모두에게 불행한 결과가 초래될 것이다.

스포츠교육의 이론적 이해와 실천적 개선은 의지와 열정만으로는 이루어질 수 없고, 스포츠교육학 연구에 의존한다. 올바른 연구와 탐구 결과를 바탕으로 스포츠교육을 바라보고 실행에 옮길 때만 체육교육의 올바른 개선이 가능하기 때문이다. 이 연구에서는 생명의 활기를 불어넣어 줄 것이라 믿어지는 2가지 연구관점을 소개하고, 그 방향에서 관심받아 온 몇 가지 연구주제들 중심으로 그간의 연구성과들을 분석 정리하였다. 이렇게 함으로써, 국내외 스포츠교육학 연구에서 소홀히 해 온 것들이 무엇이며 당장 시급하게 관심을 기울여야 할 연구 주제들이 무엇인가에 대한 주의를 환기시키려고 하였다. 그리하여 제3기 스포츠교육학 연구를 활성화시키고, 그로 인하여 스포츠교육의 이론적, 현실적 모습을 보다 단정하게 가꾸고 나아지도록 노력함에 있어서 역사적, 철학적 탐구의 방향성을 제시하고자 하였다.

이제는, 우리의 스포츠교육을 올바로 바라보고 가꾸기 위한 제3기 스포츠교육학 연구가 그 목적지를 향해 항해하기 위하여 돛을 높이 올려야 할 때다. 그를 위해서는 배에 타고 있는 모든 선원들의 결연하고 합심 된 노력이 필요하다. 그 모든 노력을 세밀하게 나열하는 것은 어렵지만, 합심 된 노력이 집중되어야 할 최우선의 한 가지 과제는 너무도 분명하다. 체계적 관찰과 질적 연구만이 난무한 체육교육연구의 격전장에서 교육역사적, 교육철학적 탐구의 전통을 실낱같이 이어져 오게 한 영국과 호주의 전례에 비추어 보면, 스포츠교육에의 이 같은 탐구를 가능하게 하고 또 수준 높은 결실을 맺도록 한 원인은 자국의 교육역사학과 교육철학의 탐구가 어느 정도 전통이 쌓이고 활발하게 진행된 것에 기인하였다. 스포츠교육에 활용할 탐구 주제와 탐구 방식이 충분하게 마련되어 있었기 때문이다.

마찬가지로 한국의 스포츠교육 연구가 도약하기 위해서는 무엇보다도 가장 우선적으로, 국내에서 이루어져 온 교육역사학적, 교육철학적 연구성과들을 적극적이고 창의적으로 활용해야 한다. 앞에서 소개한 바와 같이 국내 교육학의 이 분야는 상당한 연구 전통 위에서 활발한 연구 활동을 벌이고 있다. 이들의 성과는 새로운 연구를 시작하기 위한 주제와 방법을 제공해 줄 수 있다. 그리하여 종국에 가서는, 미국과 유럽에 의존하고 있는 스포츠교육연구로부터 해방되어 한국적 스포츠교육학의 추구를 가능하게 하는 밑거름이 될 것이다. 탐구를 위한 원재료와 노하우를 서양 선진국에 전적으로 의존함으로써 학문식민지, 지식수입상으로 추락되어 있는 현 상황에서 벗어나, 스스로 개발하고 발굴하여 스포츠교육적 지식을 자가생산하는 스포츠교육 연구의 독립을 이룰 수 있게 될 것이다.

참고문헌

강신복, 최의창(1997). 스포츠교육학연구의 발전과 전망. 한국스포츠교육학회지, 4(2), 29-54.

곽형기(1991). 근대학교체육의 전개양상과 체육사적 의미. 서울대학교 대학원 박사학위논문.

김기석(1997). 한국 군대교육의 기원과 발달. 서울대학교 교육연구소(편), 한국교육사(pp. 191-264). 서울: 교육과학사.

김기석(1998). 국가교육체제의 형성: 역사사회학적 분석. 서울대학교 교육연구소(편), 교육학 대백과사전 1(pp. 877-882). 서울: 하우동설.

김기석(1999). 교육역사사회학. 서울: 교육과학사.

김기석, 유방란(1994). 한국근대교육의 기원 1880-1895. 교육이론, 7·8(1), 73-141.

김광민(1998). 교육이론으로서의 지눌의 불교수행이론. 서울대학교 대학원 박사학위논문.

김달우(1992). 해방이후 학교체육의 전개양상 재편 및 정착과정에 관한 연구. 서울대학교 대학원 박사학위 논문.

서울대학교 교육연구소(편) (1997). 한국교육사. 서울: 교육과학사.

서울대학교 교육연구소(편) (1998). 교육학 대백과사전 1, 2, 3. 서울: 하우동설.

오성철(1996). 1930년대 한국초등교육 연구. 서울대학교 대학원 박사학위논문.

우용제(1999). 조선후기 교육개혁론 연구. 서울: 교육과학사.

유근직(1999). 식민지 체조교육과 한국인의 신체형성에 관한 역사적 고찰. 한국체육학회지, 24(2), 24-34.

유한구(1989). 교육인식론 서설: 루소교육방법의 인식론적 고찰. 서울대학교 대학원 박사학위 논문.

유한구(1998). 교육과정철학. 서울대학교 교육연구소(편), 교육학 대백과사전 1(pp. 517-522). 서울: 하우동설.

유한구, 김승호(1998). 초등학교 통합교과교육론. 서울: 교육과학사.

이홍우(1996). 전인교육론. 도덕교육연구. 8, 1-21.

이홍우(1998). 교육과정: 개관. 서울대학교 교육연구소(편), 교육학 대백과사전 1(pp. 530-543). 서울: 하우동설.

임병덕(1992). 키에르케고르의 간접전달 연구. 서울대학교 대학원 박사학위논문.

임병덕, 유한구, 이홍우(1997). 초등학교 도덕과교육론. 서울: 교육과학사.

장성모(1991). 교육이론으로서의 주자학과 양명학. 서울대학교 대학원 박사학위논문.

조영태(1998). 교육내용의 두 측면: 이해와 활동. 서울: 교육과학사.

최의창(1994). 체육교육과정의 사회학적 탐구. 한국교육, 21, 207-235.

최의창(1995). 두 가지 내용과 두 가지 방법. 서울대학교 체육연구소논집, 16(1), 105-118.

최의창(1996). 체육교육과정탐구. 서울: 태근.

최의창(1997). 학교체육의 정당화. 교육학연구, 35(4), 229-251.

최의창(1999). 체육의 역연금술. 서울: 태근

Abe, I., & Mangan, J. A. (1997). The British impact on boys' sports and games in Japan: An introductory survey. *The International Journal of History of Sport, 14*(2), 187-199.

Arnold, P. (1979). *Meaning in movement, sport and physical education*. London: Heinemann.

Arnold, P. (1988). *Education, movement and the curriculum*. London: Falmer.

Arnold, P. (1997). *Sport, ethics and education*. London: Cassell.

Arnold, P. (1999). The virtues, moral education, and the practice of sport. *Quest, 51*(1), 39-54.

Aspin, D. (1975), Ethical aspects of sports and games, and physical education. *Proceedings of the Philosophy of Education Society of Great Britain, 9*, 49-71.

Bain, L. (1997). Sport pedagogy. In J. Massengale & R. Swanson (Eds.), *The history of exercise and sport science*(pp. 15-38). Champaign, IL: Human Kinetics.

Bailey, S. (1995). Permission to play: Education for recreational and distinction at Winchester College 1382-1680. *The International Journal of History of Sport*, *12*(1), 1-17.

Barney, R. K. (1987). To breast a storm: Nathaniel Topliff Allen and the demise of military drill as the physical education ethic in the public schools of Massachusetts 1860-1890. *Canadian Journal of the History of Sport*, *5*(3), 312-330.

Best, D. (1978). *Philosophy and human movement*. London: George Allen & Unwin.

Carlisle, R. (1969). The concept of physical education. *Proceedings of the Philosophy of Education Society of Great Britain*, *3*, 5-22.

Carr, D. (1979). The aims of physical education. *Physical Education Review*, *2*(2), 91-100.

Carr, D. (1981a). On mastering a skill. *Journal of Philosophy of Education*, *15*(1), 87-96.

Carr, D. (1981b). Knowledge in practice. *American Philosophical Quarterly*, *18*(1), 53-61.

Carr, D. (1997). Physical education and value diversity: A response to Andrew Reid. *European Physical Education Review*, *3*(2), 195-205.

Carr, D. (1998). What moral educational significance has physical education?: A question in need of disambiguation. In M. McNamee & J. Parry (Eds.), *Ethics and sport*(pp. 119-133). London: E & FN Spon.

Chandler, T. (1988). Emergent Athleticism: Games in two English public schools 1800-1860. *The International Journal of History of Sport*, *5*(3), 312-330.

Eastman(1988). Religion and sport: The denominational colleges, the genesis of physical education in Newfoundland. *Canadian Journal of the History of Sport*, *19*(2), 30-49.

Fletcher, S. (1987). The making and breaking of a female tradition: Women's physical education in England 1880-1980. In J. Mangan & R. Parks (Eds.), *From 'fair sex' to feminism: Sport and the socialization of women in the industrial and post-industrial eras*(pp. 145- 160). London: Frank Cass.

Goodson, I. (1994). *Studying curriculum: Cases and methods*. Buckingham: Open University Press.

Hargreaves, J. A. (1987). Victorian familism and formative years of female sport. In J. Mangan & R. Parks (Eds.), *From 'fair sex' to feminism: Sport and the socialization of women in the industrial and post-industrial eras*(pp. 130-144). London: Frank Cass.

Hirst, R. (1974). *Knowledge and the curriculum*. London: Routledge & Kegan Paul.

Humble, N. J. (1988). Leaving london: A study of two public schools and Athleticism 1870-1914. *History of Education*, *17*(2), 149-162.

Kirk, D. (1992). *Defining physical education; The social construction of a school subject in postwar Britain*. London: Falmer.

Kirk, D. (1997). Schooling bodies in new times: The reform of school physical education in high modernity. In J-H Fernandex-Balboa(Ed.), *Critical postmodernism in human movement, physical education, and sport*(pp. 39-63). Albany, NY: State University of New York Press.

Kirk, D. (1998a). *Schooling bodies: School practice and public discourse*. london: Leicester University Press.

Kirk, D. (1998b). School sport and physical education in history; An overview and discussion of published English language studies 1986-1998. *International Journal of Physical Education: A Review Publication*, *34*(2), 44-55.

Kretchmar, S. (1997). Philosophy of sport. In J. Massengale & R. Swanson (Eds.), *The history of exercise and sport science*(pp. 181-201). Champaign, IL: Human Kinetics.

Lee, A. (1996). How the field evolved. In S. Silverman & L. Bain (Eds.), *Student learning in physical education: Applying research to enhance instruction*(pp.9-34). Champaign, IL: Human Kinetics.

McCrone, K. E. (1988). *Playing the game: Sport and the physical emancipation of English women 1870-1914*. London: Routledge.

McNutt, S. (1991). Shifting objectives; The development of male physical education in Nova Scotia from 1867 to 1913. *Canadian Journal of the History of Sport, 22*(1), 32-51.

Mangan, J. A. (1981). *Athleticism in the Victorian and Edwardian public school: The emergence and consolidation of an ideology*. Cambridge: Cambridge University Press.

Mangan, J. A. (1985). *The games ethic and imperialism: Aspects of the diffusion of an ideal*. Harmondsworth: Viking.

McFee, G. (1996). *The concept of dance education*. London: Routledge.

McIntyre, A. (1981). *After virtue. A study in moral theory*. London: Duckworth.

McNamee, M. (1992). Physical education and the development of personhood. *Physical Education Review, 15*(1), 13-28.

McNamee, M. (1998). Philosophy and physical education: Analysis, epistemology and axiology. *European Physical Education Review, 4*(1), 75-91.

Meakin, D. (1981). Physical Education: An agency of moral education? *Journal of Philosophy of Education, 15*(2), 241-253.

Morgan, W., & Meier, K. (Eds.) (1995). *Philosophic inquiry in sport*(2nd ed,). Champaign, IL: Human Kinetics.

O'Donoghue, T. A. (1986). Sport, recreation and physical education: The evolution of a national policy of regeneration in Eire 1926-48. *British Journal of Sport History, 3*(4), 216-233.

Osterhoudt, R. (1978). *An introduction to the philosophy of physical education and sport*. Champaign, IL: STIPES Publishing Co..

Parry, J. (1988). Physical education, Justification and the National Curriculum. *Physical Education Review, 11*(2), 106-118.

Peters, R. S. (1966). *Ethics and education*. London: George Allen & Unwin.

Reid, A. (1996). Knowledge, practice and theory in physical education. *European Physical Education Review, 2*(2), 94-104.

Reid, A. (1997). Value pluralism and physical education. *European Physical Education Review, 3*(1), 6-20.

Ross, S. (1989). An educational theory of physical education: Physical action knowledge. *CAHPER Journal, 55*(6), 11-20.

Ross, S. (1994). Philosophy and physical education in the western culture: Some metaphysical, ontological and epistemological considerations. *ICHPERSD Journal*, Winter, 15-19.

Schempp, P. (Ed.) (1996). *Scientific development of sport pedagogy*. Germany: Waxmann.

Smith, C. (1997). Control of the female body: Physical training in three New Zealand high schools 1880s-1920s. *Sporting Traditions, 13*(2), 59-71.

Standish, P. (1998). In the zone: Heidegger and sport. In M. McNamee & J. Parry (Eds.), *Ethics and sport*(pp. 256-169). London: E & FN Spon.

Steinhardt, M. (1991). Physical education. In P. Jackson (Ed.), *Handbook of research on curriculum*(pp. 964-1001). New York: Macmillan.

Thatcher, A. (1986). A philosophical approach to physical education, *Physical Education Review, 8*(2), 120-124.

Van de Poel-Knottnerus, F. (1992). The role of sport, physical education and hygiene in the lycees and colleges of early modern France. *Canadian Journal of the History of Sport, 23*(1), 19-31.

Vertinsky, P. (1988). Escape from freedom: G. Stanley Hall's totalitarian view on female health and physical education. *The International Journal of the History of Sports, 5*(1), 69-95.

Whitehead, M. (1990). Meaningful existence, embodiment and physical education. *Journal of Philosophy of Education, 24*(1), 3-13.

Whiting, H. T. A., & Masterson, D. W. (Eds.) (1974). *Readings in the aesthetics of sport.* London: Lepus Books.

Wright, J. (1996). Mapping the discourses of physical education: Articulating a female tradition. *Journal of Curriculum Studies, 28*(3), 331-351.

Wright, L. (1987). Physical education and moral development. *Journal of Philosophy of Education, 21*(1), 93-102.

Zeigler, E. (1975). *Physical education and sport philosophy.* Englewood Cliffs, NJ: Prentice-Hall.

2000년 이후: 스포츠교육학 3.0과 그이후

Part 03

Chapter **07**

새로운 (통합적) 스포츠교육학의 탐색

● ● ● ● ● ● ● ● ● ● ●

　스포츠교육학 분야는 체육학의 여러 하위 학문 중에서 지난 30여 년간 가장 급성장한 분야 가운데 하나다. 특히 한국 스포츠교육학은 최근 성장을 통해 영국과 미국을 제외한 국가들, 특히 아시아 지역에서는 연구의 양과 질적인 면에서 단연코 최선두에 있다고 인정받고 있다. 1990년대 미국연구 동향의 답습에서 시작하였으나, 체육교수, 체육교육과정, 체육교사교육 전반에 걸쳐 이제는 한국 학교체육의 제도적, 문화적 특색이 반영된 한국적 주제와 이슈들이 많이 탐구되고 있다. 그런데 한국적 연구주제의 개척이라는 긍정적 성과를 올리고 있는 반면, 급격히 변해가고 있는 최근의 학문적 흐름을 제대로 반영하지 못하는 한계점도 있다. 이 점은 한국스포츠교육학의 국제적 수준으로의 새로운 도약을 위한 취약점이 되고 있다. 본 장은 앞으로 다가올 새로운 30년을 위하여 한국스포츠교육학이 어떤 학문적 모습을 갖추어야 할 것인지를 연구영역(연구대상)을 중심으로 탐색하고자 한다. 그간의 연구영역이 거의 전적으로 학교체육교육 장면에 국한되어왔음을 지적하면서, 생활체육교육과 전문체육교육을 아우르는 총체적 접근이 필요함을 제안한다. 핵심적으로, 스포츠 "티칭"을 벗어나 스포츠 "코칭"으로 연구범주의 전환을 도모해야 한다고 주장한다. 먼저 현재 세계 스포츠교육학계의 동향과 한국 체육교육 분야의 현황을 파악한다. 이를 기초로 한국스포츠교육연구의 발전을 위한 새로운 패러다임의 필요성을 제시하며 몇 가지 핵심 개념들을 소개하고 필요한 실천적 노력을 제안한다.

Ⅰ 서론

한국스포츠교육학회는 1992년 창립되었다. 물론, 이전까지 아무런 조짐이 없다가 어느 날 공중에서 갑자기 생겨난 것은 아니다. 그 당시에도 "체육지도법"과 "체육교육과정"이라는 이름하에 극소수의 연구자 그룹이 활동하고 있었다. 나는 1980년대 중반 대학원을 다니고 체육교육과정 전공으로 석사학위논문을 썼던 당사자로서 연구분야 자체가 미성숙의 태아적 수준이었던 것을 아직도 명료히 기억하고 있다. 체육교육과정연구회 수준의 성숙기간을 약 10여 년 거친 후 1990년대 본격적인 학회로서의 첫걸음을 내디뎠다. 그것이 가능했던 것은 미국에서 스포츠교육학의 활발한 움직임과 연구결과들, 즉 학문의 정체성을 내 새울 수 있는 독자적인 지식기반 knowledge base 이 있었기 때문이었다. 한마디로, 기댈 언덕과 공부할 내용이 이미 있었던 것이다. 학교에서 실천되는 체육수업의 상세한 분석과 체육교사가 되는 자세한 과정에 대한 기초지식들이 쌓여 있었다. 우리로서는 그것들을 열심히 옮겨와서 체육교육의 체계적 이해, 경험적 탐색에 활용하면 되었던 것이다.

우연의 일치겠지만, 1992년은 나의 박사논문을 마무리 지은 해이기도 하다. 연구의 내용은 그 당시만 해도 미국에서조차도 체육학 내 새로운 학문영역이었던 스포츠교육학 분야를 전체적으로 조망하고 경계를 긋고 지도를 그리는 작업이었다(Choi, 1992). 미국 중심으로 수업과 교사교육에 관한 양적 연구 일변도로 진행되던 스포츠교육연구를 분석하고, 호주와 영국에서 진행되던 연구경향들을 포괄적으로 검토하면서 연구주제와 연구방법론의 확장을 촉구하는 내용이었다. 체육교육과정과 연구패러다임의 다차원성을 철학적인 근거로서 활용하여 PDCF Paradigm-Dimension Conceptual Framework 라는 개념틀을 개발하였다. 이를 활용하여 스포츠교육학연구가 단일 차원과 단일 패러다임에서 다중차원과 다중패러다임의 연구분야가 되어야 한다는 점을 이론적 분석과 실제 연구 분류를 통해서 시도한 논문이었다.

상전벽해라는 말이 있다. 그동안 세계 스포츠교육학과 한국 스포츠교육학의 변화가 바로 이 경우라고 할 수 있다. 지난 30여 년간의 발전을 살펴보면, 괄목상대, 환골탈태라고 할 만한 일이 바로 스포츠교육학 분야에서도 일어났다(Kirk, 2012; Kirk, Macdonald & O'Sullivan, 2006). 초창기에 미국학자들이 중심이 되어 일궈놓은 우리 분야는 현재, 호주와 영국의 학자들의 활발한 경작에 의해서 풍요로운 결실을 맺고 있는 중이다. 주된 학회지가 하나에서 4개가 되었고, 국제학회가 활발히 열리면서 세계의 학자들이 교류를 하고 있다. 한국스포츠교육학회도 1992년 약 30여 명의 소규모 연구모임에서 현재 약 500여 명의 회원을 지닌 명실상부한 큰 학회가 되었다. 교수나 연구원에 의한 전문연구도 활발히 이루어지고 있고 석박사 대학원생과 초중등 현장교사의 관심도 지속적으로 증가하는 등 중흥 일로에 있다(이옥선, 2013).

본 장에서 내가 박사학위논문에서 시도했던 그런 규모의 일을 수행할 수는 없을 것이다. 그 당시와는 비교도 되지 않을 만큼 국내외 스포츠교육 연구분야는 양적으로 폭발적으로 확장되었고, 질적으로도 매우 수준이 높아졌다. 연구자의 숫자도 셀 수 없고, 연구주제도 너무나 다양해서 파악하기 어렵다(Kirk, 2012). 이제는 어느 한 사람이 스포츠교육학이라는 분야 전체를 아우르며 한 번에 정리할 수 있는 시대는 지나갔다. 어떤 하나의 소분야에 대한 자세한 정리와 소개는 가능할 수 있지만 말이다. 한국스포츠교육학 연구에 대해서도 마찬가지의 상황이다.

그럼에도 불구하고, "재개념화"再槪念化, reconceptualization 라는 작업을 선택한 것은, 언감생심 그런 규모의 일을 지금 직접 수행하겠다는 의도보다는, 우리 학회에 현재 그런 심각한 정도의 작업이 시급하다는 점을 강조하기 위한 것이다. "재개념화"는 한때 교육학적으로 큰 사건이 된 하나의 학술적 동향을 일컫는 말이다. 교육프로그램 개발에 초점이 맞춰졌던 교육과정이라는 분야를 이론적, 개념적, 경험적 연구가 충분한 학술분야로서 명실공히 설 수 있음을 증명해 준 학술동향이었다(Pinar, 1975). 환골탈태 수준의 탈바꿈이 이루어진 것이다. 개인적 생각으로, 우리 스포츠교육학 분야도 이러한 규모의 변화가 이루어지고 있으며, 한국에서도 이제는 새로운 관점으로 스포츠교육학을 이해하고 연구하는 제2의 물결, 재개념화가 이루어져야 할 때라고 생각된다. 새로운 한국의 스포츠교육의 상황이 그것을 요청하고, 새로운 학문 후속 세대가 그것을 필요로 하고 있다(김승재, 2010; 유정애, 2011; 신기철, 2011).

본 장에서는 이를 위하여 가장 먼저 최근 스포츠교육학의 국제적인 변화 동향을 살펴본다. 곧이어 한국 스포츠교육은 어떤 상황에 놓여있는지를 알아본다. 이어서 한국

스포츠교육연구는 "스포츠티칭교육학"에서 "스포츠코칭교육학"으로 확장되어야 함을 주장한다. 마지막으로 이러한 주장이 갖는 구체적인 시사점을 다섯 가지로 제안한다.〈1〉

 ## II 최근 스포츠교육학 분야의 흐름

현대 스포츠교육학의 특징은 "광범위화"와 "다양화"라는 말로 요약될 수 있을 것이다.〈2〉 전자는 연구영역 및 주제적 측면에서 체육학생, 체육수업, 체육교사, 체육교육과정에 그치지 않고 학교체육, 생활체육, 전문체육의 영역 내에서 배우는 이(학생, 선수, 회원), 가르치는 이(교사, 코치, 강사), 가르치는 활동(티칭, 코칭, 인스트럭팅), 그리고 가르치는 범위(수업, 훈련, 강습용)를 모두 포괄한다(Armour, 2011). 두 번째는 연구방법론 측면에서 다양한 양적 연구와 질적 연구, 그리고 혼합 연구가 활발히 수용되고

〈1〉 이하 내용은 지난 30여 년간 학계와 현장의 변화를 지켜보아온 저자 개인의 판단과 의견으로 간주되면서 읽혀지고 이해되기를 바란다. 물론, 정당하고 설득력 있는 최근의 연구 근거를 제시하기는 할 것이다. 1992년에 본인이 시도한 것처럼, 현 시점에서 우리 분야의 전반적 특징을 완전하고도 정확하게 반영하는 객관적인 소개는 어느 누구도 가능하지 않다.

〈2〉 물론, 이것은 영어사용권 국가를 위주로 한 동향이다. 우리나라의 연구동향은 생략하였다. 다만, 지난 15년간 한국스포츠교육학회지(2000~2014)에 게재된 논문들을 중심으로 파악한 대략적인 동향은 다음과 같다. 연구영역면에서 총 429편의 연구논문 중, 학교체육관련 398편, 전문체육관련 22편, 생활체육관련 9편이었다. 연구주제면에서 학교체육관련 연구는 체육수업 298편, 교사교육 95편, 교육과정 45편이었다. 연구방법면에서는 질적연구 291편, 양적연구 113편, 문헌연구 22편, 통합연구 3편이었다. 종합적으로 5년을 단위로 3기로 나누어 보았을 때, 제1기(2000~2004)에는 현직체육교사 중심의 연구가 많고, 교사전문성 및 교수장학에 대한 주제들이 많았다. 제2기(2005~2009)에는 전담교사 및 예비교사로 연구대상이 확대되고, 교사사회화 및 동료문화에 대한 관심이 높아졌다. 제3기(2010~2014)에는 예비교사 대상연구가 활발해지고 스포츠강사 및 체육전담교사관련 연구가 많아졌다. 이 밖에도 수업모형, 교사공동체, 뉴스포츠, 스포츠코칭 등 주제가 매우 다양화되고 있다. 연구방법적인 측면에서는 사례연구가 중심이던 1,2기에서와는 달리 생애사, 근거이론, 내러티브, 자기수업연구 등 다양한 질적 연구방법론이 활용되고 있다. 보다 자세한 내용은 최근의 리뷰연구(김무영, 조남용, 2013; 박대원, 박종률, 2012)들을 참조하기 바란다.

있으며, 특히 현장실천가 연구 practitioner research 가 포괄적으로 활성화되면서 수많은 방식의 교사(코치, 강사)든 교수든 자신의 체육 실천 현장을 스스로 바라보는 방식의 다양한 질적 연구가 실행되고 있다(Armour & Macdonald, 2012; Ovens & Fletcher, 2014). 본 흐름에서는 전자에 초점을 맞추어 내용을 정리한다.⟨3⟩

01. 북미에서 오세아니아로, 다시 유럽으로

일반적으로 스포츠교육학은 1970년대 북미(미국과 캐나다)를 기점으로 태동되었다고 본다. 1981년 *Journal of Teaching in Physical Education* JTPE 이 발간되면서 본격적인 학문영역으로 성장하는 계기가 되었고, 미국학자들이 1970년대를 거쳐 1980년대 하나의 뚜렷한 학문영역으로 활성화시켰다(Silverman & Ennis, 2003). 1980년 후반과 1990년대에 들어서는 미국에서 공부한 호주와 뉴질랜드 학자들이 활발히 새로운 연구관점으로 독자적인 연구를 진행시켰으며(Kirk & Tinning, 1990), 1990년 후반과 2000년대 들어와서는 그동안 학술적 기반을 단단히 해놓은 영국의 학자들이 중심이 되어 2010년대 현재 세계 스포츠교육학계를 이끌어가고 있다(Armour, 2014).

이 점은 두 가지 경향을 통해서 확인할 수 있다. 첫 번째는 학술저널의 발간이다. 미국에서는 아직도 JTPE가 유일한 스포츠교육학 전문 학술저널이다. 반면에, 영국에서는 지난 20년간 *Sport, Education and Society* SES, *European Physical Education Review* EPER, 그리고 *Physical Education and Sport Pedagogy* PESP 등 3종의 새로운 학술지가 창간되었다. 2015년 현재 JTPE는 여전히 연간 4회 발간되는 것에 반하여, SES의 경우는 8회 발간되고 있는 실정이다(EPER는 4회, PESP는 6회). 이 저널들에 실리는 논문은 한편의 길이도 훨씬 더 길고, 심리학적 관점에 국한되지 않고, 철학적, 사회학적, 인류학적 관점 등 다양한 학문적 배경을 지닌 연구들이 실리고 있다. 유럽 전역의 연구자들이 논문을 게재하지만, 대다수는 영국의 연구자들이다(Kirk, 2010).⟨4⟩

⟨3⟩ 연구방법론적 측면에서 양적 연구와 질적 연구, 또는 새로운 다양한 현장실천가 연구들이 어떻게 펼쳐져왔으며 현황은 어떠한가에 대한 전반적 리뷰는 본 장에서는 다루지 않도록 한다. 이것만으로도 엄청난 분량의 내용이 정리되어야 하기 때문이다.

두 번째는 학술서적의 출판이다. 미국에 근거를 둔 Human Kinetics ^{HK} 출판사에 의해서 주도되어온 체육학 학술서적, 특히 스포츠교육학 분야의 출판은 이제 영국 출판사인 Routledge로 완전히 이전되었다. 지난 10여 년간 시중에 선보인 주요 스포츠교육학 서적들은 대부분 Routledge에서 발간되었다(http://www.routledge.com/books 참조). 물론, 미국 학자들은 아직 HK에서 책을 내고 있지만, 그 숫자는 소수에 불과하다. 미국 이외의 국가에서 활동하는 스포츠교육학자들은 거의 모두 Routledge 출판사를 통해서 학술서적을 출판하고 있다. 출판되는 서적의 양적 수효도 매우 많으며 학술적 수준도 보다 전문적이라고 판단된다(Routledge는 몇 년 전 HK를 인수함으로써 체육학분야 최대 출판사가 되었다).

02. 수업과 교사교육에서 교육과정과 정책으로

물론, 학교에서 진행되는 체육활동에 대한 관심이 아직 스포츠교육학의 주된 연구 초점이라는 사실에는 변함이 없다. 다만, 학교체육활동의 어떤 측면에 주목하는가가 변화하였다. 효과적 체육수업의 진행과 수업모형의 적용 일변도에서, 체육수업을 일으키는 교육과정, 그리고 그것을 움직이게 만드는 학교체육 정책에 대한 연구가 활발히 진행되고 있다. 영국(및 유럽)에서의 스포츠교육학 연구가 보다 더 심도 깊고 다변화될 수 있는 주된 이유는 미국과는 다른 체육교육 정책 수립과 운영 때문인 것으로 보인다. 미국에서 학교체육은 개인적 관심사로 그치나, 영국에서는 국가적 관심사인 것이다.

철저하게 교육자치제인 미국에서는 한국과 같은 주교육과정, 또는 국가교육과정이 없고, 오직 학교운영위원회에서 결정하는 대로, 교사 개인이 가르치고 싶은 내용과 방식으로 지도하게 된다. 주별로 〈교육과정 가이드〉 형식의 문서가 존재하나 구속력은 거의 없다. 그리고 국가적인 범위를 가진 학교체육 정책도 있지 않으므로 정책적 수준

---

(4) 학회의 숫자나 규모라는 측면에서도 유럽으로 무게추가 넘어갔다는 것을 확인할 수 있다. 미국은 30여 년간 미국교육학회인 AERA의 Special Interest Group의 형태와 규모로 운영되고 있는 반면, 영국은 영국교육학회인 British Education Research Association(BERA)의 연구회 이외에, Association Internationale des Écoles Supérieures d'Éducation Physique(AIESEP)등의 학회들에서 스포츠교육이 중심이 되고 있다.

에서의 학교체육에 대한 관심이 연구자나 현장교사들에게 생겨날 수가 없는 환경이다. 그런 이유로 구체적인 수준에서의 수업활동, 효과적으로 모형을 전개하는 것, 또는 예비교사들을 교육시키는 내용과 방식 등 미시적인 연구주제들에 주목할 수밖에 없게 된 것이다(Metzler, 2014).

반면에, 영국에서는 국가교육과정 National Curriculum for Physical Education, NCPE 이 있으며 이것에 맞추어 각 지역(잉글랜드, 스코틀랜드, 웨일즈, 북아일랜드)에서의 교육과정을 학교 급별로 반영하여 운영하도록 되어있다(Evans & Penney, 2002). 국가교육과정의 내용과 체육과교육과정의 내용에 대한 적합성, 현장에서의 실효성, 현직교사를 위한 교육 등에 관련된 여러 문제들이 검토되고 연구된다. 4개 독립정부에서 각기 운영하는 초중등 체육과교육과정에 대한 분석과 평가가 교육과정연구자들에 의해서 이루어지며, 정책의 실질적 효과에 대한 평가연구가 진행되기도 한다(Smith, Thurston, Lamb & Green, 2007).

또한, 국가적 차원에서 청소년 체육의 진흥을 위한 대규모 정책을 장기간에 걸쳐 지속적으로 수립하고 운영하였다. 이것은 전 세계에서 매우 드문 독특한 학교체육진흥 노력이다. 지난 2000년대 2개의 대형 체육진흥정책인 PESSCL Physical Education School Sport Club Link, 2003~2008 과 PESSYP Physical Education Sport Strategy for Young People, 2008~2011 을 통해서 학교체육을 중심으로 청소년을 위한 생활 및 전문체육의 연계적 진흥을 도모하였다(Houllian & Lindsey, 2013). 아직, 전체 정책에 대한 심도 깊은 평가연구는 진행되지 않았지만, 각 정책안의 세부 주요 프로그램들(School Sport Partnerships 등)에 대한 개별 평가는 조금씩 진행되어 오고 있다(정현우 외, 2013). 대부분의 결과는 새로운 시도로서 현장에서의 변화가 이루어지고는 있지만, 의도한 바만큼 효과가 크지 않았다는 것이다.

03. 학생, 교사, 수업에서 유·청소년, 코치, 코칭으로

가장 큰 변화는 연구의 대상과 영역이다. 학교 체육수업(과 대학 체육전공수업)을 중심으로 학생과 체육교사에게 집중되던 연구가 생활체육과 전문체육의 영역 내에 있는 유·청소년, 회원과 선수, 코치와 강사, 그리고 스포츠 및 운동의 지도라는 포괄적 범위를 수용하기 시작하였다. 기존에 여가나 건강중심의 생활체육 지도, 그리고 경쟁과 승부를 위한 전문체육 지도에서도 선수의 전인적 성장을 위한 측면이 강조되기 시작한 것이다(Strachan, Cote & Deakin, 2011). 코칭과 선수와 코치를 훈련적 입장에 그치지 않고, 교육적 입장에서 이해하기 시작한 것이다(Camire, 2014). 스포츠 지도가 기술향상과 건강증진 만이 아니라, 인간성숙까지도 영향을 미쳐야 한다는 점에 수긍하면서, 스포츠교육의 영역을 스포츠를 지도하는 모든 범위로, 그동안 스포츠심리학이나 여가 및 레크리에이션학의 영역에 맡겨두었던 것을 다시 찾아오는 현상이 발생하고 있다.

호주의 원로 스포츠교육학자 Richard Tinning(2010)은 〈*Pedagogy and Human Movement: Theory, Practice, Research*〉란 저서에서 코칭을 스포츠교육학의 주요 연구영역으로 확정하고 있다. 현재 가장 영향력있는 스포츠교육학자 가운데 하나인 영국의 Kathy Armour(2011)도 〈*Sport Pedagogy: An Introduction for Teaching and Coaching*〉에서 드러내 놓고 수업과 코칭을 스포츠교육학의 연구범주에 포함시키고 있다. 3개의 섹션 각각의 소제목을 〈pedagogy in physical education and youth sport〉, 〈children and young people; diverse learners in physical education and youth sport〉, 〈being a professional teacher or coach in physical education and youth sport〉라고 이름붙이며 코칭, 코치, 유·청소년으로 스포츠교육의 연구범위를 확장시켜 규정하고 있는 것이다.

이러한 경향을 한 걸음 더 발전시켜서, 스포츠코칭을 주된 연구영역으로 하되 스포츠교육학적인 관점과 주제를 선택하여 연구하는 학자들도 생겨나고 있다. Robyn Jones(영국)(2006), Tania Cassidy(뉴질랜드) 등(Cassidy, Jones & Potrac, 2009)은 스포츠코칭을 교육의 입장에서 바라보면서, 선수지도와 코치교육을 이해하고 실행해야 한다는 주장을 하고 있다. 이들은 경쟁중심의 엘리트 스포츠에서도, 여가중심의 생활체육에서도 스포츠를 가르침으로써 지향해야 하는 것은 선수나 참여자의 총체적 발달이라고 간주한다(Haskins, 2010). 스포츠심리학자들도 전통적인 경기력 향상을 위한 멘탈스킬훈련에서 벗어나 선수의 전인적, 인간적 자질의 발달을 도모하는 코칭에 대한 지지를 점차로 높여가고 있는 중이다(Nesti, 2004).

 # Ⅲ 한국스포츠교육계의 국지적 상황

01. 학교체육의 변화

학교체육이 정과체육수업正課體育授業 만으로 구성된 시대는 오래전에 지났다. 현재 학교의 교육과정은 매우 다양하며, 체육과 관련된 활동도 그에 발맞추어 다양하게 제공되고 있다. 정규 교과과정에서는 〈체육〉을 비롯하여 〈운동과 건강〉, 〈스포츠생활〉 등 다양한 선택과목의 수업이 있으며, 교과 외에도 방과 후 활동과 토요스포츠데이 프로그램을 통해 여러 가지 스포츠 활동, 건강관련 프로그램이 제공되고 있다. 특히, 2012년부터 중학교에서는 〈학교 스포츠클럽 활동〉이 정규 교육과정인 창의적 체험활동의 동아리활동으로 편성되어, 학년별로 34~68시간 필수적으로 운영하도록 하고 있다. 따라서 중학교의 실질적인 체육 활동 시간은 정규 체육수업 시간을 포함하여 1, 2, 3학년 모두 주당 평균 4시간으로 증가하였다. 2014년부터는 〈학교스포츠클럽 활동〉 중 주당 1시간을 정규 〈체육〉수업으로 대체할 수 있도록 하고 있다.

이처럼 〈체육〉이라는 교과 외에 제공되고 있는, 학교체육에서의 생활체육이라고 할 수 있는 다양한 학교스포츠클럽은 지난 10년 동안 (스포츠강사제도와 함께) 한국의 학교체육에서 적용된 가장 새로운 정책 중 하나이다. 지난 2007년 교육부의 학교체육 정상화 방안의 일환으로 시작된 학교스포츠클럽은 전국 17개 시도로 점차 확산되어, 매년 종목별로 전국대회까지 치루고 있다. 2013년에는 "학교스포츠클럽지원센터"까지 설치하여 보다 체계적이고 효과적인 지원과 운영효과를 도모하고 있다(교육부, 2013). 그리고 초등학교 체육수업의 질 향상을 위해 도입된 스포츠강사는 많은 긍정적 효과를 얻으면서, 중학교와 고등학교까지 확대되어 실행되고 있는 실정이다.

이외에도 다양한 학교체육 지원 및 진흥을 위한 정책이 교육부에서 제공되고 있다. 〈학교체육활성화계획〉이라는 명칭으로 매년 계획되고 있는 종합대책은 예산의 규모가 급증하고, 내용도 다양화되면서 "학교체육정책"이라고 불릴 수 있을 만큼 성장하였다. 공부하는 운동선수 육성, 여학생체육 활성화, 체육관 조성, 체육교사 자질 개선 등의 영역에 많은 예산을 투자하고 있는 상황이다(교육부와 문화체육관광부, 2014). 또한, 체육중점학교를 운영하여 보다 적극적인 재능개발과 진로지도가 가능할 수 있도록 하고 있다. 2012년 학교체육진흥법이 통과함으로써 이러한 정책들이 보다 활성화될 수 있는 제도적인 기반을 갖추게 되었다(한국체육학회, 2012).

이제는 우리도 선진국처럼 학교체육 내에서 생활체육과 전문체육이 공존하며, 유·청소년기에 학교—생활—전문체육을 연계적으로 발전시켜야 하는 상황에 놓이게 되었다(권민정, 2012). 교육부에서 정과체육수업과 학교 운동부만을 다루지 않고, 정과체육, 스포츠클럽, 운동부 등 모든 프로그램들을 전반적으로 다루어야만 하는 새로운 상황으로 진입하게 된 것이다. 그리고 그 규모와 중요성도 매우 커져가고 있는 형편이다. 적어도 중학교에는 체육수업 시수가 국어, 영어, 수학 시간과 맞먹을 정도로 되었으며, 스포츠클럽 참여가 점차로 증가하고 있고, 학교 운동부의 정상적 운영에 대한 관심이 함께 주어지고 있다.

학교체육 프로그램의 다변화는 정과수업 자체의 성격을 되돌아보게끔 만든다. 미국에서는 건강문제를 체육수업시간에 해결하려는 동향이 강하여 체육시간이라기 보다는 건강시간이나 운동시간으로서의 성격을 강조하는 경향이 강해지고 있다(McKenzie & Lounbery, 2014). 국내에서도 학생들의 체육참여 활성화를 북돋우기 위하여 뉴스포츠 활동들이 대거 교과내용으로 포함되어 있다. 교육적으로 가치 있는 내용이 무엇인가에 대한 기존의 생각들을 재검토하는 기회가 되고 있다(고문수, 김재운, 2012). 지난 10여 년간 꾸준히 제기되고 개선되어 온 운동부의 인권과 학습권 문제는 "학생선수"의 교육적 운동이라는 문제를 새롭게 던져주고 있다. 특히, 〈스포츠클럽활동〉 시간은 학교

내에서의 생활체육은 어떤 모습으로 운영하며 어떤 방향으로 지향점을 삼아야 할 것인지를 현장교사들에게 고민하도록 만들어주었다.

02. 학회와 회원의 변화

한국스포츠교육학회의 설립 시기인 1990년대 초반에는 체육분야 전반에 전문영역이라고 할만한 뚜렷한 분야가 그다지 많지 않았다. 스포츠경영, 스포츠의학, 스포츠법 등 의 분야는 아직 미 태동 단계이거나 생성초기에 있었다. 체육전문직이라고는 체육교사가 유일하였고, 생활체육지도자라는 직업군이 1980년대 후반부터 자격증 발급과 함께 서서히 생활 속에서 자리를 잡아가고 있는 정도였다. 이런 연유로 스포츠교육학이라고 하더라도 실질적 성격은 학교체육학 school physical education pedagogy 이었으며 교수와 대학원생 등 학회구성원들도 체육교육과 졸업생과 재학생이 거의 전부였다. 이후 사범대학 평가 등으로 교과교육학 교수 수요가 증가하고 충원이 급격히 이루어지게 되면서 학회의 주 구성원이 체육교육과 교수들이 되었고, 이에 따라 더욱 학회의 연구방향과 내용은 학교체육중심(사범대학, 교육대학 체육교육전공중심)으로 집중되게 되었다(강신복, 2009).

하지만, 지난 2000년대 중반 이후 학회 회원들이 증가하고 스포츠교육학 박사학위 소지자들이 체육학과나 스포츠과학과 등에 진출하면서 비체육교육과에서 학생들을 지도하는 경우가 자주 생겨나고 있다. 또한 대학원에도 체육교육과 학부전공자가 아니라 다른 체육관련학과(무용포함)를 졸업하고 교육적인 차원에 관심을 가진 대학원생들이 많이 들어오게 되었다. 이들은 체육교사교육을 받은 것도 아니며, 체육교직에 진출할 것도 아니고, 더욱이 체육교육학과의 교수로 채용될 의지나 가능성이 그리 높지 않은 상황이다. 하지만, 대학원에서 습득하는 대부분의 지식들이 학교체육수업과 체육교육과정에 관한 것들이라, 자신들의 개인적 관심사를 충족시켜주지 못하는 경우가 많이 증가하고 있는 상황이다.

이들은 진정한 의미의 "스포츠교육" sport pedagogy 에 대한 학문적 지식을 갈망하고 있는 것이다. 그리고 이것은 부분적으로 코칭에 관한 최근의 지식체계를 우리가 수용함으로써 해결될 수 있다. 유·청소년에게 스포츠클럽이나 운동부 맥락에서 농구, 배구, 축구, 야구와 같은 스포츠를 지도할 때에, 이들을 교육적으로 지도하여 지덕체가 균형있게 발달된 사람으로 성장할 수 있도록 하는 방법론에 대한 관심들이 높아지고 있다(Hardman & Jones, 2011). 오로지 득점기계로서의 운동선수만으로 키우게 하는 것을 넘어서, 운동을 좋아하는 한 명의 성인으로 성장할 수 있는 기초 토대로서의 유·청소년 스포츠 지도활동을 고민하는 것이다. 이것을 가능케하는 운동지도만이 진정한 "스포츠교육"이라고 할 수 있다. 정과체육시간에 수십 명의 학생들을 대상으로 지도하는 방법론은 (도움되고 연결되는 부분이 어느 정도 있을지언정) 또 다른 "페다고지"를 필요로 한다. 사범대학(교육대학) 체육교육과의 학생들이 아닌, 생활체육과나 체육학과에서 공부하고 있는 회원들에게 필요한 페다고지는 바로 이러한 페다고지일 것이다(최의창, 2010, 2012, 2013).

03. 대학과 학과 프로그램의 변화

대학의 유일한 존재 이유가 학문탐구와 진리추구인 시대는 지났다. 이것은 이제 대학원에서 담당하는 일이며, 대학은 진로준비를 위한 유용하고도 실용적인 지식과 기술을 습득하는 곳이 되어버렸다(Lewis, 2006). 안타깝지만 이것이 현실, 적어도 한국대학의 현실이다. 체육관련학과들에서는 학생들의 취업률에 민감하다. 체육 분야에서는 생활체육지도자와 경기지도자 자격증이 매우 중요한 요인으로 작용해왔다. 그동안 생활체육지도자(2, 3급)과 경기지도자(2급) 자격증 취득에 용이한 입장에 있었던 관련대학들은 2015년부터 새로이 개정된 체육지도자 자격제도의 영향을 받아 대폭적인 수정을 감행해야만 하게 되었다. 그동안 진행되던, "실기검정, 자격연수, 필기검정, 그리고 자격부여" 순서를 바꾸어, "대학에서의 교육수료, 실기 및 필기검정, 합격자 한하여 연수교육"의 포맷으로 변경이 되었다. 이에 따라 자격요건을 갖춘 졸업생을 배출하기 위해서는 대학 학부의 교육과정을 전체적으로 필요로 하는 자격과정(1, 2급 (생활, 전문) 스포츠지도사, 유소년스포츠지도사, 노인스포츠지도사, 장애인스포츠지도사, 건강운동관리사)에 따라 재구성해야만 한다.

연수를 받을 수 있는 자격시험 선택과목 군에 "스포츠교육학"이 선정됨에 따라 이들 여러 자격시험에서는 스포츠교육학 전문지식을 습득해야만 하게 되었다. 하지만, 기존 의 학교체육수업지도 중심의 내용으로는 적합성이 떨어지게 되어서 스포츠지도사의 성 격에 맞는 내용지식을 찾아 개발해 내야만 한다. 이러한 후속 단계로서 이제 체육교육 과만이 아니라, 일반 체육관련학과에서도 스포츠교육학 전공자들을 교수진에 선발할 수 있는 계기가 마련되었다고 보아야 한다. 전국에 있는 체육관련학과에서 스포츠교육 학 전공 전문연구자를 필요로 하게 됨에 따라, 기존 학교체육중심의 스포츠교육론은 학교—생활—전문체육을 망라하는 내용으로 재구성되어야만 한다. 스포츠를 가르치되 교육적으로 지도하는 과정이 되도록, 그리고 그것을 지도하는 이가 교육적 자질을 겸비 하도록 하는 내용으로 스포츠교육론이 만들어져야만 한다.(5)

새로운 지식을 만들어내기 위해서는 학회가 최적지다. 스포츠교육학회에서 지식적 필요를 충족시켜주어야만 한다. 대학은 전문적 지식의 소비처가 되어야 한다. 학생들은 최신의 스포츠교육지식을 바탕으로 공부하여 자격증을 취득한 후, 생활과 전문 스포츠 지도의 영역, 즉 코칭분야에서 올바른 스포츠지도를 펼쳐낼 수 있어야 한다. 기존에 스 포츠교육관련 과목들처럼 학교체육에서의 지도법을 넘어서, 학교—생활—전문체육을 포괄하는 새로운 스포츠교육론을 개발하여야 하며, 이것은 최근 활발해진 스포츠코칭 론 지도자들을 위하여 구성되어야만 한다. 일단, 기본적인 지식분야와 주제와 내용에 대한 기초적인 합의가 이루어질 수 있고, 그에 근거하여 분야별 지도사 자격시험에서 기초지식으로 제공될 수 있기 때문이다.

---

(5) 최근 한국스포츠교육학회에서는 "스포츠교육학" 과목 시험준비를 위한 공용교재를 개발하였다(한국스포츠 교육학회, 2015). 이 안에는 새롭게 규정되는 스포츠교육학의 새로운 지식기반으로서 학교체육, 생활체 육, 전문체육의 세 분야가 총망라되어 있다. 개념적 기반, 정책과 제도, 참여자 이해, 프로그램, 지도방법, 평가 및 전문성 개발 등의 7개 영역으로 분류되어 학교, 생활, 전문체육교육의 내용들이 함께 다루어지고 있다(2021년 새로운 공용교재가 출간되었다).

Ⅳ 한국스포츠교육연구의 재개념화: 티칭교육학에서 코칭교육학으로〈6〉

01. 코칭의 개념

이러한 변화의 맥락 속에서 우리 스포츠교육연구가 나가야할 새로운 방향은 무엇인가? 한마디로 간단히 요약한다면, 그동안 우리의 모습이 "스포츠티칭교육학"이었다면, 이제는 "스포츠코칭교육학"이 되어야 한다. 학교에서 벌어지는 정규수업을 중심으로 그에 관련된 사람과 상황과 제도에 관한 연구로부터, (그것을 포함하여) 다양한 상황과 관계 속에서 스포츠를 가르치고 배우는 코칭의 전 측면에 대해서 관심을 가져야 한다. 체육수업, 체육교사, 체육학생, 학교체육 등을 연상시키는 "티칭"으로서의 스포츠지도 로부터, 학교—생활—전문체육, 학생—회원—선수, 교사—강사—코치, 학교운동장—스포츠센터—선수훈련장을 망라하는 "코칭"으로서의 스포츠지도로 옮겨져야 한다.〈7〉

이러한 의미에서의 "스포츠코칭" sport coaching 은 무엇을 말하는가? 스포츠교육학에서 관심을 두어야 하는 코칭은 기존 스포츠심리학에서 관심을 두는 경기력 중심의 개념정의(Cote & Gilbert, 2009)와는 사뭇 다르다. 보다 포괄적이며 총체적인 개념이다. 스포츠교육연구에서 관심을 두는 코칭의 개념은 가장 포괄적인 수준에서 말하자면 "신체활동을 지도하는 행위"이다. 보다 구체적인 수준에서는, **다양한 목적을 위하여 여러 맥락에서 전 연령층의 사람들에게 신체활동을 가르치는 활동**"이라고 할 수 있다(최의창, 2013). 신체활동 physical activity 이란 체육에서 다루는 다양한 형태의 운동들을 이야기한다.〈8〉 이루고자하는 목적은 건강, 경쟁, 표현, 자기실현 등이다. 그리고 지도가 이

〈6〉 이하 제안되는 스포츠교육학의 확장 방향성으로서 코칭은 최근 영국 등에서 활발하게 진행되고 있는 코칭과 코치교육연구에서 다루어지고 있는 내용(Lyle & Cushion, 2010)과는 다소 다른, 저자의 철학적, 이론적 의미가 반영된 개념이다. 이들은 스포츠코칭학을 주장하고 있으나, 나는 스포츠교육학을 주장하고 있는 것이다. 최의창(2010, 2012, 2013) 등을 참조.

〈7〉 스포츠교육전공자인 우리는 통상적으로 "티칭"이 "코칭"보다 폭넓은 개념이라고 생각한다. 하지만, 이 생각은 체육의 관점에서 보았을 때, 정반대로 생각할 수도 있다. 이에 관해서는, 최의창(2013) 13~23쪽 참조.

Chapter 07 새로운 (통합적) 스포츠교육학의 탐색

251

루어지는 맥락은 학교, 생활, 전문체육, 또는 학교, 군대, 직장 등이라고 할 수도 있다.

이러한 방식으로 스포츠교육연구 재개념화의 핵심개념으로서 "코칭"을 정의할 때, 핵심적인 것은 신체활동의 종류, 목적, 맥락이라고 할 수 있다. 수많은 신체활동의 종류 중에서 주된 관심을 지녀야 하는 것들이 무엇인지, 그리고 그것들을 어떤 목적으로, 어떤 상황에서 사용하게 되는지를 분명히 하는 것이 재개념화된 스포츠교육연구의 범위 그리고 모습을 명확하게 이해하도록 해줄 것이다. 나는 그것을 위해서 "코칭 매트릭스"라는 개념을 구안하여 사용하고자 한다.⟨9⟩

02. 코칭 매트릭스

스포츠교육에서 관심을 갖는 신체활동(이하 운동)은 무엇인가? 가르쳐지는 내용으로서 "운동"은 어떤 성격을 띠는가? 운동에는 다양한 형태의 신체활동이 포함된다. 사람들이 오랜 시간에 걸쳐, 서로 다른 문화에서, 여러 가지 이유로 시작하고 가다듬어 놓은 이런저런 모양을 하고 있다. 가장 기계적인 "움직임" movement 에서부터 가장 예술적인 "무용" dance 까지, 가장 정형화된 "엑서사이즈"에서부터 가장 자유로운 "플레이"까지 여러 가지 종류의 활동들이 있다(Charles, 2002; Hoffman, 2013; VanderZwagg, 1972).⟨10⟩

⟨8⟩ 다양한 신체활동들을 종합적으로 묶어 부르는 표현으로 나는 "운동"을 자주 사용하고 있다(중국에서는 스포츠의 한자어로 운동을 사용하는 경우가 대부분이다. 대만스포츠교육학회의 명칭은 "대만운동교육학회"臺灣運動教育學會이다). 이 용도로 "스포츠"라는 표현도 사용이 가능하다고 생각한다. 스포츠는 "큰스포츠"(모든 것을 종합하는 의미)와 "작은스포츠"(스포츠 종목들 각각에 대해서 이야기하는 의미)의 두 가지 의미로 쓰일 수 있다. 한국스포츠교육학회에서의 스포츠는 물론 전자의 큰스포츠의 뜻을 담고 있다. 이하 코칭 매트릭스 안에서 하위 범주의 하나로 선정한 스포츠는 "작은스포츠" 의미에서의 스포츠를 말한다.

⟨9⟩ 스포츠교육학연구의 재개념화를 위해서 코칭 매트릭스의 구안은 필수적이다. 기존의 코칭개념으로는 재개념화된 스포츠교육학의 연구영역(대상)으로 부족하기 때문이다. "신체활동을 지도하는 활동" 전반을 다루는 영역으로서 코칭은 범위가 확장될 수밖에 없고, 그 범위를 규정하는 기준은 신체활동의 외형적 모습과 그것 안에 들어있는 내면적 목적이다. 외형적 모습(방식)은 활동의 종류로, 내면적 목적(이유)은 인간의 욕구로부터 그 근거를 두고 밝혀냈다. 기존 코칭의 개념에서는 "스포츠"(종류)와 "경쟁"(목적)의 조합만이 주목받아 강조된 것이다. 재개념화를 시각적으로 표현한 코칭 매트릭스는 그것을 이론적으로 최대한 확장한 것이다.

⟨10⟩ 다양한 신체활동들을 개념적으로 구분하는 신체활동의 분류학(typology of physical activity)이라고

나는 인간이 찾아내고 만들어낸 신체활동의 양식들(운동들)을 7가지로 분류한다. 이들은 외형적 모습과 내면적 추구의 측면에서 어느 정도 서로 구분되는 것들이다. 그 7가지는 무브먼트 movement, 엑서사이즈 exercise, 마샬 아트 martial arts, 스포츠 sport, 레저 leisure, 댄스 dance, 그리고 플레이 play 다. 무브먼트는 가장 단순한 기계적 성격의 신체적 움직임이다. 고개를 돌리는 것, 손을 드는 것, 앉았다 일어서는 것 등 기능적인 신체적 동작을 이야기한다. 엑서사이즈는 건강과 체력을 위해서 개발된 특정한 동작들의 집합이다. 웨이트 트레이닝, 요가, 체조, 필라테스 등의 신체활동을 말한다.

마샬 아트는 무도, 무예, 또는 무술이라고 부르는 특별한 신체활동 유형이다. 자기보호과 전투의 실용적 목적이나 자기 수양의 수련적 이유를 위하여 가르쳐진다. 유도, 태권도, 쿵푸, 검도 등 전 세계적으로 오랜 기간 동안 인간이 찾아 만들어내고 정련시킨 신체활동이다. 스포츠는 협소한 의미에서 현재 세계인이 열광하는 올림픽 경기나 월드컵 경기에서 보이는 운동이다. 특정 규칙하에서 상대방과 대적하면서 승부를 겨루는 신체활동이다. 수많은 관중이 함께 참여하면서 가장 인기있는 신체활동으로 성장하였다.

레저는 재미를 충족시키기 위하여 행하는 신체활동으로서 경쟁보다는 흥미의 추구, 승리보다는 자기실현의 차원에 보다 더 관심을 갖도록 한다. 낚시, 등산, 조깅, 행글라이딩, 스킨 스쿠버 등의 활동이다. 여기에 경쟁의 차원이 덧붙여지면 스포츠화되기도 한다. 댄스는 예술적 지향성을 갖는 활동이지만 체육적 장면에서 널리 활용되는 신체활동이다. 발레나 한국춤과 같이 전통적 형태의 댄스는 물론 힙합, 라인댄스, 댄스 스포츠 등 상대적으로 새로이 개발된 댄스들이 각광을 받고 있다. 마지막으로 플레이는 술래잡기, 잣치기 등 신체활동이 많이 관여되는 비교적 단순한 구조를 지닌 놀이형태의 활동이다.

나는 이 일곱 가지 활동을 묶어서 한 줄에 늘어놓고 "신체활동 스펙트럼" The Spectrum of Physical Activity 이라고 부른다. 이 다양한 형태의 신체활동은 인간이 살아오고 문화를 영위하면서 찾아내고 만들어온 것들이다. 스펙트럼의 왼쪽에서 오른쪽으로 가면서 기

할 만한 작업은 몇몇 체육철학자(와 스포츠사회학자)들이 진행한 적이 있다. 신체활동의 스펙트럼은 이들의 노력을 근거로 종합적으로 재분류한 것이다. 특히 VanserZwagg(1972) 참조.

능적인 성격에서 유희적인 성격으로 변하는 특징을 지니고 있다. 무브먼트, 엑서사이즈, 마샬 아트는 생활이나 건강이나 자기보호를 위한 성향이 강하고, 스포츠, 레저, 댄스, 플레이는 재미나 표현이나 초월 등의 유희성이 높다. 물론, 스펙트럼의 비유가 암시하듯이, 우리 눈에 보이지 않지만 존재하는 자외선과 적외선처럼, 좌우의 극에 벗어나 있어 매트릭스에 포함되지 않은 운동활동의 종류들도 당연히 있다. 그러나, 지금 우리의 관심사는 가시권역 내에 존재하는 것들이다.

이 활동들은 인간이 지닌 생리적, 문화적, 실존적 욕구들로 인해서 생겨났다. 각각의 신체활동은 인간의 기본적 욕구라고 할 수 있는 내외적 필요를 충족시켜주는 기능과 역할을 한다. Maslow(1954)는 모든 인간이 지닌 원초적인 욕구를 생리적 욕구, 안전의 욕구, 소속 및 애정의 욕구, 자존의 욕구, 자아실현의 욕구의 5가지로 정리해서 제안하였다. 그리고 후에 인지적 욕구와 심미적 욕구의 2가지를 더 추가하여 7가지로 수정하였다.

앞의 4개를 결핍욕구라고 하며 생물적, 감정적 존재로서 기본적으로 충족되어야만 하는 것들을 정리하였다. 이것들은 필요한 만큼 얻어지면 감소하는 특성을 가지고 있다. 뒤의 3개는 성장욕구라고 하며 보다 더 나은 존재가 되기 위해서 추구된다. 메타욕구라고도 하며 자신의 인간적, 실존적 본모습을 찾으려고 하는 방향으로 성장하기 위한 욕구이다. 이것은 쉽사리 충족되지 않으며 최종적인 성취로 만족하는 단계가 없이 지속적으로 채워져야만 하는 특징을 지닌다. 매슬로우는 이 욕구들을 위계적으로 배열하고 낮은 곳에서 높은 곳으로 갈수록 작아지는 피라미드형으로 제시하였다.

사람이 만들어놓은 신체활동들도 인간의 기본 욕구들을 채워주는 기능을 한다. 사실, 이러한 인간의 활동들은 기본적 필요를 충족시켜나가는 과정에서 창조된 것들이라고 보아야 할 것이다. 내가 보기에, 7가지 각각의 신체활동들은 7가지의 인간 욕구를 만족시켜나가는 과정에서 찾아진 것들이다. 나는 그 7가지 인간의 욕구를 생존, 건강, 보호, 경쟁, 흥미, 표현, 실현이라고 간주한다.[11] 매슬로우의 아이디어를 기반으로 하여, 우리에게 주어진 신체활동들 각각의 특성들을 분석하고 그에 좀 더 적합한 내용으로 재구

---

[11] 나는 이들을 위계적으로 일렬로 위치시켜 인간 욕구의 사다리(The Ladder of Human Need)라고 부른다.

성한 것이다.

7가지 신체활동(운동, 운동활동)은 생존부터 실현까지의 모든 목적을 위해서 적절하게 활용될 수 있다. 발을 내딛는 기계적 움직임이 비좁은 산길을 걸어가야 할 때는 생존을 위해서 쓰인다. 하지만, 어린아이들은 뛰고, 던지고, 구르는 활동들의 조합을 통해서 순간적으로 자신을 표현하고 실현하는 의도까지 성취할 수 있다. 움직임 교육이란 바로 그러한 목적을 위해서 개발된 동작교육 방식이다. 무용도 생각과 감정의 표현을 위한 예술적 욕구 지향성이 높지만, 밥벌이를 위한 생계의 수단으로, 또는 우울증을 치료하고 신체적 건강을 유지하기 위한 도구로서 활용되기도 한다.

그리하여 코칭이란 사람의 필요를 충족시키기 위하여 운동을 가르치는 노력을 말하는 것이기도 하다. 이러한 규정은 코칭을 바라보는 기존의 관점과는 사뭇 다르다. 기존의 관점, 즉 통상적인 경우, 훈련적 관점에서 코칭은 경쟁을 위해서 스포츠를 지도하는 것에 한정된다. 반면에, 새로운 규정은, 훈련적 관점과 교육적 관점을 아우르는 시각에서 보는 것인데, 7가지 운동들이 각각 7가지의 이유로 인해서 가르쳐지는 것을 모두 망라한다. 후자가 49가지 다양한 형태의 코칭의 모습을 허용하는 반면, 전자는 단 1가지만을 코칭으로 인정한다〈표 1〉.

표 1 코칭 매트릭스

인간욕구 \ 신체활동	Movement	Exercise	Martial Arts	Sport	Leisure	Dance	Play
Survival							
Health							
Protection							
Competition							
Fun							
Expression							
Actualization							

물론, 다다익선의 미덕이 코칭의 경우에도 항상 참이라고 말하기는 어렵다. 나머지는 다 틀리고 하나가 옳을 수도 있다. 노아는 백년간 혼자서 방주를 만들었고, 율곡은 단신으로 십만양병설을 주장했다. 그리고 둘 다 옳았다. 다만, 나머지 48가지 경우가 정말로 "코칭"이라고 부르기 어려운 것인가? 사실, 상식적인 수준에서만 잠깐 생각해보아도 그렇지는 않다고 할 수 있다. 놀이를 생존이나 건강을 위해서 가르치는 것을 코칭이라고 하기 어려운가? 댄스를 경쟁이나 보호를 위해서 가르치는 것도 코칭이라고 이름하기 이상한가?

우리가 지금 당장 느끼는 어려움과 이상함은 코칭에 대한 기존의 개념, 통념이 우리의 인식과 경험을 가득 채우고 있기 때문에 생기는 것이다. 훈련적 관점의 코칭관에서 이 질문을 이해하고 답변해야 하기 때문이다. 우리가 코칭을 보다 확장된 상태로 (또는 열린 상태로) 이해한다면, 우리에게는 모든 것이 코칭이라고 생각될 수 있는 여지가 생기는 것이다. 냐냐주의(이것이냐 저것이냐의 양자택일론)가 아니라 도도주의(이것도 저것도의 양자수용론)의 입장에서는 신체활동과 인간욕구의 매트릭스상에 펼쳐진 모든 칸칸들이 코칭의 한 종류, 한 형태로서 받아들여질 수 있게 된다.

나는 지금 한편으로 힘겨운 요청을 하고 있는 것처럼 보일 수 있다. 그렇다면, 코칭 아닌 것이 있는가? 코칭과 코칭이 아닌 것을 구분하는 기준선은 무엇인가? 이것도 저것도 모두 코칭이라고 부르면 무슨 좋은 이득이 생기는가? 등등의 의문이 쏟아질 수 있다. 나는 지금 앞 장에서 이야기한 입장, 즉 코칭은 훈련이면서 교육적 활동이라는 의견에 충실한 요구를 하고 있다. 이 둘 모두를 만족시키는 특징을 지닌 코칭이라는 인간의 활동은 매우 다양한 형태로 전개될 수 있음을 극단적으로 보여준 것이다.

체육에서 다루는 신체활동은 여러가지가 있으며, 다양한 인간욕구를 충족시키기 위해서 지도한다. 이것을 위한 모든 활동을 코칭이라고 부른다. 이 같은 의견을 "코칭 매트릭스" 견해라고 부르자. 이 코칭 매트릭스 관점에서 코칭과 코칭 아닌 것을 구분해주는 핵심기준은 그것이 운동인가 아닌가이다. 그것이 무브먼트, 엑서사이즈, 마샬 아트, 레저, 스포츠, 댄스, 플레이에 속하지 않는다면, 그것을 지도하는 활동은 코칭이라고 할 수 없다. 적어도 체육분야에서 관심을 가져야 하는 코칭은 아니다(현재 코칭분야는 심리학에서 상담, 멘토링 등과 함께 급속도로 발전되어가고 있다).

각 운동들을 가르치는 방식의 구체적 방안들은 모두 다르다. 각각의 운동들이 서로 구분되는 내용과 형태상의 특징들이 있기 때문이다. 주로 경쟁적 의도로 배우는 스포츠 활동들은 단위 테크닉을 숙달하고 상대방의 전술과 전략을 공략하며 반사적으로 발휘할 수 있는 기량을 위하여 가르쳐진다. 축구와 농구와 핸드볼을 생각해보라. 레저는 재미를 만끽하기 위해서 배우며 자연환경 속에서 함께 하는 사람들과의 친밀감을 드높이는 방식으로 지도한다. 윈드서핑, 등산, 래프팅을 떠올려보라. 물론, 동일한 운동활동을 얼마든지 다른 목적을 염두에 두고 습득하도록 할 수 있다. 이때 기술적 측면은 동일한 방식으로 가르치되, 정신적 측면은 다른 방식으로 지도될 것이다.

그리하여, 7가지 운동들은 각각의 특별한 코칭법이 요청된다. 모두가 코칭이라고 부를 수 있지만, 동일한 차원과 상이한 차원을 구분하기 위해서 각 운동에 코칭이라는 이름을 붙일 수 있다. 즉, 무브먼트 코칭, 엑서사이즈 코칭, 마샬 아트 코칭, 스포츠 코칭, 레저 코칭, 댄스 코칭, 플레이 코칭이 있는 것이다(이때 코칭은 페다고지와 동일한 의미를 갖게 된다). 이 일을 담당하는 전문가를 코치(페다고그로서의 코치)라고 부른다. 무브먼트 코치, 엑서사이즈 코치, 마샬 아트 코치, 스포츠 코치, 레저 코치, 댄스 코치, 플레이 코치라고 할 수 있다. 이들은 각기 다른 운동내용을 가지고 다양한 목적을 위해서 그것을 지도하는 사람이다.

기존의 코칭개념으로는 스포츠 코치만이 올바른 직명이라고 볼 수 있다. 나머지는 생소하거나 억지스러운 감도 들 수 있다. 엑서사이즈를 가르치는 이는 트레이너, 마샬 아트 지도자는 마스터(사범), 레저와 댄스는 인스트럭터(강사)라고 부르고 있으며, 무브먼트와 플레이를 지도하는 이는 특별한 전문명칭을 가지고 있지는 않다. 이것을 모두 코치라고 부를 수 있게 되는 것이다. 그리고 이 코치는 (레저, 스포츠, 마샬 아트 등) 어떤 운동내용을 가르치든지, 그것을 훈련적 수준이나 교육적 수준에서 가르치게 된다. 인간 욕구의 사다리에서 위쪽이나 아래쪽에 초점을 맞추어서 전수하게 된다. 말하자면, 훈련적 레저 코칭이나 교육적 레저 코칭을 하는 것이다(생존지향적인 방향은 훈련적인 것으로, 실현지향적인 방향은 교육적인 것으로 이해한다).

03. 코칭의 탐구 맥락과 실천 맥락

그리하여 코칭 매트릭스 관점으로 본다면, 스포츠교육연구 소분야에는 Movement Pedagogy, Exercise Pedagogy, Martial Arts Pedagogy, Sport Pedagogy, Leisure Pedagogy, Dance Pedagogy, Play Pedagogy의 7가지 영역이 가능한 것이다. 이 각각의 영역에서 7가지 인간욕구를 충족시키기 위해서 해당 운동들을 가르치고 배우는 과정들에 대한 연구를 실행하는 것이다.

스포츠교육학의 탐구는 4차원에서 진행될 수 있다(최의창, 2003). 그것은 이론, 정책, 연구, 그리고 실천이다. 스포츠교육의 목적, 코칭의 개념 등 이론적이고 철학적인 문제에 대한 개념적 탐구가 행해질 수 있다. 질적, 양적 연구방법을 활용하여 경험적 자료를 수집하고 분석하여 스포츠교육적 지식들을 찾아낸다. 그리고 실제 지도하는 현장에서의 구체적이며 효과적인 실천방안을 강구하는 노력이 진행된다. 마지막으로 이론, 리서치, 실천의 다양한 자료들을 모아 대규모의 현장 적용을 위한 제도적인 실천을 위한 정책 개발이 이루어진다. 이 4가지 차원의 탐구활동은 7가지 모든 운동영역에 대하여 각각 진행된다〈표 2〉.

표 2   코칭의 탐구 맥락 1

신체활동 연구차원	Movement	Exercise	Martial Arts	Sport	Leisure	Dance	Play
이론							
정책							
연구							
실천							

이 전체의 영역과 차원들은 교육철학적, 교육사회학적, 교육심리학적, 그리고 교육인류학적 관점들에서 각각 연구될 수 있다〈표 3〉. 예를 들자면, Whitehead(2010)는 교육철학적 분석과 탐구를 통하여 스포츠교육 전반의 새로운 목적으로 "신체적 리터러

시"physical literacy의 개념을 이론적으로 세련화시켰다. Light와 Kentel(2013)은 "무심"
無心의 개념을 교육심리학적 관점에서 "복잡성 학습이론"complexity learning theory에 녹여내
어 수영과 육상달리기 스포츠의 지도에 적용시키는 리서치를 하였다. Lloyd와
Smith(2006)는 엑서사이즈를 지도하는 과정에서 가르치는 이와 배우는 이의 상호작
용적으로 해석하여 "상호작용적 몰입"이라는 새로운 개념을 찾아내고 있다.

표 3   코칭의 탐구 맥락 2

연구관점＼신체활동	Movement	Exercise	Martial Arts	Sport	Leisure	Dance	Play
교육(스포츠)사회학	이론		이론		이론		이론
	정책		정책		정책		정책
	연구		연구		연구		연구
	실천		실천		실천		실천
교육(스포츠)철학							
교육(스포츠)역사학							
교육(스포츠)행정학							
교육(스포츠)심리학							
기타							

그리고 각각의 코칭(페다고지)를 실천하는 맥락은 어떠한 상황 속에서 어떠한 대상
들을 위하여 진행되는가를 알아보는 것이다(조욱상, 2013). 통상적으로 운동지도의 맥
락은 학교와 생활과 전문영역으로 나뉘어진다(물론 각각의 경계가 어디까지인지도 이
제는 그다지 명확하지 않지만 말이다). 그리고 연령층은 영아, 유소년, 청소년, 청년,
중년, 장년, 노년의 발달단계로 구분되는 것이 일반적이다(Bailey, Collins, Ford,
MacNamara, Toms & Pearce, 2010). 이 둘을 연결시켜 바라보면 아래와 같다〈표
4〉. 각 운동영역(exercise, sport, dance 등)마다 학교—생활—전문체육 분야에서 영
유아부터 장노년까지를 대상으로 실천을 어떻게 하는가에 대한 관심을 풀어낼 수 있는
것이다.

표 4 코칭의 실천맥락 1

참여대상 \ 체육영역	학교체육	생활체육	전문체육
영유아 0~5			
유·청소년 5~20			
청중년 20~50			
장노년 50~			

여기서 한 걸음 더 나아가서 생각하면, 매 참여대상군 각각마다 학교체육, 생활체육, 전문체육 각 분야별로 또 다시 실제로 지도(수업, 강습, 훈련)하는 방법, 가르치는 내용과 운영을 다루는 교육과정(프로그램), 그리고 예비지도자(교사, 강사, 코치) 교육, 그리고 현직에서의 지속적 전문성 향상이라는 4가지 차원에서의 구체적인 실천이 진행될 수 있다고 할 수 있다〈표 5〉. 영유아 아이들에게 운동을 가르치는 지도방법, 그것을 운영하는 전체적인 프로그램, 그 일을 제대로 수행할 수 있는 예비지도자를 기르는 교육, 그리고 현장에서 일을 해나가면서 그 일을 보다 수준 높게 해낼 수 있도록 하는 전문자질 향상의 노력 등에 대한 실천적 고민들을 진행시킬 수 있다.

표 5   코칭의 실천맥락 2

참여대상 \ 체육영역	학교체육	생활체육	전문체육
영유아 0~5		체육교수학습방법	
		체육교육과정	
		체육직전강사교육	
		체육현직강사교육	
유·청소년 10~20 등	체육교수학습방법		체육교수학습방법
	체육교육과정		체육교육과정
	체육직전교사교육		체육직전코치교육
	체육현직교사교육		체육현직코치교육

결론 및 시사점

세계 스포츠학계의 동향, 국내 스포츠교육학회의 변화, 한국 체육정책과 제도의 개정, 국내 체육전문직분야의 재편 등으로 인해서 우리가 하고 있는 연구에 대한 재검토가 시급하다는 사실이 분명해졌다. 즉 "스포츠교육연구"라고 하는 전문적 노력을 새롭게 이해하는 재개념화가 불가피해졌다. 지난 20년간을 정리하면서 새로운 20년을 시작해야할 시점이다. 나는 여기서 그 방향성과 출발점이 스포츠코칭이 되어야 함을 주장하였다. 티칭과 티처의 울타리를 벗어나 코칭과 코치(페다고지와 페다고그)로 영역을 확장시켜야 한다고 힘을 주었다. 그리고 그것을 위한 몇 가지 개념적 아이디어를 소개하였다.

이제 마지막으로, 이 주장과 제안을 바탕으로 학회와 현장에 몇 가지 시사점을 제안하려고 한다. 첫째, 코칭 매트릭스에서 제안한 스포츠 코칭의 개념을 중심으로 새로운 스포츠교육의 지식체계를 만들어 나가야만 한다. 특히, 학교—생활—전문체육의 영역을 관통하는 스포츠교육론의 개발이 가장 시급하다. 거시적인 이론적, 개념적 연구를 찾아내어야 하며, 현재까지 진행된 다양한 경험적 연구들의 밑바탕을 흐르는 개념적 아이디어들을 드러내야만 한다. 예를 들어, 최의창(2011, 2013)은 인문적 스포츠교육론을 중심으로 스포츠티칭과 스포츠코칭의 통합적 관점을 개발하고 있다. Stolz(2014)는 현상학적 관점에서 운동 가르치고 배우는 것에 대한 철학적 탐구를 진행하고 있다. 이를 위해서는 미국 중심의 논문 읽기와 교재 활용에서 벗어나, 영국과 호주 등에서 출판되는 연구논문들과 학술 서적이 보다 활발하게 공부되어져야 한다.⟨12⟩

둘째, 스포츠교육의 영역에 포함되는 7가지 신체활동들 각각의 교육연구에 대한 연계를 도모해야 한다. 현재 각 소영역 별로 독자적으로 진행되고 있는 교육적 연구(무도교육, 여가교육, 무용교육, 놀이교육 등)를 서로 교육이라는 관점에서 묶고, 연결시키

⟨12⟩ 물론 두말할 것도 없이, 한국, 일본, 중국 등 아시아 국가들의 연구도 존중되어야 하며, 비영어권 국가들의 연구에도 관심을 두어야 할 것이다. 다만, 아직까지는 영어로 저술된 논문들이 많지 않은 것이 어려움이다.

고, 통합시키는 노력이 필요하다. 이것은 교육학과 교과교육학의 관계와 같다고 볼 수 있다. 스포츠교육학회가 모학회로서 역할을 하면서, 각 운동영역별 교육학회 또는 교육연구자들의 연구가 서로 통합적으로 진행될 수 있는 허브 역할을 할 수 있어야 한다. 이것은 첫 번째 시사점인 융합적 지식체계의 개발과 직접적으로 연결되어 있다. 예를 들어, 인문적 스포츠교육의 아이디어를 활용하여 무도교육이나 무용교육에 활용할 수 있을 것이다.

셋째, 학회 내에서 "스포츠교육"이라는 융합적 주제에 대한 관심을 진작시키는 한편, 또한 각 소운동영역별 관심을 적극적으로 북돋우는 환경을 마련해주어야 한다. 일례로, 생활체육과 전문체육, 혹은 여가교육, 무용교육, 무도교육, 엑서사이즈교육 등에 대한 관심을 공개화된 기회를 통해서 진작시켜야 한다. 영역 혹은 주제별 소규모 토론회나 연구회의 구성 및 운영을 지원하고 매 학회 시 발표와 만남의 기회를 마련해주어야만 한다. 이를 위해서는, 예를 들어, 타 연구단체와 마찬가지로, 정기적 "월례세미나"를 운영하여 정규학회 이외에 연구자들이 상호 학문적 의견을 공유하고 소통할 수 있는 기회를 활성화시켜야만 한다.

넷째, 현재 스포츠지도사 자격제도에 대한 전문적이고 지속적인 연구 및 자격제도 개선에 대한 관심이 필요하다. 스포츠코칭교육학으로서의 스포츠교육연구분야에는 스포츠지도와 관련된 모든 제도와 자격이 주요 관심사 안으로 포함된다. 남의 일이 아니고, 이제 내일, 우리 일이 되는 것이다. 강 건너 불이 아닌, 발등의 불이 된다. 최근 개편된 제도에 대한 철저한 분석과 구체적인 진흥방안들에 대한 고민이 주어져야 하며, 스포츠교육학회가 어떻게 주인의식을 지니고 주체적으로 제도를 운영해나갈 수 있도록 도울 것인지 연구해야만 한다. 실기검정 및 연수기관의 평가기준, 연수교육프로그램의 실질적 운영, 구체적인 전문 자질 등등 교육관련 전 측면에 대한 전문적이고 수준 높은 시스템 관리를 위한 독보적인 전문기관으로 인정받아야만 한다.

다섯째, 정부와 국민에게 스포츠교육이 평생교육의 장으로서 인식될 수 있도록 하는 장기간의 노력을 시작해야한다. 문화체육관광부, 교육부, 대한체육회, 국민생활체육회 등에서는 스포츠가 전 국민이 평생동안 참여하는 매우 드문 활동 중의 하나임을 명심해야 한다. 국민의 건강만이 아니라 시민의식과 전인적 인성을 도야하는 훌륭한 기회임을 명료히 하고, 지속적인 캠페인을 통해서 스포츠참여가 개인과 국민의 "교육"의 도량으로서 역할할 수 있도록 총체적인 노력을 기울여야 한다. 교사, 강사, 코치, PT 등 다양한 종류의 스포츠지도사(스포츠교육자, 스포츠페다고그, 즉 코치)들이 모두 평생교육자로서의 역할을 담당할 수 있도록 지속적인 전문성 함양의 기회를 제공해야만 한다. 한국스포츠교육학회가 그 몫을 떠안아야 할 것이다. 예를 들어, 언제나 스포츠맨십을 강조하는 운동은 배우는 과정에서 전 연령층의 국민을 대상으로 인성을 함양하는 좋은 기회가 될 수 있다.

참고문헌

강신복(편)(2009). 현대스포츠교육학의 이해. 서울: 레인보우북스.

고문수, 김재운(2012). 초등교사의 눈으로 바라본 뉴스포츠 수업의 교육적 가능성과 한계. 교과교육학연구, 16, 1123-1141.

교육부(2013). 학교스포츠클럽 리그운영지원센터 사업결과보고서. 서울: 교육부.

교육부, 문화체육관광부(2014). 2014 학교체육활성화계획. 서울: 교육부, 문화체육관광부

권민정(2012). 학교스포츠클럽 정책의 전개 과정 분석 및 교육적 담론. 한국체육학회지, 51, 321-333.

김경숙(2003). 스포츠교육학과 사회체육. 한국스포츠교육학회지, 10, 41-63.

김무영, 조남용(2013). 스포츠교육학에서 반성적 체육전문인 관련연구의 동향과 과제. 한국스포츠교육학회지, 20(4), 43-66.

김승재(2010). 한국청소년의 스포츠진흥과 스포츠교육학의 역할. 한국스포츠교육학회지, 17(4), 143-153.

박대원, 박종률(2012). 국가수준 체육과교육과정의 연구 성과 및 향후 과제. 한국스포츠교육학회지, 19(2), 65-92.

신기철(2011). 초등 예비교사교육을 위한 스포츠교육학의 교육적 역할과 학문적 과제. 한국스포츠교육학회지, 18(4), 19-38.

이옥선(2013). 초등체육발전을 위한 체육학연구의 동향과 과제. 한국초등체육학회지, 18(4), 113-128.

유정애(2011). 체육학 페다고지: 스포츠교육학의 또 다른 교육적 역할. 한국스포츠교육학회지, 18(4), 1-17.

정현우, 박정준, 최의창(2013). 영국 "학교스포츠파트너십" 정책분석을 통한 학교체육정책 개발 및 실행의 실제적 시사점 탐색. 한국스포츠교육학회지, 20(2), 41-63.

조욱상 (2013). 코칭 교육학(coaching pedagogy)의 개념과 전문코치교육: 현직코치들의 비판적 소고. 코칭능력개발지, 15, 13-24.

최의창(2003). 스포츠교육학. 서울: 무지개사.

최의창(2010). 인문적 체육교육과 하나로 수업. 서울: 레인보우북스.

최의창(2012). 전인적 선수발달과 인문적 코칭: 교육활동으로서 스포츠코칭의 목적과 방법 재개념화. 한국스포츠교육학회지, 19(2), 1-25.

최의창(2013). 코칭이란 무엇인가? 인문적 스포츠코칭론 서설. 서울: 레인보우북스.

한국스포츠교육학회(2015). 스포츠교육학: 2급 스포츠지도사. 서울: 대한미디어.

한국체육학회(2012). 학교체육진흥법 제정을 통한 체육권 보장 및 학교체육 활성화. 2012 학교체육진흥세미나 자료집. 서울: 한국체육학회.

Armour, K. (Ed.)(2011). Sport pedagogy: An introduction to teaching and coaching. London: Prentice-Hall.

Armour, K. (2014). New directions for research in physical education and sport pedagogy. Sport, Education and Society, 853-854.

Armour, K., & Macdonald, D. (Eds.)(2012). Research methods in physical education and youth sport. London: Routledge.

Bailey, R., & Kirk, D. (Eds.)(2009). The physical education reader. London: Routledge.

Bailey, R., Collins, D. Ford, P., MacNamara, A., Toms, M. & Pearce, G. (2010). Participant development in sport: An academic review. Sports Coach UK, 4, 1-134.

Camire, M. (2014). Youth development in North American high school sport: Review and recommendations. *Quest*, 66, 495-511.

Cassidy, T., Jones, R., & Potrac, P. (2009). *Understanding sports coaching: The social, cultural and pedagogical foundations of coaching practice*(2nd ed.). London: Routledge.

Charles, J. (2002). *Contemporary kinesiology*(2nd ed.). Champaign, IL: Stipes Publishing.

Choi, E. (1992). *Beyond positivist sport pedagogy: Developing a multidimensional, multiparadigmatic perspective.* Unpublished Doctoral Dissertation. University of Georgia, Athens, GA.

Cote, J., & Gilbert, W. (2009). An integrative definition of coaching effectiveness and expertise. *International Journal of Sports Science and Coaching*, 4(3), 307-323.

Evans, J., & Penney, P. (2002). *Politics, policy and practice in physical education.* London: Routledge.

Hardman, A., & Jones, C. (Eds.)(2011). *The ethics of sports coaching.* London: Routledge.

Haskins, D. (2010). *Coaching the whole child: Positive development through sport.* West Yorkshire: Coachwise.

Hoffman, S. (2013). *An Introduction to Kinesiology*(4th ed.). Champaign, IL: Human Kinetics.

Holowchak, A., & Reid, H. (2011). *Aretism: An antient sports philosophy for the modern sports world.* Maryland: Lexington Books.

Houlihan, B., & Lindsey, I. (2013). *Sport policy in Britain.* London: Routledge.

Jones, R.(Ed.)(2006). *The sport coach as educator: Re-conceptualizing sport coaching.* London: Routledge.

Kirk, D. (February, 2010). Current status and future trends in research on physical education in Europe: Some critical issues for why research matters. Keynote address to the 5th International Congress and XXVI National Conference of the INEFC, University of Barcelona.

Kirk, D. (2012). *Physical education(Major themes in education).* London: Routledge.

Kirk, D., & Haerens, L. (2014). New research programmes in physical education and sport pedagogy. *Sport, Education and Society*, 19(7), 899-911.

Kirk, D., Macdonald, D., & O'Sullivan, M. (Eds.)(2006). *Handbook of physical education.* London: SAGE Publications Ltd.

Kirk, D. & Tinning, R, (1990). *Physical education, curriculum and culture: Critical issues in the contemporary crisis.* London: Falmer.

Lewis, H. (2007). *Excellence without a soul: Does liberal education have a future?* New York: PublicAffairs.

Light, R., & Kentel, J. (2013). Mushin: learning in technique-intensive sports as a process of uniting mind and body through complex learning theory. Physical Education and Sport Pedagogy, DOI:10.1080/17408989.2013.868873.

Lloyd, R., & Smith, S. (2006). Interactive flow in exercise pedagogy. *Quest*, 58, 222-241.

Lyle, J., & Cushion, C. (Eds.)(2010). *Sports coaching: Professionalisation and practice.* Edinburgh, UK: Churchill Livingstone.

Maslow, A. (1954). *Motivation and personality.* New York: Harper.

McKenzie, T. L., & Lounsbery, M. A. F. (2014). The pill not taken: Revisiting physical education teacher effectiveness in a public health context. *Research Quarterly for Exercise and Sport, 85,* 287-292.

Metzler, M. (2014). Teacher effectiveness research in physical education: The future isn't what it used to be. *Research Quaterly for Exercise and Sport, 85,* 14-19.

Nesti, M. (2004). *Existential psychology and sport: Theory and application*. London: Routledge.

Ovens, A., & Fletcher, T. (2014). *Self-study in physical education teacher education*. London: Springer.

Pinar, W. (1975). *Curriculum theorizing: The reconceptualists*. New York: Mccutchan Pub Corp.

Potrac, P., Gilbert, W., & Denison, J. (2013). *Routledge handbook of sports coaching*. London: Routledge.

Smith, A., Thurston, M., Lamb, K., & Green, K. (2007). Young people's participation in National Curriculum Physical Education: A study of 15-16 year olds in North-West England and North-East Wales. *European Physical Education Review, 13*, 165-194.

Silverman, S., & Ennis, C. (Eds.)(2003). *Student learning in physical education: Applying research to enhance instruction*. Champaign, Illinois: Human Kinetics.

Stolz, S. (2014). *The philosophy of physical education: A new perspective*. London: Routledge.

Strachan, L., Cote, J., & Deakin, J. (2011). A new view: Exploring positive youth development in elite sport contexts. *Qualitative Research in Sport, Exercise, and Health, 3*, 9-32.

Tinning, R.(2010). *Pedagogy and human movement: Theory, practice and research*. London: Routledge.

VanderZwagg, H.(1972). *Toward a philosophy of sport*. New York: Addison-Wesley Educational Publishers Inc.

Whitehead, M.(Ed.)(2010). *Physical literacy: Throughout the lifecourse*. London: Routledge.

Chapter **08**

스포츠교육학에서의 철학적 탐구

• • • • • • • • • • • •

   스포츠교육에 관한 철학적 탐구는 오랫동안 미진하게 진행되었으나, 지난 2000년대 이후 미국을 넘어 영국과 유럽에서 본격적 연구가 진행됨에 따라 새로운 관심을 받게 되었다. 본 장은 지난 50여 년간 스포츠교육 분야에서 진행된 (교육)철학적 탐구를 포괄적으로 돌아봄으로써, 두드러진 특징과 장단점을 찾아내어 한국 스포츠교육학에서 전개되어야 할 발전 전망을 살펴본다. 철학적 연구의 특성상 학술논문과 저술을 중심으로 하는 문헌의 분석과 개념의 분석 방법을 사용하였다. 철학적 탐구의 층위를 철학자의 전문철학적 차원, 이론가의 이론개념적 차원, 실천가의 사색성찰적 차원으로 삼분하여 각각에 해당하는 과거의 연구, 현재의 연구, 앞으로의 전망을 살펴보았다. 첫째, 전문철학적 차원에서는 스포츠교육철학자들의 철학적 탐구와 스포츠철학자들의 교육적 탐구가 진행되었다. 둘째, 이론개념적 차원에서는 스포츠교육 연구의 본질 검토, 스포츠교육론과 모형의 제안, 수업/코칭 교수학습론의 검토, 체육교사/코치의 교육 및 전문성 발달, 체육교육과정 이슈와 정책의 분석에 대한 탐구가 실행되었다. 셋째, 사색성찰적 차원에서는 체육교사/교수/코치의 현장실천가 연구와 스포츠코치/감독의 스포츠 체험 자기성찰이 실천되었다. 국내 스포츠교육학에서의 철학적 접근은 첫 번째 차원에서는 여전히 전망이 밝지 않으나, 두 번째와 세 번째 차원의 전망은 매우 밝다고 할 수 있다.

Ⅰ "철학적"인 것의 층위

체육하는 사람들과 그리 가깝지 않은 주제가 하나 있다. "철학"이다. 체육연구자들 사이에서도 "철학"이라는 주제는 그리 친숙하지 않다. 체육학 분야에서 누구도 먼저 나서서 친해지거나 할 수 있는 그런 영역이 아니다. 그만큼 철학은 어렵게 느껴지고, 가까이 하기 너무 멀게 느껴지는, 그런 영역이다. 체육학자들 가운데 철학을 공부하는 이가 얼마나 되며, 철학적 성향을 지니고 하위 학문분야를 탐구하는 이가 얼마나 되는가?

철학의 위치는 "스포츠교육"에 있어서도 다르지 않았다. 스포츠교육에 대한 학술적 탐구는 "연구"라고 하는 접근으로 시작되었다. (주로 미국을 중심으로) "리서치"라고 부르는, 경험적 데이터를 수집하여 그것에 바탕을 두고 현황을 이해하거나 사실을 검증하는 사회과학(행동과학)적 연구 접근이 1970년대부터 적용되기 시작하였다. 이때는 행동주의, 인지주의 심리학에 근거한 연구방법론이 주를 이루었다. 체육에서의 수업활동과 교육현상을 객관적으로 바라보며 계량화된 자료를 수집하여 그것을 바탕으로 수업과 교육전반의 개선을 도모하였다(Locke, 1977).

1990년대 이후에는 질적 연구 방법론이 스포츠교육 연구의 주류로 자리잡기 시작했다. 주로 사회적 상징론, 해석학 그리고 비판이론을 근거로 한 인류학과 사회학적 성향의 연구자들이 두각을 나타내기 시작하면서였다. 우연적이었겠지만, 이들은 미국을 제외한 영어 사용권 국가들, 특히 호주와 영국을 중심으로 활동하는 연구자들이었다. 연구자의 숫자는 그리 많지 않았으나, 연구활동이 매우 활발하였고 연구논문의 발표 숫자가 상당하여, 2000년대 들어와서는 심리학적 접근보다 양적으로 월등하게 많은 산출물을 내어놓고 있다. 전문학술지의 숫자도 더 증가하였다(Choi, 2015; Ennis, 2017).

스포츠교육에 대한 철학적 접근도 양적인 발전을 거두었다고 볼 수 있는가? 지난 3-40년 동안 양적으로 다소 증가하였다고 말할 수는 있으나, 눈에 띌만한 실질적 증가는 없었다고 말하는 것이 적절하겠다. 스포츠교육에 대한 학술적 연구 자체가 양적으로 폭발하는 수준으로 늘어났기 때문이다. 다른 학술적 접근에 의한 논문들과의 비율적인 면에서는 거의 변한 것이 없거나, 오히려 줄어들었다고도 볼 수 있다. 단적으로 말해서, 매우 안타깝지만, 스포츠교육에 대한 철학적 탐구는 여전히 소외적 상황, 또는 빈약한 상태를 벗어나지 못하고 있다고 할 수 있다(Morgan, 2006).

다른 방향에서 생각해보면, 이것이 철학적 접근의 운명이라고 볼 수도 있다. 사라지지 않은 것만도 다행으로 생각해야 하는 것이다. 철학은 원래부터가 소수의 관심영역이며, 또 소수만이 제대로 해낼 수 있는 그러한 어려운 공부 영역이자 탐구방법이기 때문이라는 말이다. 틀리지 않은 지적이다. 다만, 틀리지 않을 뿐이지, 정확히 옳은 지적은 아니다. 철학은 그렇게 독특하고 특이한 것이 아니며, 소수의 전유물에 그치는 학술적 귀중품에 그쳐서는 안 된다. 철학은 모든 이의 소장품이 될 수 있다. 더 나아가 필수품이 되어야 한다.

나는 스포츠교육에 대한 철학적 접근을 이러한 관점으로 해석하여 내용을 구성하려고 한다. 이를 위해서는 주제인 "철학"이라고 하는 용어를 세 가지 수준에서 분류하는 일이 요구된다. "스포츠교육의 철학적 전통과 전망"을 살펴볼 때에, "철학적"이라는 말의 의미를 세 차원에서 풀이하여 각각의 경우를 분명히 하고, 그에 따르는 내용들을 분류하여 "전통과 전망"을 알아보고자 한다(Charles, 2002; Harper et al., 1977; Passmore, 1980; Reid, 2012; Vanderzwaag, 1972).

첫 번째, "철학적"이라는 말은 학술영역으로서의 철학적이라는 의미이다. 스포츠철학이나 교육철학이라는 말이다. Bernard Suits, Scott Kretchmar, Randolf Feezell, Peter Arnold, Heather Reid 등과 같은 스포츠철학 및 스포츠교육철학자들이 하듯이 전문적이고, 학술적 수준의 철학적 탐구를 말한다. 실용주의, 비판이론, 해석학, 현상학, 후기구조주 등의 철학적 이론으로 무장하고, 형이상학, 인식론, 윤리학, 미학 등에서 다루는 주제들에 대해서 질문을 던지고 논증을 마련하는 방식의 철학적 활동을 말하는 것이다 the professional dimension.

두 번째, 전문적인 철학 탐구는 아니나 개념적으로 보다 근본적인 질문을 던지고 그에 대한 체계적인 이론적 대답을 찾아내려는 노력도, 많은 경우에, "철학적"이라고 불린다. 전문 철학자가 아니더라도, 연구자는 자신의 연구주제에 대해서 보다 근본적인 차원에서의 이해를 갖기를 원한다. 권위 있는 연구자일수록 이러한 성향이 강하며, 경험적 연구를 방향 지어 나가는 이정표와 목표점으로 삼는다. 이러한 철학적 성향(이론적이고 개념적인 탐구 의욕)을 가지고 있기 때문에, 다른 연구자들과의 차별적인 연구를 할 수 있게 된다. 물론, 저명한 수준이 아니더라도, 누구나 이러한 개념적, 이론적 태도와 관심은 가질 수 있다 the theoretical dimension.

세 번째, 개인적 수준에서 철학적이라는 말은, "사색적이다, 성찰적이다"라는 말과 상호 교환적으로 사용된다. 우리는 일상의 모든 일들이나 상황이나 현상들에 대해서 한 번 더 생각해 보고 검토해 보는 습관을 지닌 사람에게, 농담 반 진담 반으로, 철학적이라고 부르기도 한다. 철학은 지혜에 대한 사랑이고 호기심에서 출발한다는 말대로, 모든 것을 당연시하며 받아들이지 않고 자신 스스로의 힘으로 새롭게 탐색하여 살피려고 하는 자세와 태도에 대해서 우리는 "철학적"이라고 말한다. "관조적이다, 숙고한다, 탐구적이다" 등과 같은 표현들이 모두 사색적이고 성찰적인 자세와 태도를 갖춘 이들에게 적합하게 사용된다 the personal dimension.〈1〉

이렇게 살펴보니, 모종의 연관성이 드러나는 것 같다. 첫 번째는 스포츠교육철학자, 두 번째는 스포츠교육연구자, 세 번째는 스포츠교육실천가에게 각각 "철학적"일 수 있다는 것이다. 스포츠교육철학자는 학술적으로 철학적이며, 스포츠교육연구자는 개념적으로 철학적이며, 스포츠교육실천가는 성찰적으로 철학적일 수 있다. 그러므로, 스포츠교육의 철학은 스포츠교육철학자만 하는 것이 아니라, 스포츠교육의 연구와 실행에 관련된 모든 이들이 각자 자기의 수준에서 그에 적합한 내용과 방식으로 해온 일이며, 해나가야 하는 노력임이 드러난다. 나는 이런 관점에서 지난 과거의 전통을 돌아보며, 현재의 상태를 둘러보고, 앞으로의 전망을 살펴보려고 한다. 우선, 세 분야의 전문가들의 철학적 전통의 현황을 세 절에서 각각 살펴본다(2, 3, 4절). 5절에서는 한국에서의 현황을 간단히 둘러본다. 그리고 마지막 절에서 향후 전망을 국내 스포츠교육에 제한하여 예상해본다.〈2〉〈3〉

〈1〉 제목의 "철학적"이란 표현에 대한 현재 나의 태도와 자세는 세 번째의 의미에서의 철학적이다. 이 세 가지 어느 철학의 수준이든 간에, 철학적인 것의 기본은 명료화와 구분이기 때문이다. "철학적"의 의미는 이렇게 다층적으로 해석되어야 한다고 믿어왔다. "철학"을 좀 더 가깝게 만들어줄 수 있고, 실제로 철학은 그런 것이기 때문이다. "호기심(의문)에서 시작되는 지혜에 대한 사랑"이라는 필로소피의 어원은 바로 이런 다층적 의미를 담고 있다.

II 스포츠교육철학자들의 철학적 전통

오래전 나는 (당시에는 체육교육이라고 불렀지만) 스포츠교육 분야에서의 철학적 (연구) 전통에 대해서 간략히 살펴본 적이 있다(Choi, 2000a). 심리학적, 사회학적 연구가 활발히 이루어지고 있는데 반하여, 역사적, 철학적 연구가 드러나지 않거나 행해지지 않는 것을 우려하는 마음에서였다. 그 당시에 진행된 주요 연구들을 체육교육목적론, 인식론, 윤리학, 그리고 미학 중심으로 정리하여 소개하고, 국내 스포츠교육 연구자들의 좀 더 많은 관심을 기대하고 촉구하였으나, 이십여 년이 지난 지금도 사정은 거의 달라진 것이 없다.

영어 사용권 국가를 주축으로 하는 서양에서의 학술적 경향도 그리 다르지는 않았다. 다만, 가끔씩 체육교육 또는 스포츠교육에 있어서의 철학적 탐구 전통에 대한 검토는 끊이지 않고 진행되었다(Kirk, 1988; McNamee, 2009; Parry, 1998; Reid, 1998).〈4〉 대표적으로 2000년대 중반 출간된 〈Handbook of physical education〉의 한 장에서 Morgan(2006)은 ("체육교육의 철학"이 아니라) "철학과 체육교육"이란 제목 하에 이와 관련된 설명을 해주고 있다.

〈2〉 이하 본문에서 언급되고 다루어질 내용들에서 무용교육 부분은 제외되었다. 그동안 스포츠교육연구에서 (특히 서양에서는) 이 분야 자체가 스포츠교육과는 구분되는 영역으로 간주되어왔다. 한국의 상황, 그리고 개인적 의견은 다소 다르지만, 내용의 광범위함과 독립적 리뷰가 필요한 것이 분명하여 본 장에서는 다루지 않는 것으로 하였다. 혹시라도 무용교육의 (전문)철학적 전통에 대해서 알아보고자 하시는 분께서는 McFee(1994)로부터 시작하는 것을 권한다.

〈3〉 말할 필요도 없는 것이지만, 본 장에서 언급하고 포함시킨 연구들은 현재 주제의 범주에 들어오는 국내외에서 발표된 모든 논문들이 아니다. 너무도 많은 다양한 연구들이 진행되고 있으며, 여기에 소개되는 것들은 매우 제한적인 소수의 연구들이다(예를 들어, 학위논문들은 거의 포함시키지 못하였다). 나의 개인적 관심과 역량의 한계 내에서 이루어지는 리뷰이며, 독자들의 이해를 정리하거나 관심을 촉발시키는 출발점 역할을 할 정도라고 스스로 생각하고 있다. 이 주제와 관련된 보다 더 깊고 넓은 이해를 지닌 연구자의 다른 리뷰를 기대한다.

〈4〉 세부적인 탐구주제와 주요 연구자들에 관해서는 Choi(2000a)과 McNamee & Bailey(2003) 참조. 본 장과 중복되는 내용이라 판단되어 여기에서는 다루지 않는다.

우선, 그는 체육교육철학이라고 불리던 탐구영역이 1960년대 후반 들어서면서 스포츠철학의 발달로 감퇴되고 소멸되어가는 지경이 되었음을 말하고 있다. "Philosophy of Physical Education PPE"에서 "Philosophy of Sport PS"로 변화(또는 진화)되면서, 신체활동의 교육적 차원, 또는 교육적 관점에서의 신체활동에 대한 철학적(이론적) 관심이 수그러들고, 스포츠 자체에 대한 철학적 관심이 확장되어가기 시작한 것이다. 그리고 1970년대 이후에는 완전히 스포츠철학이 하나의 독립된 하위 학문분야가 되고, 1980년대 체육교육 분야가 사회(행동)과학적 연구 중심의 학술분야로 변모하여 스포츠교육학이라는 하위 학문으로 성장하면서, 체육교육의 철학적 탐구는 종적이 묘연해지게 되었다. 연구자가 극소수였고 연구도 미미하여서는 두 곳 어디에서도 존재를 확인하기 어려웠다.

Morgan은 철학적 탐구는 객관적 질문, 주관적 질문, 그리고 규범적 질문의 세 가지를 모두 다룰 수 있지만, 논증을 통해서 대답될 수 있는 가장 적합한 질문인 규범적 질문이야말로 스포츠철학의 탐구대상이라고 말한다. 스포츠철학은 교육적 맥락에서 규범적 질문들을 던지고 답하는 것으로서, 형이상학적, 인식론적, 그리고 가치론적(윤리학과 미학) 세부 접근으로 탐구되어 왔으며 앞으로 해야 할 연구주제들을 언급한다.

체육교육철학이라고 불리던 초기에는 주로 체육을 인지적으로 가치 있는 영역, (이론적 지식과는 구분되는) 실천적 지식을 생산해 내는 분야로서 정당화시키려는 인식론적 접근이 주종을 이루었다. 학교에서 교과로서 가치가 있는 영역으로 정당성을 부여받기 위해서 필요한 이론적 근거를 확보하기 위해서였다. 스포츠철학적으로 옮겨가면서 놀이, 게임, 스포츠 등의 존재나 가치를 (내재적, 외재적으로) 인정받기 위한 존재론적(형이상학적) 논의들이 주된 탐구 주제로 부상하였다. 그리고, 현장에서의 스포츠 실천과 관련된 윤리학적 이슈들에 대한 다양한 관심들이 활발히 논의되었다.

스포츠철학자인 Morgan의 요약은 스포츠교육철학과 스포츠철학의 구분을 명백히 이해하는데 도움을 준다. 하지만, 스포츠교육철학의 주요 주제라고 불릴 수 있는 구체적인 내용들을 싣고 있지는 못하다. 그는 스포츠교육의 철학적 탐구라고 할 만한 학자들의 내용을 좀 더 철학적으로는 다루었으나, 교육철학적인 입장에서는 많은 부분을 간과하였다. 실제로, 교육철학적 탐구는 그리 힘을 더하지 못할 것이며, 스포츠에 대한 철학적 탐구가 좀 더 많은 것을 가져다 줄 것이라고 주장하기도 하였다. 물론 그럴 수도 있지만, (스포츠의) 교육철학적 탐구도 스포츠교육철학의 핵심 영향요인이 될 수 있다. 아래 절에서는 스포츠교육철학자의 철학적 탐구와 스포츠철학자의 교육적 탐구를 함께 살펴봄으로써 스포츠교육철학자의 철학적 전통에 대해서 알아보도록 하겠다.

1) 스포츠교육철학자들의 철학적 탐구

진정한 스포츠교육철학자라고 불리울 수 있는 대표적 학자가 있다. 영국의 Peter Arnold(1979, 1988, 1997)이다. 그는 30여년을 넘는 꾸준한 저술 작업을 통해서 체육(스포츠)교육의 교육철학적 이슈들에 대한 전문적인 탐색을 해왔다. 1970년대가 저물어가는 해에 출판한 〈*Meaning in movement, sport and physical education*〉은 현상학적 개념들을 적용하여 다양한 신체활동을 다양한 체육 맥락에서 검토하고 교육적 가치들을 드러내고 증명하려는 시도다. 이 책에서 그의 유명한 개념구분 즉, "Education about, through, and in movement"가 처음으로 소개되었다. 십 년 후 그는 〈*Education, movement and the curriculum*〉을 내어놓으면서, 학교교과로서의 체육(스포츠와 댄스)의 가치를 인식론적, 가치론적으로 정당화하려는 시도를 분석철학적으로 진행시켰다. 그리고 마지막 저서가 된 〈*Sport, ethics and education*〉은 윤리학자인 MacIntyre의 철학개념들을 적극적이고 창의적으로 활용하여, 스포츠가 문화적으로 가치 있는 활동으로서 사회적 실천전통의 하나라고 주장하면서 체육의 도덕교육적 기초를 다져놓았다.

국내는 물론 서양에서조차도 그다지 알려져 있지 않지만, 캐나다의 Saul Ross (2001)도 스포츠교육철학자라고 불릴 만한 연구자이다. 여러 학술논문 이외에, 그는 저서로서 〈*Physical education reconceptualized: Person, movement, knowledge*〉를 유일하게 남겨주었는데, 여기서 체육교육의 근본문제들을 자신이 추구하는 교육철학에 근거하여 세밀하게 살펴보고 있다. 그는 체육교육의 목적, 체육의 교육적 가치, 체육교육에서 추구하는 이상적 인간상, 그리고 그것을 성취하기 위해서 체육교육이 제공하는 독특한 교육적 가치 등을 이 저술에서 심도 있게 논의하였다. 신체의 교육과 신체를 통한 교육의 전통으로부터 시작하여 학문화 운동으로 인한 변화를 둘러본다. 이어서 체육으로 완성하려는 인간에 대한 이원론과 일원론을 살펴보고 "person"이라는 자신의 개념을 규정한다. 마지막으로 체육이 교육적으로 "person"의 완성에 공헌할 수 있는 것은, 체육에서만 독특한 "physical action knowledge" PAK를 제공할 수 있기 때문이라고 주장한다.

이후 2000년대 들어와서는 약 10여 년간 스포츠교육철학의 범위 내에 들어오는 저서 수준의 저작은 거의 없었다고 평가하고 싶다. 물론, 이 기간 동안에도 몇몇 학자들에 의해서 논문들은 간헐적으로 소개되고 있었다. 주로 현상학적 입장에서 신체활동(무브먼트, 스포츠, 댄스 등)이 갖는 교육적 가치들이 어떤 것인지를 다양하게 분석하고 증명하는 시도들이었다.

그러다가 호주의 Steven Stolz(2014)가 〈The philosophy of physical education: A new perspective〉를, 노르웨이의 Oyvind Standal(2015)이 〈Phenomenology and pedagogy in physical education〉을 연달아 출판하였다. Stolz(2014)의 저작은 가장 최근의 본격적인 스포츠교육철학 저서라고 할 만하며, 지난 반세기 동안의 전통을 그대로 이어받아 체육교육철학적으로 중요한 이슈부터 살펴보면서 최근의 스포츠교육철학적으로 주목해야 될 내용들까지 다루고 있다. 그의 책에 들어있는 "새로운 관점"이라는 표현은 기존의 주요 이슈나 주제들을 다시 한 번 검토해 보면서, 자신의 관점을 새롭게 견주어 살펴보고 조심스럽게 제시하고 있음을 나타내준다.

그의 저술의 목차를 살펴보면 이해에 도움이 된다. "스포츠와 체육의 정당화: 교육기관에 스포츠와 체육을 포함시킬 중요한 이유가 있는가?(1장), 신체에 대한 철학적, 신학적 입장들: 신체에 대한 변화하는 개념들과 스포츠와 체육에 미치는 영향(2장), 교육에 있어서 체육이 차지하는 독특한 위치: 교육의 유연한 개념과 "신체적으로 교육되는" 과정(3장), 놀이라는 현상과 체육에서의 가치: 철학자들은 왜 놀이, 게임, 스포츠에 대해서 그렇게 많은 이야기를 하는가?(4장), 스포츠와 철학의 윤리적 측면들: 스포츠와 체육은 인성을 개발하는 독특한 기회를 제공하는가?(5장), 맥인타이어, 라이벌 전통들, 그리고 체육교육(6장)." 거의 모든 스포츠교육철학적 저술들을 검토하고 활용하면서 스포츠교육철학의 주요 이슈들을 상세하게 다루고 있음을 알 수 있다. 이러면서 마지막에 자신의 주장으로 "embodied learning"(체화학습)이라는 개념을 소개하면서, 스포츠교육의 중요한 가능성으로 주목해주기를 언급한다.

Standal(2015)은 책 제목에도 나타나있듯이, 스포츠교육의 주된 철학적 입장으로서 현상학을 검토하고 그 가능성을 주장하고 있다. 그는 스포츠교육철학 philosophy of PE 만이 아니라, 그것에 바탕을 둔 스포츠교육론 pedagogy of PE 을 함께 다루고 제시하고 있다. 우선, 현상학에 대한 기본적 설명을 제공한 후, 체육교육의 맥락에서 현상학에 대한 이해를 넓힌다. 특히, 최근에 주목을 받고 있는 "physical literacy" PL 의 장점과 단점에 대해서 살펴본다(2장). 현상학과의 관련에서 실천적 지식이라는 주제를 알아본다. 메를로퐁티의 철학에 근거하여 지식객체(체육에서의 행위, 활동, 실천 등)와 지식주체(학생)의 관계를 설명한다(3장). 실천적 지식의 원천이 되는 현상학적인 질적 체험으로서 "poise"라는 개념을 주목하면서, "skill"과 비교하고 대조한다(4장). 이러한 개념에 바탕을 두고 본인이 생각하는 실천적 지식으로서 PL이 아니라 "movement literacy" ML 라는 아이디어를 제안한다. 그리고 이어서는 ML을 체육교육적으로 적용하고 실천하기 위한 교육론을 설명한다. 기존의 현상학적 교수법(6장), 신체의 중요성에 대한 재강조(7장), 장애자와 다른 소외자들에 대한 고려(8장), 그리고 보다 근본적으로 체육에서 강조해야 되는 체육교사의 역량과 학생의 능력에 대한 (마사 누스바움의 캐퍼빌러티 이론에 근거한) 새로운 입장(9장)에 대해서 자세히 설명한다.

이외에 아직 독립된 저술은 없으나, 학문적 배경과 연구주제의 측면에서 명백히 스포츠교육철학자들이라고 할 만한 학자들이 있다. 대표적으로 영국의 Malcolm Thorburn이 있다. Thorburn(2017a)은 독립된 저작은 아직 내어놓지 않고 있으나, 현 세대 스포츠교육철학자 가운데 가장 활발하고도 광범위하게 활약하는 학자이다. 2000년 초반 현상학적 접근으로부터 시작하여 최근에는 듀이철학을 스포츠와 체육분야에 구체적으로 적용하여 새로운 관점을 제공하고 있다. 그리고 체육분야에 한정되어 일하지 않고, 일반 철학과 교육철학 분야 전반에 중요한 이슈들을 검토하면서 사고의 지평을 넓히고 있는 중이다. 그는 또한 철학적 분석과 논증에 그치지 않고, 교육과정과 기타 교육정책을 주제로 한 철학적 분석과 실천적 제안을 함께 제공하면서 대가로서의 면모를 갖추며 성장하고 있다. 가장 최근에 편집한 저술(Thorburn, 2017b)인 〈*Transformative learning and teaching in physical education*〉는 전통적 체육교육철학의 범위를 넘어서는 관점과 주제를 다루면서, 향후 21세기 스포츠교육에서 새롭게 주목하고 지향해야 할 방향성을 선구적으로 제시해주고 있다.

공식적으로는 은퇴했음에도 불구하고 활발히 활동하고 있는 학자로서 Margaret Whitehead를 언급할 수 있다. 현재 전 세계적으로 주목받고 있는 개념인 "physical literacy"(신체소양)의 철학적 바탕을 마련하였다. 그녀의 연구는 거의 모두 체육교육의 핵심 목적으로서의 이 개념에 대한 다양한 저술을 중심으로 이루어졌다. 체육교육의 본질과 목적을 파악하기 위하여 기존의 여러 가지 개념들의 장단점을 철학적으로 분석한 후 PL의 상대적 우선성을 주장하고 있다(Whitehead, 2001, 2013). 이 개념은 몸과 마음을 하나로 만드는 일원론적 인간론에 근거하여 실존주의와 현상학에서 강조하는 신체 주체적 체험을 중요시 여기며, 배우는 이의 전인적 성장을 도모할 수 있도록 도와준다는 것이다. Whitehead는 가장 최근 〈*Physical literacy: Throughout the lifecourse*〉(2010) 편집을 통하여 그동안의 철학적 논의를 정리하고, 다양한 대상(비만아, 청소년, 노인, 장애인, 다문화 배경인 등)과 맥락(학교, 지역사회 등)에서 구체적 적용을 위한 아이디어들을 소개하고 있다. PL의 아이디어는 이론적 논의는 물론, 연구와 정책, 그리고 현장실천에 이미 적극적으로 활용되고 있다.[5]

2) 스포츠철학자들의 교육적 탐구

스포츠철학 분야에 소속되지만 연구주제의 내용과 실천적 관심이 교육적 성향을 강하게 갖는 스포츠철학자들의 연구도 스포츠교육철학 범주에 포함시킬 수 있다. 스포츠교육학의 범위가 학교체육, 학생, 그리고 체육교사의 범위를 넘어서서, 학교체육을 포함한 체육 전반 즉 스포츠로, 학생을 포함한 유·청소년 전체로, 그리고 체육교사를 포함한 스포츠전문인 모두로 확대됨으로써 가능해진 현상이다. 스포츠티칭교육학에서 스포츠코칭교육학으로 확장, 개편된 영향력으로 이것이 가능하게 되었으며, 앞으로 보다 더 확산될 것이다(Choi, 2015).

---

[5] PL의 의미, 중요성, 제한점 등에 대한 전반적 이해를 위해서는 Choi(2016) 참조.

가장 먼저, Feezell(2004)의 윤리학적 탐구와 Clifford & Feezell(2010)의 스포츠맨십과 인성에 대한 연구가 있다. Feezell은 스포츠의 본질을 아리스토텔레스적인 관점에서 살펴보면서 윤리학적 탐색을 펼쳐낸다. 그는 스포츠라는 인간활동 자체가 MacIntyre(1978)가 말한 "a practice"(실천전통)의 범주에 속한다고 주장하면서, 그 안에 들어있는 내재적 선을 습득함으로써 인간의 덕을 함양할 수 있는 주요한 활동으로 간주한다. 특히, 스포츠맨십의 개념을 주목하면서 스포츠에 참여함으로써 스포츠맨십을 습득하게 되며 그를 통하여 인성의 고양을 도모하는 것이 가능하다고 주장한다. 동료 스포츠철학자인 Craig Clifford와 함께 쓴 〈*Sport and Character: Reclaiming the principles of sportsmanship*〉에서는 스포츠맨십을 "상대편에 대한 존중, 팀과 팀원에 대한 존중, 심판에 대한 존중, 게임 자체에 대한 존중, 선수와 코치 간의 존중"이라는 5가지 존중으로 구성된다는 원칙을 구체적으로 설명하고 있다. 스포츠맨십의 5가지 원칙을 제대로 구현하기 위해서는 스포츠교육이 절대적으로 요청됨을 주장한다.

Holowchak & Reid(2011)는 현대 사회에서 스포츠의 가치를 바라보는 지배적인 관점 2가지와 그 장단점들을 소개한다. 첫 번째 것은 "The Martial/Commercial Model" MC모형 이다. 경쟁을 가장 중심에 놓으면서 승리와 패배를 스포츠의 핵심으로 간주한다. 경쟁을 극대화하기 위하여 상업주의와 자유주의를 중심으로 스포츠를 이해하고 진흥한다. 두 번째 것은 이 모델의 반대편에 있는 "The Aesthetic/Recreational Model" AR모형 이다. 스포츠의 심미적 차원과 여흥적 차원을 주목하면서 스트레스 해소와 정서적 만족감을 위한 여가선용적 가치를 강조한다. 경쟁과 여흥의 가치들이 갖는 긍정적 효과가 있으나, 반면에 그것으로 인해서 생겨나는 부정적 결과들도 무시하지 못한다. 승리를 위한 약물남용과 승부조작이나 화려한 기술발휘나 오락적 흥미추구에 몰두하는 경향성을 띠게 된다. 스포츠란 원래 이런 가치들이 아니라, 인간적으로 훌륭한 가치들을 담고 있고 실현해 내는, 고대 그리스적 가치의 총체인 "arete"의 철학을 바탕으로 한 "The Aretic Model" A모형 을 소개하며 스포츠의 본질적 가치를 추구할 것을 촉구한다.

그리고, 가장 최근, Kenneth Aggerholm(2015)은 최고의 운동선수로 성장하는 일에 대한 철학적 재해석을 시도한다. 그는 실존주의적 현상학의 시각에서 "탤런트"(재능)를 두 가지로 해석하는데, 우리말로 "소유적 재능" having a talent 과 "존재적 재능" being

a talent 이라고 번역될 수 있겠다. 그런데 우리는 아이들을 훌륭한 선수로서 성장시키기 위한 재능개발의 접근을 그동안 전자의 관점에서만 추구해왔다. 이것보다는 선수가 운동을 해나가면서 전인적 성장과 전 생애 행복을 도모할 수 있기 위해서는 후자의 관점으로 능력개발을 바꾸어 바라보아야 한다. 이를 위해서는 체육인재 선발과 육성에 "Bildung"의 개념을 수용해야 한다고 말한다. 독일어인 빌둥은 "도야, 교양, 인간 형성, 육성" 그리고 "교육" 등으로 번안되어 불리고 있다. 어떤 단어를 사용하든, 이 단어의 속뜻에는 단순한 기술 습득이나 지식 학습이 아니라, 전인적 측면들을 골고루 성장시키는, 좀 더 고차적인 결과를 추구하는 교육적 활동이 내포되어있다. 그는 이 빌둥의 일반개념에서 한 단계 더 나아가서, 영재교육의 의미에서 "elite-Bildung"의 개념을 제안한다. 스포츠 영재교육, 또는 스포츠전인교육으로서의 우수선수 육성을 바라보고 실천하자고 주장한다.

 ## III 스포츠교육연구자의 철학적 전통

(체육교육철학이든 스포츠철학이든) 전문철학자들의 탐구는 대체적으로 구체적인 철학적 문제들에 대한 상세한 논리적 주장을 담고 있다. 그래서 일반적으로 많은 사람들에게 읽히지도 않으며 잘 알려지지도 않는다. 그럼에도 불구하고, 학술적으로는 여전히 중요하며 지속적으로 행해져야 하는 필수적인 노력이다("음지에서 일하고 양지를 지향한다?").

이제 철학적이란 말의 두 번째 차원의 의미에 포함되는 노력들을 살펴보자. 어떤 관점이나 배경에서 행해진 탐구나 연구 중에서 개념적인 이슈나 이론적인 문제를 진지하게 다루는 것들이 여기에 해당한다. 스포츠교육연구자들(즉, 리서처들)이 경험적 자료를 모으는 것 이외에, 자신의 전문영역에서의 다양한 주제에 대하여 학술적인(이론적, 개념적인) 고민과 논의를, 형식을 갖추어 진행시킨 결과물들이 포함된다. 지난 40여 년간 주목받은 연구자들의 리서치 주제들을 한 눈에 살펴볼 수 있는 자료들이 있다. 핸드북의 형태로 편집된 문헌들인데, 최고의 학자들이 편집자로 포함되어 있는 가장 최근의 3권이 대표적인 것들로 손꼽힌다(Armour, 2011; Ennis, 2017; Kirk, Macdonald & OSullivan, 2006).[6] 이 책들에서 대분류로 묶여진 주제들을 중심으로 스포츠교육 연구의 본질, 스포츠교육론과 모형, 수업/코칭 교수학습론, 체육교사/코치의 교육 및 전문성 발달, 체육교육과정 이슈와 정책의 분석을 중심으로 살펴보도록 하겠다〈표 1 참조〉.

표 1　스포츠교육 연구의 주요 주제들

Handbook of Physical Education(2006)	Sport Pedagogy: An Introduction to Teaching & Coaching(2011)	Routledge Handbook of Physical Education Pedagogies(2017)
Theoretical perspectives in physical education research	Pedagogy in physical education and youth sport	Designing & conducting physical education research
Cross-disciplinary contributions to research on physical education	Children and young people; Diverse learners in physical education and youth sport	Curriculum theory and development
Learners and learning in physical education	Being a professional teacher or coach in physical education and youth sport	Curriculum policy and reform
Teachers, teaching and teacher education in physical education		Adapted physical activity
Physical education curriculum		Transformative pedagogies in physical education
Difference and diversity in physical education		Analyzing teaching
		Educating teachers 'effectively' from PETE to CPD
		The role of student and teacher cognition in student learning
		Achievement motivation

---

[6] 세 권의 핸드북 이외에도 이 영역의 이해를 위하여 함께 살펴보면 도움이 되는 관련분야의 핸드북들이 있다. Potrac et al.(2015), Green & Smith(2016), Griggs & Petrie(2017)이며, 각각 스포츠코칭, 청소년스포츠, 그리고 초등체육을 다루고 있다.

1) 스포츠교육 연구의 본질 검토

스포츠교육학이라는 명칭이 미국에서 자리를 잡은 것은 2000년 초반이다. 1970년 후반 〈*Sport Pedagogy: Content and methodology*〉(Hagg, 1978)라는 제목으로 최초의 서적이 출판되면서, 체육교육과정 학자들과 체육수업활동 연구자들로 구분되어 학교체육교육에 대해서 연구하던 다양한 배경의 (미국)학자들이 점차로 스포츠교육학자로 불리기 시작하였다. 1993년 *Sport Science Review*라는 저널에서 "Sport Pedagogy" **SP** 특집호를 출간하였다. 하지만, 이때까지도 영국, 호주, 미국, 캐나다 등에서는 각자가 선호하는 기존의 명칭으로 부르고 있었다. 1990년대 초반 이미 스포츠교육학으로 학문분야 명칭을 택했던 한국과는 사뭇 다른 경로를 택했던 것이다. 그러다가, 2011년 영국의 스포츠교육학자 Kathy Armour가 지난 동안 행해진 다양한 분야의 다양한 주제들에 대한 연구를 한 곳에 모으고, 그 서적의 명칭을 〈*Sport pedagogy: An introduction to teaching and coaching*〉이라고 명명함으로써 주목을 받게 되었다.

Armour의 책은 제목과 내용 면에서 기존의 다른 스포츠교육학 서적들과는 차별성을 보였다. 크게 두 가지가 두드러졌다. 하나는 티칭과 함께 코칭을 포함시킨 것이며, 학생과 함께 청소년을 대상으로 한다는 것이다. 책의 부제에 코칭을, 목차 대분류에 "체육과 청소년 스포츠"라는 표현을 본격적으로 사용하였다. 이것은 2000년대 들어와 일단의 영국과 호주 학자들이 학교체육의 제한을 벗어나 생활체육과 전문체육의 상황 속에서도 교육적 측면들에 대해서 고민해야 한다는 문제의식을 강하게 담고 다양한 연구를 시작한 것에 기인한다. 그러면서 자연적으로 학교체육 내에서 학생으로서의 청소년이 아니라, 일상생활과 운동선수로서의 청소년 전체를 연구 관심의 대상으로 확대하게 된 것이다. 이전까지만 하더라도 스포츠코칭과 청소년스포츠 영역은 주로 스포츠심리학의 영역으로 간주되었다.

물론, 영어 사용권 국가들에서는 여전히 SP란 명칭은 대세가 아니다. 그래서 Ennis (2017)처럼, 대안의 하나로 "Physical Education Pedagogy" **PEP** 라는 표현을 차용하기도 한다. 아니면, Kirk & Haerens(2012)처럼 "Physical Education and Sport Pedagogy" **PESP** 라는 세밀화된 이름을 활용하기도 한다. 호주학자 Tinning (2010)은 "Human Movement Pedagogy" **HMP** 라는 표현을 쓰기도 한다. 아무튼, 이

제 스포츠교육에 대한 학술적 탐구와 연구에 대한 이름에서 "Pedagogy"라는 명칭은 공식적 지위를 확보한 것으로 보인다. 다만, 스포츠교육의 "핵심내용"을 어떤 명칭으로 부를 것인가 대한 사람들의 의견이 합치되지 않고 있다. Sport, Human Movement, Movement 등은 기존에 언급된 것들이다. 가장 최근에는 중립적이면서도 가장 포괄적인 표현으로서 Physical Activity를 사용하자는 주장이 (주로 미국을 중심으로) 강하게 제기되고 있다. 이와 함께 "체육" 교과의 명칭을 "physical activity education"으로 바꾸자는 제안도 고개를 들고 있다(Johnson et al., 2017).

스포츠교육의 본질, 대상, 내용 등에 대한 이론적, 개념적 탐구는 하위 학문분야의 배경을 지닌 연구자들에 의해서 진행되고 있다. (스포츠, 교육) 심리학, 사회심리학, 사회학, 역사학, 철학 등이 가장 활발하게 활용되고 있다. 또한, 구체적 연구는 실증적, 해석적, 비판적, 여성주의적, 그리고 후기구조주의적 연구패러다임들의 다양한 시각으로부터 진행되고 있는 중이다(Armour & Macdonald, 2012; Casey et al., 2017). 이러한 다양한 학문적 시각과 연구패러다임들로 인해서 지난 20여 년간 스포츠교육의 본질은 더욱 확장되고 심화되고 있는 중이다. 단순히 체육수업활동의 체계적 관찰로부터 시작된 연구영역이 사회문화적 맥락 내에서 신체문화의 전수에 이르기까지의 주제들을 포함하는 심도깊은 분야로 성장한 것이다.

2) 스포츠교육론과 모형의 제안

"체육교육의 목적은 무엇이며 그것은 어떻게 실현해야 하는가?"는 스포츠교육의 최고 핵심 질문이다. 이에 대해서 전문철학적 논의도 있어왔지만, 가장 활발한 탐구는 현장에서의 실천을 염두에 두고 제안되는 이론적 주장과 개념적 모형들이다. 가장 기본적인 주장은 "신체의 교육"과 "신체를 통한 교육"이며, 이를 양 극단으로 하는 스펙트럼 속에서 다양한 아이디어들이 제안되었다(Choi, 2009).

많은 1세대 스포츠교육학자들이 이 범주에 포함되는 자신의 개별적 아이디어들을 제안하였다(대표적 예로서, Hellison, 2010; Siedentop & Tannehill, 2000). Jewett et al.(1995)는 그것들을 "Value Orientation"이라는 하나의 틀에 묶어서 5가지로 정리해서 안내해 주었다. 이들은 체육교육과정의 사조思潮 또는 체육교육의 지향 철학이라고 불릴 수 있는 5가지 주요 이상들을 상세하게 구분해 주었다. "내용숙달중심사조, 자아실현중심사조, 사회개혁중심사조, 학습과정중심사조, 생태통합중심사조"들이 각각 교과 목표, 내용, 방법, 학생, 평가의 차원들에서 어떠한 특징들을 지니고 있는지 설명하고 검토하고 있다. 그리고 각각의 사조들은 현실에서 구현되기 위해 도움이 되는 구체적인 체육교육과정 모형들(예, 학습과정중심사조는 발달단계모형)을 서로 연계지어 소개하고 있다.

Lund와 Tannehill(2010)은 미국 내에서 학교교육과정 개발과 운동의 이정표로 제시된 "스텐더드"(표준, 기준)를 주목하면서, 학교의 체육교육과정은 이 표준에 근거해서, 이 표준을 성취할 수 있도록 개발되고 운영되어야 한다고 주장한다. 이들은 "표준기반 체육교육과정" standard-based physical education curriculum 에 대해서 자세히 언급하면서, "주요테마중심" 교육과정 모형들을 8개 선정하여 소개해 주고 있다. "개인적·사회적책임감 모형, 스킬테마중심 모형, 모험교육 모형, 야외교육 모형, 이해중심수업 모형, 스포츠교육 모형, 문화연구 모형, 체력교육 모형"이 그것들이다.

체육수업 모형 혹은 교육과정 모형으로 불리는 다양한 체육교육 모형들을 가장 체계적이고 상세히 소개해 준 이는 Metzler(2010)다. 그는 일반 교수론 분야와 체육분야에서 널리 검증되고 실천되고 있는 다양한 수업구성 및 운영 프로그램틀을 "교수모형" instructional model 이라고 이름 붙이고 "직접교수모형, 개별화체제모형, 협동학습모형, 스포츠교육모형, 동료교수모형, 탐구수업모형, 전술게임모형, 개인적·사회적책임감모형"의 8가지를 정리하여 소개하였다. 그는 각 모형들이 갖추어야 하는 구조적 틀과 그 요소들을 선별하고, 각 모형을 그 틀과 요소들에 비추어 자세하고도 분석적으로 설명하였다.

최근에 Kirk(2011)는 가장 거시적인 수준에서 체육교육의 개념이 역사적으로 어떻게 모양 잡혀왔는지 살펴보고 있다. 그는 지난 50여 년간 서양 특히 영국에서 학교체육을 중심으로 현재 체육교육의 성격과 특징이 "physical education-as-sport-techniques" 스포츠 테크닉으로서의 체육 의 이념으로 확고히 형체를 잡았다고 주장한다. 그는 "the idea of the idea of physical education" 줄여서 id2 of PE라고 쓴다 이라는 개념을 구안하여 이 점을 설명한다. "체육개념"(체육이라는 생각)에 대한 거시적(메타분석적) 사고방식, 즉 "체육에 관한 생각"에 대한 패러다임적 사고방식을 전체적인 관점에서 분석해 본다. 그리하여 지배적인 관념으로 "스포츠 테크닉으로서의 체육"을 파악해냈는데, 이것은 20세기 초반 유럽대륙을 중심으로 근대사회와 대중교육의 초창기에 형성된 "physical education-as-gymnastics" 체조로서의 체육의 이념을 극복하려는 (하지만 실질적으로는 그 기대를 충족시키지 못하고 모습만 바뀐 채 지난 이념의 한계를 벗어나지는 못한) 대안이었던 것이다. 그가 이런 분석을 한 근본적인 이유는, 과거를 깊게 성찰함으로써, 향후 체육이 맞닥뜨리게 될 "체육의 미래들"이 어떤 것이 될 수 있는지를 예측하고 준비하기 위함이었다. 개인적으로 그는 "physical education-as-physical culture" 신체 문화 함양으로서의 체육의 개념을 소개한다. 이 생소한 개념은 생리적인 의미에서의 신체의 훈련이나 단련이 아니라, 신체를 사회문화적 의미에서 양육하여 더 나아지게 만드는 것을 의미한다.

3) 수업/코칭 교수학습론의 검토

학교의 정규수업으로 체육을 지도하는 방법에 대해서 많은 발전이 있어왔다. 그동안의 지배적인 방식은 앞에서 언급된 다양한 수업모형들을 목적과 맥락에 맞도록 다양한 종목(축구, 육상, 수영 등)을 다양한 대상(초등, 중등, 대학, 또는 선수)들에게 가르치는 구체적인 방법론들을 개념적으로 소개하고 이론적으로 세련화하였다.

교수이론과 학습이론들은 학생과 청소년(때로는 성인)을 대상으로 하는 수준의 스포츠교육, 그리고 체육교사와 코치를 대상으로 하는 수준의 스포츠교육, 모두에 대해서 적용되고 있는 중이다. 심리학, 사회심리학, 그리고 사회학을 근거로 하는 교수/학습이론들을 스포츠교육의 여러 단계(예를 들어 초중고 학교급)와 맥락(예를 들어, 선수 및 코치지도)에서 이해하려는 적극적인 시도가 활발하게 전개되고 있다. 학생과 청소년 모두를 대상으로 한, 티칭과 코칭의 모든 맥락에서의 교수/학습이론의 이해, 검토, 활용이 펼쳐지고 있는 것이다(Brady & Grenville-Cleave, 2018; Knight et al., 2018). 스포츠코칭과 코치학습을 주된 초점으로 하는 새로운 교수/학습이론의 적용은 기존 체육수업과 교사 학습 영역에서 부진했던 새로운 교수학습이론의 발굴과 적용을 자극하는 긍정적 효과를 내고 있다.

우선, 교수이론에 대한 이해와 함께 학습이론에 대한 이해가 속도를 높이고 있다.

Nelson et al.(2016)은 행동주의, 인지주의, 경험주의, 인간주의, 구성주의, 비판주의, 후기구조주의, 사회적 상징주의, 여성주의 이론 및 이론가들에 대해서 소개하고 이것이 스포츠코칭 장면에서 어떻게 활용될 수 있는지 살펴본다. Jones et al.(2011)도 마찬가지로 어빙 고프만, 미셸 푸코, 피에르 부르디외, 알리 호크스차일드, 앤소니 기든스, 키를라우스 루만, 에티엔 웽거, 피터 블라우, 율겐 하버마스 등 사회학자 및 사회심리학자들의 이론을 스포츠코칭에 적용해서 소개하고 있다.

스포츠교육 분야에서는 최근 주목을 받고 있는 특별한 교수론이 두 가지 있다. 하나는 "선수중심코칭론" athlete-centered coaching 이며 다른 하나는 긍정적 교수론 positive pedagogy 이다. 전자는 2000년 이후 간헐적으로 언급되고는 했으나(Kidman & Lombardo, 2010), 최근 스포츠코칭에 대한 관심이 증폭되면서 주목의 대상이 되고 있다. 특히, 장기적 선수발달 이론과 모형이 대세가 되어가는 시점에서 더욱 중요시되고 있다(Balyi et al., 2013). 가장 최근에 Pill(2018)은 이론적 접근, 리서치 접근, 실천가 접근의 세 시각에서 다양한 연구들을 모아 주었다. 이론적 접근에서는 홀리스틱한 과정중심의 선수육성 모형, 팀 게임에서의 전술적 창의성, 장애인 스포츠에서의 선수중심코칭, 팀분위기와 선수중심코칭 등을 주요 주제로 하여 선수중심코칭의 개념적 이해를 돕고 있다.

Light(2017)는 긍정심리학에서 영향받은 것이 분명한 아이디어인 "positive pedagogy"라는 새로운 스포츠 지도론을 제안하였다. 그는 이론적, 개념적 배경을 먼저 소개하고, 학습활동의 구안과 실행, 질문방법, 그리고 탐구 촉진하기 등 지도 방법론의 주요 특징들을 설명한다. 그리고 수영, 크로킷, 달리기, 투창, 암벽타기, 체조, 가라테 등의 개인 스포츠에서 실질적 지도를 어떻게 할 것인지를 사례를 들어 설명해 주고 있다. Holt(2016)도 역시 마찬가지로 스포츠 지도를 통해서 전인적 청소년 육성 positive youth development, PYD 에 대한 절대적 지지를 보내고 있다. PYD는 긍정적 청소년 개발(또는 전인적 청소년 육성)이라고도 불리며, 라이프 스킬의 아이디어와 결합되어 최근 스포츠교육의 가장 중요한 탐구 주제와 지도 방법론의 하나로 굳건히 자리를 잡아가고 있다(Pierce et al., 2017).

4) 체육교사/코치의 교육 및 전문성 발달

체육교사와 코치의 전문성 발달 **teacher/coach continuing professional development, CPD** 이 매우 중요한 관심영역으로 부각하면서 이들의 학습과정 **teacher/coach learning** 이 관심사가 되고 있다. 전문인으로서 자격을 갖추기 이전의 교육으로부터 시작하여, 초보전문인으로서 현장에 투입되고, 숙련전문인으로서 지속적으로 성장시키기 위하여 어떠한 교육방법론이 필요한지, 그리고 어떠한 학습방법론이 그것을 촉진시킬 수 있는지에 대한 본격적인 탐색이 진행되고 있다.

물론, 체육교사를 위한 올바른 체육교사교육에 대한 이론적 탐구는 오래전부터 있어 왔다(Collier, 2006). 잘 알려져 있다시피, 1980년대와 1990년대를 정점으로 효과적 체육수업을 제대로 실천하는 기능중심 체육교사교육이 강조되어왔다(Siedentop & Tannehill, 2000). 이 과정에서 체육수업의 억압적, 권위적, 불평등적 풍토와 지도과정에 대한 비판적 목소리가 높아지고, 이러한 비민주적인 체육수업을 극복하는 자질과 역량을 지닌 비판적 체육교사교육에 대하여 관심이 모아졌다(Tinning et al., 2001). 2000년대 이후에는 자신의 수업에 대한 탐구적 자세로 수업활동의 지속적 개선을 스스로 도모하는 자질과 태도를 지닌 반성적 체육교사교육의 관점이 주류가 되었다(Kirk et al.. 2001).

일단 교사로 일하게 되면서 지속적인 전문성 개발을 위한 현직교사교육에의 관심이 2000년대 들어와 매우 높아졌다. 체육교육과정에 대한 심도 깊은 이해를 바탕으로 주도적이고 창의적으로 학생들을 가르치는 반성적 체육교사로 지속적으로 성장해야 함이 강조되고 있다. 교사의 현장학습과 전문적 교사학습공동체와 같은 자발적 전문성 개발을 위한 방안들이 주목받고 강구되고 있다. Armour & Yelling(2004, 2007)는 질적 연구방법을 사용하여 현직체육교사 수백 명을 대상으로 이 분야에 대한 가장 광범위하고 기초적인 연구를 진행시킴으로써 체육교사의 전문적 학습과 성장, 그리고 교육적 관심과 기대에 대한 포괄적이면서도 상세한 이해를 가능하게 해주었다. "교수 사례" **pedagogical cases** 를 활용하여 예비 및 초임체육교사들의 실제 교수역량을 개발하는 아이디어가 제안되고 있다(Armour, 2014; Casey et al., 2017). 가장 최근에는 Richards & Gaudreault(2017)이 교사사회화라는 관점에서 체육교사의 전문성 개발의 다양한 측면들을 재조명해보고 있다.

코치의 전문성 개발에 대한 관심은 매우 최근의 현상이다. 물론 현장에서의 코치자
격 부여와 갱신을 위한 연수교육은 오래전부터 진행되어왔으나, 이론적인 수준에서 본
격적 탐구의 대상으로 부각된 것은 2000년대 이후라고 할 수 있다. 대부분 현장에서의
선수경험과 실제 지도 체험을 위주로 코칭을 진행시켜온 것이 냉정한 현실이다. 코치들
은 현장체험을 전문성 성장의 유일한, 또는 지배적인 원천으로 활용해왔음이 드러났다.
이론과 연구에 근거한 학습에 대한 거부감도 상당하다. 코치들의 주된 학습통로인 "형
식적, 비형식적, 무형식적 학습방식들"에 대한 탐색과 개발, 그리고 운영에 대한 본격
적인 탐구가 시작되어 흥미로운 결과들을 제공해 주고 있다(Cushion et al., 2010;
Nash et al., 2017).

스포츠 코칭에 대한 역사적 탐구를 바탕으로 사회 속에서, 전문인으로서 스포츠 코
치들의 역할에 대한 올바른 이해를 가질 수 있게 된다(Day, 2012; Phillips, 2000).
이러한 이해를 바탕으로 코치가 단순히 시합에서 이기기 위하여 운동기술과 전술을 효
과적으로 전달하는 트레이너, 잘해야 슈퍼바이저 수준의 역할에 멈추지 않는다는 점이
드러났다. 이에 더하여 교육학, 사회학, 심리학적 이론을 바탕으로 코치의 역할을 "반
성적 실천가"(Wallis & Lambert, 2016), 더 나아가 "교육자"(Jones, 2006)로서 자
리매김하려는 경향을 보이고 있다. 코치가 스포츠활동의 지도를 통해서 청소년과 성인
의 전인적 성장에 전반적으로 영향을 미칠 수 있다는 주장을 펼치고 있는 것이다
(Cassidy et al. 2016). 이를 위한 한 가지 제도적 조처로서 코치를 위한 전 생애에
걸친 평생학습체계 Long Term Coach Development, LTCD 가 필요하며, 국가적으로 이러한 시스
템을 마련해 주어야 한다는 데에 동의하고 영국, 캐나다, 그리고 EU에서 실제로 그러
한 시스템 마련에 선도적인 노력을 기울이고 있다.

5) 체육교육과정 이슈와 정책의 분석

스포츠교육에서 이론적, 개념적 수준에서의 철학적 전통을 이야기할 때, 체육교육과
정 영역이 가장 다양하고도 활발하게 성장해온 영역이라고 할 수 있다. 너무도 다양하
고 수준 높게 진행되어온 주제 영역이기 때문에 간단하게 소개하기가 어렵다. 체육교육

과정의 범주에 들어오는 내용이나 주제가 무엇인가 조차도 명확하게 정의 내릴 수 없는 것이 사실이다. 체육교육 전반, 또는 학교체육 전체, 또는 체육교육 프로그램이나 교육 과정 문서, 또는 체육수업의 실행까지도 체육교육과정의 범주에 포함시켜온 것이 스포 츠교육 분야의 현실이다. 앞서 언급한 주요 핸드북의 교육과정 섹션에서 다룬 세부 주 제들을 중심으로 표로 정리하겠다〈표 2 참조〉.[7]

표 2　　체육교육과정의 주요 주제들

Handbook of Physical Education(2006)	Sport Pedagogy: An Introduction to Teaching & Coaching(2011)	Routledge Handbook of Physical Education Pedagogies(2017)
Curriculum construction and change	Critical health pedagogy	Designing effective programs
Youth sport	Youth sport policy	Curriculum reform and policy
Health-related physical activity	Very young learners	Equity and inequity
Adventure education	Disabling experiences of PE	Adapted physical activity
Teaching dance	Social class	Gender sexuality
Sexuality	Disaffected youth	Obesity
Race and ethnicity	Young people and ethnicity	Migration background
Disability	Looked after children	Measurement
Girls	Gender	
Boys and masculinity	Mentoring	
Social class	Professional learning in communities of practice	
Assessment		

---

[7] 이 핸드북들 이외에 주요 외국 스포츠교육 전문저널로서 〈*Sport, Education and Society*〉, 〈*Physical Education and Sport Pedagogy*〉, 〈*European Physical Education Review*〉, 〈*Journal of Teaching in Physical Education*〉, 〈*Sports Coaching Review*〉, 〈*International Sport Coaching Journal*〉, 〈*Quest*〉, 그리고 국내 저널인 〈한국스포츠교육학회지〉, 〈한국초등체육학회지〉, 〈한국체육학회 지〉, 〈체육과학연구〉, 〈코칭능력개발지〉 등을 살펴봄으로써 체육교육과정과 관련된 주제와 함께 다양한 다른 연구주제들을 좀 더 상세하게 파악할 수 있다.

물론, 이 주제들이 전부는 아니지만, 1980년대 이후 오랫동안 연구자들의 관심을 받아왔으며, 그만큼 스포츠교육에서 중요하게 간주되어 연구되고 실천의 개선을 도모하는 노력이 주어져야 하는 일차적 주제들임은 말할 것도 없겠다. 이 밖에도 가장 최근에는 technology, religion, talent development, child abuse and safety, accreditation and qualifications, standards, comprehensive school physical activity program, physical literacy 등등의 새로운 아이디어와 이슈들이 서양 선진국 체육교육과정의 주요 관심 주제들이 되고 있다.

 ## Ⅳ 스포츠교육실천가의 철학적 전통

스포츠교육실천가들은 누구인가? 일차적으로 체육교사와 체육교수들, 그리고 스포츠코치와 감독들이다. 학생과 선수, 그리고 아마추어 애호가와 부모들도 포함될 수 있으나, 우리가 주목하고자 하는 실천가는 지도자급에 속하는 전문실천가들에 제한하도록 한다. 체육교사(교수)와 스포츠코치들은 전반적으로 체육교사/교수/코치의 현장 실천가 연구 전통과 코치의 개인적 스포츠 체험 성찰 전통의 두 가지 방식으로 사색과 성찰의 철학적 전통을 구축해놓았다.

1) 체육교사/교수/코치의 현장실천가 연구

1990년대 본격적으로 소개되고 실천되기 시작한 반성적 수업과 액션 리서치는 체육교사들로 하여금 자신의 수업실천을 성찰적으로 준비하고 되돌아보도록 자극하였다. 체계적 자료수집을 통해서 문제점을 파악하고, 그것을 해결할 수 있는 단계적이며 현실적인 방안을 스스로 구안하며, 실험적으로 실행하여 개선의 전개상황을 관찰하고 분석하여, 새로운 보완 방법을 찾아내는 성찰의 사이클을 순환적으로 지속시키도록 동기부여와 실행방법을 제공해 준 것이다.

반성적 수업과 액션 리서치(실행 연구)는 "수업은 연구가 되며, 연구는 수업이 된다"는 아이디어를 현장에서 실현시키는 개념적 근거를 제공해주었다. 현장체육교사들에게 "교사연구자"가 될 수 있도록 만들어주었다. 체육교사로서 자신의 수업에 필요한 실천적 지식을 스스로 만들어낼 수 있는 교육지식의 생산자가 하였다. Tinning(2010)은 액션 리서치의 개념과 이론에 대한 체육적 해석과 본인 체육교사교육 실천에의 실제적 적용을 통해서, 현장실천가의 실천적 지식이 가치롭고 의미가 깊다는 점을 스포츠교육 분야에 널리 알리고 확고히 정착되도록 만들었다.

체육교수들도 (예비)체육교사나 (예비)스포츠전문인을 지도하는 과정에서 자신의 교육활동을 반성적으로 지도하고 살펴보는 탐구의 절차를 연구하는 경우가 많아졌다 (Knowles et al., 2014). 사실, 체육교사나 스포츠전문인들은 신체는 충실하지만 정신은 빈약하다는 오래된 고정관념의 피해자들이라고 할 수 있다. 이것을 극복하는 유일한 방법은 탐구적 성향과 성찰적 자질을 습득하여 발휘하는 것이다. 체육교수들은 이러한 반성적 스포츠전문인을 교육시키는 지도방법의 전체 과정을 스스로 탐구하는 "교수연구자"가 된 것이다. 주된 현장실천가 연구방법론으로는 액션 리서치, 내러티브 연구, 자기 연구, 자문화기술지 등이 활용되고 있다(Ovens & Fletcher, 2014).

최근에는 이러한 개인적 노력이 자기교육 활동에 대한 연구를 지속적이면서 공동으로 진행하는 전문적 학습공동체로 발전되고 있다. 전문적 학습공동체professional learning community, PLC 는 전문성 개발을 위한 평생학습의 통로이면서, 현장실천가들이 중심이 되는 전문성 개발의 자기교육 모임이다. 실천공동체community of practice, COP 는 동일한 실천을 공유하는 특정의 조직이나 단체 내에서 현장의 문제를 해결하기 위해 즉각적으로 필요한 지식이나 기술을 협동적으로 마련하기 위한 일종의 전문적 학습공동체이다. 최근 십여 년 동안 체육교사(교수, 코치)들의 학습공동체(또는 실천공동체) 참여를 통한 현장에서의 전문성 개발이 효과적으로 판명되면서, 참여 과정과 체험에 대한 당사자들의 성찰적 기록물들이 점차로 소개되고 있는 중이다(Beddoes et al., 2014). 보고서나 연구 저작의 형태, 자기 수업 노하우의 형태, 또는 개인적 수상록 수준 등으로 다양하다(Denison, 2007; Kidman & Lombardo, 2010).

2) 스포츠코치/감독의 스포츠 체험 자기성찰

스포츠 분야에는 자신의 스포츠 체험과 운동 노하우를 사색적으로 되돌아보고 정리하여 교육적 수상록으로 전하거나, 아니면 기술적 지도서로서 구성하여 공유할 수 있도록 한 오래된 전통이 있다. 예를 들어, 가장 유명한 스포츠 지도서 가운데에는 프로골퍼 Ben Hogan(1957)의 〈*Five lessons; The modern foundations of golf*〉가 있다. 이 서적은 처음 출판된 이래로 60년이 지난 아직까지도 많은 골프 교수자들에게 그 권위를 인정받고 있는 중이다. 1970년대 한 시대를 풍미했던 테니스 교수자인 Timothy Galley(1970)의 〈*Inner game of tennis*〉도 여전히 테니스 교습서의 베스트셀러 자리를 놓지 않고 있다. 최근에는 골프 팁과 인생의 교훈이 가득한 골프 수상록인 Harvey Penick(1997)의 〈*Little red book: Lessons and teaching from a lifetime in golf*〉이 이러한 위치를 향해 가고 있다.

아마도 자신의 스포츠 체험을 수준 높게 반추하여 교육적 가치를 드높인 가장 유명한 책은 Eugen Herrigel(1953)의 〈*Zen in the art of archery*〉일 것이다. 1950년대 발행된 이래로, 스포츠분야에서 가장 오랫동안 칭송받는 서적이라고 말할 수 있다. 궁도弓道를 배우는 6년간의 체험에 동양의 사상, 선불교의 정신을 고스란히 담아내면서 독자들의 내면을 깨우침으로 가득하도록 만들었다. 궁도 수련자로서 일본인 스승에게 궁도의 기술만이 아니라 궁도의 정신을 배우는 힘든 과정과 마음의 상태를 세밀하게 묘사해준다. 기술습득과 정신터득을 함께 이루어나가는 자신의 반성적 학습과정에 대하여 명확하고도 깔끔하게 서술해 주었다. 철학 전공자이던 작가 자신의 학술적 배경도 큰 도움이 되었으며, 이후 스포츠교육적인 자료로서 하나의 전범으로 인정되고 있다.

보다 직접적으로 스포츠교육의 현장 실천가로서 자신의 체험을 하나의 시스템으로 만든 사례들이 있다. 주로 아마추어나 프로팀의 선수경력이 있는 코치나 감독들이 자신의 코칭 철학을 체계적으로 정리하여 스포츠교육 모형 또는 시스템으로 발전시킨 경우다. 가장 대표적으로 미국의 Jim Thomson이 있다. 스탠포드대학 경영학 교수였고 고등학교 때까지 농구선수를 한 그는 자신의 코칭철학을 담은 〈*Positive coaching: Building character and self-esteem through sports*〉(1995)와 〈*The double-goal coach: Positive coaching tools for honoring the game and developing winners in sports and life*〉(2003)를 통하여 자신의 스포츠교육철학과 방법론을 상세하게 구축하고 들려준다. 그는 저술과 특강에서 더 나아가 "Positive Coaching Alliance"(www.positivecoach.org) 라는 청소년 스포츠교육 단체를 만들어 미국과 전 세계 코치들을 위한 재교육과 교육적 스포츠 체험의 기회를 제공해 주고 있다. 체계적 프로그램과 지속적 교육자료 개발로 스포츠 체험과 교육이 승리의 기쁨과 삶의 교훈을 동시에 맛볼 수 있는 훌륭한 기회가 될 수 있음을 증명해 보여준다.

 ## 한국에서의 전개

　국내의 스포츠교육연구는 지난 30여 년간 괄목할 만한 성장을 보였다. 1992년 한국 스포츠교육학회가 설립되고 본격적인 학술분야로 모습을 갖추면서, 대학원 학위논문과 학술논문의 숫자는 엄청나게 증가하였다. 많은 대학원에서 스포츠교육 전공이 생기고 전문학술지가 발간되면서 연구는 성장 일로를 달려왔다. 이후 초등체육 분야에 헌신하는 한국초등체육학회가 발족되었으며, 가장 최근에는 한국스포츠코칭학회나 한국청소년스포츠학회 등 관련 학회들이 생겨나면서 전문연구자는 물론이고 학술연구의 다변화가 이루어지고 있는 중이다.

　스포츠교육연구가 국내에서 발전하는 과정에는 몇 가지 특징이 발견된다. 첫째, 국내 스포츠교육 연구는 초기에는 전적으로 미국의 연구동향을 복사 수준으로 수입해와서 한국에 소개하고 현장에 적용하였다. 1980년대와 90년대에 유행한 체육수업활동 연구와 체육교사사회화 연구를 중심으로, PPCF같은 체육교육과정 관련 주제들을 연구하였다. 체계적 관찰을 기본으로 한 양적 연구와 참여관찰과 심층면접을 주로 하는 질적 연구가 동시에 연구방법론으로 활용되었다. 2000년대에 들어와서는 한국 체육교육 상황에 보다 적합하고 특수한 주제들이 탐구되기 시작하였다. 최근에는 (역량중심, 가치중심) 체육교육과정 정책, 스포츠클럽, 창의인성교육, 체육진로교육, 자유학기제 등 국내 체육교육에 독특한 주제들의 탐구가 주류를 이루는, 연구독립의 수준으로 성장하고 있다. 다만, 지난 20여 년간 호주와 영국, 그리고 북유럽에서 새롭게 전개된 학술적 (주로 이론적, 개념적) 성과가 거의 소개나 적용, 활용이 되지 않았다.

둘째, 학술적 관심이 주로 리서치 중심으로 이루어졌으며, 개념적 논의나 이론적 성찰이 매우 빈약하였다. 한편으로는, 이론적 배경에 대한 깊이 있는 이해가 강조되지 않고 구체적이고 세부적인 연구주제 중심의 미국식 리서치 경향이 만연했기 때문이다. 스포츠교육분야 전문학술 서적의 발간이 빈약하고 주로 학술저널을 통해서 세밀한 특정연구 문제만을 다루는 연구논문 중심으로 학술활동이 이루어지는 미국적 스포츠교육 연구의 한계를 벗어나지 못한 것이다. 다른 한편으로는, 영어가 언어적으로 이론적, 개념적 기초 토대를 탄탄히 하는 데에 높은 장벽이 되었기 때문이었다.〈8〉 근본적인 호기심을 발단으로 철학적 탐구를 하기 위해서는 이론적이거나 개념적인 이해가 바탕을 이루어야 도움이 된다〈9〉.

셋째, 기본적으로 국내 스포츠교육연구자들에게는 "분과학문적 접근"이 널리 알려지지 않고 있다. 스포츠교육탐구도 교육철학적, 교육사회학적, 교육심리학적, 교육역사학적 배경 속에서 연구관심이 생성되고, 연구방법론이 선택되고, 연구결과가 해석되어야 하지만, 국내 연구자들은 대부분 자신의 연구를 이렇게 위치지음하지 못하고 있다〈10〉. 연구가 주제 중심적으로만 선택되기 때문이다. 대학원에서 학문적 훈련을 쌓을 때 어떤 특정 학문적 전통에 깊이 뿌리박은 이론적 이해가 강조되지 않기 때문이다. 교육학이 응용(융합)학문으로서 인문, 사회과학의 모학문 개념들을 적용하는 특성의 학문이기 때문에, 스포츠교육학도 마찬가지로 그 자체로는 모학문이 되지 못하는 상황이다. 교육학

〈8〉 이 같은 내적 원인에 덧붙여, 대학에서의 성과주의적 업적 평가 즉, 질 보다는 양에 치중하여 깊이 있는 연구를 못하게 하는 학계의 풍토, 정책과 연계된 연구비 지원, 그리고 그에 따른 연구물의 생산과 같이 정책화된 연구에 끌려 다니는 추세 등도 체계적인 외적 원인으로 작용하였다고 생각할 수도 있을 것이다. 다만, 이것은 또 다른 독립된 논의를 필요로 하는 복잡한 이슈이다.

〈9〉 이런 식의 평가는 다소 조심스럽지만, 이러한 경향도 결국에는 미국중심의 학술연구 지향성에 그 뿌리를 두고 있다. 미국에서 주로 사용하는 "Research on Teaching and Teacher Education in PE"라는 명칭 자체가 바로 특정 연구주제중심으로 발달된 학술분야의 성격을 대변해준다.

〈10〉 나의 경우는 주로 교육철학과 스포츠철학을 바탕으로 개념적, 이론적 연구를 해오고 있다.

(또는 체육학)이 모학문이 되어서 분과학문적 이론과 개념들이 스포츠교육학의 지식체계의 기반이 되고 있다. 영국에서는 이러한 분과학문적 성향이 강하고도 뚜렷하게 진행되었으며, 각 학문에 기초한 지식체계를 더욱 증대시키고 있는 중이다.

이런 특징들은 그동안 우리 스포츠교육의 철학적 전통이 두텁게 쌓이지 못한 이유가 된다. 즉, "연구의 성향이 편향적이다, 외국어의 언어적 제한이 크다, 학문적 관점을 택하지 않는다"는 이유로 인해서 우리의 스포츠교육에 대한 전문철학적, 이론개념적, 사색성찰적 전통은 그다지 큰 성과를 낳지 못했다. 우리 분야에 스포츠교육철학이라고 부를 만한 연구영역은 빈약하지만, 그럼에도 불구하고 그런 전통이 전혀 없는 것은 아니다. 간단하나마 그것을 살펴보도록 한다.⁽¹¹⁾

1) 철학자의 전문학술적 탐구

우선 먼저, 교육철학적 관점에서 행한 스포츠교육에의 전문철학적 탐구가 극소수 있다. Choi(1997)는 피터스와 오우크쇼트의 교육철학적 개념을 활용하여 학교체육의 정당화를 시도하였다. 사회적 실천전통으로서 내재적 가치를 지닌 교과영역으로 인정받을 수 있는 스포츠교육철학적 시도를 선보였다. 이를 바탕으로 체육교육의 목적을 "체육활동이 갖는 문화적 의미의 구현을 통하여 학생을 공적 전통으로서의 체육문화에 입문시키는 것"으로 규정한다. 이에 연결하여 체육교육의 내용(Choi, 2000b)과 방법(Choi, 1995)에 대한 교육철학적 분석을 시도한다.

스포츠교육에 관심을 갖는 스포츠철학자들의 연구들이 소수 있다. 스포츠를 가르치고 배우는 데에 있어서 기능중심적 지도가 갖는 한계와 단점을 지적하고 대안을 모색하는 시도가 있었다(Chang & Kim, 1998). 맥킨타이어의 덕론을 중심으로 체육의 도덕교육적 정당성을 도모하거나(Kim & Yuk, 2007), 아리스토텔레스의 덕교육과 맥킨타이어의 덕개념을 근거로 학교에서 진행되는 스포츠윤리교육의 의미와 구체적 원리를

⁽¹¹⁾ 이하 소개되는 연구들은 개인적 관심과 역량의 한계로 인해서 어쩔 수 없이 선별적이며 부분적이다. 이것들을 단초로 독자들께서 좀더 자세히 찾으시기를 기대할 뿐이다. 소개되는 연구들도 경험적 연구가 아니라, 이론적, 개념적 논의에 한정시켜 선정하였다.

살펴보거나(Lee & Chang, 2017), 보다 더 근본적으로 체육이 인간의 인격형성에 어떠한 도움을 줄 수 있는지를 논증해보는 연구가 있었다(Kim & Min, 2007).

2) 연구자의 이론개념적 탐구

반면에 다행스럽게도, 스포츠교육연구자들의 이론적, 개념적 탐구는 어느 정도 성과가 있다. 2000년대 이후 상당수의 젊은 전문연구자들이 배출되었으며, 높은 연구역량을 갖추고 본격적인 스포츠교육현상에 대한 탐색을 펼쳐냈기 때문이다. 첫째, 스포츠교육학과 연구의 본질에 대한 성찰은 지속적으로 진행되어왔다(You, 2015; Jung, 2015). 체육교육 학문화 운동이 실증주의적 스포츠교육학의 성립에 어떠한 영향을 미쳤는지를 탐구하는 연구(Choi & Kang, 1993)를 시작으로 하여, 가장 최근 스포츠교육학은 학교체육의 경계를 벗어나 스포츠지도 전반으로 확장되어야 한다고 주장하며, 스포츠티칭교육학에서 스포츠코칭교육학으로 거듭나야 함을 주장하는 연구가 있다(Choi, 2015).

둘째, 스포츠교육론이나 모형의 제안과 관련한 개념적, 이론적 연구들이 있다. 대부분 미국에서 제안한 수업모형들을 개념적으로 소개하거나 이론적 근거를 탐색하려는 연구들이다. 지난 20여 년간 여러 연구자들에 의해서 꾸준히 진행되어온 동향이다. (Siedentop, Hellison, Mosston, Metzler 등) 모형 개발자들의 주요 단행본들이 번역되어 소개되었으며, 최근에는 그러한 시도들을 하나로 묶어서 전체적으로 소개하는 책자도 발간되었다(Kang, 2009). 국내 스포츠교육분야에서 가장 주목을 받은 모형들은 이해중심게임수업모형, 스포츠교육모형, 그리고 개인적·사회적 책임감모형이다.

한국교육과 체육에서 강조된 전인교육의 실현을 위하여 서양에서 개발된 체육수업모형의 한계를 극복하는 새로운 체육교육 모형의 개발도 이루어졌다. 대표적으로 Choi(2009, 2010)는 현재 지배적인 체육교육론을 과학적 체육교육론(신체의 교육전통)으로 특징짓고, (신체를 통한 교육전통을 계승하는) 인문적 체육교육론을 주장한다. 그리고 그 실행을 위하여 "하나로 수업"이라는 새로운 수업모형을 제안한다. 인문적 체육교육론에 근거한 하나로 수업 모형은 기존의 체육교육론과 수업모형들과 확연히 구별되는 특징들을 지니고 있어서, 전통적 체육교육의 입장에서는 파격적인 접근으로 받아들여겼다. 하지만, 교과융합과 창의인성이 강조되는 현대의 교육동향에 체육분야에서 매우 적합한 모형으로 인정되어 관심을 받고 있다. 가장 최근 Choi(2013, 2018)는 스포츠교육 전반으로 이 아이디어를 확장시켜, 스포츠교육의 목표를 스포츠 리터러시 함양으로 새롭게 소개하고 있다.

셋째, 수업/코칭 교수학습론을 개념적, 이론적으로 다룬 연구들이 소수 있다. 최신의 뇌과학적 관점에서 신체활동과 인지관계를 다룬 연구가 있다(Lee, 2014). "체화된 인지" embodied cognition 를 주요 개념으로 하는 인지이론을 바탕으로, 신체활동이 정신과 신체를 하나로 묶여진 일원론적 존재로서의 인간의 인식과 사고를 드높여줌을 체육교육의 정당화 근거로 제시하고 있다. 이와 함께 스포츠를 통한 인성교육의 이론적 근거를 살펴보고(Park, 2011), 특히 스포츠맨십의 함양을 위하여 사회학습이론, 인지발달이론, 정신분석이론, 각성이론 등의 다양한 학습이론의 적극적 활용이 필요함을 주장하며 구체적인 지도방법들을 제안한다(Park, 2008).

넷째, 체육교사/코치의 교육 및 전문성 발달을 다룬 연구들이 다수 있다. Choi(2004)는 바람직한 체육교사의 이론적 개념을 바탕으로 그를 위한 바람직한 체육교사교육의 다양한 모습들을 논의하면서 반성적 체육교사교육의 필요성을 주장하고 있다. 체육교사를 포함한 체육전문인에게 필요한 인성적 자질, 심성적 자질을 강조하며 직전, 현직교육에서 중요한 교육의 목표로서 육성되어야 함을 주장한다(Choi, 2007a; 2011). 지속적 전문성 개발과 관련한 논의와 연구도 활발히 이루어지고 있다. 특히, 현직 초등교사(Jang & Lee, 2014) 또는 체육교사의 체육수업능력과 체육전문성 구성요소를 개념적으로 검토해보며(Lee et al., 2017; Jo & Shin, 2015) 전문성의 효과적 함양 방안으로써 교사학습공동체의 가치와 의의를 보여주고 있다.

다섯째, 체육교육과정 이슈나 정책의 분석을 다룬 최근의 연구들이 다수 있다. 앞에서도 언급했듯이, 2010년대에 들어와 국내 학교체육 정책과 교육과정 정책의 다변화와 활성화로 인하여 매우 다양한 주제들이 탐구의 대상이 되고 있다. 주된 예로써 국내 체육과교육과정의 검토(You, 2011), 자유학기제와 진로교육(You, 2014), 학교체육 정책 분석(Jin & You, 2015; Jung, 2014, 2016), 스포츠클럽(Kim & Kwon, 2012), 창의인성교육(Choi & Park, 2011), 통합적 접근(Choi, 2007b), 다문화교육

(Ju & Kim, 2015), 학교무용(Kim et al., 2017), 여학생체육(Kim & Chang, 2015), 학생선수(Hong & Yu, 2007), 건강교육(Lee & Hong, 2017), 교양체육 (You, 2013), 초등체육(Lee, 2013) 등과 같은 내용들이 다루어지고 있다.

3) 실천가의 사색성찰적 탐구

마지막으로 스포츠교육실천가들의 사색적, 성찰적 탐구는 점차로 증가하는 추세에 있다. 초등교사나 체육교사의 체육수업이나 체육체험에 대한 자기성찰적 탐구가 다양한 질적 연구방법론의 채택으로 활성화되고 있다. 특히 체육교사와 체육교수가 자신의 수업활동을 되돌이켜 살펴보는 셀프 스터디(자기교육 연구)가 주의를 끌고 있다(Lee & Ahn, 2017). 자신의 연구활동과정에 대한 성찰(Kim, 2008), 수업비평과정 참여 경험(Shim & Kim, 2014), 교사교육자와 운동부감독으로서의 역할갈등 체험(Kim, 2016), 테니스 학습과정에 대한 성찰(Lee, 2016), 여학생 체육활동 선도학교 운영경험(Lee & Jin, 2018) 등 매우 다양한 주제를 대상으로 자신의 교육행위에 대한 반성적 성찰 노력을 체계적으로 실행함으로써 반성적 체육교사로서의 전문적 성장 과정을 더욱 상세히 이해할 수 있도록 돕는다.

스포츠실천가, 즉 선수나 코치들에 의한 자신의 체육체험에 대한 성찰적 고민은 상당히 증가 추세에 있다. 자신의 스포츠 라이프를 되돌아보는 자서전이나 올림픽이나 월드컵 체험과정에 대한 회고록, 또는 자신의 운동 기술을 체계적으로 정리한 기술서적 등이 다수를 차지하고 있다. 하지만, 이런 자료들을 "스포츠교육"에 관한 사색과 성찰의 결과물로 간주할 수 있는 내용이며, 수준인지 단정하기에는 시기상조라고 할 수 있다. 특히 우리에게는 아직까지 오랜 시간을 견뎌온 고전으로 인정받을 수 있는 문헌이 없다. 다만, 자신의 스포츠 학습 및 수련과정을 성찰적으로 되돌아보면서 자세한 기록과 분석을 곁들인 일지나 소설 형식의 결과물(예를 들어, Kang, 2012)은 이런 범주에 넣어볼 수 있을 것이다. 그러나, 일반인들의 자기운동체험에 대한 서적이 생겨나고 있고, 특히 성찰력 높은 관찰과 분석이 함께 하는 글들이 점차로 많아지고 있는 긍정적 상황이다.

Ⅵ 전망과 기대

　지금까지 스포츠교육의 철학적 전통과 현황을 세 차원으로 구분해서 살펴보았다. 외국의 경우는 전통도 있고 현황도 있는 상태이나, 국내의 경우는 전통이나 현황 양쪽 모두 빈약한 상황이다. 지난 30여 년간 우리의 스포츠교육 분야는 경험적 연구 위주로 성장하여서 철학적 탐구의 전통과 현황이 빈약할 수밖에 없는 현실이다. 다만, 스포츠 교육연구자들에 의한 개념적, 이론적 관심이 가시적 수준에서 증가하고 있다는 점이 그나마 고무적이라고 할 수 있다.

　그렇다면, 앞으로의 전망은 어떠한가? 외국의 경우는 상당히 밝다고 할 수 있다(예를 들어, Bouwer & van Leeuwen, 2017; Illundain-Agurruza, 2016; Priest & Young, 2014). 스포츠활동에 대한 철학과 역사 이외에, 기타 인류학, 종교학, 예술학 등 인문학적 탐구가 보다 활발해짐으로써 (여기서 채택한 첫째와 둘째 차원의 의미에서) 철학적인 탐구에 대한 수요와 결과물이 지속적으로 성장 및 확대될 것으로 기대된다. 물론 기존의 철학적, 역사적 탐구도 더 활발히 심도 깊게 진행될 것은 물론이다. 전문철학적 탐구는 물론이고, 이론적, 개념적 성찰이 더욱 폭넓고도 속 깊게 수행될 것이다. "계속 맑음"이 예상된다.

　마지막 절에서는 우리나라에서의 전망에 대해서 살펴보도록 한다. 그런데, 이 전망은 이 탐구영역에 대한 나의 개인적 의견이며 예상이다. 그런 점에서 나의 기대감과 분리 불가능하다. 나라는 개인을 배제한 채 냉정히 객관적 전망만을 옮겨 놓을 수가 없다는 말이다. 이것은 나뿐만이 아니다. 이런 일을 하는 어느 누구라도 피할 수 없다. 그리하여, 이 절의 제목은 전망과 기대가 되었다. 물론, 향후 얼마 후의 전망이나 기대인지는 확실치 않다. 가까운 장래 혹은 미래라고 할까? (다시, 가까운 미래는 또 몇 년 후란 말인가?) 여러 가지 전망과 기대(그리고 가능한 해결 노력)가 있을 수 있으나, 가장 커다란 수준에서 세 가지를 선택하여 언급하도록 한다.

　첫째, 스포츠철학이나 스포츠교육철학의 관점에서 전문적인 철학적 탐구전통이 조금씩 생겨나기 시작할 것이다. 사실, 현실적으로 스포츠교육에 대한 전문철학적 관심을 갖는 연구자도 극소수며, 스포츠철학을 공부하되 스포츠교육과 연관된 주제를 탐색하는 학자들은 그보다 더 숫자가 적은 상태에서 전문철학적인 전통이 형성되기를 기대하는 것은 무리라고 할 수 있다. 명맥이라도 유지할 수 있다면 다행인 상황일 것이다. 탐구 자체가 너무도 어려운 영역이고 그것에 관심 갖는 독자들도 많지 않다는 것이 가장 큰 장애물이다. 가치가 매우 높은 활동임은 대부분 인정하지만, 낯선 배우가 등장하며 대중적 주제를 다루지 않고 이해하기가 쉽지 않아서 그다지 선호되지 않는 예술 영화의 경우와 흡사한 상황이다.

이 차원의 전통이 실낱같은 수준이라도 끊어지지 않고 이어지기 위해서는 (예술과 인문에 국가적으로나 공적으로 지원이 주어지듯이) 학회나 학교에서 지원이 이루어져야만 한다. 개인의 관심과 노력 경주만으로는 힘에 버겁고 오래가기 어렵다. 학회 차원에서 좋은 연구가 나올 수 있도록 돕는 방법에는 다양한 방법이 있을 것이다. 예를 들어, 논문상과 부상을 수여하거나, 논문 심사비나 게재료를 일정 범위 내에서 면제해 주거나, 더 나아가 학회나 학회지에서의 발표 기회를 확보해 주는 등의 아이디어가 있을 수 있다. 이러한 조처들이 실질적으로 얼마나 효과를 얻을 수 있는지는 해보지 않았으니 미지수다. 요점은 이 차원의 전통은 우리가 공동으로 살려나가지 않고서는 결코 생겨나지도 성장하지도 못한다는 것이다.

다행히도, 최근의 두 연구가 이런 전통을 만들어갈 수 있는 희망의 조짐을 보여주었다. Lee(2017)는 "학교스포츠윤리교육"이라는 주제를 선택하여 맥킨타이어 덕윤리의 체육적 적용을 시도하고 있다. 체육에서의 인성교육이라는 화두에 대한 한 가지 이론적 바탕을 마련해 주며, 한 걸음 더 나아가 이에 근거한 (초등학교에서의) 실제적 프로그램의 예시를 세밀히 소개하고 있다. Oh(2017)는 보다 더 근본적인 수준에서 최근의 인성교육 논의에 대한 철학적 검토와 대안 제시를 시도하고 있다. 기존 인성교육 접근이 이성주의적 도덕발달을 강조하는 도덕주의적 패러다임에 근거한 논리와 실천에 경도되어 있음을 경고하고, 정신분석학과 스피노자의 철학을 근거로 하여 인간 감정과 욕망에 대한 보다 온전한 이해를 통해서 수정(저자의 표현으로는 "전환")되어야 함을 주장한다. 이 두 젊은 연구자들의 연구가 전통을 이어나갈 것임을 확신한다.

둘째, 스포츠교육현상에 대한 다양한 이론적, 개념적 탐구전통이 점차로 증가할 것이다. 기존 중견연구자들의 활발한 노력으로 인하여 국내에서는 이 분야에 대한 개념적 이해를 높이려는 시도가 어느 정도 자리를 잡아가고 있다. 하지만, 아직 뚜렷한 전통으로서의 조짐은 보이지 않는다. 그 주된 이유는, 대부분의 연구가 (경험적 연구가 아니고 개념의 명료화를 기본으로 한다는 점에서) 개념적이라고는 할 수 있으나, 이론적이라는 평가는 내리기 어려운 수준이기 때문이다. 어떤 연구가 개념적인 수준을 넘어서 이론적인 수준의 탐구가 되려면, 그것이 어떠한 세부학문적 이론이나 개념을 사용하는지가 드러나야 한다. 이럴 경우에, 개념적 연구들의 철학적 근거나 학술적 토대가 보다 안정적이고 논리적이며 정합성을 띨 수 있다. 표현의 의구함을 무릅쓰고 쓴다면, "족보나 뿌리가 있는 개념적 탐구"일 경우에 더욱 신뢰를 지닐 수 있고, (이미 인정받은 다른 전통의 힘을 빌어) 새로운 전통으로서 설 수 있는 가능성이 높다.

이를 위해서는 스포츠교육 연구분야에 (교육학과 체육학의) 분과학문적인 이론적 지식이 적극적으로 수용되어야만 한다. 예를 들어, 중등학교의 코치의 코칭활동이나 생활에 대해서 탐구할 때에, "권력" **power**, "감시" **surveillance**, 또는 "재생산" **reproduction** 등 "교육사회학이나 스포츠사회학(또는 그와 관련된 몸의 사회학, 신체 문화사회학 등)의 이론적 개념들이 적극적으로 활용되어야 한다. 이를 통해서 코치의 일과 코칭의 세계를 (비판적 관점에서) 보다 더 상세하고 제대로 파악할 수 있기 때문이다. 현재 관찰되는 상황과 맥락에서 잘못된 것이 무엇인지, 선수와 코치 사이에 왜 권력의 발현과 재생산이 유지되는지를 이해를 넘어서 설명할 수 있기 때문이다. 결국 눈앞에 벌어지는 일들이 "무슨 일이며, 왜 일어나며, 좋은 일인지"를 파악하기 위해서는 그것을 필터링할 수 있도록 하는 "렌즈"가 필요하다. 사회학, 심리학, 역사학, 인류학, 철학, 신학 등에서 제안하는 이론과 개념들이 그 렌즈 역할을 한다.

스포츠교육연구 분야에서 이러한 희망적인 시도를 보여주는 가장 최근의 두 가지 예를 들어보겠다. Jung(2014, 2016)은 "담론분석"이라는 개념적 틀을 사용하여 2000년대 들어와 활발히 구안되고 추진되고 실행되었던 학교체육정책의 교육적 의미를 분석해내고 있다. 지난 15년 동안 급격히 팽창하여 학교체육 현장과 체육교사의 삶에 상당한 실질적 변화를 불러일으키고 있는 한국 학교체육정책의 전반적이고 체계적인 평가를 위한 이론적, 개념적인 기초틀을 제공하고 있다. Seo & Lee(2016)와 Seo(2017)는 비판적 페다고지의 맥락에서 스포츠 영화를 교육적으로 읽고, 교육적으로 활용할 것을 이론적으로 주장하며 실제로 안내한다. 예를 들어, 해체와 재구성의 개념에 의지하여 역사적 구성물로서의 영화가 만들어내는 의미 생산의 다양성을 인지하고 비판적으로 사유하도록 촉구한다. 그리고, 이러한 스포츠 영화를 활용하여 교육과정적 가치 실천을 위한 예비체육교사의 비판적 스포츠 리터러시 함양의 사례를 보여준다.

셋째, 스포츠교육실천가들에 의한 철학적 탐구 노력이 조금씩 증가할 것이다. 체육교사나 체육교수의 형식적 연구 방식으로 진행되는 탐구는 이제 막 시작되었으며 큰 변고가 생기지 않는 한 꾸준히 그 전통을 이어갈 것이다. 다만, 아직 체육현장실천가(트레이너, 코치, 강사 등 일반인들에게 서비스를 제공하는 생활, 전문, 건강지도자 전체)에 의한 자기성찰적 결과물들은 그리 쉽게 확산되지 않을 것이다. 신체활동에 대해서 곰곰이 생각하고 느끼고 분석하며, 게다가 그것을 종이나 컴퓨터에 옮겨서 적을 수 있는 꼼꼼함, 성실성, 그리고 표현력이 충분하지 않기 때문이다. 원래 그렇게 타고 났다는 것이 아니다. 그를 위한 훈련을 제대로 못 받았으며, 그것을 장려받을 만한 환경에 있지 못하다는 말이다. 생각하고 토론하고 글쓰는 것은 체육하는 사람들이 가장 힘들어 하는 일들이다. 그러나, 이것들도 타고나는 것이 아니라, 반복적 훈련과 실천을 통해서 향상될 수 있는 실천적 지식이다. 그동안 스포츠교육, 아니 체육분야 전체는 체육전문인들에게 이런 막중한 자질을 갖추도록 교육시키지 않은 것이다.

최근 내가 본 몇몇 서적들은 이 방향으로의 긍정적 희망의 증거를 보여준다. 예를 들어, Jeon(2015)은 학교에서 체육을 가르치는 사람으로서 자신의 지난 25년 동안 직접 쓴 일기를 중심으로 되돌아보며 그 의미를 성찰해낸다. 교육을 실천하는 일 자체가 자신이 체육교사로서 성장하는 자기교육적 성격을 띠고 있음을 명확하게 느끼도록 만들어준다. Kim(2012)은 이미 성인이 된 후에 거의 독학으로 골프를 배우고, 더 나아가 그 과정에 대한 성찰적 반성과 탐구를 통해 자신 만의 골프학습론과 교수체계를 구축하고 그것에 "마음골프"라는 명칭을 붙여준다. 이렇게 개발된 골프교수법은 현장에 하나의 시스템으로, 골프교습 프로그램으로 운영되고 있는 중이다. Kim(2017)은 피트니스 트레이너로서 일한 경험을 바탕으로 트레이너들을 교육시키는 강사로 활동하였으며, 트레이너들에게 올바른 피트니스, 올바른 건강유지법을 지도하는 자신만의 교육관과 교수론을 겸손하게 이야기한다. 스스로를 "피트니스 큐레이터"라고 이름짓고, 피트니스 트레이닝도 에듀케이팅이 될 수 있다고 믿을 수 있도록 해준다.

이런 철학적 성찰을 진행하고 그것을 타인들과 함께 나누는 이들로부터 발견할 수 있는 공통적 특징이 있다. 이들은 신체활동(스포츠나 엑서사이즈나 여가 등)을 행하고 가르치는 일이 단순히 신체적 기능 증진이나 운동기술 향상에서 그치는 것으로 생각하지 않는다. 이들은 자신이 하고 있는 일을 트레이닝이나 코칭보다도 더 크고 넓고 깊은 활동, 즉 교육이라고 생각한다. 서비스를 제공받는 고객의 신체만을 나아지게 만드는 직종에 종사하는 사람이라고 스스로를 한정 짓지 않는다. 이들은 자기 자신을 교육자라고 생각한다. 한 사람의 몸과 마음, 그리고 때에 따라서는 영혼까지도, 변화시켜 행복한 삶을 추구할 수 있는, 그러한 일을 하는 존재라고 스스로를 규정짓는다. 이들은 자신들이 사랑하는 스포츠, 엑서사이즈, 여가 등이 그러한 무궁한 힘을 가지고 있는 가치로운 보물이라고 생각한다. 이들은 이 같은 가치를 스스로 깨닫고 그것을 다른 이들과 공유하기 위하여 이러한 성찰적 결과물을 세상에 내어놓는다. 어렵고 힘든 과정이기는 하지만, 운동하는 다른 많은 사람들을 위하여 충분히 가치 있는 일이다.

내가 떠올리는 전망이 장밋빛이 아니라서, 아니 그다지 큰 희망에 찬 전망이 아니라서 독자들에게 송구하다("당분간 흐림"으로 예상된다). 적어도 당장 몇 년간의 전망은 이러하다고 생각한다. 철학이란 원래가 이런 것이다. 과문하기 때문이지만, 내 기억에 철학의 장래와 전망이 밝았던 적은 한 번도 없었던 것 같다. 하지만, 그래도 절멸하거나 패퇴되었던 적도 없었다. 사람들이 공공의 (적이 아니라) 선으로서 항상 돌봐주고 지켜봐주었기 때문이다. 불씨가 꺼지지 않도록 살펴봐주었기 때문이다. 스포츠교육의 철학적 전통도 마찬가지다. 따뜻하고 주의 깊은 공공의 관심과 보호가 절대적으로 필요한 시점이다("흐린 후 개임"으로 바뀌기를 기대하며).

그런데 지금까지의 검토를 정리해보니, 스포츠교육의 철학적 전통이 이어지도록 하기 위해서는 철학교육이 필수적이다. 스포츠교육에 대한 철학적 성찰이 가능할 수 있도록 가르치는 "철학의 교육"과 "철학적 교육"이 필요하다. 전문철학적으로는 철학의 교육이 진행되어야 하며, 이론개념적으로는 철학의 교육과 철학적 교육이 모두 필요하며,

실천반성적으로는 철학적 교육을 강화시켜야만 이 전통은 유지될 수 있다. 스포츠교육 철학자와 연구자와 실천가들의 몸과 마음에 철학적 능력과 태도와 자질을 가득 넘칠 수 있도록 해야만 전통이 구체적 형상을 지닌 채로 우리 주위에 남게 될 수 있다. 신채호 선생은 "역사를 잊은 민족에게 미래는 없다"고 말했다. 나는 "철학을 잊은 분야에게 미래는 없다"고 말하고 싶다. 소크라테스는 "성찰 없는 삶은 살 가치가 없다"고 외쳤다. 나는 "성찰 없는 함은 할 가치가 없다"고 말하고 싶다. 우리가 온힘을 다해 철학적 전통이 소멸되지 않도록 해야 하는 이유다. 스포츠교육의 가치를 더하기 위하여, 미래를 희망하기 위하여.〈12〉

〈12〉 스포츠교육의 전통은 "철학적 전통"만으로 형성되는 것이 아니라서 다행이다. 경험적 연구 전통과 현장실천의 전통이 또 다른 전통들이다. 참으로 다행스럽게도, 이 두 전통들은 든든하고 풍성하다. 앞으로 더 큰 발전이 예상된다. 하지만, 철학적 전통이 뿌리와 밑동을 책임져주지 않는다면, 오래가지 못하고 존중받지 못하게 된다. 그저 겉보기만 화려한 크리스마스 트리나 외화내빈의 속빈 강정 같은 모습을 갖게 될 것이다. 그동안 외적 성장에 주력하였다면, 이제부터는 스스로에 대한 철학적 성찰이 더하여져 내적 성숙을 도모하며 내실을 다져나가야 하겠다. 이를 위해서는, 모든 스포츠교육 관련인들이, 연구자나 실천가를 막론하고, 본 장에서 다층적으로 의미한, "철학적" 성향을 갖추어야 한다. 나는 개인적으로 그런 자질을 지닌 사람을 "스포크라테스"(sporting Socrates의 약어)라고 불러왔다(Choi, 2013). 스포츠철학자 Reid(2002)는 "철학하는 스포츠인"(the philosophical athlete)이라고 부른다.

참고문헌

Aggerholm, K. (2015). *Talent development, existential philosophy and sport: On becoming an elite athlete.* London: Routledge.

Armour, K. (Ed.)(2011). *Sport pedagogy: An introduction to teaching and coaching.* London: Prentice-Hall.

Armour, K. (Ed.)(2014). *Pedagogical cases in physical education and youth sport.* London: Routledge.

Armour, K., & Macdonald, D. (Eds.)(2012). *Research Methods in Physical Education and Youth Sport.* London: Routledge.

Armour, K., & Yelling, M. (2004). Continuing professional development for experienced physical education teachers: Towards effective provision. *Sport, Education and Society,* 9(1), 95-114.

Armour, K., & Yelling, M. (2007). Effective professional development for physical education teachers: The role of informal, collaborative learning. *Journal of Teaching in Physical Education,* 26(2), 177-200.

Arnold, P. (1978). *Meaning in movement, sport and physical education.* London: Cassell.

Arnold, P. (1988). *Education, movement and the curriculum.* London: Cassell.

Arnold, P. (1997). *Sport, ethics and education.* London: Cassell.

Bailey, R., Collins, D. Ford, P., MacNamara, A., Toms, M. & Pearce, G. (2010). *Participant development in sport: An academic review.* UK Sports Coach.

Bailey, R., & Kirk, D. (Eds.)(2009). *The physical education reader.* London: Routledge.

Balyi, I., Way, R., & Higgs, C. (2013). *Long-term athlete development.* Champaign, IL: Human Kinetics.

Bouwer, J., & van Leeuwen(2017). *Philosophy of leisure: Foundations of the good life.* London: Routledge.

Brady, A., & Grenville-Cleave, B. (Eds.)(2018). *Positive psychology in sport and physical activity: An introduction.* London: Routledge.

Capel, S., & Whitehead, M. (Eds.)(2013). *Debates in physical education.* London: Routledge.

Casey, A., Fletcher, T., Schaefer, L. & Gleddie, D. (2017). *Conducting Practitioner Research in Physical Education and Youth Sport: Reflecting on Practice.* London: Routledge.

Casey, A., Goodyear, V., & Armour, K. (Eds.)(2016). *Digital technologies and learning in physical education pedagogical cases.* London: Routledge.

Casey, M. (2014). Model-based practice: Great white hope or white elephant? *Physical Education and Sport Pedagogy,* 19(1), 18-34.

Cassidy, T., Jones, R., & Potrac, P. (2016). *Understanding sports coaching: The social, cultural and pedagogical foundations of coaching practice(3nd ed.).* London: Routledge.

Chang, Y. K., & Kim, D. S. (2016). Critical Pedagogy for Physical Education in Elementary School. *The Journal of Korea elementary education,* 27(4), 433-456.

Chang, Y. K., & Kim, H. S. (1998). Limitations of the Technocentric Approach to Sport Education and a Possible Alternative Perspective. *Journal of the Research Institute of Physical Education,* 19(1), 75-90.

Charles, J. (2002). *Introduction to humans moving: A guide to philosophy in action.* Champaign. IL: Stipes Publishing.

Choi, E. C. (1995). Two kinds of content and two kinds of method. *Journal of the Research*

Institute of Physical Education, 16(1), 105-117.

Choi, E. C. (1997). Justification of school physical education. *Korean Journal of Educational Research,* 35(4), 229-251

Choi, E. C. (2000a). Historical and philosophical approaches to sport pedagogy : A Literature Review. *Korean Journal of Physical Education,* 39(1), 643-658.

Choi, E. C. (2000b). The purpose of physical education and the two aspects of meaning. *Korean Journal of Educational Research,* 38(2), 221-237.

Choi, E. C. (2004). Who is the most desirable physical education teacher?: The dominant trends of physical education eeacher education and future tasks. *Korean Journal of Sport Pedagogy,* 11(2), 25-49.

Choi, E. C. (2007). Character education in physical education teacher education: A review. Korean Journal of Sport Pedagogy, 14(4), 1-23.

Choi, E. C. (2007). Integrated approaches to secondary physical education : The disciplinary and the narrative. *The Journal of Curriculum and Evaluation,* 10(2), 349-376.

Choi, E. C. (2009). Humanities-oriented Physical Education as a physical education philosophy for whole person: an exploratory analysis. *Korean journal of Physical Education,* 48(6), 248-260.

Choi, E. C. (2010). *Humanities-Oriented Physical Education and Hanaro Teaching.* Seoul: Rainbow Books.

Choi, E. C. (2011). Reexamining professionalism of sport professionals: The role and education of the spiritual dimension. *Korean Journal of Sport Pedagogy,* 18(2), 1-25.

Choi, E. C. (2012). Whole athlete development and humanities-oriented sports coaching: reconceptualizing sports coaching as a pedagogical endeavor. *Korean Journal of Sport Pedagogy,* 19(2), 1-25.

Choi, E. C. (2013). *What is coaching? A prelude to Humanities-Oriented Sport Coaching.* Seoul: Rainbow Books.

Choi, E. C. (2015). From sport teaching pedagogy to sport coaching pedagogy: A reconceptualization of Korean sport pedagogy research and its implications. *Korean Journal of Sport Pedagogy,* 22(2), 59-79.

Choi, E. C. (2016). *PL syndrome: Newsletter of KAHPERD,* 103, 6-16.

Choi, E. C. (2018). *Sport literacy: What it is and why it is important.* Seoul: Rainbow Books.

Choi, E. C., & Kang, S. B. (1993). Sport pedagogy movement and the development of postitivist sport pedagogy. *Journal of the Research Institute of Physical Education,* 14(1), 43-54.

Choi, E. C., & Park, J. J. (2011). The concept and method of creativity and character-emphasized physical education: A view from an integrated approach. *The Korean Society for Curriculum Studies,* 29(1), 209-237.

Collier, C.(2006). Models and curricular of physical education teacher education. n Kirk, D. Macdonald. & M. Osullivan(Eds.), *Handbook of physical education*(pp. 386-406). London: Sage.

Collin, M. (2013). Youth sport and UK sport policy. In A. Parker & D. Vision(Eds.). *Youth sport, physical activity and play*(pp. 13-26). New York: Routledge.

Cushion, C., Nelson, L., Armour, K., Lyle, J., Jones, R., Sandford, R., & O'Callaghan, C. (2010). *Coaching learning and development: A review of literature.* Leeds: Sports Coach UK.

Day, D. (2012). *Professionals, amateurs and performance: Sports coaching in England, 1789-1924.* Oxford: Peter Lang.

Denison, J. (Ed.)(2007). *Coaching knowledge: Understanding the dynamics of sport performance.*

London: A & C Black.

Ennis, C. (Ed.)(2017). *Routledge handbook of physical education pedagogies.* London: Routledge.

Feezell, R. (2004). *Sport, play & ethical reflection.* Chicago: University of Chicago Press.

Feezell, R. (2013). *Sport, philosophy and good lives.* Lincoln, NE: University of Nebraska Press.

Galley, T. (1970). *Inner game of tennis.* New York: Random House.

Green, K. & Smith, A. (Eds.)(2016). *Routledge handbook of youth sport.* London: Routledge.

Griggs, G., & Petrie, K. (Eds.)(2017). *Routledge handbook of primary physical education.* London: Routledge.

Hagg. H. (1978). *Sport pedagogy: Content and methodology.* Baltimore: University Park Press.

Hardman, A., & Jones, C. (Eds.)(2011). *The ethics of sports coaching.* London: Routledge.

Harper, W., Miller, D., Park, R., & Davis> E. (1977). *The philosophic process in physical education*(3rd ed.). Philadelphia: Lea & Febiger.

Hellison, D. (2010). *Teaching personal and social responsibility in physical education*(3rd ed.). London: Human Kinetics.

Herrigel, E. (1953). *Zen in the art of archery.* New York: Vintage Books.

Hoffman, S. (2013). *An introduction to Kinesiology(4th ed.).* IL: Champaign, Human Kinetics.

Hogan, B. (1957). *Ben Hogan's five lessons: The modern fundamentals of golf.* New York: Touchstone.

Holowchak, A., & Reid, H. (2011). *Aretism: An antient sports philosophy for the modern sports world.* Lexington Books: MD.

Holt, N.(Ed.). (2016). *Positive youth development through sport(2nd ed.).* London: Routledge.

Hong, D. K., & Yu, T. H. (2007). Student athletes in terms of human rights: An educational dicourse. *Korean Journal of Sport Pedagogy,* 14(4), 131-154.

Hopkins, D. (2010). *Coaching the whole child: Positive development through sport.* London: SportCoachUK.

Illundain-Agurruza, J. (2016). *Holism and the cultivation of excellence in sports and performance: Skillful striving.* London: Routledge.

Jang, K. H., & Lee, O. S. (2014). Exploring directions for elementary school teachers' professional development for teaching physical education. *The Korean Journal of the Elementary Physical Education,* 19(4), 1-17.

Jeon, Y. J. (2015). *PE teacher talks about lessons: Confession through 25 years of lesson records.* Seoul: Salimteo.

Jewett, A., Bain, L., & Ennis, C. (1995). The curriculum process in physical education(2nd ed.). Dubuque, IA: WCM Brown & Benchmark.

Jin, Y. K., & You, J. A. (2015). The contents and outcome analysis of physical education policy in national level. *The Journal of Curriculum and Evaluation,* 18(3), 343-372

Jo, K. H., & Shin, K. C. (2015). A study on the concept and components of physical education professional. *The Journal of Elementary Education,* 26(1), 1-14.

Johnson, T., Turner, L., & Metzler, M. (2017). Physical activity education: The new name for our field. *Journal of Physical Education, Recreation & Dance,* 88(1), 5-7.

Jones, R. , Potrac, P. Cushion, C., & Ronglan, T. (Eds.)(2011). *The sociology of sports coaching.* London: Routledge.

Jones, R.(Ed.)(2006). *The sport coach as educator: Re-conceptualizing sport coaching.* London: Roudledge.

Ju, S. S., & Kim, K. S. (2015). A exploratory analysis of theory and application of sport pedagogy for multicultural education: Focusing on children with multicultural background. *Korean Journal of Sport Pedagogy, 22*(1), 127-149.

Jung, H. W. (2014). The understanding of physical education policy through discourse analysis: The meaning of physical culture discourses embedded within Physical Education and School Sport Promotion Act in Korea. *Korean Journal of Sport Pedagogy, 21*(1), 1-19.

Jung, H. W. (2015). Challenges of Korean sport pedagogy in a reconceptualization of physical education: Learning lessons from the significant changes to physical education policies in England. *Korean Journal of Sport Pedagogy, 22*(4), 43-64.

Jung, H. W. (2016). The construction of pedagogic meaning in physical education policy in Korea: Focused on regulative discourses. *Korean Journal of Sport Science, 27*(4), 841-860.

Jung, H. W., Park, J. J., & Choi, E. C. (2013). Exploring the directions for the physical education policy development in Korea: Through the implication of managing and delivering School Sport Partnerships program in England during 2000s. *Korean Journal of Sport Pedagogy, 20*(2), 41-63.

Kang, D. H. (2012). *Reflections on the Kendo days.* Seoul: Sangah Production.

Kang, S. B. (2009). *Understanding the contemporary sport pedagogy.* Seoul: Rainbow Books.

Kidman, L., & Lombardo, B. (Eds.). A*thlete-centered coaching: Developing decision makers*(2nd ed.). Worchester, UK: ICP Press.

Kim, D. S., & Chang, Y. K. (2015). An explorative study on discourse of facilitating female student`s participation in sports. *Korean Journal of Sport Pedagogy, 22*(4), 1-19.

Kim, H. (2012). *Golf can be self-studied.* Seoul: Yangmoon.

Kim, H. S., & Min, H. J. (2007). The logical structure and characteristics of discourse on the relationship between physical education and personality formation. Philosophy of Movement : *Journal of Korean Philosophic Society for Sport and Dance, 15*(1), 109-126.

Kim, H. S., & Yuk, J. H. (2007). The Implications of McIntyre`s theory of virtue on the discourse of the relationships between physical education and moral education. Philosophy of Movement : *Journal of Korean Philosophic Society for Sport and Dance, 15*(2), 93-109.

Kim, J. Y., Yun, J. E., Hong, A. R., & Lee, S. M. (2017). Finding the position of school dance : A review in accordance with policy and public law through the stakeholder analysis. *Korean Journal of Sport Pedagogy, 24*(2), 79-100.

Kim, S. W. (2017). *Cheering for training.* Seoul: Happiness Energy.

Kim, S. H., & Kwon, M. J. (2012). Exploration of development process from school sports club Korean style school sports club. *The Journal of Curriculum and Evaluation, 15*(2), 169-190.

Kim, W. J. (2008). Researcher`s narrative: understanding and introspecting of changes in national curriculum physical education(NCPE). *The Korean Journal of Physical Education, 47*(4), 123-136.

Kim, W. J. (2016). A self-study on role conflict experience of physical education teacher educator/coach. *Korean Journal of Sport Pedagogy, 23*(2), 63-89.

Kirk, D. (1988). *Physical education and curriculum study: A critical introduction.* London: Croom Helm.

Kirk, D. (2011). *Physical education futures.* London: Routledge.

Kirk, D., & Haerens, L. (2014). New research programmes in physical education and sport pedagogy. *Sport, Education and Society, 19*(7), 899-911.

Kirk, D., Macdonald, D., & O'Sullivan, M. (Eds.)(2006). *Handbook of physical education.*

London: SAGE Publications Ltd.

Kirk, D., Penney, D., Burgess-Limerick, R., Gorely, T., & Maynard, C. (2001). *A-Level physical education: The reflective performer.* Champaign, IL: Human Kinetics.

Knight, C., Harwood, C., & Gould, D. (Eds.)(2018). *Sport psychology for young athletes.* London: Routledge.

Knowles, Z., Gilbourne, D., Cropley, B., & Dugdill, L. (Eds.). *Reflective practice in the sport and exercise sciences: Contemporary issues.* London: Routledge.

Kwon, M. J. (2012). Analysis of the development process of policy for school sports club and educational discourse. *The Korean Journal of Physical Education, 51(5), 321-333.*

Lee, E. J., & Jin, Y. K. (2018). A self-study on operation experience in leading school for female students' physical education revitalization. *Korean Journal of Sport Pedagogy, 25(1), 25-51.*

Lee, G. I. (2014). Relation between physical activity and cognition with the perspective of brain science. *Korean Journal of Sport Pedagogy, 21(4), 1-30.*

Lee, G. I., & Hong, D. K. (2017). Navigating the role of health promotion in K-12 physical education : Implication of School-wide moderate to vigorous physical activity programs. *Korean Journal of Sport Pedagogy, 24(4), 1-34.*

Lee, J. T. (2017). *Sport ethics education in school and practicing of virtue.* Ph.D. Dissertation, Seoul National University of Education.

Lee, J. T., & Chang, Y. K. (2017). The meaning and principles of school sport ethics education based on virtue. *The Korean Journal of the Elementary Physical Education, 23(2), 15-34.*

Lee, O. S. (2013). Trends and issues in Kinesiology research and directions for elementary physical education development. *The Korean Journal of the Elementary Physical Education, 18(4), 113-128.*

Lee, O. S., Choi, E. C., Jung, H. S., & Yoon, K. J. (2017). A systematic review of physical education teachers" continuing professional development. *Korean Journal of Sport Pedagogy, 24(3), 1-23.*

Lee, Y. K. (2016). Exploring tennis coaching styles through self-study. *Korean Journal of Sport Pedagogy, 23(1), 87-108.*

Lee, Y. K., & Ahn, Y. O. (2017). Exploring backgrounds and characters of first-person quot's lived experience research - centered on Autoethnography and self-study -. *Korean Journal of Sport Pedagogy, 24(3), 47-72.*

Light, R. (2017). *Positive pedagogy for sport coaching: Athlete-centered coaching for individual sports.* London: Routledge.

Locke, L. (1977). Research on teaching in physical education: A new hope for a dismal science. *Quest, 28, 12-16.*

Lund, J., & Tannerhill, D. (2010). *Standards-based physical education curriculum development*(2nd ed.). Sudburym, MA: Jones & Bartlett Publishers.

Lyle, J., & Cushion, C. (Eds.)(2010). *Sports coaching: Professionalisation and practice.* Edinburgh, UK: Churchill Livingstone.

McFee, G. (1994). *The concept of dance education.* London: Falmer.

McIntyre, A. (1978). *After virtue: A study in moral virtue.* London: Duckworth.

McNamee, B., & Bailey, R. (2003). Physical education. In In R. Bailey, R. Barow, D. Carr, & C. McCarthy(Eds.), *The SAGE Handbook of philosophy of education*(pp. 467-480). London: SAGE.

McNamee, M. (2009). *The nature and values of physical education.* In R. Bailey & D. Kirk(Eds.), *The Routledge physical education reader*(pp. 9-27). London: Routledge..

Metzler, M. (2011). *Instructional models in physical education*(3rd ed.). New York: Holcomb Hathaway

Morgan, W. (2006). Philosophy and physical education. In Kirk, D. Macdonald. & M. Osullivan(Eds.), *Handbook of physical education*(pp. 97-108). London: Sage.

Nash, C., Sproule, J., & Horton, P. (2017). Continuing professioanl development for sports coaches: A road less traveled. *Sport in Society, 20*(12), 1092-1916

Nelson, L., Groom, R., & Potrac, P. (Eds.)(2016). *Learning in sport coaching: Theory and application.* London: Routledge.

Oh, S. H. (2017). Exploration on ethical transformation of physical education : Transferring from ascetic morals to ethics of desire. Ph.D. Dissertation, Seoul National University.

Ovens, A., & Fletcher, T. (2014). *Self-study in physical education teacher education.* London: Springer.

Park, J. J. (2011). Can sports build character?: The theoretical, empirical grounds and tasks of character education through sports. *The Journal of Curriculum Studies, 29*(3), 173-202.

Park, J. L. (2008). Search for practical physical education teaching strategies to teach the values of sportsmanship. Korean Journal of Sport Pedagogy, 15(3), 1-23.

Parry, J. (1998). The justification of physical education. In K. Green & K. Hardman(Eds.), *Physical education: A reader*(pp. 36-68). Oxford: Meyer & Meyer Sport Ltd..

Passmore, J. (1980). *The philosophy of teaching.* Cambridge: MA. Harvard University Press.

Penick, H. (1987). *Harvey Penick's little red book.* New York: Simon & Schuster.

Phillips, M. (2000). *From sidelines to centre field: A history of sports coaching in Australia.* Sydney: University of New South Wales Press.

Pill, S. (Ed.)(2018). *Perspectives on athlete-centered coaching.* London: Routledge.

Potrac, P., Gilbert, W., & Denison, J. (2013). *Routledge handbook of sports coaching.* London: Routledge.

Priest, G., & Young, D. (Eds.)(2014). *Philosophy and the martical arts: Engagement.* London: Routledge.

Reid, A. (1998). Knowledge, practice and theory in physical education. In K. Green & K. Hardman(Eds.), *Physical education: A reader*(pp. 17-35). Oxford: Meyer & Meyer Sport Ltd.

Reid, H. (2002). *The philosophical athlete.* Durham, NC: Carolina Academic Press.

Reid, H. (2012). *Introduction to the philosophy of sport.* Plymouth. UK: Rowman & Littlefield.

Richards, R., & Gaudreault, K. (Eds.)(2017). *Teacher socialization in physical education: New perspectives.* London: Routledge.

Ross, S. (2001). *Physical education reconceptualized: Person, movement, knowledge.* Springfield, IL: Charles C. Thomas Publisher.

Seo, J. C. (2016). Reel sport in sport studies class : Teaching history of women`s sport and the critical theme of sport camp: Gender with the film 《A League of Their Own(1992)》. *Journal of Korean Association of Physical Education and Sport for Girls and Women, 30*(3), 19-39.

Seo, J. C., & Lee, Y. S. (2017). Reel sport film for critical sport pedagogy: An exploratory discussion of how to utilize 《4th Place》 for teaching critical sport literacy in P. E. teacher education. *The Journal of Korea Elementary Education, 28*(1), 123-141.

Shields, D., & Bredemeier, B. (2009). *True competition; A Guide to pursing excellence in sport and society.* Champaign, IL: Human Kinetics.

Shim, J. S., & Kim, J. H. (2014). A self-study on class critique experience process of a teacher. *Korean Journal of Sport Pedagogy,* 21(4), 31-54.

Shin, K. C. (2013). Analyzing the elementary physical education curriculum and exploring the teaching way in the critical perspective for the physical activities-based creativeness & character education. The Korean Journal of the Elementary Physical Education, 19(3), 125-139.

Siedentop, D., & Tannehill, D. (2000). *Developing teaching skills in physical education*(4th ed.). Mountain View, CA: Mayfield Publishing Co.

Silverman, S., & Ennis, C. (Eds.)(2003). *Student learning in physical education: Applying research to enhance instruction.* IL: Champaign, Human Kinetics.

Simon, R. (Ed.)(2013). *The ethics of coaching sports: Moral, social and legal issues.* Boulder, CO: Westview Press.

Standal, O. (2015). *Phenomenology and pedagogy in physical education.* London: Routledge.

Stolz, S. (2014). *The philosophy of physical education: A new perspective.* London: Routledge.

Thompson, J. (1995). *Positive coaching: Building character and self-esteem through sports.* New York: Balance Sports Publishing Co.

Thompson, J. (2003). *Double goal coach.* New York: Harper.

Thorburn, M. (2017a). Intelligence, practice and virtue: A critical review of the educational benefits of expertise in physical education and sport. *Sport, Ethics and Philosophy,* 11(4), 453-463.

Thorburn, M. (Ed.)(2017b). *Transformative learning in teaching in physical education.* London: Routledge.

Tinning, R.(2010). *Pedagogy and human movement: Theory, practice and research.* London: Routledge.

Tinning, R., Macdonald, D., Wright, J., & Hickey, C. (2001). *Becoming a physical education teacher: Contemporary and enduring issues.* Frenches Forest, NSW: Prentice Hall.

VanderZwagg, H.(1972). *Toward a philosophy of sport.* New York: Addison-Wesley Educational Publishers Inc.

Wallis, J. & Lambert, J. (Eds.)(2016). *Becoming a sports coach.* London: Routledge.

Whitehead, M.(2001). The concept of physical literacy. European Journal of Physical Education, 2, 127-138.

Whitehead, M.(Ed.)(2010). *Physical literacy: Throughout the lifecourse.* London: Routledge.

You, J. A. (2011). The analysis and task of physical education curriculum based on creative education. *The Korean Journal of Physical Education,* 50(4), 145-156.

You, J. A. (2013). Critique on educational power of physical education as liberal education in Korea higher education. *The Korean Journal of Physical Education,* 52(6), 205-216.

You, J. A. (2014). Exploring directions: sks for career education in physical education according to Free Semester System in middle school. *The Korean Journal of Physical Education,* 53(6), 235-246.

You, J. A. (2015). Exploring the meaning & functions of public value in sport pedagogy. *Korean Journal of Sport Science,* 26(2), 329-341.

Chapter **09**

새로운 스포츠교육론들의 탐색

● ● ● ● ● ● ● ● ● ● ● ●

　"신체활동을 가르치고 배우는 전 과정"(목적, 내용, 방법, 대상 등)에 관련된 개념적, 실천적 아이디어를 논의하는 스포츠교육론은 스포츠교육학에서 핵심적 위치를 차지한다. 지난 이십 년간 마이클 메츨러의 "체육교수모형"의 개념틀은 이 논의를 진행시키는 대표 패러다임으로 자리잡았다. 하지만 이제는 재검토가 필요한 시점에 와 있다. 스포츠교육학의 다음 단계로의 발전을 위해서는 반드시 스포츠교육론에 대한 새로운 시각과 접근이 필요하며, 우리가 넘어야 할 첫 번째 고개는 바로 메츨러의 개념틀로 국한되어버린 모형기반 사고 방식이다. 본 장의 목적은 기존 체육교수모형 논의에 포함되지 않는 새로운 스포츠교육론의 아이디어들을 선별하여 소개하고, 넓어진 지평에 근거하여 스포츠교육론의 새로운 지형도를 대략적으로 그려보는 것이다. 우선, 스포츠교육론의 개념을 폭넓게 규정하면서 기존 아이디어들을 정리하며 살펴보도록 한다. 이어서 새롭게 제안되어 개념적, 실천적으로 주목을 받고 있는 여러 스포츠교육적 이론과 모형들에 대해서 소개하도록 한다. "스포츠교육론 사분면" **Sport Pedagogy Quadrant** 이라는 아이디어를 활용하여 소개된 스포츠교육론들이 전체 속에서 각각 상대적으로 어디에 위치하고 속해있는지를 알아본다. 그리고 새로운 접근이 현재 우리에게 당면한 주요 문제들을 해결하는 데에 어떤 실천적 시사점을 제언하는지 살펴보며 마무리한다.

I 현재의 상황과 문제의 제기

　"신체활동 가르치기"(이하 스포츠교육) 분야는 지난 사십 년간 학술적, 실천적으로 큰 발전을 이루어냈다. 얼마전 국내에서 스포츠교육에 대한 학문적 연구를 주도하는 한국스포츠교육학회가 창립 삼십 주년을 맞았다. 석사나 박사학위를 취득하고 스포츠교육학을 전공으로 연구하고 지도하는 전문가들도 수백 명으로 증가했다. 학교체육 현장에서 스포츠교육의 전문지식을 지니고 실천을 수행하는 체육교사와 지도자들도 부지기수다. 체육교사이건 스포츠지도사이건 모두 스포츠교육학에 관한 기초지식과 전문지식을 학습해야만 자격증을 취득할 수 있다. 스포츠를 교육하는 일이 학문적 전문지식에 근거하며, 체계적으로 교육받은 전문가들에 의해서 실행되고 있음은 하나의 당연한 사실이 되었다(최의창, 2003; 2018c; 2020).

　학술과 실천의 모든 측면들에서 스포츠교육이 이처럼 확실한 자리매김을 하는 데에 큰 역할을 해낸 중요한 아이디어들이 있다. 이 가운데 가장 대표적인 것이 "체육교수모형"이라는 데에 이의를 제기할 이들은 그리 많지 않을 것이다. 거의 전적으로 서양의 스포츠교육학적 아이디어들에 기반한 우리의 학술적 논의와 담론에서 지난 이십여 년 동안 꾸준한 주목을 받고 있다(장경환, 이기대, 2019; Casey & Kirk, 2021). 체육교수모형의 아이디어는 스포츠활동을 가르치는 데에 반드시 고려되어야 하는 여러 요인들을 하나의 체계 속에 정렬시켜준다. 방향과 목적, 내용과 활동, 방법과 평가 등의 요인들에 대한 일관성 있는 프레임워크를 제공해준다. 신체활동의 무엇을, 왜, 어떻게, 누구를 대상으로 가르칠 것인지에 대한 일이관지 된 개념적 체계이자 실천적 가이드라인으로써 역할한다.

　스포츠교육 분야에서 인정받은 모형들이 본격적으로 구안된 것은 1980년대다(Jewett, Bain & Ennis, 1995). 1980년대 초반 영국에서 "이해중심게임수업"의 개발을 시작으로, 미국에서 "스포츠교육" 모형과 "개인적, 사회적 책임감" 모형이 제안되었다. 또한 1990년대 이후 "협동학습" 모형, "개념강조체육" 모형 및 "체력" 모형 등이 제안되기도 하였다. 스포츠교육의 장면에서 발생하는 비판적 이슈들(공정, 정의, 권력,

평등, 소외 등)의 개선을 위한 "비판적 스포츠교육" 모형들도 꾸준히 소개되어왔다. 2000년대 이후에도 체육교수모형이라고 불릴 수 있는 접근들이 여기저기 나타나고는 있다. 다만, 집중된 주목을 받지 못할 뿐이다.

체육교수모형(이하 스포츠교육모형)들이 꾸준히 소개되기는 하였어도, 지금까지는 초기에 제안된 모형들이 주류를 이루고 있다. 특히, 국내에서는 여전히 〈체육교수모형〉(Metzler, 2017)에 소개된 모형들이 전부(또는 최소한 대표)라는 인식이 만연되어 있다. 일종의 "공식적 모형들"이라는 인증을 받은 것처럼 되어있다. 상당히 알찬 개념적 체계를 갖추고 세계 여러 곳에서 꾸준한 연구와 실천으로 뒷받침되고 있는 모형들인 것은 맞다. 하지만, 이것들이 스포츠교육론의 전부가 아니다. 이것 이외에도 스포츠 가르치기에 대한 학술적, 개념적 아이디어(그리고 그것을 검증하려는 연구적, 실행적 노력)는 지난 20여 년간 매우 활발히 진행되고 있다.

그럼에도 불구하고 우리의 학술적 레이더망, 또는 지식의 그물망에 걸리지 않은 이유는, 우리의 스포츠교육론이 전적으로 학교체육수업의 범주 내에서만 작동하였기 때문이다. 정규체육수업 시간에 다수의 학생들을 대상으로 운동을 가르치는 방법(목적, 내용 등)에 한해서 초점을 맞추었기 때문이다. 하지만, 스포츠 가르치기는 정통 스포츠교육학만의 고유영역이 아니다. 이미 스포츠심리학과 운동학습 분야에서의 주된 관심 영역이었으며, 특히 최근 급발전하는 스포츠코칭에서의 핵심 관심 주제이기도 하다. 스포츠철학과 스포츠사회학적인 접근도, 아직은 작지만, 시작되고 있다. 이 분야들에서도 스포츠를 가르치고 배우는 방법과 과정에 대한 학술적, 개념적 관심을 분명히 표명하는 연구자들이 증가하고 있다(Cassidy, Jones & Potrac, 2016; Jones, 2019; Nelson, Groom, & Portac, 2016).

나는 개인적으로 우리 스포츠교육학이 티칭을 넘어 코칭으로 확장되어야 한다고 주장해왔다(최의창, 2012, 2015, 2018a, 2018b). 이런 맥락에서 스포츠교육론의 범주는 학교체육수업을 넘어 생활체육 강습과 운동선수 훈련까지도 포함하는 광역대로 확장되어야 한다. 대상과 상황이 누구며 어떤 곳이든지 "신체활동을 가르치고 배우는 활동"(스포츠교육)이라는 근본적 특징은 이 세 분야가 모두 공유하는 공통 특징이기 때문이다. 가르치는 대상(예를 들어, 학생, 회원, 선수 또는 유아, 청소년, 성년, 노인 등)이 누구든지 간에, 신체활동의 종류(예를 들어, 스포츠, 댄스, 피트니스 등)가 무엇이든지 간에 운동을 가르치고 배우는 것은 동일하다(Jones, 2006, 2019). 그래서 우리는 이 모두를 "스포츠교육" 활동이라고 부를 수 있기도 하다.

최근 국내에서도 새로운 스포츠교육론에 대한 관심이 조금씩 더 생겨나고 있는 중이다(윤기준, 정현수, 2020). 하지만, 내가 판단하기에, 확장된 스포츠교육론의 관점에서 주어지는 관심과 소개는 아직까지 일천하다. 물론, 서양 스포츠교육학자들도 체육학의 여러 하위 학문 분야를 포괄하는 광범위한 리뷰를 아직까지 제공해주지 못하고 있다. 여전히 정통 스포츠교육학의 범주 내에서 최신 업데이트된 개념과 연구의 요약정리 수준이다(Ennis, 2017). 서양 스포츠교육학자들의 인식도 학교체육중심적, 체육수업지향적 사고방식에 머물러있기 때문이다. 이들도 아직까지 최근에 진행되어온 스포츠심리학, 스포츠사회학, 스포츠철학, 그리고 스포츠코칭학과 건강/피트니스교육 등의 분야에서 제안된 스포츠교육적 논의들을 수용하지 못한 것이다.

신체활동을 가르치고 배우는 이유와 방법에 대한 새로운 체계적 논의들은 스포츠교육의 지평을 훨씬 더 넓혀줄 것이다. 우리는 더욱 넓어진 시야를 통하여 스포츠교육의 가능성과 한계에 대하여 이전과는 질적으로 다른 인식체계를 지닐 수 있게 될 것이다. 다만, 새로운 논의들을 단순히 요약하고 정리하여 기존의 것들 옆에 나란히 내려놓는 일차원적인 소개에 그친다면 이 목적을 성취하기는 요원하다. 새로운 논의들을 기존 스포츠교육론들과 비교하여 살펴보는 과정에서 각 접근모형들의 상대적인 특징과 장단점들이 보다 명확히 드러날 수 있을 것이다. 현재 인정받는 소수의 모형들만으로는 상대적 비교라는 것 자체가 일차원적 수준으로 진행될 수 밖에 없다. 하지만, 숫자가 보다 많아지면, 좀 더 복잡한 차원의 비교분석이 이루어질 수 있으며, 더 나아가 주요 특징들을 공유하는 접근들끼리의 범주화까지도 가능하게 된다. 이제는 이런 수준의 입체적 탐색이 절실히 필요한 시점이다.

본 장의 목적은 기존 스포츠교육학 논의에서 다루어진 스포츠교육론들을 넘어서, 최근 다양한 하위 학문 분야에서 제안된 스포츠교육론들을 파악하고 주된 특징들을 살펴보는 것이다. 스포츠교육학이라는 학문분야는 매우 다양하고 세분화된 탐색영역으로 구성되어 있다. 그중 가장 핵심적인 것은 바로 스포츠 가르치기에 대한 이론적, 개념적 아이디어 및 논의일 것이다. 지난 20~30년간 기존 스포츠교육학을 지탱해온 학술적 척추라고 할 수 있다. 당연히 아직도 이야기할 것들, 밝혀낼 것들이 더 있을 것이다. 스포츠교육의 무대에 너무 오랫동안 동일한 인물들만이 등장하였다. 이제 새로운 등장인물들을 찾아서 이들의 성장 가능성을 가늠해 보도록 하자.

제2절에서 스포츠교육론의 개념을 규정하여 본 장에서 다루는 스포츠교육론들의 대략적인 모습을 한정시키도록 한다. 이 조처는 그 모습을 더욱 명확하게 만들어 보여준다. 그리고 그에 따라 기존 아이디어들을 간략하나마 정리해본다. 제3절에서는, 본 연구자의 판단에 의하여, 새롭게 제안되어 개념적으로나 실천적으로나 주목을 받고 있는 여러 스포츠교육적 이론과 모형들에 대해서 소개하도록 한다. 제4절에서는 기존의 교육론들과 소개된 새로운 스포츠교육론들을 한 자리에 모아 교과와 학습자라는 두 기준을 중심으로 네 그룹으로 분류시켜본다. "스포츠교육론사분면" **Sport Pedagogy Quadrant** 이라는 아이디어를 활용하는 이 시도는 스포츠교육의 무대에서 개개의 스포츠교육론이 차지하는 각각의 자리를 전체적으로 이해하고 바라보는 데에 도움을 줄 것이다. 제5절에서는 새로운 접근이 현재 우리에게 당면한 주요 문제들을 해결하는 데에 어떤 실천적 시사점을 제언하는지 살펴보며 마무리한다.

 ## 스포츠교육론: 범위 규정과 현황 파악

"스포츠교육론"이라는 개념은 관례적으로 쓰이고는 있으나 놀랍게도, 우리나라는 물론이고 미국이나 영국에서도 정확하게 규정되어본 적이 없다. 사실, Armour(2011)를 제외하고는 "스포츠교육학"에 대한 직접적 정의도 거의 찾아보기 어렵다. 사정이 이렇기는 해도 우선 논의를 시작하기 위하여, 스포츠교육론은 "신체활동을 가르치고 배우는 활동에 관한 체계적인 설명" 정도로 간단히 정의해보자. 이러한 스포츠교육론의 범주에 들어오는 기존의 다양한 개념과 아이디어들을 한 번 떠올려보자. 신체의 교육, 신체를 통한 교육, 체육교육 가치정향, 현상학적 체육, 비판적 체육교육, 인문적 체육교육, 움직임교육, 스포츠교육, 하나로 수업, 책임감모형, 이해중심게임수업 등등. 대략적으로 이 정도가 곧바로 떠오르는 용어들일 것이다.

모두가 스포츠교육론의 범주에 들어온다고는 해도, 각각의 것들이 개념이나 크기 면에서 동일한 수준은 아니다. "론"論(또는 이론)이라고 하는 개념의 범주가 워낙 모호하기 때문에 온갖 종류의 개념들이 하나의 부류 속에서 함께 언급되어지고 있는 것이 현실이다. 이해를 돕기 위하여 큰이론, 중간이론, 그리고 작은 이론大論, 中論, 小論 으로 분류해보자. 스포츠교육론에는 대론, 중론, 소론들이 한꺼번에 섞여 들어있다. 현재까지는 각각이 서로 관련성이 낮게 독립적으로 개발되고 제안되었다. 하지만, 중론과 소론을 낳는 대론, 즉 서로 이론적 연관성이 높은 대론, 중론, 서론들도 소수 있다.

대론philosophies and big theories 은 철학, 교육철학, 스포츠철학의 수준에서 스포츠를 가르치고 배우는 것에 대한 포괄적인 논의를 진행시킨다. 신체의 교육, 신체를 통한 교육, 인문적 체육교육, 현상학적 체육, 비판적 체육교육 등이다. 중론small theories and big models 은 교육심리학, 교육사회학, 스포츠사회학, 스포츠심리학, 운동학습학, 스포츠코칭학 등에서 주장되는 하나의 이론이나 개념을 바탕으로 스포츠를 가르치고 배우는 과정에 대해서 설명한다. 움직임 교육, 하나로 수업 등을 들 수 있다. 소론small models and methods 은 운동을 가르치고 배우는 직접적 과정에 주로 주목하여 관련 아이디어들을 제공하는 하나의 설명체계이다. 이해중심게임수업, 스포츠교육 모형, 책임감 모형 등이라고 할 수 있다(기존 스포츠교육론의 수효가 그리 많지 않아서 세 그룹의 사례들이 충분치 않다고 느낄 수 있다. 새로운 접근들이 추가되어 포함되면 훨씬 더 풍부한 예시가 가능하다).

기존 스포츠교육론과 관련하여 가장 활발하고 체계적으로 진행되는 논의가 있다. 그것은 "체육교수모형"physical education teaching models 이라는 아이디어를 중심으로 이루어지고 있다. "모형기반 체육수업실천"models-based practice in PE 또는 "모형기반체육" 등으로 불리면서, 스포츠교육론의 범주에 들어오는 지도방법에 관한 설명체계들을 나열하고 설명하고 비교하여 상대적 특징과 장단점을 분명하게 드러내어준다. 이런 개념과 용어 속에서의 스포츠교육론이 본격화된 것은 Kirk(2013)와 Casey(2014)로서 매우 최근의 일이다. 1999년 Mike Metzler가 〈체육교수모형〉이라는 제목의 책을 출판하고 이

용어를 유행시키게 된 것이 그 촉발점이라고 할 수 있다.

하지만 이런 아이디어, 즉 스포츠를 가르치고 배우는 것에 대한 체계적인 설명(철학, 이론, 모형, 방법론)들을 정리하는 시도는 이미 1980년대에 미국에서 본격화되었다. 체육교육과정과 수업이라고 하는 분야가 지식체계를 정리하면서 스포츠교육학이라고 하는 현대화된 학문분야로 자리를 잡아가는 초기의 현상이었다. 이때는 체육교육과정과 체육수업이라고 하는 두 분야 각각에서 교육과정 모형과 수업지도 모형을 각자 자기들의 입장에서 선택해서 정리하던 시기다. 그래서 하나의 모형이 교육과정 모형과 수업지도 모형의 두 부류에 모두 포함되는 것이 다반사였다. 〈표 1〉은 대표적인 학자들의 분류체계표다. 가장 포괄적으로 체육교수(교육과정 및 수업)모형들을 한 자리에 놓고 비교하고 있다. 적게는 5개, 많게는 8개까지 소개하고 있다.

표 1	체육교수모형 분류 방식(각 저술의 최신판 기준)		
Siedentop, Mand & Taggart (1986)	Jewett, Bain & Ennis (1995)	Lund & Tannehill (2015)	Metzler (2017)
· Multiactivity PE · Fitness Models · Sport Education · Wilderness Sports and Adventure Education · Social Development · Conceptually-Based Program Model	· Sport Education · Fitness Education · Movement Analysis · Developmental Model · Personal Meaning Model	· Personal and Social Responsibility · The Skill Theme Approach in PE · Adventure Education · Outdoor Education · Teaching Games for Understanding · Sport Education · Cultural Studies Curriculum · Fitness & Wellness Education	· Direct Instruction · Personalized System for Instruction · Cooperative Learning · Sport Education · Peer Teaching · Inquiry Teaching · Tactical Games · Teaching Personal and Social Responsibility

2020년 현재 "모형기반체육수업"이라는 개념은 이제 확고히 자리를 잡았다(Casey, 2017; Casey & Kirk, 2021). 기존 스포츠교육론과 관련된 논의를 "모형"이라고 하는 개념으로 모양을 잡고 구획을 지어줌으로써 이해와 토론의 명료화를 도모할 수 있게 해주었다는 점에서 매우 긍정적 기능을 하고 있다. 다만, 2가지 점에서 한계를 지니고 있다. 첫째, 위 표에서 살짝 드러나 보이듯이, 다루어지는 모형들이 30여 년간 그다지

새로워지지 않고 있다. 1986년 Siedentop, Mand & Taggart가 열거한 모형들이나 2017년 Metzler가 소개한 모형들은 대동소이하다. 둘째, 포함된 모형들은 모두 중론과 소론의 수준에서 제안된 모형들이다. 철학적 근거를 지닌 포괄적 수준의 스포츠교육론(예, 비판적, 현상학적, 인문적 체육교육)들은 소개되지 않고 있다. 물론, "모형"이라는 것의 수준이 "이론"보다는 규모가 작고 구체적이며 현장실천을 목적으로 개발된 아이디어이기 때문이기는 하지만 말이다(Casey, 2017).

일단, Siedentop 등(1986)의 초기분류에 포함된 모형들을 시작으로 대략적 소개를 해보자. "종합활동프로그램"은 1년 동안 다양한 종목(운동, 활동)들을 가능한 많이 체험할 수 있도록 구성하여 운영한다. 다다익선으로 가능한 다양한 신체활동을 배울 수 있도록 한 것이다. "체력모형"은 운동체력과 기능체력을 체계적으로 기르는 것을 목표로 한다. "야외 스포츠 및 모험교육"은 여가 프로그램의 성격을 갖는 스포츠활동들을 중심으로 구성한다. "사회성 개발" 모형은 정의적 영역의 향상을 주된 목적으로 하는 체육모형이다. "개념기반 체육프로그램"은 체육의 기초학술개념들을 주제로 하여 신체활동을 함께 학습하도록 하는 수업접근이다. 우리가 현재 알고 있는 "스포츠교육" 모형은, Siedentop 본인이 1990년대에 창안한 것인데, 이미 1980년대에 기본 개념을 소개하고 있다.

Jewett, Bain & Ennis(1995)의 분류에서는 새로운 것들이 있다. "움직임분석" 모형은 (라반이 개발한) 움직임 교육을 기반으로 초등학생과 무용교육을 위하여 주로 활용되는 움직임 탐색 수업 방안이다. "개인의미추구" 모형은 저자들이 개발한 생태통합주의의 체육교육 철학에 근거하여 각 개인들은 자기 스스로가 추구하는 개인적 의미들을 성취할 수 있도록 지도되어야 한다는 점을 강조한다. Lund & Tannehill(2015)은 "기술주제 융합수업" 모형과 "문화연구 교육과정" 모형을 덧붙여서 소개한다. 전자는 움직임 개념을 바탕으로 던지기, 달리기, 때리기 등 스포츠기술의 기초 기능들을 탐구적 방식으로 가르치고 배우는 초등 체육 위주의 모형이다. 후자는 사회문화의 한 현상으로써 스포츠를 현명하고 비판적으로 이해하고 실행할 수 있는 판단력과 감식력을 기르는 것을 목적으로 하는 이론과 실기 통합수업지도 접근이다.

Metzler(2017)는, 일반 교육학으로부터 차용된 모형까지 포함하여, 현재 우리에게 잘 알려진 직접교수, 개별화교수, 협동학습, 스포츠교육, 동료교수, 탐구교수, 게임전술, 개인적/사회적 책임감교수 모형의 8가지 체육교수모형들을 완성된 형태로 정리하고 소개하고 있다. Metzler는 각 모형들을 하나의 일관된 개념구조틀 속에서 체계적으로 소개함으로써 체육교수모형에 대한 스포츠교육연구자(및 실천가)들의 이해를 명료하게 도와주었다. 각 모형을 머리, 몸, 팔다리로 나누어 생각할 수 있도록 "개념적 기초"(이론, 교수학습의 기본가정, 주된 개념들, 우선적 학습영역, 학생발달수준, 타당성기준), "교수학습과정의 특징"(직접간접성, 학습과제, 학습참여패턴, 교사와 학생의 역할과 책임, 교수과정의 확인, 학습평가), 그리고 "실행을 위한 조건과 변용"(교사역량, 주요 교수 기술, 상황적 필요, 변용활용의 팁)으로 범주화하여 소개하고 있다. 이외에 이처럼 각 모형들을 공통준거(지배적 가치정향성, 개인/사회적 발달견해, 교과내용, 목적, 개념적틀, 프로그램특징)에 비추어 상대적으로 비교하는 분류는 Jewett, Bain & Ennis(1995)만 제공해주고 있을 뿐이다.

스포츠교육론의 범주에 포함되는 기존 모형들에 대한 논의를 전체적으로 살펴보았다. 현재 한국의 스포츠교육연구 분야에서 "신체활동을 가르치고 배우는 활동에 관한 체계적 설명"이라고 간주할 수 있는 모형들, 큰 이견 없이 수긍할 수 있는 모형들이라고 판단된다. Casey(2017)과 Casey & Kirk(2021)이 최근 주장하듯이, 스포츠교육 모형들은 우리가 좋든 싫든 이제 스포츠교육 일상의 한 부분이 되었다. 이 주장에서 우리는 스포츠교육모형을 스포츠교육론으로 대체하여 이해해도 될 것이다. 하지만, 내가 보기에, 우리가 간주하는 스포츠교육론들은 현재 스포츠교육연구 분야에서 새롭게 등장한, 매우 중요한 가능성을 지닌 교육론들에 대해서는 인지하지 못하거나 소개받지 못하고 있다. 스포츠교육론에 있어서 이제 우리는 한 단계 더 나아가야 하는 시점에 와있다.

이를 위해서는 첫째, 미국 중심의 스포츠교육론에서 영국과 유럽 방향으로 고개를 돌려야 한다. 둘째, (학교체육 중심의) 전통적 스포츠교육의 연구분야에서 (생활체육과 전문체육을 포함하는) 스포츠코칭 분야로 시야를 넓혀야 한다. 셋째, 대상이나 주제 중심의 좁은 연구지향에서 벗어나 교육학 및 스포츠학의 다양한 학문적 이론들로부터 스포츠교육론을 바라보아야 한다. 이 모든 재방향설정의 핵심은 우리 스포츠교육연구에 있어서 지난 30여 년간 중심이 되어온 미국 스포츠교육학에의 의존도를 벗어나는 것이다. 사실 지난 20여 년간 세계 스포츠교육학의 무게중심은 이미 영국으로 옮겨졌으며, 최근에는 유럽학자들까지도 적극적이고 활발히 참여하여 공헌도를 높이고 있다. 이에 반해 세계 스포츠교육학 분야에서 미국학자들의 기여도는 이미 쇠퇴의 길을 걷고 있는 중이다. 하지만, 국내 스포츠교육연구는 여전히 미국적 연구 관심 일변도를 벗어나지 못하고 있다.

물론, 그동안 우리도 한국 학교체육, 한국 스포츠교육 고유의 연구주제와 실천방법을 탐구하고 고안해내고 실행에 옮겨왔다. K-○○○라고 이름 붙이는 것이 흔한 표현이 되었듯이, K-스포츠교육학이 조금씩 형성되어가고 있는 중이다. 하지만, 내 판단에는 여전히 미국 중심적인 사고방식은 벗어나지 못하고 있다. 일례로, 현재 우리에게 잘 알려진 텍스트북은 모두 미국 학자들(시덴톱, 링크, 메츨러, 쥬윗 등)의 저서들을 번역한 것이다. 이로 인해서 연구자와 실천가 모두에게 널리 공유되는 전문지식의 기반은 아직까지도 여전히 미국적임을 부인할 수 없다. 당연히 미국적인 것이 무조건 나쁜 것은 아니다. 내 주장은, 미국은 지난 20여 년 동안 스포츠교육학의 중심에서 이제 스포츠교육학의 주변으로 밀려났다는 것이다. 연구의 범위와 수준, 그리고 학술적 영향력 모든 면에서 이미 주인공이 아니다. 기껏해야 조연 정도라고 볼 수 있다. 조만간 단역으로 밀려날 수도 있다(한국은 아시아에서 주인공이라고 할 수 있다).

현재 제자리걸음을 하고 있는 스포츠교육론의 한 단계 업그레이드를 위해서는 이 세 가지 기준을 채택해야만 한다. 즉, 다양한 나라들의 학술적 발전을 수용하는 스포츠교육론, 하위 학문의 이론적 근거가 튼튼한 스포츠교육론, 학교체육에만 한정되지 않고 스포츠코칭 전반을 포용하는 스포츠교육론이라는 새로운 지향점을 설정해야 한다. 다음 절에서는 새로운 스포츠교육론이라고 판단되는 접근들을 선별적으로 소개하도록 한다.

III 새로운 스포츠교육론들

    지난 이십 년간 영국, 오세아니아, 캐나다 및 유럽 등 영어사용권 국가들 중심으로 스포츠코칭/티칭 분야에서 스포츠(교육)철학/심리학/사회학의 배경을 지니고 제안된 주목할 만한 스포츠교육론들은 〈표 2〉와 같다. 포괄적이고 개념적인 수준에서 소개된 대형 논의들은 철학과 이론의 형태를 지니고 있다. 다소 이론적이면서 구체적 체계성을 지닌 이론과 모형의 형태를 띤 중형 이론들이 있다. 그리고 다소 체계적인 개념적 구조를 가진 모형이나 연결된 방안들의 모습을 한 소형 이론들이 있다(한 권 이상의 학술서적, 5~10년의 연구기간, 여러 연구자들의 관여를 최소기준으로 선별하였다).

표 2   새로운 스포츠교육론들

	대론 philosophies and theories	중론 theories and models	소론 models and methods
스포츠/교육철학	· Aretism · Humanitas-Oriented PE(HOPE) · Phenomenological PE · Existential PE	· Hanaro Teaching · Practicing Model	· Sport Literacy · Physical Literacy · Movement Literacy
스포츠/교육심리학	· Embodided Cognition	· Cultural Perspective · Athlete-Centered Coaching · Positive Youth Development	· Constraint-Led Approach · Positive Pedagogy · Reflective Practice
스포츠/교육사회학	· Critical Sport Pedagogy	· Constructivist Coaching	· Activist Approach

01. 철학과 이론 수준의 스포츠교육론들

1) 아레테주의

스포츠철학자인 Holowchak & Reid(2011)은 현대 스포츠계에 지배적인 철학이 한쪽 끝은 "투기주의/상업주의" Martial/Commercialism, MC 와 다른 쪽 끝은 "탐미주의/오락주의" Aesthetic/Recreationalism, AR 로 양분되어 있다고 주장한다. 전자는 경쟁상대와의 대결을 강조하면서 승리를 우선시하는 특징, 그리고 그것이 상업과 산업의 목적으로(금전적, 재정적 이익을 산출하기 위한 목적으로) 실행되는 스포츠 자본주의가 우선시된다. 후자는 스포츠 체험의 감각적 즐거움과 여흥적 가치만을 부각시키면서 기분전환과 스트레스 해소를 위한 수단으로써 간주한다. 이들은 그 어느 것도 스포츠의 진정한 가치를 구현하지 못한다고 논리적으로 설득한다(Austin, 2013; Hardman & Jones, 2016).

대신에, 고대 그리스에서 추구한 스포츠의 이상인 "arete" virtue and excellence 즉, 훌륭한 덕과 뛰어남이 새로운 스포츠에서 추구해야 하는 대안적 이상으로 가장 올바르다고 제안한다. "아레테주의" Aretism 는 신체능력의 뛰어남을 추구하면서 동시에 그 과정에서 훌륭한 미덕을 동시에 함양하는 것을 강조한다. 신체활동이 수단과 도구가 되는 것이 아니라, 그것 자체가 목적으로 추구됨으로써 그 안에 내재된 가치들이 그것을 수행하는 이들에게 온전하게 구현되는 것을 강조한다. 아리스토텔레스의 중용철학을 근거로 들면서, 아레테주의는 "MC철학의 경직된 도구주의와 AR철학의 경박한 오락주의의 중간에서 균형을 유지한다"(p. xv)고 말한다. 아레테주의는 스포츠의 본질적 가치를 구현하는 것이 스포츠교육의 본령인 것임을 철학적으로 재확인시켜 준다.

2) 인문적 스포츠교육

최의창(2001, 2010a)은 "실천전통교육관"(홍은숙, 2007; Hirst, 1993)에 근거하여, 스포츠(체육)교육은 배우는 사람(학생, 회원, 선수)들을 실천전통 a practice 으로써의 신체활동에 입문시키는 노력으로서 정의한다. 실천전통이란 인간이 오랜 시간 동안 특정한 목적을 위해서 개발하여 실천하며 발달시켜온 행위의 양식이다. 의료, 경제, 학문,

체육, 예술, 군사 등이다. McIntyre(1972)에 따르면 실천전통은 "사회적으로 확립된 협동적인 인간활동의 모종의 일관되고 복잡한 형식을 가리킨다. 실천전통은 그 활동 형식에 적합하고 또한 그 의미를 부분적으로 규정하는 탁월성의 기준을 가지며, 그것을 성취하는 과정에서 그 활동 형식의 내적 가치를 실현한다. 그 결과 탁월성을 추구하는 인간의 능력 및 관련된 활동의 목적과 가치에 대한 인간의 사고가 체계적으로 확장된다"(p. 187). 스포츠는 하나의 실천전통이다(Arnold, 1997).

그는 20세기 후반 들어서 체육교육이 과학적 체육교육(신체의 교육)의 특징을 강화하는 쪽으로 발전하였다고 분석하며, 체육의 본래적 가치와 교육적 이상을 성취하는 체육교육(신체를 통한 교육)을 위해서는 인문적 차원이 강조되는 체육교육의 추구가 절실하다고 주장한다. 인문적 차원이 강조되는 체육 Humanitas-Oriented Physical Education, HOPE 은 배우는 이를 올바른 체육(실천전통으로서의 스포츠)에 입문시키는 데에 있어서 필수적인 내용이자 활동이다. 예를 들어, 농구를 제대로 배우기 위해서는 농구의 기술적 차원을 향상시키기 위해서 생리학적, 역학적, 영양학적, 심리학적 차원의 강조와 함께, 농구의 정신적 차원의 의미를 체득하기 위하여 문학적, 예술적, 종교적, 역사적, 철학적 차원의 부각이 반드시 필요하다고 주장한다. "호울 스포츠" whole sport 로서의 농구에 입문하는 것, 즉 실천전통으로서의 농구를 학습하도록 하는 것이 체육교육의 목적이다.

3) 현상학적 스포츠교육

신체활동과 신체감각을 중요시하는 스포츠교육에서는 현상학적 관점이, 비록 소수에 의해서지만, 꾸준하게 주장되어왔다(Brown & Payne, 2009; Smith, 2002; Thorburn, 2008). 특히, 유아와 초등학생 수준의 체육활동에서는 자유로운 움직임 및 놀이 활동을 통한 신체적 감각 body awareness 의 예민성을 키워줄 수 있는 점을 강조해왔다. 현상학적 개념들(판단 정지, 괄호 치기, 생체, 체화 등)이 이해하기가 쉽지 않고, 그것을 실천 속에서 체험할 수 있도록 지도하는 것의 어려움도 이 스포츠교육 철학의 확산을 저해한 요인이다. 지극히 주관적이고 개인적인 차원에서의 움직임 체험, 그것을 통한 몸과 마음이 하나 되는 체험 embodiment 은 공유하거나 전달하거나 이해시키기가 근본적으로 매우 어렵다. 그런데, 현상학적 스포츠교육자들에 따르면, 움직임을 통해서 자신의 신체를 몸과 마음이 하나된 상태로 진입시키고 유지시키는 체험 lived body 이야말로 스포츠교육의 최종 목표다.

최근 Standal(2015)은 〈현상학과 스포츠교육론〉에서 자신의 현상학적 스포츠교육론을 상세하게 소개해주고 있다. 그는 자기 저술의 목적이 스포츠교육철학(이론)이면서 동시에 스포츠교육론(실천)을 제공하는 것이라고 말한다. 현상학이 스포츠교육에 중요한 공헌을 할 수 있음에도 불구하고 제대로 된 주목을 받지 못한 것을 지적하며, 후설과 메를로퐁티의 신체관이 스포츠교육에 중대한 공헌을 할 수 있음을 강조한다. 예로서, "신체적 지식" practical knowledge 으로서의 운동기능 skill 에 대한 잘못된 이해를 고치면서, 스포츠교육의 핵심 주제로서 "체화된 지식" embodied knowledge 의 중요성을 새롭게 제안한다. 국내에서는 이규일(2019, 2020)이 현대판 일원론적 신체관의 최신 버전인 체현론을 바탕으로 몸의 교육적 가능성을 촘촘히 살펴보면서 스포츠교육의 새로운 방향 (신체교육과 리터러시)을 새롭게 모색하고 있다. "무브먼트 리터러시" movement literacy 라는 구체적 교육론을 제안하고 있다.

4) 실존적 스포츠교육

1960, 70년대 유럽의 정신적 지주 역할을 했던 실존주의 철학은 체육 분야에서 그다지 관심을 받지 못하였다. 최근 스포츠철학자 Aggerholm(2015)과 스포츠심리학자 Nesti(2004)가 본격적인 적용을 하고 있다. 지극히 개인주의적이고 물질주의적으로 변모해가는 스포츠계, 그리고 육체적이고 물질적인 차원의 인간 형성에 집착하는 스포츠교육계에 대한 자각과 대안제시를 목적으로 하고 있다. "실존이 본질에 우선한다"는 명제를 앞세우며, 이상과 당위보다는 현재와 실제에 대한 우선성을 강조한다. 스포츠의 내재적 가치를 중요시하면서, 인간형성의 "도야적 방향성" Bildung 을 지향하는 스포츠 실천과 스포츠교육을 강조한다. 스포츠과학에 대한 맹신에서 벗어나 스포츠코칭에 있어서 스포츠인문학의 공헌을 새롭게 바라보도록 촉구한다.

실존적 스포츠교육 existential sport education 은 한 개인이 스포츠에 참가하는 양상을 "존재적 양태, 소유적 양태, 소속적 양태" being, having, belonging 로 간주하며, 각각의 참여양상에서 참여자가 체험하고 느끼는 생각과 감정들을 분석한다(Aggerholm & Breivik,

2021). 이 세 가지 참여양상은 모두 가치를 지니고 있으나, 참여자를 도야시키는 데에는 자신의 신념, 가치 등 전 존재 the person's whole mode of being 를 변모시키는 "존재적 참여"가 가장 의미 있다고 주장한다. 개개인의 전 존재를 변모시키는 "실존적 학습"을 촉진시키기 위해서는 운동의 실제적 체험에 덧붙여, "스토리텔링, 성찰적 글쓰기, 다양한 예술 기반 방법들"이 도움이 될 수 있다고 추천한다. 이 과정에서 가르치는 이와 배우는 이의 인간적 관계가 기법들의 구사보다도 훨씬 더 중요하며, 이 관계성의 종류와 질에 따라서 실존적 학습의 성패가 좌우된다고 말한다(Ronkainen, Aggerholm, Ryba, & Allen-Collinson, 2020).

5) 체화된 인지관점

"체화된 인지" Embodied Cognition 란 매우 다양한 관점과 접근과 연구들을 하나로 뭉뚱그려 묶어 부르는 명칭이다(Shapiro & Spaulding, 2019). 통상적으로 체화론 Embodied, 행화론 Enactive, 확장론 Extended, 착근론 Embedded 의 4E로 구분하여 분류한다. Valera, Thompson & Rosch(1993)에 따르면, 인지는 여러 가지 감각운동능력을 지닌 신체를 통해 나타나는 경험에 의존하며, 이 감각운동능력은 생물학적, 심리학적, 문화적 맥락에 소속된다. 즉, 세계는 개인의 체험과 동떨어져 존재하지 않고, 개인의 주관적 체험을 통해서 형성되는 것이다. 인지과정이 머리 속에서 일어나는 것이 아니라, 신체와 감각운동능력과 함께 발생하는 것으로 간주한다(제희선, 황해익, 2018). 체현화된 인지 철학은 뇌과학과 인지과학적 관점에서 과학적으로 검증 가능한 방식으로 신체가 근원이 되고 신체가 강조되는 심신일원적 접근을 주장함으로써 체육학에 강력한 호기심을 제공하고 있다(박형준, 이계영, 2014; Cappiccio, 2019).

체화된 인지는 현재 경험적 연구를 통하여 검증 가능한 이론을 바탕으로 인지주의적 스포츠심리학 연구에서 주로 관심을 주고 있다. 스포츠교육에의 직접적 시사점은 특별히 요가, 타이치 등을 수련할 적에 "명상적 방법" contemplative methods 을 통해서 현재에 집중토록 돕는 마음챙김 mindfulness 을 학습하도록 하는 것을 들 수 있다(Shapiro & Spaulding, 2019). 또한 체화된 인지는 최근 수학, 국어 등 일반교과에서 신체활동을 통합시켜 교육하는 데에 이론적 근거를 마련해준다(Madsen & Aggerholm, 2020).

Madsen, Aggerholm, & Jensen(2020)은 국어, 역사, 사회, 영어, 과학, 수학 등 다양한 교과를 가르치는 교사들을 대상으로 마임, 드라마화, 제스쳐만들기, 모양만들기, 모방하기, 감각하기의 6가지 신체동작을 중심으로 한 움직임통합 수업을 실시하였다. 이 수업을 통해서 학생들이 감각운동능력, 정서적 반응 및 상호주관적 체험을 할 수 있었음을 보고하고 있다. 교과내용에 대한 주관적 이해와 체험적 관여도 높았다.

6) 비판적 스포츠교육

스포츠교육론 분야에서 비판적 스포츠교육 **critical sport pedagogy**은 1990년대와 2000년대 초반까지 Tinning(2010)같은 호주학자들을 중심으로 매우 영향력 있는 담론으로 성장한 적이 있다. 미국학자들이 주도하는 스포츠교육 연구 초기에 기능주의적, 권위주의적 체육과 체육교육에 대한 비판(불평등, 비공정 등)과 대안제시로서 커다란 공헌을 하였다. 그러나 어려운 철학과 사회학 이론을 바탕으로 급진적 현장 개혁과 개선을 주장함으로써, 소수의 적극적 지지를 넘어서지 못하고 2000년 초반 이후 한동안 비활성화 되었다. 최근 영국, 캐나다 및 유럽학자들을 중심으로 비판적 접근이 현장의 관심을 받지 못한 원인을 다각도로 분석하는 것과 동시에(Kirk, 2019; Tinning, 2019), 신자유주의적 사회, 경제, 문화적 동향에 대한 비판적 시각을 담아 새로운 재도약을 해내고 있다(Pringle, Larsson, & Gerdin, 2019; Robinson & Randall, 2016).

최근 Kirk(2020)는 "불확실성" **precarity**의 개념을 스포츠와 체육교육의 분야에 적용시켜 현재 우리 분야의 상태를 명확히 분석하고 그 해결을 위한 새로운 비판적 스포츠교육의 역할과 방안을 제시한다. 전 세계는 불안정성이 일상화되어가고 있다. 현재 가장 불안정한 대상들은 경제적 빈곤층과 청년세대이다. 계약직의 일반화로 인한 고용의 불안정, 그로 인한 저임금과 심리적 불안감 등이 계속해서 축적되어가고 있다. 특히, 이제 막 사회로 진출하는 청년세대들은 가장 하위에서 가장 불리한 출발을 한다. 신자유주의가 만연한 스포츠계에도 불안정성은 일반화되어간다. Kirk는 비판적 스포츠교육은 이제 이런 새로운 불평등 사태를 타개하는 유일한 희망으로 다시금 태어나야 하고 태어날 수 있음을 강조한다. 체육전반의 변화를 위한 체육교육자 교육의 개혁과 지속적 전문역량 개발도 촉구한다.

02. 이론과 모형 수준의 스포츠교육론들

1) 하나로 수업

최의창(2001, 2010a)에 의해 제안된 "하나로 수업" **Hanaro Teaching** 모형은 인문적 체육교육의 스포츠교육 철학을 기반으로 제안된 체육수업 모형이다(생활체육과 전문체육에 적용되었을 경우에는 "하나로 코칭"이라고 부른다). "하나로"라는 수식어가 알려주듯, 신체활동과 인문적 지혜의 통합적 지도를 원칙으로 한다. 스포츠를 내용으로 하거나 주제로 한 시, 소설, 영화, 노래, 그림, 조각, 역사, 철학 등 인문적 지혜들을 건강, 경쟁, 도전, 표현, 안전영역의 교과내용들을 학습할 때에 함께 체험하는 것이다. 신체를 통한 교육으로써의 체육교육의 전통 속에 위치하며, 몸과 마음과 영혼이 하나로 균형잡힌 청소년을 키우려는 "전인체육"을 목적으로 하는 체육교육 모형이다. 교수방법의 직접교수/간접교수활동, 교육내용의 직접체험/간접체험활동, 수업운영의 터와 패 등 핵심 개념과 용어들을 우리말로 구성한 것이 특징이다. 소수이기는 하나 지난 이십 년간 현장에서 지속적으로 시행되고 있으며, 학위논문과 현장 적용 연구도 꾸준히 진행됨으로써 효과성을 높이고 있다(박용남, 정현수, 2018).

2) 수행 모형

"수행모형" **practicing model** 은 실존적 스포츠교육 철학을 바탕으로 구안된 스포츠교육 모형이다. 스웨덴과 노르웨이 주창자를 중심으로 이제 막 시작된 상황이다(Aggerholm, 2016; Aggerholm, Standal, Barker, & Larsson, 2018; Barker, Aggerholm, Standal & Larsson, 2018). "practicing"은 "자아의 발전" **the improvement of the self** 과 관계있다는 의미로서, 우리말 표현으로는 수행, 수련, 수신, 수양 修行, 修練, 修身, 修養 등이 가장 적합한 의미라고 판단된다. 이것은 실존적 스포츠교육에서 개인의 내적, 외적 완성을 의미하는 "Bildung" 도야, 陶冶 를 강조하는 것과 연관되어 있다. "프랙티싱"은 자신의 완성을 도모하는 모든 실천적 노력을 의미한다고 해석할 수 있다. 스포츠 연습과 실행을 수행과정으로써 간주하며 다양한 직간접 체험활동을 행한다. 중요한 필수적 수업활동 구성 및 운영 원리로써 4가지를 채택하고 있다. 첫째, 개인의 주체성을 인정하고 의미를 갖는 학습활동을 제공한다, 둘째, 교과내용과 수행의 목적에 초점을 맞춘다, 셋째, 성취기준을 구체화시키고 적절히 조절한다, 넷째, 적절한 수련시간을 제공한다 (Aggerholm et al., 2018).

3) 문화적 관점

"문화적 접근" a cultural perspective 은 스웨덴, 노르웨이, 덴마크 등 북유럽 스포츠코칭연구자들을 중심으로 엘리트 선수들의 스포츠교육과 학습에 대한 새로운 접근이다 (Barker-Ruchti, 2019). 스포츠심리학의 맥락에서 이들은 스포츠와 코칭에 대한 두 가지 관점을 대비시킨다. 한편으로는 스포츠를 "상품" commodity 으로 취급하는 작금의 체육계 풍토를 개탄하면서, 스포츠를 "공동체" community 로서 간주해야 한다는 대안을 제안한다(Barker-Ruchti & Barker, 2016)〈표 3 참조〉. 문화적 관점에서는 "엘리트 운동선수가 된다는 것은 무엇을 의미하는가? 엘리트 운동선수들은 어떻게 엘리트 운동선수가 되는 것을 배우는가? 엘리트 운동선수들의 배움은 어떤 결과를 낳는가? 엘리트 운동선수들은 자기 자신에 대한 자아개념이 어떻게 변하는가?" 등의 질문을 던지면서, 엘리트 운동선수들의 배움은 "자기개발" self-development 임을 확인하고 확신한다. 문화적 관점에서는 모든 배움이 문화 속에서 지속적 생활함을 통해서 발생한다고 간주한다. "한 개인이 사회적, 실천적, 체현적으로 학습문화에 관여하는 것을 통해서 자아, 삶, 그리고 학습에 대한 의식과 감각이 형성된다"(Barker-Ruchti, 2019, p. 37).

4) 선수중심코칭

현재 현장에서 가장 많은 주목을 받고 있는 접근이다. "선수중심코칭" athlete-centered sport coaching 은 어느 한 사람의 이론, 어떤 한 가지 방법론을 이야기하는 것이 아니다. 매우 다양한 견들의 종합, 다양한 방법들의 대표명칭이라고 보아야 한다(Pill, 2018). 일반적으로 말하여, 선수중심코칭은 "코치들의 안내를 받아 선수들의 주인의식, 책임감, 주도권, 지각력을 강화시킴으로써 운동선수들의 배움을 증진하는 스타일의 코칭"이라고 정의할 수 있다(p. 1). 스포츠코칭분야에서 이 표현을 가장 체계적으로 일찍 알린 사람으로서 Lynn Kidman을 꼽고 있다(Kidman & Hanrahan 2011; Kidman & Lombardo, 2010). 선수중심코칭을 펼치는 코치는 가장 먼저 사람에 대한 존중심을 지니고 본인 스스로 인간을 우선시하는 "인간적 코치" humanistic coach 임을 강조한다. 현재 권위주의적인 코치중심코칭에 대한 대안으로 전 세계적으로 급부상하고 있는 스포츠교육론이다. 다양한 이론과 다양한 기법들이 여러 나라들에서 빠르게 제안되고 있다(Bowles & O'Dwyer, 2020).

표 3   상품과 공동체로서의 스포츠 비교(Barker-Ruchti & Barker, 2016, p. 55)

	상품으로서의 스포츠	공동체로서의 스포츠
스포츠의 목적	**Sport for market** 국제대회 메달 강조; 성과지향성은 시장과 시장성을 반영	**Sport for impact** 과정중심; 사회적 적합성을 강조; 스포츠로부터 혜택을 받는 이들로부터 긍정적 피드백
선수에 대한 시각	**Efficiency** 선수들은 기계적 표현으로 묘사됨; 기계로서의 신체와 경제적 자원; 엄격한 시간틀, 훈련과 수행간의 인과관계	**Authenticity** 선수들을 지성과 역량을 갖추고 있으며, 의미있는 배움과 전인적 발달을 갖고 싶어 하는 시민으로서 인정; 운동참여는 내재적으로 동기유발
코치-선수 관계	**Instrumentality** 코칭은 미리 결정되고 맞춰진 목표의 전달, 권한의 코치집중, 코치는 지도자 선수는 학습자	**Emancipation** 선수중심 코칭; 자기결정성과 자기혁신성이 높음; 새로운 목표를 만들고 수용하는 데에 유연
트레이닝의 목적	**Focus on continuous growth** 훈련초점은 선수 향상과 목표 초점; 생활의 모든 측면이 수행증진을 위해 맞춰짐	**Focus on dynamic qualities** 스포츠 전문기관들은 선수들의 경기역량, 신체역량, 인간적 성장 및 신뢰로운 관계형성에 투자
인식론적 지향	**Empirical rationalism** 과학적 지식이 진리; 생명의학적 지식이 핵심; 주의분산의 통제와 제거가 중요	**Socio-constuctivism** 지식의 공동생산, 다원주의적 공동체 및 성실한 노동윤리; 불확실성과 비예측성을 수용
	Scientific and technical knowledge 선수 훈련을 위한 예측, 통제, 개입이 목적; 과학에 대한 신뢰, 특정 기술적 지식이 다른 종류의 앎과 함보다 우선	**Phronesis** 윤리적인 실천적 지식; 맥락특수적인 가치판단; 한방법으로 만사해결적 철학 배제

5) 전인적 청소년 육성

"전인적 청소년 육성"**sport for positive youth development** 또는 긍정적 청소년 개발은 (일반, 비행, 선수) 청소년의 신체적, 인지적, 사회적 발달을 도모하는 방향으로의 스포츠교육을 추구한다(최의창, 2014; Holt, 2016). 결핍 감축이 아니라 강점 기반의 시각에서 청소년들의 긍정적 성격강점들을 개발하여 최대화시키려는 노력이다. 성장기에 필수적인 신체적, 인지적, 정의적 발달 자산들**developmental assets**을 균형 있고 교육적으로 올바른 방식으로 키우는 방안이다. 체육의 장면에서는 지덕체 전체적인 측면에서 급격한 성장이 이루어지는 청소년기의 발달 특성에 가장 적합한 신체활동의 교육적 활용을 의도적으로 도모한다(Waid & Uhrich, 2020). 초중고등 학령기 전문연구자와 교육자들은 일반 청소년들의 인지적 기능 향상이나 사회성 발달의 목적을 위하여 신체활동의 다양한 활용성을 확인하고 있다(Holt, Deal & Pankow, 2020; Knight, Harwood & Gould, 2019). 운동기능과 체력증진 위주로 스포츠훈련에 몰두하여, 인성적 차원의 발달이 왜곡될 수 있는 가능성이 높은 운동선수들을 위해서도 이 교육론이 활용되고 있다. 특별히, 일상생활을 성공적으로 수행해나가는 데에 필요한 협동심, 인내력, 성실성 등 "라이프 스킬"**life skills**을 운동 연습과 시합과정을 통해서 습득하고 발휘할 수 있도록 초점을 맞추고 있다(이옥선, 2016).

03. 모형과 방안 수준의 스포츠교육론들

1) 스포츠 리터러시

스포츠 리터러시 모형은 학교체육, 생활체육, 전문체육을 아우르며 신체활동을 가르치고 배우는 활동의 목적, 내용, 방법에 대한 인문적 스포츠교육철학과 하나로 페다고지의 구체적 아이디어다. 체육, 스포츠, 운동을 배우면 우리에게 생겨나는 것은 무엇인가? 운동기능, 건강체력, 인지력, 협동심 등등 여러 내용들이 있으며, "지덕체"라고 하는 것이 가장 통상적인 대답이다. 최의창(2018a, 2021)은 이를 "스포츠 리터러시"(운동소양, 운동향유력)로 종합, 정리하여 제시하고 있다. 스포츠 리터러시는 스포츠를

"잘 하고 잘 알고 잘 느낄 수 있는 자질"을 말한다. 운동소양은 운동능, 운동지, 운동심으로 구성되며, 운동을 다양하게 향유할 수 있도록 만드는 바탕이 된다. 스포츠교육의 목적은 배우는 이가 스포츠 리터러시를 함양하여 자기 생활 속에서 스포츠를 다양한 방식으로 즐기고 맛볼 수 있도록 돕는 것이다.

운동소양은 능소양能素養, 지소양智素養, 심소양心素養으로 구성된다. 능소양은 운동의 기술과 전략을 활용하여 운동을 기능적으로 수행해내는 신체적 재능과 자질이다. 지소양은 운동에 관한 명제적 지식을 이해하고 적용하는 인지적 능력과 지성적 자질이다. 심소양은 운동을 하는 사람이 가지고 있는 다양한 종류의 심성적 태도나 마음의 자질이다. 스포츠 리터러시가 몸과 마음에 쌓이면, 스포츠를 하는 것, 아는 것, 느끼는 것으로 즐길 수(향유할 수) 있게 된다. 스포츠를 잘 하는 것만이 최고가 아니며, 운동기능이 뛰어난 것이 스포츠 리터러시가 뛰어난 것이 아니다. 잘 아는 것과 잘 느끼는 것도 스포츠 리터러시가 뛰어난 것이다. 스포츠를 향유하는 방식은 능향유, 지향유, 심향유가 있다. 보다 세부적으로는 하기, 읽기, 쓰기, 보기, 듣기, 말하기, 느끼기, 그리기, 부르기, 만들기, 셈하기, 모으기, 나누기, 생각하기, 사랑하기 등이 있다(15+라고 부르고 있음)(민형식, 2020; 이호연, 2020; 진주성, 2023).

2) 피지컬 리터러시

"피지컬 리터러시" physical literacy 는 현재 스포츠교육계에서 가장 중요한 아이디어 중 하나로 부상하였다. 피지컬 리터러시는 "사람이 지닌 신체적 역량을 최대한 활용할 수 있도록 하는 성향이다. 이 성향에는 당사자가 자신의 전 생애에 걸쳐 신체활동을 가치 있게 여기며 책임감 있게 참여하는데 필요한 동기, 의욕, 자신감, 신체능력, 지식과 이해력이 관여되어 있다"(Whitehead, 2013, p. 30). Whitehead(2010, 2019)가 제안한 스포츠교육적 아이디어를 기반으로 캐나다, 미국, 호주, 뉴질랜드, 영국 등 영어 사용권 국가들에서는 국가의 체육진흥을 위한 매우 유용한 개념으로 선택하고 제도적, 정책적으로 활용하고 있다. 스포츠 참여 진작을 위한 국가표준national standards 으로써 이 개념을 활용하고 있다. 국민스포츠교육의 지향점, 목표로써 사용하고 있는 것이다. 미국은 2014년 개정한 체육국가표준에서 "신체적으로 교육을 받은 사람은 ..."이란 표현에서 "신체적으로 리터럿한 사람은 … "이라는 표현으로 수정하여 교육목표를 제시하고 있다. 2019년 호주에서 개발한 호주 스포츠 리터러시 국가표준 **APLF** 은 현재 개발된 프레임워크 가운데 가장 체계적이고 포괄적이며 구체적이다. 이것은 일종의 피지컬 리터러시 기반의 국가스포츠교육과정과 같은 성격의 문서로써, 0세부터 100세까지 학교체육, 생활체육, 전문체육의 전 과정을 실천적으로 안내하고 이끌 수 있도록 구성되었다(www.sportaus.gov.au/p4l/physical-literacy 참조).

3) 긍정적 스포츠교육

"긍정적 스포츠교육론" **Positive Pedagogy** 은 "게임중심 스포츠지도"(이해중심 게임수업)의 맥락에서 학습자를 중심으로 스포츠를 가르치는 방법론을 고민하며 개발되었다(Light, 2017; Light & Harvey, 2017). 이후 존 듀이의 교육철학, 안토노우스키의 건강생성론 및 긍정심리학 철학을 반영하여 보다 견고한 토대를 마련해가는 중이다. 수영, 달리기, 창던지기, 카약, 체조, 가라테 등 개인종목들에 적용하여 실천기법을 세련화 시키며 효과를 확인하고 있다. 뉴질랜드를 시작으로 현재는 세계 여러 곳에 단체종목과 피트니스를 포함한 다양한 맥락에서의 실험적 적용 결과가 공유되고 있는 중이다(Light & Harvey, 2020). 이 접근에서 핵심적인 교육적 특징은 세 가지다. 첫째, 신체적 학습 환경 또는 체험에 실질적으로 참여하는 것을 강조한다. 둘째, 스포츠교육자는 배우는 이(학생/선수)들에게 무엇을 하라고 지시하는 대신에, 대화와 생각을 촉발시키는 질문을 묻는다. 셋째, 학생들이 당면한 학습과제(문제상황)를 해결하는 방법을 구안하고 시험하고 평가하는 과정을 협동적으로 진행시킬 수 있는 기회가 마련되도록 하는 탐구 기반 접근을 취한다. 그리고 탐구 기반의 전 과정은 실수하는 것이 학습의 본질적 부분으로 인정받는 사회적, 도덕적 환경 속에서 이루어진다.

4) 제한요소중심 지도법

"제한요소중심 지도법" **Constraints-Led Approach** 은 1990년대 중반부터 운동학습 분야에서 개발된 스포츠코칭법이다. 생태학적 동역학과 복잡계 과학의 이론적 배경과 비선형

페다고지의 기본원리들을 활용하여 연습과제들을 구안하여 개개인에게 최적화된 코칭 교수 및 학습법을 제공해주는 것을 목적으로 한다(Renshaw & Chow, 2018; Renshaw, Davis, Newcombe & Roberts, 2019; Renshaw & Moy, 2018). 선수와 팀을 복잡한 적응시스템으로 간주하며, 고도로 통합되고 상호작용하는 하위요소들의 네트워크로 취급한다. 이 시스템 요소들은 환경 속에서 어떤 상황을 대면함으로써 상호반응을 통하여 협응적 작용을 한다. 이것이 효과적이고 유연하게 이루어짐으로써 당면 문제를 해결하게 되며, 유사한 반복적 과정을 단계적으로 지속해서 거쳐나감으로써 숙달의 상태에 도달하게 된다. 학습자, 과제, 그리고 환경 속 제약요소 constraints 가 운동기능 학습을 위한 행동을 불러일으킨다. 교육자의 역할은 과제의 성격과 환경의 특징을 반영하여 학습자의 현재 필요에 맞춰 제약요소들을 잘 조정하는 것이다. 이를 위해서 교육자는 "대표적 학습디자인" representative learning design 을 효과적으로 할 수 있어야 한다. "과제 단순화"나 "반복 없는 반복"같은 연습설계의 원리들이 사용된다.

5) 반성적 실천

"반성적 실천" reflective practice 은 Donald Schön(1983)이 유행시킨 개념이다. 1990년대와 2000년대 초반 교육학과 스포츠교육학 분야에서 가장 주목받던 개념이었다. 반성적 체육교사와 반성적 코치라는 말이 이때는 매우 인기가 높았다. 현재는 너무도 당연한 개념이자 원리가 되어버려서 그 빛을 잃어가고 있는 상태다. 이 개념은 주장되는 것의 반의반만큼도 실제로 연구가 되고, 그 성과를 바탕으로 실천에 활용되지 못한 대표적인 아이디어다(Cushion, 2018). 하지만, 일군의 연구자들이 상당한 기간 동안 스포츠 수행과 지도의 과정에서 반성적 실천이 어떻게 이루어지는지에 대한 집중적 연구를 진행시켰고 몇 가지 유용한 아이디어들을 수립하였다(Cropley, Miles, & Knowles, 2020; Knowles, Gilbourne, Cropley & Dugdill, 2014). 반성적 실천의 개념을 명확히 규정하고, 저널, 마인드맵, 시각사회학, 녹음 내러티브, 실천공동체, 성찰적 대화 등의 효과적인 실행방안들을 제안한다. 반성적 실천을 통해서 자기인식역량과 평가기술이 향상되며 그 결과 운동선수의 수행력 향상에 총체적인 도움을 줄 수 있음을 꾸준히 확인하고 있다(Faull & Cropley, 2009).

6) 활동애호가 모형

여성의 신체에 대한 왜곡된 이해와 실천을 바로잡기 위한 비판적 스포츠교육 접근의 한 종류로서 "활동애호가 모형" activist approach 이 있다(Oliver & Kirk, 2015, 2017; Oliver & Lalik, 2001). 전통적으로 체육수업에서 여학생들은 소외자로만 머물 수밖에 없었고 자신의 신체에 대한 자신감을 갖지 못하게 되는 주요 상황들을 맞닥트리는 곳이었다. 신체문화가 폐쇄적이고 보수적으로 형성되고 만연된 곳으로써 학교체육수업이 강하게 작용하기 때문이었다. 활동애호가 모형은 청소년 여학생들이 신체적으로 활동적인 생활을 가치롭게 여기게 되도록 배우는 것을 목적으로 한다. 활동애호가 모형에서는 네 가지 핵심요소가 중요하다. 첫째, 교사는 학생을 중심에 두는 교수법으로 진행한다. 둘째, 교사는 교육과정 내에 여학생들이 자신의 체현체험을 비판적으로 탐구할 수 있는 공간을 마련한다. 셋째, 체육수업은 탐구에 기반을 두며 실천행위 안에 초점을 맞추어야 한다. 넷째, 교사는 여학생의 목소리를 지속적으로 들어주어야 하며 그 목소리에 반응해야 한다. 최근 활동애호가 모형의 현장활용이 효과적임이 확인되고 있다(Lamb, Oliver & Kirk, 2018).

04. 이외의 스포츠교육론 후보들

당연히 위에 소개된 것 이외에도 새로운 스포츠교육론으로 인정받을 만한 철학과 이론과 모형들이 더 있다. 우선, 학교체육 내에서의 건강과 체육수업에서의 건강교육에 대한 관심이 지속적으로 유지되고 강화되고 있는 가운데, 건강교육론 health pedagogies 또는 운동교육론 exercise pedagogies 을 보다 체계적으로 스포츠교육 담론에서 다루려는 시도가 진행되고 있다(Armour & Chambers, 2014; Cale, Harris & Hooper, 2020). 인문적 체육의 관점에서 전인교육적 스포츠교육론을 학교체육, 생활체육, 전문체육 전 영역에 걸쳐 통합적으로 전개하는 스포츠 리터러시론이 활발히 개진되고 있다(최의창, 2011, 2018). 그리고 모든 국민들에게 0세부터 100세까지 스포츠 활동 참여를 계획적으로 지원하고 체계적으로 교육시킬 수 있는 정책시행을 목적으로 평생참여개발모형 Long-Term Participant Development 이 활발히 적용되고 있다(Balyi, Way & Higgs, 2013).

모형과 방안들 수준에서는 이것보다 훨씬 더 다양한 아이디어들이 적용되고 개발되고 있는 중이다. 특히 앞으로 코로나19로 인해서 더욱 주목받게 된 교육공학적 관점에서의 디지털 테크놀로지 활용 교수법의 본격적 도입이 가속화될 전망이다(Casey, Goodyear & Armour, 2017; Kerner & Goodyear, 2020; Koekoek & Hilvoorde, 2018). 이 밖에도 거꾸로 학습 flipped learning 이나 사례방법 case method 처럼 상대적 관심이 주어지고 있는 것들과 야외모험스포츠코칭론(Berry, Lomax & Hodgson, 2015), 배려코칭(Cronin & Armour, 2019), 실천적 지식교수법 (Jakubowska, 2017), 체화적 교수법(Lambert, 2020), 무도교수법(Jennings, Dodd, & Brown, 2020), 무용문화예술교육론(최의창 등, 2018)처럼 갓 소개되기 시작한 것들이 있다. 이처럼 스포츠교육학과 연관된 하위 학문 분야로부터 시야를 돌림으로써, 스포츠를 가르치고 배우는 과정에 대한 보다 포괄적이고 다양하며 체계적인 스포츠교육론의 세계가 활짝 열리게 된다.

 # IV 스포츠교육론의 새로운 지평과 지형도

새로운 스포츠교육론들의 등장은 기존 이론과 모형들과 함께, 스포츠교육론이 확장될 수 있도록 돕는다. 지난 이십 년간 우리나라(및 서양)의 스포츠교육 논의와 실천은 내가 "메츨러 트랩" Metzler Trap 이라고 부르는 순환주로를 벗어나지 못했다. 메츨러는 놀라울 정도로 깔끔하게 체육교수모형에 관한 지식을 정립해놓음으로써, 모든 사람들의 이목을 이 모형들에 집중시켜버렸다. 반면, 이후 이것들 이외에 충분히 자격과 가능성을 갖춘 스포츠교육의 아이디어들이 주목받고 성장하는 데에 제한을 가한 부작용도 끼치고 있다. 메츨러의 프레임워크를 벗어나는 것이 그만큼 어렵게 된 것이다(1970년대부터 2000년대 전까지는 티칭스타일을 주장한 모스턴 트랩에 갇혀있었다고 말할 수 있다).

스포츠교육학의 지평이 미국을 벗어나 유럽과 아시아로 확장되었듯이, 스포츠교육론도 이제 메슬러 트랩을 벗어날 필요가 있다. 특히 우리 한국 스포츠교육의 새로운 도약을 위해서는 향후 10년간 이쪽 방향으로의 담론 형성과 실천 노력이 절실히 요청된다. 이 절에서는 스포츠교육론의 새로운 지평이 만들어내는 우리 분야의 지형도를 체계적으로 이해할 수 있는 한 가지 아이디어를 제시하고자 한다. 단순하게 새로운 아이디어들을 선별하여 늘어놓는 것만으로 새로운 지평이란 것은 생겨나지 않기 때문이다. 스포츠교육론의 "영토"를 명확히 그리는 데에 도움이 될 프레임워크가 필요하다.

그런데 스포츠교육론들을 소개하는 나머지 기존 접근들은 그저 (주로 표로 정리한) 일차원적인 병렬적 나열 방식으로 다루는데 그치고 있을 뿐이다. 유일하게 아주 오래전 Jewett, Bain & Ennis(1995)가 이러한 시도를 한 적이 있다. 이들은 체육교육과정(스포츠교육으로 보아도 무방)의 5가지 가치지향성(목적)을 정리하고, 이 지향성들이 생겨나는 3가지 원천으로 교과, 학생, 사회를 제시하고 있다. 그리고 5가지 체육교육과정 모형들이 이 3가지 원천과 5가지 가치지향 속의 어디에 각각 소속되는지를 지형도로 정리하고 있다(p. 53 그림 참조). 내가 여기서 하려는 일은 이것과 동일한 작업이다. 다만, 조금 더 많은 모형들을 조금 더 복잡한 지도 속에 위치시킨다.

나는 스포츠교육의 목적이 생겨날 수 있는 근원은, 세 가지가 아니라, 두 가지라고 판단한다. 그것은 "학습자"(배우는 대상)와 "운동"(배우는 내용)이다. 일반적으로 교육학에서는 학생, 교과, 사회를 목적의 원천이라고 하지만, 나는 사회는 교과와 학생에 비하여 상대적으로 덜 근본적이라고 본다. 사회는 학생의 연장선상(개인의 집합체 또는 확대판)에 있다(이 결론은 그동안 체육교육의 철학적 탐구를 진행해온 스포츠교육학자들의 생각을 검토한 것으로부터 도출되었다. 그리고 일반 교육학자의 다양한 아이디어들을 종합하여 비교해서 분석을 더한 것이다. 이 주제는 본 절의 주된 관심사가 아니므로 자세한 논의는 생략하도록 한다).

스포츠교육의 출발점(및 도착점)으로서 학습자(학생, 회원, 선수)는 두 차원으로 되어 있다. 그것은 "신체"와 "심성"(포괄적 의미에서의 몸과 마음)이다. 스포츠교육의 목적은 그동안 학습자의 신체적 차원과 심성적 차원을 드높이는 것에 초점을 맞추었다. 좀 더 세분화된 수준에서 신체적 차원에는 생리적 층과 기능적 층이 관여되어 있다. 심성적 차원에는 인지적, 정의적 층과 사회적, 영성적 층이 관계되어 있다. 이로 인해서 스포츠교육의 목적이 학습자의 신체적 발달이거나, 자아실현이거나 하는 차이가 생겨났다.

스포츠교육의 출발점(및 도착점)으로서 운동(모든 신체활동)도 두 차원으로 되어있다. 그것은 "게임"과 "문화"이다(최의창, 2010, 2015). 스포츠교육의 목적은 그동안 운동의 게임적 차원과 문화적 차원을 향상시키는 것에 집중을 해왔다. 좀 더 세분화된 수준에서 게임적 차원에는 기술적 층과 경기적 층이 관여되어 있다. 문화적 차원에는 전통적 층과 제도적 층이 관계되어 있다. 게임을 전술전략적으로 잘 이해하도록 하거나, 운동능력이 뛰어나고 체육적 지식이 해박하고 스포츠 사랑이 열정적이거나, 더 나아가 스포츠 리터러시를 함양하거나 하는 차이가 생겨났다.

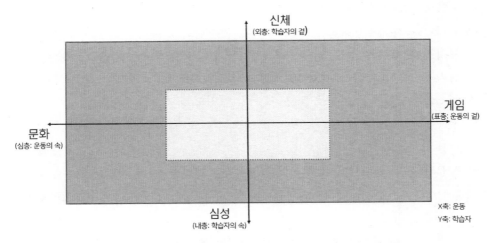

〈그림 1〉 스포츠교육론사분면(Sport Pedagogy Quadrant)

간단히 말하면, 스포츠교육의 목적(지향)에 대한 논의들은 한편으로는 학습자의 (신체적, 심성적) 성장을 중심으로 이루어졌고, 다른 한편으로는 운동의 (게임적, 문화적) 습득을 중심으로 진행되었다. 나는 스포츠교육의 목적에 대한 올바른 이해, 그리고 그를 근거로 한 다양한 교육론들의 관계를 종합적으로 이해하기 위해서는 이 두 가지를 동시에 고려한 해석틀을 마련해야만 한다고 생각한다. "스포츠교육론사분면" **Sport**

Pedagogy Quadrant은 이를 반영한 해석틀이다(그림 1 참조).

이와 관련하여 교육학에서 유명한 표현이 있다. "우리는 교과가 아니라 학생을 가르친다"는 구호다. 진보주의자들의 슬로건이다. "우리는 교과를 가르친다"는 항존주의자들이 교과를 지나치게 강조한 것에 대한 대응적 슬로건이다. 하지만 당연히, 교육은 "학생들에게 교과를 가르치는 것"이다. 교과는 전달하려는 내용을, 학생은 그 내용을 전달하는 대상이다. 문법적으로 이것이 정확한 표현이고, 또 실제적으로도 그렇다. 항존주의자나 진보주의자 모두 교과를 학생들에게 가르친다. 다만, 초점이 어디에 있느냐가 다를 뿐이다.

스포츠교육의 목적에 대해서 숙고하는 우리의 경우도 마찬가지다. 스포츠교육의 근본적 출발점(및 도착점)인 "교육내용과 학습자" 이 두 가지를 동시에 숙려해야만 스포츠교육론의 올바른 이해로 가는 첫 단추를 제대로 끼게 된다. 사분면의 아이디어는 이것을 효과적으로 만들어준다. 학습자를 Y축으로, 운동을 X축으로 한다. 학습자Y축은 위로 갈수록 신체적인 것, 아래로 갈수록 심성적인 것이 되도록 한다. 운동X축은 오른쪽으로 갈수록 게임적인 것, 왼쪽으로 갈수록 문화적인 것이 되도록 한다. 그리고 한 단계가 더 존재하여, 두 축 모두 안쪽과 바깥쪽, 즉 내층과 외층, 또는 표층과 심층 등으로 구분될 수 있는 구조로 되어있다. 학습자의 심성과 신체는 학생의 안과 밖, 운동의 문화와 게임은 운동의 안과 밖으로 생각해 볼 수 있다. 결국, 스포츠교육의 목적은 배우는 이와 배우는 것의 겉을 추구하느냐, 속을 추구하느냐의 차이라고 생각할 수 있다.

제1사분면인 "우상분면" 右上分面은 학습자의 신체적 차원과 운동의 게임적 차원에 초점을 맞춘다. 신체를 강건하게 만들고 게임을 잘 하도록 만드는 것이 주된 목적이다. 건강교육, 체력모형, 멀티활동모형, 제한요소중심 접근, 이해중심게임수업, 탐구학습, 반성적 실천 등의 아이디어가 사는 곳이다. 제4사분면인 "우하분면" 右下分面은 학생의 심성적 차원과 운동의 게임적 차원에 초점을 맞춘다. 지성, 감성, 덕성을 함양하면서 게임을 잘 하도록 만드는 것을 지향한다. 사회적 책임감 모형, 협동수업, 선수중심코칭, 긍정적 스포츠교육, 전인적 청소년 육성 등의 아이디어가 유영하는 곳이다. 창의성, 인성, 그리고 평등이 강조되면서 최근 들어서 더욱 주목받고 있는 영역이다.

제2사분면인 "좌상분면" 左上分面은 학습자의 신체적 차원과 운동의 문화적 차원에 초점을 맞춘다. 신체가 강조되지만, 생리적, 물리적 신체가 아니라 인지적 신체로서 지성과 감성과 연계된 신체적 차원이 부각된다. 게임을 단순히 시합기술과 전략의 집합으로 간주하지 않으며, 의미가 안에 쌓여진 인간활동으로 본다. 움직임 교육, 체화적 인지, 현상학적 스포츠교육, 피지컬 리터러시, 활동애호가, 비판적 스포츠교육 등의 아이디어가 소재한다. 제3사분면인 "좌하분면" 左下分面은 학습자의 심성적 차원과 운동의 문화적 차원에 초점을 맞춘다. 전인적 존재로서의 학생의 본성을 기반으로 하며 교과로서의 운동의 실천전통적 본질에 주목한다. 학생은 심신, 더 나아가 체성, 지성, 감성, 덕성, 영성으로 된 다차원적 전인으로 인식된다. 운동은 기능과 전술만이 아니라, 역사와 전통을 지니고 인문적 지혜가 가득 담긴 문화로서 여겨진다. 대부분의 스포츠교육 모형, 인문적 스포츠교육, 하나로 수업, 문화적 관점, 수행 모형, 실존적 스포츠교육, 아레테주의 등이 거주하는 곳이다.

당연한 것이지만, 제1사분면과 제2사분면에서 학습자의 심성적 차원이 완전히 무시되는 것은 아니다. 신체적인 차원에 초점이 맞춰지고 주목하다 보니 심성적 차원이 배경으로 밀려나거나 강조되지 않을 뿐이다. 제3사분면과 제4사분면에서의 신체적 차원도 마찬가지다. 당연히 또한, 제1사분면과 제4사분면에서 운동의 문화적 차원, 제2사분면과 제3사분면에서 운동의 게임적 차원에 대해서도 마찬가지의 논리가 적용된다. 본질적으로 다른 차원들을 완전히 배제하는 것이 아니다. 모든 분면에서 각 차원들을 염두에 두되 강조와 주목의 차이가 다를 뿐이다. 전경이냐 후경이냐, 주연이냐 단역이냐의 차이만 있을 뿐이다. 새로운 스포츠교육론들을 좀 더 보완하여 스포츠교육론사분면 SPQ을 완성시킨다면 〈그림 2〉와 같을 것이다.

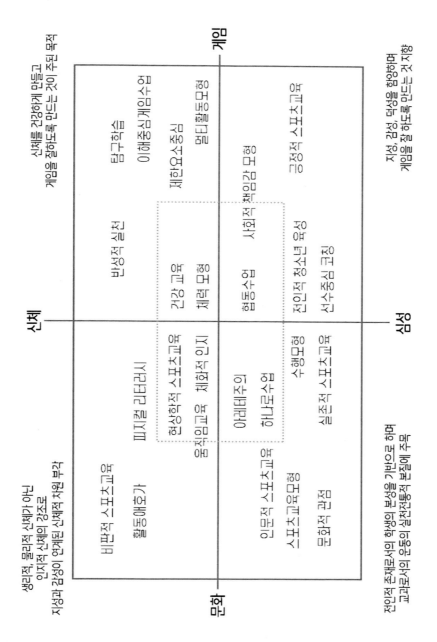

〈그림 2〉 스포츠교육론의 새로운 지형도

V   요약 및 제언

스포츠교육학은 지금 변화를 모색하지 않으면 도태의 길에 들어서게 된다(Kirk, 2011). 나는 여기서 발전적 변화를 위하여 우리 스포츠교육학에서 주목해야 할 새로운 스포츠교육론들을 선별적으로 살펴보았다. 지난 삼십여 년간 우리 스포츠교육학의 성장을 처음부터 지금까지 가장 가까운 지근거리에서 지켜본 이의 입장에서 한 가지 아쉬운 점, 매우 우려되는 점을 드러내어 그에 대한 개인적 해결책을 제시하려고 하였다.

그 걱정되는 문제를 나는 "메츨러 트랩"이라고 부른다. 메츨러가 제공해준 체육교수모형의 아이디어는 지난 이십여 년간 스포츠교육론의 발전에 긍정적 도움을 주었지만, 이제는 점차적으로 부정적 영향을 미치기 시작했다고 판단된다. 다른 아이디어들에 대한 관심을 불러일으키지 못하게, 8가지 모형의 틀 속에서 벗어나지 못하도록 하고 있다. 메츨러의 신선한 아이디어는 오래전 먼저 제안된 모스턴 트랩을 탈출하도록 돕는 역할을 하였으나, 이제 수업스펙트럼과 같은 길로 걸어 들어가고 있는 것이다.

그리하여 그 트랩을 벗어나 새로운 스포츠교육론의 지형을 찾도록 자극하기 위하여 확장된 스포츠교육학의 관점에서 최근 주목받고 가능성을 지닌 다양한 수준(철학, 이론, 모형, 방안 등)의 스포츠교육론들을 살펴보았다. 나는 학교체육, 생활체육, 전문체육, 그리고 무용교육의 전체 분야를 포괄하는 이 스포츠교육학을 "통합스포츠교육학" the Integral Sport Pedagogy 이라고 부른다.

우리가 학교스포츠교육학을 벗어나서 통합스포츠교육학을 펼쳐내기 위해서 가장 먼저 새롭게 구성되어야 하는 하위 분야가 스포츠교육론이다. 교과와 학습자의 양대 축을 중심으로 새로운 스포츠교육론들의 전체를 이해할 수 있도록 돕는 "스포츠교육론사분면"이라는 한 가지 틀(지형도)을 제시하였다. 다양한 하위 학문 분야에서 개발된 다양한 아이디어들이 어떻게 스포츠교육론이라는 하나의 영토 속에서 모두 온전하게 위치할 수 있는지를 납득할 수 있도록 해준다.

또한 이러한 시각에서 바라보는 스포츠교육론은 현재 한국스포츠가 당면하고 있는 현실적 문제점들을 스포츠교육의 맥락에서 해결책을 제시할 수 있는 단초를 제공해준다. 이 문제들의 해결에 어떤 시사점을 제공하는지 간단히 세 가지만 살펴보면서 마무리하도록 한다.

첫째, 자격고사로서의 "스포츠교육학"에 포함될 기본지식의 범위가 확장되어 내용타당성을 높일 수 있게 된다. 2015년 이후 스포츠지도사 자격증 취득을 위한 자격고사에 "스포츠교육학" 과목이 본격적으로 채택되었다. 하지만, 학교체육 관련 기본지식을 중심으로 내용이 구성되어 생활체육이나 전문체육에서의 적용성이 높지 않다는 지적과 불만이 지속되어왔다. 통합스포츠교육학에서 다루는 스포츠교육론은 그 적합성과 포괄성에서 생활체육과 전문체육에서 스포츠를 가르치고 지도하는 다양한 지식들을 포함한다. 예를 들어, 문화적 관점, 긍정적 스포츠교육, 선수중심 코칭, 제한요소중심 접근, 반성적 실천 등은 스포츠 기능을 지도하는 성찰적이며 전인적인 측면을 강조하여 회원들과 선수들, 그리고 강사와 코치들의 스포츠지도 및 학습 활동의 질을 높일 수 있다.

둘째, 지난 몇 년간 한국 스포츠계의 핵심 이슈가 된 스포츠인권, 스포츠폭력, 스포츠공정성 이슈에 대한 새로운 해결방안들을 스포츠교육학 분야에서 제공해줄 수 있게 된다. 현재, 이 이슈들에 대한 해결접근은 전적으로 "인권중심적"으로 이루어지고 있다. 국가기관으로 스포츠윤리센터가 설립되기 이전부터 몇 년 동안이나 스포츠인권교육과 스포츠윤리교육이 프로스포츠협회와 대한체육회를 중심으로 전방위적으로 실시되었다. 제보와 신고, 그에 따른 법적 처벌의 장치도 마련하면서, 교육을 통한 계도와 계몽의 노력을 진행시키고 있다. 이런 조처들에도 불구하고 폭력과 불공정은 여전히 만연하고 있는 실정이다. 구조적, 풍토적 문제가 그 근본원인이나, (10년간 학교 도덕교육의 실패에서도 확인할 수 있듯이) 정보 주입과 전달 위주의 인권교육과 윤리교육의 내용과 진행방식 자체가 개개인의 실천적 행태를 변화시키지 못한다. 스포츠계의 병폐에 대한 의식과 행위의 개선 문제는 일회성의 인권, 윤리교육이 아니라, 스포츠교육이라는 본질적 개선 노력으로 진행되어야만 한다. 예를 들어, 권위적이고 불평등한 관행과 제도의 개선과 혁신을 도모하는 "비판적 스포츠교육론"을 통해서, 보다 근본적인 문제의식을 가질 수 있고, 구조적 원인에 대하여 공감하며, 개선과 변화의 열망과 의지로 실천적 행동으로 나아가도록 체계적 스포츠교육을 할 수 있도록 한다. 인권을 지식적으로 전달해서는 부족하고 고질적 스포츠 지도행위를 뿌리부터 제거하는 조처가 필요한 것이다(물론 인권교육과 윤리교육도 방법적 개선을 더하여 지속되어야 할 것이다).

셋째, 스포츠교육에서 하는 것과 함께 다른 측면들의 중요성에 대한 새로운 인식을 도모할 수 있도록 하고, 이를 통해서 올바른 스포츠실천을 구현하고 스포츠문화를 조성할 수 있도록 한다. 코로나19로 인해서 절대적으로 부족해진 신체활동과 직접 접촉을 동반하는 교육을 보완하기 위하여 온라인/언택트 방법의 개발이 주된 대안으로 떠올랐다. 앞으로도 이 방향으로의 집중은 피할 수 없는 현실이 될 것이다. 신체활동 실시와 실행이 부족해지고 그것을 만회하기 위한 노력과 투자는 더욱더 강화될 것이다. 예를 들면, 새로운 스포츠교육론 가운데 아레티즘, 인문적 접근, 현상학적 접근, 실존적 접근 등은 오락과 여흥위주의 스포츠, 경쟁과 승리지상주의적 스포츠로 인해서 스포츠의 긍정적 가치가 훼손되고 오염된다고 주장한다. 이것을 개선하기 위해서는 인문적이고 인간중심적인 스포츠교육이 절대적으로 요청된다. "스포츠 리터러시"의 아이디어는 하는 것을 실존적, 현상학적으로 실행하도록 도우며, 이외에도 인문적으로 다양한 방식으로 향유할 수 있도록 안내한다. 능향유, 지향유, 심향유를 통해서 스포츠를 총체적으로 체험할 수 있도록 교육시키는 것이 중요함을 강조한다.

마지막으로 다시 한 번 강조하지만, 본 장에서 소개하고 정리한 이론과 모형들은 현재 스포츠교육론 분야 전반에 걸쳐 선정한 것이다. 최대한 많은 후보들을 포함시키려고 하였으나 이것들이 전부는 아니다. 이것들만 중요한 것은 더욱 아니다. 여기 제시된 것들은 단지 좁고 흐릿한 내 시야에 운 좋게 포착된 소수에 불과하다. 향후 이것들을 디딤돌 삼아 더 눈 밝은 스포츠교육학 연구자와 실천가들이 더욱더 넓은 영역으로 스포츠교육론의 한계를 확장시킬 수 있게 되기를 간절히 기대한다. 우리가 학교체육 스포츠교육론이라는 한 지역을 넘어서서 더 넓은 다른 지역까지도 탐험해내기를 결심하고 실천에 옮길 때에만 우리에게는 밝은 미래가 펼쳐질 수 있다. 그 미래가 되어 우리가 또 다른 트랩에 갇힐 뿐이더라도, 적어도 그때까지는 여기 새로이 제안된 지형도가 현재 것보다 훨씬 더 크고 넓은, 그래서 더욱 흥미로운 스포츠교육의 세상을 펼쳐낼 것이다.

참고문헌

민형식(2020). 스포츠는 여학생을 어떻게 행복하게 하는가?: 여학생 운동향유 방식 탐색을 통한 운동소양 함양 방안 모색. 서울대학교대학원 석사학위논문.

박용남, 정현수(2018). 하나로 수업모형 성장기: 연구동향에서 드러난 성과와 과제. 한국초등체육학회지, 23(4), 167-182.

박형준, 이계영(2014). 인지과학의 체육철학적 탐구. 한국엔터테인먼트산업학회논문지, 8(3), 515-524.

윤기준, 정현수(2020). 한국스포츠교육학회지 연구동향 분석. 한국스포츠교육학회지, 27(3), 1-16.

이규일(2019). 체현관점에서 바라본 몸의 교육적 가능성과 체육교육의 방향탐색. 한국스포츠교육학회지, 26(1), 51-26.

이규일(2020). 가치중심 체육과교육과정의 문제 제기와 대안: 체현론과 리터러시. 한국스포츠교육학회지, 27(3), 119-150.

이옥선(2016). 스포츠를 통한 방과후학교 라이프 스킬 개발 프로그램의 실행 이해. 한국여성체육학회지, 30(4), 231-253.

이호연(2020). 배구 리터러시 함양을 위한 중학교 스포츠클럽 지도방안 탐색. 서울대학교대학원 석사학위논문.

장경환, 이기대(2019). 모형기반 체육수업에 관한 연구동향과 과제: 2004년-2018년 연구를 중심으로. 한국스포츠교육학회지, 26(4), 25-50.

진주성(2023). 발레는 어떻게 우리를 행복하게 하는가? 서울대학교대학원 석사학위논문.

최의창(2001). 인문적 체육과 하나로 수업: 대학에서의 체육지도를 위한 한 가지 접근. 한국스포츠교육학회지, 8(2), 45-644.

최의창(2003). 스포츠교육학. 서울: 무지개사.

최의창(2010a). 인문적 체육교육과 하나로 수업. 서울: 레인보우북스.

최의창(2010b). 가지 않은 길 2. 서울: 레인보우북스.

최의창(2012). 전인적 선수발달과 인문적 코칭: 교육활동으로서 스포츠코칭의 목적과 방법 재개념화. 한국스포츠교육학회지, 19(2), 1-25.

최의창(2015). 스포츠티칭교육학에서 스포츠코칭교육학으로. 한국스포츠교육학회지, 22(2), 59-79.

최의창(2018a). 스포츠 리터러시. 서울: 레인보우북스.

최의창(2018b). 코칭이란 무엇인가? 인문적 스포츠코칭론 서설. 서울: 레인보우북스.

최의창(2018c). 스포츠교육에서의 철학적 탐구: 전통, 현황 그리고 전망. 체육과학연구, 29(3), 391-415.

최의창(2020). 한국체육 개혁의 방향과 스포츠교육의 역할: 스포츠교육이 이끌어가는 한국체육4.0을 지향하며. 한국스포츠교육학회지, 27(1), 1-22.

최의창(2021). 스포츠 리터러시 에세이. 서울: 레인보우북스.

최의창 등 (2017). 무용교육탐구. 서울: 레인보우북스.

홍은숙(2007). 교육의 개념. 서울: 교육과학사.

Aggerholm, K. (2015). *Talent development, existential philosophy and sport: On becoming an elite athlete.* London: Routledge.

Aggerholm, K. & Breivik, G. (2021). Being, having and belong: Values and ways of engaging in sport. *Sport in Society,* 34(7), 1141-1155.

Aggerholm, K., Standal, O., Barker, D., & Larsson, H. (2018). On practising in physical education: Outline for a pedagogical model. *Physical Education and Sport Pedagogy,* 23(2), 197-208.

Armour, K. (Ed.)(2011). *Sport pedagogy: An introduction to teaching and coaching.* London: Prentice-Hall.

Armour, K. (Ed.)(2014). *Pedagogical cases in physical education and youth sport.* London: Routledge.

Armour, K., & Chambers, F. (2014). Sport and exercis pedagogy: The case for a new integrative sub-discipline in the field of Sport and Exercise Sciences/ Kinesiology/Human Movement Sciences. *Sport, Education and Society,* 19(7), 855-868.

Arnold, P. (1997). *Sport, ethics and education.* London: Cassell.

Austin, M. (2013). Sport as a moral practice: An Aristoteliam approach. In M. Austin(Ed.). *Virtues in action*(pp. 39-54). New York: Palgamon Macmillan.

Balyi, I., Way, R., & Higgs, C. (2013). *Long-term athlete development.* Champaign, IL: Human Kinetics.

Barker, D., Aggerholm, K., Standal, O., & Larsson, H. (2018). Developing the practising model in physical education: An expositiory outline focusing on movement capability. *Physical Education and Sport Pedagogy,* 23(2), 209-221.

Barker-Ruchti, N. (Ed)(2019). *Athlete learning in elite sport: A cultural framework.* London: Routledge.

Barker-Ruchti, N., & Barker, D.(Eds.)(2016). *Sustainability in high performance sport.* London: Routledge.

Berry, M., Lomax, J., & Hodson, C. (Eds)(2015). *Adventure sports coaching.* London: Routledge.

Bowles, R., & O'Dwyer, A. (2020). Athlete-centred coaching: Perspectives from the sideline. *Sports Coaching Review,* 9(3), 231-252.

Cale, J., Harris, J., & Hooper, O. (2020). Debating health knowledge and health pedagogies in physical education. In S. Capel & R. Blair(Eds.), *Debates in physical education*(2nd ed.)(pp. 256-277). London: Routledge.

Cappiccio, M. (Ed.)(2019). Handbook of embodied cognition and sport psychology. London: The MIT Press.

Casey, A. (2014). Model-based practice: Great white hope or white elephant? *Physical Education and Sport Pedagogy,* 19(1), 18-34.

Casey, A. (2017). Models-based practice. In C. Ennis(Ed), *Routledge handbook of physical education pedagogies*(pp. 54-67). London: Routledge.

Casey, A., & Kirk, D. (2021). Models-based practice in physical education. London: Routledge.

Casey, A., Goodyear, V., & Armour, K. (Eds.)(2017). *Digital technologies and learning in physical education pedagogical cases.* London: Routledge.

Cassidy, T., Jones, R., & Potrac, P. (2016). *Understanding sports coaching: The social, cultural and pedagogical foundations of coaching practice*(3rd ed.). London: Routledge.

Cronin, C., & Armour, K. (Eds)(2019). *Care in sport coaching: Pedagogical cases.* London: Routledge.

Cropley, B., Miles, A., & Knowles, Z. (2020). Making reflective practice beneficial. In R. Thelwell & M. Dicks(Eds.), *Professional advances in sports coaching: Research and practice*(pp. 377-396). London: Routledge.

Cushion, C. (2018). Reflection and reflective practice discourses in coaching: A critical analysis. *Sport, Education and Society,* 23(1), 82-94.

Ennis, C. (Ed.)(2017). *Routledge handbook of physical education pedagogies.* London: Routledge.

Francesconi, D., & Gallagher, S. (2019). Embodied cognition and sport pedagogy. In M. Cappiccio(Ed.), *Handbook of embodied cognition and sport psychology*(pp. 249-272).

London: The MIT Press.

Hardman, A., & Jones, C. (Eds.)(2011). *The ethics of sports coaching.* London: Routledge.

Hirst, P. (1993). Education, knowledge and practices. R. Barrow & P. White(Eds.), *Beyond liberal education: Essays in honour of P. H. Hirst*(pp. 183-199). London: Routledge.

Holowchak, A., & Reid, H. (2011). *Aretism: An antient sports philosophy for the modern sports world.* Lexington Books: MD.

Holt, N.(Ed.). (2016). *Positive youth development through sport*(2nd ed.). London: Routledge.

Holt, N., Deal, C., & Pankow, K. (2020). Positive youth development through sport. G.ㅆenenbaum & R. Eklund(Eds.), *Handbook of Sport Psychology*(4th ed.)(pp. 429-446). New York: Wiley.

Jakubowska, H. (2017). *Skill transmission, sport and tacit knowledge.* London: Routledge.

Jennings, G., Dodd, S., & Brown, D. (2020). Cultication through Asian form-based martial arts pedagogy. In D. Lewin & K. Kenklies(Eds.), *East Asian pedagogies: Education as formation and transformation across cultures and borders*(pp. 63080). Switzerland: Springer.

Jewett, A., Bain, L., & Ennis, C. (1995). *The curriculum process in physical education*(2nd ed.). Dubuque, IA: WCM Brown & Benchmark.

Jones, R.(Ed.)(2006). *The sport coach as educator: Re-conceptualizing sport coaching.* London: Roudledge.

Jones, R. (2019). *Studies in sport coaching.* New Castle, UK: Cambridge Scholars Publishing.

Kerner, C., & Goodyear, V. (2020). Technology, pedagogy and physical education. In S. Capel & R. Blair(Eds.), *Debates in physical education*(2nd ed.)(pp. 295-309). London: Routledge.

Kidman, L., & Hanrahan, S. (2011). *The coaching process: A practical guide to becoming an effective sports coach*(3rd ed.). London: Routledge.

Kidman, L., & Lombardo, B. (Eds.)(2010). *Athlete-centered coaching: Developing decision makers*(2nd ed.). Worchester, UK: ICP Press.

Kirk, D. (2011). *Physical education futures.* London: Routledge.

Kirk, D. (2013). Educational value and models-based practice in physical education. *Educational Theory and Philosophy,* 45(9), 973-986.

Kirk, D. (2019). *Precarity, critical pedagogy and physical education.* London: Routledge.

Knight, C., Harwood, C., & Gould, D. (Eds.)(2018). *Sport psychology for young athletes.* London: Routledge.

Knowles, Z., Gilbourne, D., Cropley, B., & Dugdill, L. (Eds.). *Reflective practice in the sport and exercise sciences: Contemporary issues.* London: Routledge.

Koekoek, J., & Hilvoorde, I.. (Eds)(2018). *Digital technology in physical education: Global perspectives.* London: Routledge.

Lamb, C., Oliver, K., & Kirk, D. (2018). 'Go for it Girl' adolescent girls' responses to the implementation of an activist approach in a core physical education programme. *Sport, Education and Society,* 23(8), 799-811.

Lambert, K. (2020). Re-conceptualizing embodied pedagogies in physical education by creating pre-text vignettes to trigger pleasure 'in' movement. *Physical Education and Sport Pedagogy,* 25(2), 154-173.

Light, R. (2017). *Positive pedagogy for sport coaching: Athlete-centered coaching for individual sports.* London: Routledge.

Light, R., & Harvey, S. (2017). Positive pedagogy for sport coaching. *Sport, Education and*

Society, 22(2), 271-287.

Light, R., & Harvey, S. (2020). *Applied positive pedagogy in sport coaching; International cases.* London: Routledge.

Lund, J., & Tannerhill, D. (2015). *Standards-based physical education curriculum development*(3rd ed.). Sudburym, MA: Jones & Bartlett Publishers.

Madsen, K., & Aggerholm, K. (2020). Embodying education: A bilduing theoretical approach to movement integration. *Nordic Journal of Studies in Educational Policy, 6(2),* 157-164.

Madsen, K., Aggerholm, K., & Jensen, J-O. (2020). Enactive movement integration: Results from an action research project. *Teaching and Teacher Education, 95,* 1-11. https://doi.org/10.1016/j.tate.2020.103139

Metzler, M. (2017). *Instructional models in physical education*(4th ed.). New York: Holcomb Hathaway.

Nelson, L., Groom, R., & Potrac, P.(Eds.)(2016). *Learning in sports coaching: Theory and application.* London: Routledge.

Nesti, M. (2004). *Existential psychology and sport: Theory and application.* London: Routledge.

Oliver, K., & Kirk, D. (2015). *Girl, gender and physical education.* An activist approach. London: Routledge.

Oliver, K., & Kirk, D. (2017). Transformative pedagogies for challenging body culture in physical education. In C. Ennis(Ed.), *Routledge handbook of physical education pedagogies*(pp. 54-67). London: Routledge.

Oliver, K., & Lalik, R. (2001). The body as curriculum: Learning with adolescent girls. *The Journal of Curriculum Studies, 33(3),* 303-333.

Pill, S. (Ed.)(2018). *Perspectives on athlete-centered coaching.* London: Routledge.

Potrac, P., Gilbert, W., & Denison, J. (2013). *Routledge handbook of sports coaching.* London: Routledge.

Pringle, R., Larsson, H., & Gerdin, G. (2019). *Critical research in sport, health and physical education: How to make a difference.* London: Routledge.

Renshaw, I., & Chow, Y. (2019). A constraint-led approach to sport and physical education pedagogy. *Physical Education and Sport Pedagogy, 24(2),* 103-116.

Renshaw, I., & Moy, B. (2018). A constraint-led approach to coaching and teaching games: Can going back to the future solve the 'they need the basics before they can play a game' argument? *Agora para la Educacion Fisica y el Deporte, 20(1),* 1-26.

Renshaw, I., Davis, K., Newcombe, D., & Roberts, W. (2019). *The constraints-led approach: Principles for sports coaching and practice design.* London: Routledge.

Robinson, B., & Randall, L.(Eds.) (2016). *Social justice in physical education: Critical reflections and pedagogies for change.* Toronto: Canadian Scholars' Press.

Ronkainen, N., Aggerholm, K., Ryba, T., & Allen-Collinson, J. (2020). Learning in sport: From life skills to existential learning. *Sport, Education and Society,* https://doi.org/10.1080/13573322.2020.1712655 .

Schon, D. (1983). *Reflective practitioner: How professionals think in action.* New York: Basic Books.

Shapiro, L., & Spaulding, S. (2019). Embodied cognition and sport. In M. Cappiccio(Ed.), *Handbook of embodied cognition and sport psychology*(pp. 3-22). London: The MIT Press.

Siedentop, D., Mand, C. & Taggart, A. (1986). *Physical education: Teaching and curriculum strategies for grades 5-12.* Mountain View, CA: Mayfield.

Standal, O. (2015). *Phenomenology and pedagogy in physical education.* London: Routledge.

Tinning, R. (2010). *Pedagogy and human movement: Theory, practice and research.* London: Routledge.

Tinning, R. (2019). Critical pedagogy in physical education as advocacy and action: A reflective account. In R. Pringle, H. Larsson, & G. Gerdin (2019). *Critical research in sport, health and physical education: How to make a difference*(pp. 93-105). London: Routledge.

Valera, F., Thompson E., & Rosch, E.(1993). *The embodied mind: Cognitive science and human experience.* Cambridge, MA: The MIT Press.

Whitehead, M. (Ed.)(2010). *Physical literacy: Throughout the lifecourse.* London: Routledge.

Whitehead, M. (2013). *Bulletin on physical literacy.* ICSSPE bulletin no. 65. ICSSPE.

Whitehead, M. (Ed.)(2019). *Physical literacy across the world.* London: Routledge.

Chapter 10

한국체육 개혁의 방향과 스포츠교육의 역할

● ● ● ● ● ● ● ● ● ● ●

지금 한국체육은 몸살을 앓고 있다. 아니, 성장통이라고 하는 것이 보다 정확할 것 같다. 1988 서울올림픽대회 이후 급격한 발전이 만들어낸 불순물에 의한 신체부조화 현상이다. 새로운 세대와 새로운 시대를 위한 새로운 한국체육의 재탄생이 필요한 시점이다. 그리고 그것을 위한 스포츠교육의 새로운 역할 정립이 요구되는 시점이다. 본 장은 이 한국체육 격변의 시기에 "한국체육 개혁의 방향과 스포츠교육의 역할"에 대한 한 중견연구자의 개인적 의견 제시이다. 우선, "한국체육 개혁의 방향"의 의미를 규정하여 밖으로 뻗어나는 향외적 개혁과 안으로 파고드는 향내적 개혁으로 구분한다. 그리고, "스포츠교육의 역할"의 뜻을 살펴보며 한국체육 개혁의 방향 설정에 스포츠교육이 주체적 역할과 종속적 역할을 할 수 있음을 해석한다. 이 해석을 바탕으로 스포츠교육이 주체적 역할을 담당하면서 이루어지는 향외적 개혁과 향내적 개혁의 의미를 살펴보려고 한다. 마지막으로 스포츠교육의 이상을 추구하는 한국체육을 "한국체육 4.0"이라고 규정하고 최우선으로 변화되어야 하는 것들에 대해서 살펴본다.

Ⅰ 서론

2019년 초 한 국가대표 쇼트트랙 여자선수가 남자 코치로부터 어릴 적부터 받은 상습적 성폭행 피해가 폭로되자 온 나라가 경악을 금치 못했다. 체육계도 놀라기는 마찬가지였다. 그래서 국가대표 훈련기관인 대한체육회는 급히 준비한 것이나마 이에 대한 개선책을 내어놓기도 하였다. 하지만, 대한체육회의 개선 노력을 신뢰하지 않은 민간위원중심의 정부가 "스포츠혁신위원회"를 따로 구성하여 약 6개월간 파격적인 개혁안들을 순차적으로 제안하였다. 물론, "권고"라는 이름으로 발표되었지만 엄청난 구속력과 실행력을 갖춘 개혁안이었다. 정부는 매년 이 권고안을 얼마나 실행하였는지 관리, 감독 및 보고하도록 되어있다.

이러한 일련의 과정을 지켜보며 우리는, 한국체육이 확실히 변화, 또는 변혁의 시점에 와있음을 피부로 느낀다. "티핑 포인트" 臨界點 라고 불리는 순간에 도달한 것이다. 변화의 "역치점"에 도달하여 이제 변화는 피할 수 없는 결론이 되어버렸다(김기범, 2019; 유재구, 2019). 얼마만큼의, 어느 방향으로의 변화인지만 남아있는 것이다. 스포츠혁신위원회의 권고안은 현재와는 다른 방향으로 가장 큰 규모의 변화를 주문(예고)하고 있다. 한편, 대한체육회는 이 권고안이 체육계의 현실과 체육인의 목소리를 제대로 반영하지 못하고 있다고 반응하고 독자적인 개혁안을 마련해 제시했다.⟨1⟩

어떤 장단에 발을 맞춰야 하는지는 각자 생각하기 나름일 것이다. 하지만, 장단에 발을 맞춰서 춤을 취야 하는 것이 지금 체육에 발 담고 몸 담근 우리의 운명이면서 의무이기도 하다. 때에 맞춰 바뀌는 장단에 귀를 기울여야 하는 것이다. 하지만, 우리의 입장은 수동적인 수준을 넘어서야 한다. 즉, "한국체육 개혁의 과정과 방향에 있어서 스포츠교육은 어떤 위치와 역할을 담당해야 하며, 어떻게 수행해낼 수 있는가?" 이런 질문에 적극적으로 답해야 하는 것이다.

⟨1⟩ 2019년 10월 현재 스포츠혁신위원회의 권고안은 제7차까지 발표되었다. 대한체육회도 자체적으로 스포츠시스템 혁신방안(9월)을 발표하였다.

"개혁"이란 단어가 갖는 무게감이 있다. "개혁"改革은 "고쳐서 새롭게 만듦"이란 뜻이다. 짐승으로부터 막 벗겨낸 생가죽皮에서 털을 벗기고 무두질을 하여 만들어낸 가공가죽을 "혁"革이라고 한다. 변혁이나 혁명 등과 같은 단어에 사용된다. 이전과는 완전히 다른 것을 만들 정도의 바뀌어짐을 말할 때 쓰는 표현이다. 개선이나 개량 등과는 비교가 되지 않는 바뀜이다. 판과 틀이 완전히 달라지는 수준의 변화이다. 상전벽해나 환골탈태 정도로 완전히 달라지는 것이다.

"스포츠혁신위원회"가 이름을 그렇게 선택한 것도 이런 의지의 반영이다. 20여년 전 학교공부를 위하여 선수촌에 입촌하지 않고 집에서 등하교하며 국가대표 훈련에 참여하겠다고 했다가 자격을 박탈당한 수영선수 장희진이 있었다. 이 사건 이후 유사한 문제들이 제기되어 개선의 시도가 있었으나, 크게 변화하지 않았다. 사회변화와 국민인식을 앞서 가지는 못하더라도, 최소한 발맞추어야 하는데, 그것보다 훨씬 더 뒤떨어져 있는 것이 확인되었기 때문이다. 개선 정도로는 어림없음을 확신했기 때문에, "개혁"이라는 엄중한 단어를 선택하였을 것이다. 유사한 의도로 구성한 대한체육회의 기구 명칭도 "체육시스템 개혁위원회"이다.

참으로 한국체육 개혁의 시점이 아닐 수가 없는 것이다(구효송, 2014). 한국체육을 담당하는 문화체육관광부와 대한체육회가 각기 변화의 기치를 드높이며 개혁의 칼날을 휘두르려 하고 있다.(2) 이러한 격변의 백척간두에 선 한국체육에 대해서 도대체 "스포츠교육" sport education and sport pedagogy 의 위치와 입장은 어떤 것일까? 어떤 것이어야 할까? 우리 스포츠교육 분야는 이 변화의 소용돌이 속에서 어떤 입장으로 어떤 역할을 해내어야만 할까? 스포츠교육학도로서 나는 그에 대한 대답을 내어놓아야 하는 의무와 책임이 있음을 깨닫는다. 나의 역량과 안목으로는 분에 넘치는 과업이지만, 그렇다고 피할 수도 없다. 나의 한계 내에서 최선을 다하는 수밖에 달리 도리가 없을 뿐이다.

---

(2) 보다 정확하게는 정부 부처들인 문화체육관광부, 교육부, 여성가족부가 합동으로 스포츠혁신위원회를 구성하고 있는 것이다. 스포츠혁신위원회는 체육분야 구조혁신을 위한 민관합동위원회이며, 문화체육관광부는 이 위원회의 직접적 운영과 지원 담당이다. 이 위원회에는 당연직으로 국가인권위원회, 기획재정부, 교육부, 문화체육관광부, 여성가족부가 포함되어있다. 민간단체인 대한체육회는 정부와는 독립된 자체적 개혁위원회이다.

가장 먼저, 제2절과 제3절에서 "한국체육 개혁의 방향"과 "스포츠교육의 역할"에 대하여 각각 해석한다. 제2절에서는 "한국체육 개혁의 방향"의 의미를 규정하여 밖으로 뻗어나는 향외적 개혁과 안으로 파고드는 향내적 개혁으로 구분한다. 제3절에서는 "스포츠교육의 역할"의 뜻을 살펴보면서 한국체육 개혁의 방향설정에 스포츠교육이 주체적 역할과 종속적 역할을 할 수 있음을 해석한다. 이 위에서 제4절에서는 스포츠교육이 주체적 역할을 담당하면서 이루어지는 향외적 개혁과 향내적 개혁의 의미를 살펴본다. 제5절에서는 스포츠교육의 이상을 추구하는 한국체육을 "한국체육 4.0"이라고 규정하고 최우선으로 변화되어야 하는 것들에 대해서 살펴보는 것으로 마무리를 짓도록 한다.

 # 한국체육 개혁의 방향: 향외와 향내

최우선으로 "개혁"이 두 층에서 진행될 수 있음을 지적하고 싶다. 표층과 심층이다. 겉과 속의 두 층에서 개혁이 일어날 수 있는데, 사실 개혁의 대부분은 전자의 수준에서 진행된다. 겉모습과 외형과 행동적인 차원에서 발생하는 표층개혁이 인정을 받는다. 심층개혁, 즉 눈에 보이지 않는 속 모습, 정신과 의식의 차원에서 이루어지는 개혁은 가시적이지 않기 때문에 어떠한 조처를 하거나 변모시키기가 녹록치 않다.

물론, 개혁이라고 할 때, 특히 지금까지 앞에서 언급한 수준의 변화라면 표층개혁과 심층개혁 모두를 말하는 것이어야 한다. 그러나 아쉽게도 현실은 그렇지 못하다. 개혁은 대부분 제도와 정책과 행동의 차원에서 진행된다. 그런 수준의 변화를 당연시 여긴다. 심층개혁이 이루어져도, 그것이 표층개혁으로 드러나고 옮겨져야지만 우리의 삶과 일에서는 실질적인 변화가 진행된다. 의식이 아무리 달라져도 행동이 변하지 않으면, 우리는 그것을 변화라고 이야기할 수 있을까?

그렇지 못하기 때문에, 지금까지 우리의 개혁 담론은 현실적이고 제도적이며 실질적인 논의를 중심으로 이루어졌다. 현실에서 발견되는 문제들을 해결하는 "방안들"에 대한 다양한 의견들을 제안하는 것이었다.⁽³⁾ 예를 들어, 학생선수들이 학습권을 보장받아 기본적인 소양을 쌓을 수 있도록, 정규수업 출석과 최저학력을 확보해주어야 한다. 평일 수업 이수를 위하여 주중 시합 운영을 지양하고 주말과 방학 중심으로 리그 및 대회를 운영해야 한다.

이러한 표층적 개혁을 위한 스포츠교육의 역할은 다소 직접적이다. 교과수업을 제대로 받을 수 있도록 하는 현실적 방법, 수업을 받으면서 학력의 습득과 향상이 제대로 이루어지도록 하는 지도방법, 부족한 학습시간과 실력을 보완하는 학습방법 등을 마련하는 것이다. 운동선수 학생들을 위한 보충학습이나 특별학급, 더 나아가 e스쿨과 같은 온라인 학습 제공 등이 실제로 제안되고 실행되고 있다(김옥천, 임수원, 전원재, 2016).

나로서는 표층개혁에 대한 스포츠교육의 역할도 중요하지만, 심층개혁에 대한 스포츠교육의 역할이 더욱더 중요하다고 생각한다. 표층개혁에 있어서 스포츠교육의 실질적이고 구체적인 역할에 대한 언급은 이미 관련기관들이나 전문가들에 의해서 다양하게 언급되었고 제안되었고, 실제로 실행되고 있기도 하다. 어떤 것은 성공적이며, 다른 것은 그렇지 못하기도 하다. 새로운 시각으로 아이디어들이 많이 제안되고 있기도 하다.⁽⁴⁾

그런데, 내가 판단하기에는, 심층개혁과 스포츠교육의 관계에 대한 논의는 아직까지는 눈에 띄지 않는다. 스포츠교육 공부를 해온 나로서는 심층적인 측면에 더욱 관심이 끌린다. 이 장은 그 관심을 한 번 자세히 풀어보는 시간으로 하고자 한다. 물론, 표층개혁과 스포츠교육의 관계에 대해서도 간단히 알아볼 것이다. 그것이 먼저 진행되어야만 내가 전개하는 논의를 제대로 설명할 수 있기 때문이다.

⁽³⁾ 교육부의 〈학교체육활성화추진계획〉(2013)이나 〈학습권 보장을 위한 특기자제도 개선방안〉(2017), 또는 한국교육과정평가원의 〈학교체육활성화 정책사업 운영실태 및 성과분석 연구〉(유창완, 2017), 한국스포츠개발원(현 한국스포츠정책과학원)의 〈유청소년 스포츠정책 방향 및 과제수립을 위한 연구〉(정현우, 2017) 등의 공공기관 보고서나, "스포츠선진국 도약을 위한 혁신 전략과 정책: 한국형 스포츠개발 모델"(정재용, 2019) 등의 개인적 제안이 있다.

⁽⁴⁾ 문화체육관광부(2018)의 〈2030스포츠비전: 사람을 위한 스포츠, 건강한 삶의 행복〉을 살펴보면, 가장 최근의 한국체육 개선(보기에 따라서는 개혁) 노력이 돋보인다. 실천가능한 것들이 많지만, 현실적으로 당장은 어려운 사업들도 상당수다.

내가 다루어야 할 이슈의 제목은 "한국체육 개혁의 방향과 스포츠교육의 역할"이다. 바로 지금까지는 "한국체육 개혁의 방향"에 대해서 간략히 정리하였다. "방향"이란 이쪽이냐 저쪽이냐, 동서냐 남북이냐 등으로 공간상의 위치 또는 방위方位를 가리킨다. 그래서 답변도 "이쪽이다, 저쪽이다"라고 가리켜주는 것이 정상이겠다. 그래야 물어본 이는 그쪽으로 돌아보거나 실제로 걸어 나갈 것이다.

이런 점에서 표층개혁과 심층개혁이라는 표현은 방향성을 뚜렷이 드러내 주지는 않는다. 방위보다는 층위層位에 충실하다. 다른 표현이 필요하다. 나는 "향외와 향내"라는 표현을 쓰고자 한다. 한자어로 "향방" 向方 이란 표현이 있다. 방향이 조금 정적 느낌이 든다면, 향방은 동적 느낌이 든다. 그쪽 방향으로 동작을 취하는 느낌이 드는 것이다. 향동, 향서, 향남, 향북으로 향한다고 말할 수 있다. "향외" 向外 와 "향내" 向內 는 "밖으로 향한다"와 "안으로 향한다"는 의미이다. 나는 표층개혁을 향외개혁으로, 심층개혁을 향내개혁으로 다시 부르고자 한다. 향외개혁은 밖으로 뻗어나가는 개혁, 향내개혁은 안으로 파고드는 개혁으로 이해하고자 한다.⟨5⟩

방향에 대한 방향설정을 마친 이 시점에서 한번 확인해야 할 사안이 있다. 그것은 한국체육의 "범위" 또는 규모를 어디까지 볼 것인지, 좀 더 정확히 "한정"(제한)할 것인지 이다. 예를 들어, 스포츠혁신위원회의 권고안은 전반적으로 엘리트체육 영역에 주된 초점이 맞추어져있다. 생활체육에 대한 언급과 조처가 있기는 하지만, 주인공보다는 조연 수준에서 다뤄지고 있다. 학교체육에 대해서는 체육수업이나 체육교육과정에 관한 부분보다는 운동부와 선수들 운영에 초점이 맞추어져 있다. 그리고 (엄연히 한국체육학회의 분과학회로 등록된) 무용에 대한 언급은 전혀 없다.

"한국체육"은 무엇을 말하는 것일까? 아니, 어디까지를 말하는 것일까? 적어도, 여기서는 어디까지로 윤곽선을 그려야 할까? 참으로 난감한 이슈가 아닐 수 없다. 그냥 한국체육이 무엇이며 어디까지라고 일상생활에서 대화하듯이 상호합의 되었다고 간주하

⟨5⟩ 향내와 향외라는 표현은 일상에서도 가끔 사용되지만, 철학적인 용도로 선택된 용어이기는 하다. 철학자 박종홍 교수가 전 세계 철학경향을 향외적 철학과 향내적 철학의 두 그룹으로 나누어서 설명할 때 사용한 것이다(박종홍, 1952). 예를 들면, 마르크스 철학은 밖으로 사회와 세계를 지향하지만, 현상학은 안으로 자아와 체험을 지향한다.

고 진행해나갈 수도 있을 것이다. 하지만, 그것은 글의 내용을 명료화시키는 데에 있어서 좋은 전략은 아니다. 그렇지만 또, 한국체육을 무엇무엇으로 딱히 지정하고 이야기를 펼쳐나갈 수도 없는 노릇이다. 포괄적으로 본다면, 한국체육 아닌 것이 있을까? "누구누구까지 한국인"이라고 선을 그어 규정할 수 없듯이 말이다.

편리하게 행정상 문화체육관광부에서 관장하는 체육 영역들을 범위로 삼을까? 제2차관의 휘하에 속한 체육국에 소속된 체육정책, 체육진흥, 스포츠산업, 국제체육, 장애인체육, 스포츠유산 총 6개 과에서 다루는 영역들을 망라해볼까? 〈2020 체육백서〉에는 좀 더 자세한 영역 구분이 되어있다. 교육부 민주시민교육과에서 다루는 학교체육은 어떨까? 그런데 아쉽게도, 무용은 어느 부처에서도 체육에는 포함되어있지 않다. 결국 상식선에서 생각하듯이, 학교체육, 생활체육, 전문체육의 범주에 포함되는 대상과 내용들을 여기서 다룰 한국체육의 범위로 제한시키는 수밖에는 없는 것 같다(하지만, 이하 다룰 내용과 방식은 무용영역에도 고스란히 활용될 수 있을 것이라고 생각한다).

 ## III 스포츠교육의 역할: 종속과 주체

이제 우리의 질문은 이렇게 구체화될 수 있다. "한국체육의 향외개혁과 향내개혁에 있어서 스포츠교육의 역할은 무엇인가?" 앞 절에서 한국체육 개혁의 방향에 대한 것과 같은 방식으로 논의를 진행시킨다면, "스포츠교육의 역할"에 대한 의미를 먼저 확인해야 할 것이다. 그런 후에 역시 마찬가지로, 스포츠교육의 뜻이나 범위를 규정해야 할 것이다. 스포츠교육의 역할이란 무엇을 뜻하는 것일까?

이 질문은 조금 이상한 듯 느껴진다. "역할"이라고 하면, 어떠한 기능과 임무를 담당하는지를 묻는 것이 아니겠는가? 향외개혁과 향내개혁을 성취시켜 나가는 데에 있어서 스포츠교육이 도맡아야 하는 일이 무엇인지를 알아보는 것이겠다. 너무도 당연한 내용을 말하는데, 역할의 의미를 다시 묻고 있으니 질문 자체가 이상하게 느껴지는 것이다.

그런데, 한 번 더 생각해보면, 이 편하지 않은 느낌의 정체가 조금 이해된다.

모두 잘 알다시피, 독립변인과 종속변인의 개념이 있다. 어떤 두 요인의 관계, 특히 인과관계를 파악하고자 할 때, 원인과 결과를 구분하고 알아보려는 상황에서 사용하는 용어들이다. 우리 관심인 〈한국체육 개혁의 방향과 스포츠교육의 역할〉에 있어서도 적용될 수 있는 개념이다. 여기서 독립변인과 종속변인은 각각 무엇일까? 너무도 쉬운 질문이다. 여기서 독립변인은 한국체육의 개혁방향이고, 종속변인은 스포츠교육의 역할이 될 것이다.

변인 개념의 언급으로 말하고자 하는 것은, 한국체육의 개혁방향에 따라서 스포츠교육의 역할이 결정된다는 선후관계이다. 결국 스포츠교육의 역할은 개혁의 방향에 종속되어버리는 것이다. 사람에 따라서 "종속"이란 표현이 조금 과하다고 느낄 수 있을 듯하다. 스포츠교육을 전공하는 나로서는 이 말이 심하다는 생각이 들지 않는다. 상관이 아니고 부하 같은 느낌, 주인이 아니고 하인 같은 느낌이 들기 때문이다. 이런 관계를 종속관계, 주종관계라고 하지 않는가?

그렇다면 우리는, 반대방향으로 관련짓기도 생각해볼 수 있을 것이다. 스포츠교육을 전공하는 사람의 입장에서 말이다. 즉, 스포츠교육의 역할이 독립변인, 한국체육 개혁의 방향이 종속변인이 되는 관계 맺음말이다. 이것은 매우 중요한 지적이다. 이하 이 글에서 다루는 주제의 답변 내용을 완전히 달라지게 만들 수 있는 결정적 관점전환이다. 무슨 뜻인지 조금 더 생각해보도록 하자.

스포츠교육이 한국체육 개혁의 방향을 결정짓는다는 말은 무슨 말일까? 아주 쉬운 차원에서 말할 때, 한국체육 개혁은 수단이며 스포츠교육이 목적이라는 뜻이다. 스포츠교육의 실현을 위하여 한국체육이 개혁되어야 한다는 것이다. 스포츠교육의 이상을 실천하기 위하여 한국체육의 개혁이 필요하다는 말이다. 한국체육의 개혁은 스포츠교육을 변화시키는 방향을 위하여 진행되어야 한다는 뜻이다. 이렇게 풀어보니 완전히 반대의미가 되었다. 주객전도, 또는 본말전도라고 볼 수도 있을 정도이다.

그런데 이 해석이 우리의 탐구 거리로서 의미를 가지려면, 스포츠교육의 이상이라는 것이 한국체육의 개혁방향으로 삼을 만한 크기와 가치를 지니고 있어야 할 것이다. 그렇지 않으면 단순한 말장난에 그치고, 스포츠교육 전공자의 아전인수격인 해석에 그치기 때문이다. "스포츠교육은 한국체육의 한 분야로서 그 속에 들어가는 규모인데, 어떻게 그만한 중요성을 가지는 것이 가능하고 한국체육을 개혁하는 방향타로서 역할을 할 수 있단 말인가?"라는 반론이 곧바로 들려온다. "꼬리가 어떻게 몸통을 흔드는가? 또는 몸통이 어떻게 머리를 안내하는가?"라고 반문이 들려온다.

후자의 해석이 제대로 버텨내기 위해서는 스포츠교육의 이상이라는 것이 한국체육 개혁이 이루어내려고 하는 이상과 적어도 동등하거나, 더 나아가 훨씬 더 가치 있는 것이어야 한다. 이 논리는 한국체육이 스포츠교육보다 개념상 훨씬 더 크다, 혹은 현실상 더 크다는 사실과는 하등 관계없이 존립할 수 있다. 작은 것이 큰 것을 이길 수도 있는 것이다. 어른 생각이 항상 옳은 것이 아니고, 아이 생각이 언제나 틀린 것이 아니 듯 말이다. 중요한 것은 크기가 아니라, 가치이다.

스포츠교육의 이상이 한국체육 개혁의 이상보다 더 클 수 있을까? 아니, 적어도 동등할 수 있을까? 즉, 한국체육 개혁의 방향을 스포츠교육의 방향으로 일치시킬 수 있을까? 만약 그렇다면, 그 이상(들)은 어떤 것일까? 이런 질문들이 꼬리를 물고 계속해서 이어지는 것을 막을 수가 없다.

이런 상황이므로 일단, 지금 단계에서 한 번 정리가 필요한 것 같다. 스포츠교육은 한국체육 개혁에 있어서 종속적 관계에 놓일 수도 있고, 주체적 관계에 있을 수도 있다. 다시 말해서, 한국체육 개혁의 방향이 결정되면 스포츠교육은 그 방향으로의 발전을 위한 통로나 수단이 된다. 반대로, 스포츠교육은 한국체육의 개혁이 진행되어야 하는 궁극적 도달점이자 목적이 된다.[6] 스포츠교육의 역할은 전자에서는 뒤에서 이끌려가는 것인 반면, 후자에서는 앞에서 이끌어가는 것이 된다.

이제 우리의 문제는 이렇게 구조화할 수 있을 것이다. 매우 단순하지만, 그래도 어느 정도의 답을 찾아낼 수 있는 프레임워크로서의 기능을 해줄 수 있을 것이다. 한국체육

---

[6] 이런 의미에서 스포츠교육의 종속적 역할은 "끌려가는 역할", 그리고 주체적 역할은 "끌어가는 역할"이라고 불러도 좋을 것이다. 한국체육 개혁의 방향지음에 있어서 스포츠교육은 끌려가는 역할을 할 수도 있고, 그것을 끌어가는 역할을 할 수도 있다는 것이다. 이하 주체적으로 끌어가는 역할을 강조하고 그 의미를 살펴보고자 한다. 즉 주어진 주제를 한국체육중심적이 아니라 스포츠교육중심적으로 해석해보려는 것이다.

의 개혁방향과 스포츠교육의 역할 간에 맺어질 수 있는 (논리적) 관계들은 아래 〈그림 1〉과 같다.

한국체육 개혁방향 스포츠교육 역할	향외적 개혁	향내적 개혁
종속적 역할	1	3
주체적 역할	2	4

〈그림 1〉 한국체육의 개혁방향과 스포츠교육의 역할이 맺을 수 있는 4가지 관계

이 표에 의하면, "한국체육의 개혁방향과 스포츠교육의 역할"은 (1) 향외적 개혁 방향에 종속적 역할, (2) 향외적 개혁 방향에 주체적 역할, (3) 향내적 개혁 방향에 종속적 역할, 그리고 (4) 향내적 개혁 방향에 주체적 역할이라는 4가지 형태로 해석될 수 있다. 그런데, (1)번과 (3)번의 경우, 즉 스포츠교육이 향외개혁과 향내개혁에 종속적 역할을 하는 경우는 이미 다른 사람들과 다른 경우에서 다루어졌거나 다루어질 것이기 때문에 언급하지 않기로 하겠다.

스포츠교육전공자인 내게는 스포츠교육이 주체적 역할을 하는 방식의 해석이 더 의미가 있기 때문이다. 아직까지 그런 해석을 해놓은 적이 없기 때문이다. (2)번과 (4)번, 즉 향외적 개혁 방향에 주체적 역할을 하는 경우와 향내적 개혁 방향에 주체적 역할을 하는 경우가 무엇을 의미하는지, 그리고 그것을 어떻게 성취할 수 있는지에 대하여 생각을 펼쳐본 이가 없기 때문이다.

그런데, 한국체육의 범위 짓기와 마찬가지로, 스포츠교육이란 무엇이고 어디까지일까? 지배적인 생각이 그렇듯, 학교체육이 중심이 되는 영역일까? 아니면, 스포츠센터와 경기장에서 벌어지는 생활체육과 전문체육도 포함하는 분야일까? 무용교육은 또 어떨까? 나로서는 당연히 이 모든 영역을 다 포함한다고 말하고 싶다. 하지만 스포츠교육이 주체가 되는 한국체육 개혁의 방향을 생각할 때는, 스포츠교육을 영역중심적으로 이해하는 것은 도움이 전혀 되지 않는다. 스포츠교육은 교육중심으로 이해되어야 한다.

스포츠교육이 이끌어가는 한국체육 개혁의 방향

01. 스포츠교육의 이상

한국체육 개혁의 방향 찾기에 있어서 스포츠교육이 주체적 역할을 한다는 말은 무슨 뜻일까? 그것은 한국체육 개혁의 방향을 이끌어내고, 그쪽으로 이끌어가는 것을 의미한다. 한국체육 개혁이 도달해야 할 지점을 스포츠교육이 이상적으로 삼고 있는 곳으로 삼아야 한다는 말이고, 그곳에 도달하는 과정에 있어서 스포츠교육이 주도적인 길잡이 노릇을 해야 한다는 말이다. 한국체육의 핵심을 스포츠교육으로 삼는다, 한국체육의 이상을 교육적인 것으로 취한다는 말이다. 한국체육의 진북극 true north 으로 스포츠교육을 삼자는 것이다.

향외개혁이건 향내개혁이건 간에 결국 스포츠교육의 이상理想이 관건이다. 이것이 파악되면, 향외개혁과 향내개혁이 어떤 방향과 내용으로 진행되어야 하는지 대체적 윤곽이 파악될 수 있는 것이다. 그렇다면, 스포츠교육의 이상은 무엇일까? 올바른 스포츠교육은 무엇일까? 무엇이 제대로 된 스포츠교육일까? 우리가 추구하고 실현시켜야 하는 스포츠교육의 올바른 모습은 어떤 것일까? 아니, 도대체 이것에 대하여 많은 사람들이 만족할 수 있는 한 가지 답을 마련이나 할 수 있는 것일까?

어려울 것이다. 그래서 결국은 내가 생각하는 스포츠교육의 이상을 말하고, 그에 대한 독자 여러분의 의견과 동의를 얻는 수밖에는 없을 것이다. 물론 나의 이상은 순전히 개인적 의견은 아니다. 스포츠교육 연구자로서 지난 30년간 철학, 교육학, 체육학, 전문인교육학 그리고 스포츠교육 분야의 연구들을 뜯어보고 살펴보고 가다듬은 탐구의 결과물이다. 학술적 배경을 지니고 있는 학자로서의 성찰물이다. 다만, 딱딱한 학술지식으로서 나의 생각을 전달하고 싶지 않아서 조금 더 부드러운 방식을 취하는 것이다.

스포츠교육의 이상은 무엇인가? 즉, 올바른 스포츠교육은 어떤 특징을 지니고 있을까? 이것은 "스포츠교육"의 개념정의에 고스란히 반영되어 있을 것이다. 공부하는 사람이라면 자신의 공부대상(영역, 주제)에 대한 본인 나름의 개념정의를 가지고 있다. 내가 생각하는 "스포츠교육"의 개념은 어떤 것일까? 다행히도, 최근 나의 생각을 조금 상세하게 옮겨 적을 기회가 있었다. 그것을 다시 한 번 소개해 보겠다.

스포츠교육은 신체활동을 즐길 수 있도록, 그 체험이 자기 성장이 될 수 있도록,
그래서 행복한 삶을 살 수 있도록 돕는 노력이다. (최의창, 2018a. p. 95)

이것이 내가 규정한 스포츠교육이란 인간활동의 구체적 의미이다⟨7⟩. 여기에 근거하여 스포츠교육이라는 인간활동의 영역, 분야의 범위가 어느 정도 줄이 그어질 수 있다. 이 개념정의를 제시한 책에서 나는 이 개념정의의 핵심적 특징을 "운동향유, 자기성장, 공동행복"이라고 잡아내어 설명하였다. 다시 간단히 설명해보겠다.

첫 번째 특징으로, 운동향유이다. 우리는 즐겁기 위해서 스포츠를 배우고 한다. 스포츠교육은 무엇보다도 우리로 하여금 신체활동을 즐길 수 있도록 도와주는 활동이다. 학교 체육수업에서 창작체조를 해보고, 동네 스포츠센터에서 평영을 배우며, 사회인 야구동호회에서 아마추어 시합을 하는 것 모두가 운동을 즐기는 것享이다. 스포츠교육은 근본적 수준에서 운동을 가르치고 배워서 스스로 즐거워질 수 있도록 하는 행위이다. 실제로 기술을 사용하여 움직이는 즐거움을 만끽하는 것이다.

그런데, 나는 "하기는 신체활동을 체험하는 한 가지 방식에 불과하다"고 주장하며, 다양한 방식(읽기, 쓰기, 듣기, 보기, 말하기, 느끼기, 그리기, 부르기, 만들기, 모으기, 나누기, 셈하기, 생각하기, 사랑하기, 응원하기 등)으로 체험하는 것들도 모두 신체활동을 즐기는 것으로 확장시켰다(15가지 이상이라는 뜻으로 "운동향유 15+"라고 지칭하고 있다). 농구를 하는 것만이 농구를 향유하는 것이 아니라는 말이다. 하는 것만이 스포츠교육을 하는 이유, 하는 것이 가장 중요한 이유라고 한다면, 농구경기를 잘 하지 못하는 것은 스포츠교육을 잘 못한 것이라는 말이다. 정말로 그럴까?

⟨7⟩ 놀랍게도 저명한 스포츠교육학자들 가운데 "스포츠교육"의 정의에 대해서 직접적으로 개념 규정한 사례를 찾기 어렵다. 이에 관한 조금 더 자세한 설명은 최의창(2018a) 참조. 이하 소개되는 스포츠교육의 개념에 대한 설명은 이 책에서 좀 더 자세히 다루고 있다. 일단, 스포츠교육은 학교에서의 체육수업에 국한되지 않고, 강습, 레슨, 코칭, 훈련, 지도 등 모든 종류의 신체활동 가르침과 배움이 진행되는 맥락을 포괄한다.

인생을 잘 사는 사람은 판사로 명망가이거나 건물주로 재력가이거나 국회의원으로 권력가일까? 물론, 이들은 인생을 잘 사는 사람들에 포함된다. 하지만, 중소기업 회사원, 전셋집 거주자, 평범한 가정주부 등도 인생을 충분히 잘 사는 사람들일 수 있다. 외양적 성취가 인생성공의 필요충분조건이 아니다. 각자의 삶에서 행복과 만족감을 느끼는 정도가 인생의 성공이지 않는가? 스포츠를 즐기는 것도 하는 것으로만이 아니라, 자기가 좋아하고 기쁨을 느낄 수 있는 방식으로 즐길 때, 스포츠교육의 성공 사례로서 간주될 수 있는 것이다(Sandle, Long, Parry & Spracklen, 2013).

두 번째 특징으로, 자기 성장이다. 하기를 포함한 운동향유 15+의 다양한 향유체험들이 향유자 본인이 신체적, 정신적으로 나아지는 데에 도움이 된다는 것이다. 성장의 여러 모습과 수준들이 있을 것이다. 단지 드리블 기능과 숫 성공률이 높아지는 것에서부터 자기 성찰력과 타인 이해력이 높아지는 것까지. 스포츠교육을 받거나 실행하기 전보다 더 나은 자기 자신이 되었음을 확인하는 것이다. 통상적으로 지덕체의 함양이 이루어졌다고 하는 것이다.

그런데, 나는 이때 "자기" 自己, "나" 我라고 하는 존재를 조금 더 확장하고 심화하여 말하고 있다. 통상적으로는 신체적, 인지적, 정의적 영역에서의 발달이 이루어지면 "전인적 발달"이라고 이야기한다. 나는 여기에 감성적 차원과 영성적 차원을 덧붙여서 "자기 자신"을 설명하고 있다. 사람은 "체성, 지성, 감성, 덕성, 영성"의 다섯 차원으로 이루어진(오성의 성향을 지닌) 총체적 존재라고 간주하는 것이다. 자기 성장이란 이 각각의 성향(성질)들이 서로 하나로 더욱 강하게 연결되어가는 과정인 것이다.

스포츠교육은 시작도 체성, 끝도 체성이라고 주장하는 이들이 있음을 잘 알고 있다. 하지만, 사람은 이 다섯 가지 성향을 지닌 존재이다. 어떤 학자는 6가지, 10가지로 구분해서 말하기도 한다. 물론 나처럼 5가지로도 충분히 설명할 수 있다. 사람은 누구든지 이 다섯 가지 바탕을 지니고 태어난다. 그런데 각각이 따로 연계되어 발달되지 않아서 어떤 것은 없거나 부족하다고 느낀다. 교육이란 바로 이런 오성의 총체적 성숙을 이끌어내는 노력이다. 스포츠교육은 신체활동의 체험을 통해서 이것을 이끌어내는 노력이다(Ronkainen & Nesti, 2019).

세 번째 특성으로, 공동행복이다. 자기성장을 가능토록 하면 행복해질 수 있다. 그런데, 자기 성장을 가져다주는 신체활동 향유체험은 자기만 행복해지는 것으로는 부족하다. 행복해지되 반드시 다른 사람들(생물과 환경 포함)과 함께 행복할 수 있도록 하는 노력이다. 그 다른 사람이 1명도 좋고 10명도 좋다. 다다익선이다. 행복감이 나로부터 시작되지만, 나에게서 끝나는 것은 미흡하다. 서로 함께 행복해질 수 있음을 희망하고 갈구하면서 행복한 삶을 원하는 것이야말로 올바른 스포츠교육의 충분조건이 되는 것이다.

행복이라는 것은 주관적이지만 개인적 수준에서만 머무르면 독단적으로 될 가능성이 높다. 마음이 통하는 친구들과 주말마다 테니스를 즐기고 바다낚시를 떠나고 명산등반을 가지만, 가족들과 함께하는 시간을 희생하면서 혼자만의 즐거움을 만끽하는 것은 반쪽짜리 행복에 불과하다. 배드민턴 복식경기를 하면서 게임실력이 조금 낮아 시합에서 계속 실수 연발하는 파트너를 질책하거나, 온갖 방법을 동원해서라도 반드시 상대편을 이기려는 지나친 승부욕으로 거친 경기를 하는 것은 이기적인 행복으로 변질될 가능성이 높아지는 것이다.

공동행복이란 것은 좀 더 확장되면 소외된 이들과 소외되어가는 분들과 함께 하는 것이 된다. 가정 문제로 경제적, 사회적 어려움을 겪고 있는 아이들, 운동기회를 갖지 못하는 여성들, 건강을 돌보기 어려운 지경에 놓인 노인들, 사회의 공적인 혜택의 사각지대에 놓인 외국인 노동자들, 그리고 다문화 가정의 어린 자녀들과 같은 비주류, 주변부에 놓여진 사람들과 함께 스포츠를 누리고 즐길 수 있어야만 스포츠교육의 가치가 성취되는 것이다(Robinson & Randall, 2016).

스포츠교육의 특징은 이렇듯 다양한 스포츠 향유체험으로 여러 측면에서 스스로의 성장을 느끼면서 다른 이들과 함께 행복해지기를 바라고 실행하도록 돕는 노력에 있다. 저절로 우연히 되는 것이 아니라, 의도적이고 계획적으로 진행되는 노력이다. 이 세 가지 특징들 모두를 구비하면 최고의 일등급 스포츠교육이 된다. 이 중에 두 조건(특징)을 충족하면 이등급 스포츠교육, 그리고 하나만 만족시키면 삼등급 스포츠교육이라고 할 수 있다. 세 가지 모두를 충족시키는 것만이 스포츠교육으로 인정받아야 하는 것은 아니다. 물론, 스포츠교육의 이상은 바로 일등급 스포츠교육을 성취하는 것이기는 하다.⟨8⟩

02. 스포츠교육중심적 향외적 개혁

온 국민들이 운동향유, 자기성장, 공동행복을 성취하는 스포츠교육을 펼치기 위해서 한국체육은 어떻게 혁신되어야 할까? 향외적 개혁은 어떤 방향으로 진행되어야 할까? 또, 향내적 개혁은 어떤 방향으로 진행되어야 할까? 한국체육의 외향적 개혁을 이끌어 내는 개혁은 제도적, 행정적, 기술적 변화를 말한다. 한국체육의 내향적 개혁을 이루어 내는 개혁은 개념적, 철학적, 의식적 변화를 말한다. 스포츠교육의 이상은 어떻게 제도적 변화와 의식적 변화를 동시에 이끌어낼 수 있을까?

아니 그전에, 좀 더 구체적인 행정적 개혁과 철학적 개혁의 내용은 무엇인가? 무엇을 어떻게 바꾸어야 할까? 이미 진행되고 있는 변혁의 조짐들과 제안되려고 하는 방책의 내용은 어느 정도 이 개혁의 내용과 방식에 근접한가? 아니면, 얼마나 다른가? 그것도 아니면, 완전히 새로운 것들이 마련되어야 할까? 우선, 스포츠교육의 이상을 우선적으로 고려하는 두드러진 제도적 변화, 행정적 변화를 한 번 살펴보도록 하겠다. 〈표 1〉에서 살펴본 (2)번의 경우이다.

가장 먼저 말할 수 있는 것은 학교체육진흥회의 설립이다. 학교체육진흥회는 2016년부터 한국교육과정평가원 내 학교체육중앙지원단의 형태로 준비를 거쳐, 2019년 말 본격적으로 운영되기 시작한 학교체육개혁을 위한 전초기지 역할을 해내고 있다. 체육교육과정에 담겨진 학교체육의 이상들을 (교육부와 시도교육청과의 협조 하에) 보다 추진력 있고 조직적으로 실천하고 실현하는 데에 주도적 역할을 담당해낼 예정이다. 체육수업, 스포츠클럽, 체육인재육성 등 빠르게 발전하는 학교체육의 변화경향을 보다 신속하게 파악하고 학교현장에 반영할 수 있게 되었다. 교사를 포함한 학교체육 전문인력들의 전문역량 개발도 더욱 효과적, 체계적으로 진행될 수 있게 되었다(이민표, 2019).

---

(8) 이 세 가지 특징을 지닌 스포츠교육의 이상이 한국체육 개혁의 방향을 이끄는 도착점으로서 인정받을 수 있을까? 한국체육 개혁의 목적(즉, 모든 국민이 신체활동을 즐길 수 있도록, 그 체험이 자기 성장이 될 수 있도록, 그래서 행복한 삶을 살 수 있도록 돕는 것)으로서 가치가 있을까? 너무 작고 소박하지 않을까? 세계 평화에 이바지한다거나, 국위선양에 기여한다거나 등의 크고 화려한 목적을 추구해야 하지 않을까? 사실 잘 살펴보면 이 세 가지 안에 좀 더 큰 목적들이 조용히 내재되어있음을 알 수 있다. 논의의 여지가 있지만, 나는 지금 소개한 스포츠교육의 이상이 한국체육의 목적으로서 충분한 가치가 있다고 생각한다. 이 점을 전제하면서 이하 내용을 진술해나가도록 하겠다.

대한체육회와 국민생활체육회가 통합되어 "(통합)대한체육회"로 새 출발하게 된 것도 역시 스포츠교육의 맥락에서 새롭게 조망할 수 있다. 수십 년간 고착화된 생활체육과 전문체육의 완전분리로 인한 한국체육의 발전 저해요인들을 일소하고, 하나의 시스템으로 연계되는 선진국형 스포츠교육 체계를 구축하는 기초토대를 확보한 것이다(제성준, 손천택, 2018). 국민체육진흥공단도 새로운 사업들을 통해서 스포츠교육적인 이상을 더욱더 현실화시키는 데에 일조하고 있다. 스포츠인권과 관련된 조처들과 장애인 스포츠 활성화를 위한 지원들이 그 대표적 사례들이다(신선윤, 조운용, 김범준, 2014).

물론, 스포츠교육학자의 입장에서, 이런 실천들이 보다 더 직접적으로 올바른 스포츠교육의 이상을 전면에 내세우면서 진행된 변화와 개선의 노력들이었으면 더욱 좋았을 것이다. 학교체육진흥회, 대한체육회, 국민체육진흥공단 등에서는 아직 "스포츠교육"이라는 용어와 개념 자체에 대한 직접적 인식이 부족한 상태이다. 아쉽게도, 내가 보기에는, 이들 기관에서는 변화의 노력을 강구하면서도 여전히 학교체육, 생활체육, 전문체육의 개념적 구획 속에서 생각하고 실행하고 있다.

그럼에도 이를 소개하는 이유는, 비록 이런 상황이기는 하지만 스포츠교육이 주체가 되는 새로운 한국체육 패러다임의 씨앗, 또는 단초가 될 사례들이기 때문이다. 학교건, 센터건, 경기장이건 어디에서 벌어지고, 교사건, 강사건, 코치건 누구에 의해 행해지건 상관없이, "스포츠교육"이라는 하나의 커다란 생각과 실천 속에서 각자의 일을 기획하고 수행해내야 하는 전초단계의 모습들이기 때문이다. 앞으로 보다 적극적인 의도와 기획과 실행이 기대되고 요청되는 부분이다.

03. 스포츠교육중심적 향내적 개혁

이번에는 (4)번의 경우이다. 스포츠교육의 이상에 따른 향내적 개혁의 경우 말이다. 사실, 나로서는 이 경우가 가장 근본적인 부분이라고 생각한다. 그리고 가장 핵심적인 부분이다. 스포츠교육의 이상에 따른 한국체육의 개혁 실천에 있어서 근본적이고 핵심적으로 고민해야 할 부분인 것이다(이것이 알파요 오메가, 출발이자 마침이라고까지 말하고 싶은 심정이다).

나는 향내적 개혁을 철학적 개혁, 이념적 개혁, 정신적 개혁이라고도 표현하였다. 가시적 차원이 아니고 비가시적, 아니 불가시적 차원에 대한 뿌리까지 닿는 변화와 개선을 말하고자 하였다. 한국체육의 정수를 이루고 있는, 한국체육의 저 가장 깊은 안쪽에 자리 잡고 있으면서, 현재 한국체육의 생각과 행동을 규제하는 차원을 살펴보고 고쳐보는 것에 대해서 말이다. 스포츠교육의 이상에 의해서 한국체육의 철학적 지향을 재조정하는 것에 대해서 말이다. 한국체육의 철학적 개혁에 대해서 말이다. 기존 한국체육의 패러다임을 재검토하고 새로운 패러다임을 구축하는 것을 말이다.

기존 한국체육을 이끌어가던 패러다임은 무엇인가? 딱히 무엇이라고 만인이 동의한 것은 없지만, 한국인이 가장 많이 사용하는 표현이 있다. "승리지상주의", 또는 "성과지상주의"가 바로 그것이다. 공인된 적은 없지만 사실, 정확한 표현이라고 할 수 있다. 체육만이 아니라, 교육, 경제, 정치 등 한국사회 전반에 만연해있고, 한국사회를 몰아가는 추동력이 되어버린 철학이자 이념이다. 승리를 위해서는 수단과 방법을 가리지 않고, 성과만 올리면 과정의 옳고 그름은 따져지지 않는 제도와 풍토와 문화가 지배적이다.

승리지상주의에 대한 전적인 추종은 전문체육을 필두로, 생활체육이 그 뒤를 따르고, 학교체육이 가장 뒤편에 서 있는 상황이다. 언론과 방송은 말할 것도 없고, 일반 시민들의 생각과 행동도 마찬가지 상황이다. 올림픽과 세계대회에서 반드시 금메달을 따야만 환호하고, 월드컵에서 본선에 오르고 8강 안에 들어도 속이 차지 않는 기사와 반응들로 넘쳐난다. 행정가, 선수, 코치, 감독들도 기대에 부응하기 위해 승리지상주의를 신조로 떠받들 수밖에 없게 된다. 그것에 따르는 보상이 너무도 유혹적이고 크기 때문이다.

이런 경향은 우리나라만의 독특한 사정은 아니지만, 우리나라가 유독 더욱 강하게 드러나는 것은 사실이다. 스포츠철학자인 Holowchak과 Reid(2011)는 승리지상주의가 정상으로 인정받는 스포츠철학을 "투기적/상업적 모형" The Martial/Commercial Model 이라고 불렀다. 스포츠의 경쟁성을 가장 앞세우면서 경쟁에서 상대방을 이기는 것, 그리고 이기기 위해 최선(수단방법을 가리지 않는 것을 포함한 최선)을 다하는 것의 가치를 최우선으로 하는 것을 특징으로 꼽았다. 이 특징이 현대에 기업과 상업적 결탁을 맺고 사람들의 기호를 자극하며 더욱더 기승을 부릴 수 있게 되었음을 설명하고 있다.

이들은 반대편에는 "탐미적/여흥적 모형" The Aesthetic/Recreational Model 을 위치시키고 있다. 스포츠는 즐기기 위한 것, 이상도 이하도 아니라는 생각이다. (손맛 같은) 감각적 재미와 (스트레스 해소 같은) 정서적 즐거움이 스포츠를 즐기는 최상의 이유라는 사고이다. 틀린 것은 아니지만, 최고의 정답도 아니다. 기분과 재미와 촉각적 흥미만을 추구하는 것이 나쁜 것은 아니지만, 스포츠의 가치가 카페인이나 각성제나 숙취제거제 수준에 그치지는 않는다. 체육이 유희활동이기는 하지만, 쾌락추구 수준에만 한정된 오락거리는 아니다. 우리나라의 경우 특히 생활체육 장면에는 승리지상주의 반대편에 자리 잡고 있는 "오락여흥주의"가 만연되어 있다.

이들은 이 양극단의 중간지점에 자신들이 "아레테 모형" The Aretic Model 이라고 부르는 스포츠철학을 소개하고 있다. 아리스토텔레스의 중용적 철학을 차용하면서, 전투적 모형과 오락적 모형의 중도를 취하는 입장으로 "중용적/아레테 모형" The Medial/Aretic Model 이라고도 한다. 다른 두 모형들의 특징들과 아레테 모형의 그것을 비교하면서, 아레테 모형이 보다 바람직한 모형임을 강조하고 있다(나도 이들의 모형에 많은 부분 공감하는데, 〈표 2〉 하단에 보이듯이 "교육"이라는 가치를 지향하고 있기 때문에 그렇다).

표 1 세 가지 스포츠철학들(Holowchak & Reid, 2011, p. 163)

M/C Model	Aretic Model	A/R Model
외재적 선	내재적 선과 외재적 선	내재적 선
범경쟁주의	경쟁주의	비경쟁주의
신념확인	지식추구	지식무관심
개인주의	절충주의	통합주의
상업주의	교육	즐김/아름다움

대부분 잘 알겠지만, 나도 대안적인 스포츠교육철학을 지난 25년간 (별 성과도 얻지 못한 채) 연구해왔다. "온전론" 穩全論, 一切論, 하나주의 으로 부르고 있으며, 영문은 "홀리즘" Wholism 이라고 쓰고 있다. "원래대로인 것, 온전한 것, 하나인 것과 원래대로 되는 것, 온전하게 되는 것, 하나로 되는 것" 등의 의미를 담고 있다.〈9〉 홀리즘은 스포츠교육적 가치가 핵심이 되는 체육철학이라는 특징을 지니고 있다.

홀리즘은 스포츠(신체활동, 운동)는 사람에게 심신과 영혼이 있듯이 기적 차원과 도적 차원이 있음을 가정한다. 기技와 도道가 충일한 스포츠가 온전한 스포츠, 즉 호울 스포츠 whole sport 라고 불린다. 지덕체가 온전한 사람을 호울 퍼슨이라고 부르는 것과 동일한 논리이다. 사람은 모두 지덕체(또는 체성, 지성, 감성, 덕성, 영성)로 되어있지만, 각각이 따로따로 작동하거나 충실하게 함양되지 못한다. 이것을 제대로 이루어지도록 하는 것이 교육이며, 스포츠를 통해 진행되는 노력을 스포츠교육이라고 부르는 것이다. 스포츠교육이 없거나 미흡하다면 호울 스포츠는 성취될 수 없게 된다. 스포츠 훈련과 여흥으로는 절대로 얻어질 수 없다.

안과 밖, 겉과 속이 하나되는 온전한 스포츠가 추구되고 성취되어야만(온전한 사람의 경우에서처럼) 스포츠의 장점과 가치가 제대로 우리 삶과 사회 속에서 발현될 수 있게 될 것이다. 지금 우리 한국체육에서 드러나고 있는 모든 심각한 잘못들은 모두 이 온전한 스포츠가 무엇이며 그것을 어떻게 추구해야 할지에 대한 판단 오류에 의한 것이라고 보아도 무방하다. 혹시 그것을 알고 있었더라도, 최우선적 지위를 부여하고 그 실현을 위해서 최선의 노력을 하지 못했다면, 한국체육은 직무유기 또는 배임 혐의를 벗어날 수 없다.

온전한 스포츠를 성취하기 위한 스포츠교육 방안으로 나는 오랫동안 "인문적 체육" Humanitas-Oriented Physical Education: HOPE 접근을 연구해왔다. 현장에서의 실행모형으로 "하나로 수업/코칭" Hanaro Teaching/Coaching 을 개발하여 실천해왔다. 이 접근과 모형에서 특히 차별화된 점은 스포츠를 인문적으로 가르쳐야만 한다는 것과 간접교수 활동이 매우 중요하다는 것이었다.

즉, 스포츠를 소재로 한 시, 소설, 자서전, 수필, 음악, 회화, 조각, 영화 등 문학, 예술 작품들을 핵심으로 가르치도록 한 것이다. 그리고 스포츠교육자들의 말투, 행실, 어조, 어휘, 표정, 용모 등으로 전해지는 간접적 교수효과를 중시한 것이다. 물론, 운동 기능을 직접 실천적으로 습득하는 것과 직접적 지도기교는 여전히 중요하게 여겨진다.

⑼ 홀리즘에 대한 보다 자세한 설명은 졸저 최의창(2018a)과 최의창(2018b) 참조. 인문적 체육과 스포츠, 그리고 관련된 하나로 수업 모형에 대한 소개는 졸저 최의창(2015)과 최의창(2022) 참조. 이 글에서 언급한 스포츠교육철학에 보다 직접적으로 관련된 내용은 최의창(2010) 참조.

직접체험과 간접체험활동, 직접교수와 간접교수활동이 모두 핵심으로 포함되는 것만이 다르다.

정리하자면, 스포츠교육이 중심이 되는 한국체육의 향내적 개혁을 위해서는 "스포츠교육철학"이 핵심적이다. 이 스포츠교육철학은 물론 한국체육철학과도 일이관지 또는 일맥상통하는 것이어야 한다. 기존에는 한국체육철학이 스포츠교육철학을 지배하고 규정하였다면, 이제부터는 스포츠교육철학이 한국체육철학에 빛을 비추고 이끌어나가야 할 것이다. 스포츠교육이 성과와 승리에 매몰된 한국체육을 구출해낼 수 있는 최고의, 그리고 최후의 치료자이기 때문이다. 탐진치 貪瞋痴 의 삼독 三毒 에 빠진 우리 한국사회를 구원해낼 수 있는 것이 교육인 것과 마찬가지 이유인 것이다. 올바른 한국체육을 실현해내기 위해서는 올바른 스포츠교육철학을 정립해나가는 일이 가장 중요한 일이며 최급선무이다.

"한국체육 4.0"을 위한 제언

스포츠교육의 이상에 바탕을 둔 (그리고 그것을 지향하는) 한국체육의 철학적 개혁을 아레티즘이나 홀리즘과 같은 스포츠교육철학에 두었을 때, 우리는 구체적으로 무엇을 어떻게 실천해 나가야 할까? 스포츠교육이 주체가 되는 향외적 개혁과 향내적 개혁의 실질적 조처들은 어떤 것들이 있을까? 나는 편의를 위하여 이렇게 개혁된 한국체육을 "한국체육 4.0"이라고 부르도록 하겠다.⟨10⟩ 한국체육 4.0의 실천(실현)을 위하여

⟨10⟩ 이 분류법은 내가 개인적으로 구분하는 방법이다. 한국체육 1.0은 스포츠 자체가 소개되고 소수의 그룹만이 맛볼 수 있던, 구한말부터 1950년대까지 태동의 시기다. 한국체육 2.0은 전후 혼란스러운 사회 속에서 국민적 통합과 자존감을 유지해주던 1960년대부터 1980년대까지 헝그리 시기다. 한국체육 3.0은 88서울올림픽 이후 스포츠 시설과 프로그램의 확충으로 국민 모두가 즐기면서 누리는 스포츠로 성장하기 시작한 1990년대 이후 최근까지 양적 팽창으로 찬란한 부흥의 시기다. 한국체육 4.0은 2018 평창동계올림픽 전후 시점부터 시작되고 있다. 나는 지금 진행되고 있는 개혁과 변화 논쟁을 그 조짐으로 보고

우선적으로 제안할 수 있는 몇 가지를 소개하겠다.

첫째, 체육을 가르치고 배우며, 훈련하고 시합하며, 즐기고 누리는 모든 과정과 체험들은 운동향유, 자기성장, 공동행복을 추구하는 과정이자 체험이 되어야 한다. 하기를 포함한 다양한 방식으로 향유하고 많은 이들이 함께 즐기며 좀 더 나은 자신이 될 수 있는 과정과 체험이 될 수 있도록 우리의 체육 전반을 바꾸어 나가야 하는 것이다. 나는 이런 새로운 모습의 체육을 "자유교양체육"liberal physical education이라고도 부른다.〈11〉

이를 위해서 "인문적 체육"人文的 體育이 더욱 강조되어야 한다. 수행기량 향상을 도모하는 과학적 체육의 측면도 중요하지만, 운동소양 함양을 추구하는 인문적 체육의 측면도 동일하게 중요하다. 지금까지 경기는 물론 일상에서도 스포츠과학이 지배적으로 강조되었으나, 호울 스포츠교육을 위해서는 과학적 차원과 인문적 차원이(마치 음과 양으로 온전해지는 태극처럼) 균형적으로 추구되어져야 한다. 스포츠인문학(이론)과 인문적 스포츠(실천)에 대한 탐구가 강화되어야 할 것이다.

둘째, 스포츠교육은 모든 국민들이 평생 동안 지속적으로 제공받고 참여해야만 하는 필수적 평생교육으로서 인정받아야 한다. 단순히 유청소년 초중고등학교 학령기에 12년간 필수과목화시키는 것으로는 부족하다. 청년, 장년, 노년에 이르는 전 생애 동안 스포츠를 즐길 수 있는 것은 국민으로서 보장받아야 하는 기본권리라는 인식이 일반화되고 있는 중이다. 기본권은 국가가 보장해주어야 하는 것이다(체육교사도 평생스포츠교육자의 핵심 일원이다).

이를 위해서는 "스포츠교육진흥원"같은 전문 국가기관이 필요하다. "문화예술교육진흥원"이나 "국가평생교육진흥원"같은 기관이 있는 것과는 달리, 스포츠교육을 위한 기관은 아직 없다. 운동을 할 수 있는 체육관과 운동장은 꾸준히 세워지고 있다. 이것은 스포츠를 아직 오락적 여흥이나 건강 유지를 위한 운동 정도로 보는 관점이 팽배해있다

있다. 개인적으로 한국체육 4.0의 가장 두드러진 특징은 체육 실천에 있어서 스포츠교육이 중요하게 여겨지는 것이라고 확신한다. 현대 한국체육에 대한 전반적 이해를 위한 가장 최근의 자료는 Kwak, Ko, Kang & Rosentraub(2018) 참조.

〈11〉 이 용어는 나의 개인적인 것이지만, 생각은 이미 여러 선배 스포츠교육철학자들이 해왔다. 대표적으로 Arnold(1997)와 Charles(2002)가 있다.

는 증거이다. 국민들의 운동소양을 높이기 위한 교육적 차원의 노력이 필요한 영역으로 간주하지 못하고 있는 것이다. 스포츠교육으로서 체계적 연구와 교육과 개발을 위한 전문기관이 절실하다.

셋째, 스포츠교육을 통해서 한국체육에서 얻고자 하는 구체화된 개념이 필요하다. 한국체육 4.0에서 성취하고자 하는 실질적인 대표적 결실을 그릴 수 있도록 하는 개념이다. 현재까지 지배적인 개념으로는 건강과 체력 **health and fitness** 이다. 또는 운동실력 **sport competency** 이다. 나는 최근 대안적 개념으로 "스포츠 리터러시" **sport literacy** 를 소개하고 강조하고 있다. 스포츠 리터러시는 한편으로는 "운동소양"으로, 다른 한편으로는 "운동향유력"으로 이해되어 활용되고 있다.⟨12⟩

스포츠교육을 받게 되면 우리에게는 (능력, 지혜, 심성의 세 차원에서) 운동소양이 쌓이게 된다. 우리는 이 생겨난 능지심 소양으로 운동을 즐길 수 있게, 즉 운동향유력을 발휘할 수 있게 된다. 운동소양은 운동기술이 능한 운동기량(운동소질)을 넘어서서 운동을 하는 것, 아는 것, 느끼는 것을 모두 제대로 할 수 있도록 만든다. 전인적 스포츠인으로서의 자질을 갖춰가게 되며, 당사자가 온전한 사람으로서 성장할 수 있도록 돕는다.

넷째, 스포츠 리터러시를 갖추고 스포츠교육을 온전히 실행하는 전문가, 예를 들어 "스포츠교육사"教育士가 제도화되어야 한다. 지금까지 운영되고 있는 스포츠지도사 자격은 스포츠를 운동기술과 건강운동 수준에서 이해하고 지도하는 것만을 다룰 뿐이다. 이 모든 과정을 "스포츠교육"이라는 차원에서 파악하지 않는다. 운동기술을 습득하여 경기를 잘하게 만들거나, 아니면 즐겁게 여가시간을 활용하여 신체와 정서건강을 도모하도록 최소한의 기술지도를 하는 기능적 전문인으로 간주할 뿐이다.

전인적 교양으로서 몸과 마음을 살찌우는 운동소양은 보다 높은 수준에서 스포츠를 교육할 수 있는 식견과 역량을 필요로 한다. 체계화된 교육을 받아 현재 체육교사 수준

⟨12⟩ Literacy(문자소양/문자향유력) 또는 Numeracy(숫자소양/문자향유력)과 같이 한 단어로 축약한 형태의 "Sporacy"(운동소양/운동향유력)도 사용하고 있다. 운동소양/운동향유력이 없는 상태는 "Issporacy"(운동맹)로 쓴다. 다만, 신조어라서 낯설고, 또 의미를 좀 더 명확히 알리기 위하여 스포츠 리터러시를 선호하고 있다.

의 전문성을 지닌 스포츠교육전문가가 우리 사회에 이미 요구되고 있는 중이다. 다만, 국가체육을 이끌어나가는 리더그룹의 체육철학, 즉 체육관體育觀이 이를 보지도 듣지도 못하고 있는 상황이 문제이다. 한국체육 3.0의 한계인 것이다. 한국체육 4.0을 위해서는 스포츠인문적 교양이 가득 찬 스포츠교육사가 절대적으로 요청될 것이다.

다섯째, 전국에 있는 스포츠(문화)체육센터가 기능센터나 경기센터에서 벗어나, "스포츠 리터러시 센터"로서 재탄생할 수 있도록 지원해야한다. (진천선수촌이나 학교체육관 포함) 모든 체육공간과 시설은 스포츠문화를 체험하고 향유하며 운동소양을 기를 수 있는 스포츠교육센터가 되어야만 한다. 기능습득중심으로 단순히 수영만 하고 태권도만 배우고 농구 경기만 하는 곳을 넘어서서, 수영을 시와 회화로 학습하며, 농구를 소설과 영화로 체험하고, 태권도를 철학과 역사로 배우고 경험하며 창출해내는 스포츠 미술관, 도서관, 공연장, 토론장으로 확장, 심화될 수 있도록 해야 한다.

스포츠 리터러시 센터에서는 특별히 스포츠관련 도서를 소장하고 스포츠관련 미술작품을 전시하는 "스포츠LG"(라이브러리와 갤러리)를 확보해야 한다. 야구, 골프, 축구 등 스포츠를 소재로 한 수필, 소설, 자서전, 사진집, 만화, 경영서 등 온갖 종류의 도서와 시청각자료들을 모아 자유롭게 열람을 가능토록 하는 공간과 자료실(온라인 포함)을 갖추어야 한다. 센터의 복도나 벽에 스포츠 회화나 조각을 전시하거나 스포츠 영상들을 볼 수 있도록 벽걸이 TV를 설치해놓아서 회원들의 운동소양을 높이는 환경을 조성해야 한다.⟨13⟩

⟨13⟩ 다시 한 번 되새기지만, 이 새로운 실천 제언들은 스포츠교육의 이상을 추구하기 위하여 한국체육의 현장과 실천 속에서 변화되어야 할 것들을 중심으로 소개하였다. 한국체육 혁신을 위해서 바뀌어야 하는 것들에 대해서 제안한 스포츠혁신위원회와 대한체육회의 제언들과 한 번 비교해보는 것도 나름 재미를 더해줄 수 있을 것이다.

Ⅵ 결론

개혁의 물결은 우리나라에만 불어 닥치는 것이 아니다. 세계적 동향이다. 스포츠선진국에서는 스포츠를 국가발전의 매우 중요한 영역으로 간주하며, 스포츠발전을 위한 체계적 계획과 적극적 지원을 아끼지 않고 있다.⟨14⟩ 국가 체육 전반의 개혁은 물론, 학교체육이나 전문체육의 분야별 개혁도 함께 진행시키고 있다. 예들 들어, 스포츠교육학자인 Lawson(2018)은 "체육교육 리디자인하기"를 주장하고 있다. 그는 모든 사람들이 혜택을 받을 수 있는 체육교육 시스템을 언급하면서, 체육교육 그리고 그에 직접적으로 연관된 체육 분야 전반에 대한 재구조화를 촉구하고 있다.

한국체육은 분명히 변혁기에 있다. 어떤 방향으로, 어떤 모습으로 어떤 변모할지는 아직 예측하기 어렵다. 어쩌면 현실은, 대다수가 기대하는 것처럼, 변혁의 규모가 그리 크지도 않고, 그리 근본적이지도 않을 수 있다. 속도도 느리게 진행될 수 있다. 하지만, 변화는 확실히 우리 앞에 주어질 것이다. 이런 느낌 자체가 이미 진행되고 있음을 간접적으로 알려주는 증거일 수 있다. 간절히 바라던 변화인 만큼 지나치게 성급하게 서둘러서는 안 될 것이다. 표피적 개혁에 만족해서도 안 될 것이다.

이제, 언뜻 보기에 직접적 연관성이 부족하다는 느낌이 들 수도 있지만, 내가 최근 읽은 한 책의 말미를 길게 소개하면서 마무리하도록 하겠다. 이 조언은 지금부터 한국체육 4.0을 만들어 나가는 데에 있어서 우리는 어떤 태도가 필요하며, 어떤 자질을 지닌 스포츠전문인이 필요할까에 대한 중요한 시사점을 던져준다. 그리고 스포츠교육이 왜 그것을 이끌어가야 하는지에 대한 값진 힌트를 남겨준다.⟨15⟩⟨16⟩

⟨14⟩ 최신의 해외 스포츠육성 체계와 정책 동향을 비교분석한 조현주(2016), De Bosscher, Shibli, Westerbeek & Van Bottenburg(2015), Scheerder, Willem, & Claes(2017), 향후 20년간의 국제스포츠동향을 파악한 하계올림픽국제연맹(ASOIF)(2019), 국가 스포츠개발 장기계획을 가장 최근 준비한 Sport Australia(2019), 또는 뉴질랜드에서 학교체육, 생활체육, 전문체육의 통합의 실천노력 사례를 보여주는 Astle, Leberman & Watson(2019) 등 참조.

⟨15⟩ 스포츠교육학자 Kirk(2010)는 만약 그렇지 못할 경우에는 스포츠교육이 아예 사라질 수 있는 미래의

그리하여 물으셨던 조언 한마디를 알려드립니다—"뒤처졌다고 느끼지 마세요." 줄리어스 시저가 청년이던 시절 스페인에서 알렉산더대왕의 동상을 보자 눈물을 터트렸다고 두 명의 로마 역사가가 기록하였습니다. "내 나이때 알렉산더는 수많은 국가를 정복하였다. 그런데 나는 이때까지 역사에 남길만한 것을 아무것도 성취한 것이 없네"하면서 말입니다. 그런데 얼마가지 않아 이런 걱정은 먼 과거가 되어버렸고, 시저는 로마공화국의 지배자가 됩니다(그런데 또 얼마안가 독재 권력에 빠지면서 절친들에게 살해당하게 되지만요). 최고 능력을 지닌 대부분의 어린 운동선수들처럼 시저도 조기에 최고조에 다 달았다고 말할 수 있습니다. 자신을 어제의 자신과 비교하십시오, 자신이 아닌 다른 더 어린 사람과 비교하지 마시고요. 모든 사람은 각기 서로 다른 비율로 나아집니다. 그러니 다른 누구보다 자신이 뒤처졌다는 생각을 스스로 하지 마세요. 당신은 정확히 어디로 향하고 있는지 지금 잘 모를 수도 있으며, 그래서 뒤처졌다는 느낌은 더욱 도움이 되지 않습니다. 그 대신에 실험을 계획하고 준비하세요. 자기 스스로 선택한 이런저런 실험적 시도 노력이요.

미켈란젤로가 대리석돌에 대해서 취했던 접근방식을 여러분 자신의 개인적 여정과 과업들에 대해서 취해보세요. 시도해나가면서 새롭게 배우고 적절히 적응하면서, 때로 그럴 필요가 발생하면 이전의 목표를 폐기하거나 심지어는 완전히 방향을 바꾸는 것조차도 두려워마세요. 기술공학적 혁신영역에서부터 만화책 분야

가능성에 대해서 언급하고 있다. 그는 스포츠교육의 미래를 현재와 그리 달라질 것 없는 경우, 완전히 근본적으로 달라질 경우, 그리고 아예 서서히 사라질 경우로 나누어서 살펴보고 그 결과는 우리의 손에 달려있음을 알려주고 있다. 한국체육 4.0을 가능토록 하는 스포츠교육은 두 번째 경우에 가능할 것이다. 그런 스포츠교육에 어떤 이름을 붙여주어야 할까? 나는 "스포츠교육 4.0"이라고 부르고 싶다.

⟨16⟩ 여기서 본 글은 마무리되지만 가장 중요한 것이 아직 남아있다. 그것은 "스포츠교육을 사랑하고 실천하는 한 개인으로서 나는 어떻게 생각하고 판단하고 실천해야할 것인가"라는 문제이다. 이것은 독자 여러분 각자의 몫이다. 여러분 각자는 체육교사, 운동코치, 무용강사겠지만, 근본적으로는 모두가 스포츠교육자임을 먼저 받아들이는 자세가 요청된다. 그리고 스포츠교육인으로서 나의 스포츠교육철학은 어떤 것인가, 그것은 한국체육 4.0과 어떻게 관련될 수 있는가, 나는 어떤 체육수업, 선수코칭, 운동강습, 건강지도를 실천해내야 하는가 등의 질문들을 묻고 답을 찾고 시행착오를 거치면서 생각과 실천을 계속 세련화시켜야 한다. 개개인들의 선호와 선택에 달린 문제이지만, "스포츠 리터러시"에 대한 관심으로 시작하면 약간의 도움이 될 수 있을 것이다.

에 이르는 다양한 분야의 창작자들에 대한 연구에 따르면, 스페셜리스트들로 이루어진 그룹이 아무리 여럿 있어도 폭넓은 소양과 경험을 지닌 사람들이 공헌하는 부분을 완전히 없애지는 못한다고 합니다. 어떤 한 직업영역에서 완전히 다른 분야로 이직을 하더라도, 이전의 경험은 전혀 쓸모없는 것이 되지 않아요.

　이제 마무리 하겠습니다. 스페셜라이제이션, 즉 전문화는 그것 자체로는 당연히 잘못된 것이 아닙니다. 우리는 모두 인생의 어떤 한두 시점에, 한두 가지 어떤 것에 전문화되어있지요. 제가 이 주제에 처음 관심을 가지게 된 것은 생애초기의 고도전문화를 일종의 인생해결책, 즉 다양한 체험과 실험들로 낭비된 시간을 단칼에 절약해주는 하나의 처방전으로 추천하는 관련 논문들을 읽고 관련 학술회의에 참석하면서부터였습니다. 이 책에서 지금까지 전해드린 제 생각이 이런 논의에 새로운 아이디어를 덧붙여주는 것이기를 바랍니다. 수많은 영역에서의 연구들이 정신적 방황과 개인적 실험은 역량의 원천이 됨을, 반면에 일찍 시작하는 것의 효용성은 과대평가되었다는 점을 알려주고 있습니다. 대법관 올리버 웬델 홈스는 백 년 전 자유롭게 각자의 생각을 교환하는 것에 대해서 이렇게 적었습니다. "이것은 하나의 실험입니다, 인생 전체가 하나의 실험인 것처럼 말이죠."(Epstein, 2019, pp. 290-291)

참고문헌

교육부(2013). 학교체육 활성화 추진계획. 서울: 교육부.

교육부(2017). 학습권 보장을 위한 체육특기자제도 개선방안. 세종: 교육부.

김기범(2019). 지금이 바로 '골든 타임'이다. 서울스포츠, 3월, 12-13.

김옥천, 임수원, 전원재(2016). 학생선수 학습권 보장을 위한 e-school 운영의 문제점과 향후과제. 한국스포츠사회학회지, 29(2), 41-66.

구효송(2014). 한국스포츠의 근본적인 변혁을 위한 정책 제안. 입법정책, 8(2), 112-142.

박종홍(1952). 철학개설. 서울: 박영사.

이민표(2019). 학교체육 현주소와 학교체육진흥회의 역할. 2019 스포츠교육한마당 자료집(pp. 27-46). 서울: 한국스포츠교육학회.

유창완(2017). 학교체육 활성화 정책사업 운영실태 및 성과분석 연구. 서울: 한국교육과정평가원.

문화체육관광부(2018). 2030스포츠비전: 사람을 위한 스포츠, 건강한 삶의 행복. 세종: 문화체육관광부.

문화체육관광부(2021). 2020 체육백서. 세종: 문화체육관광부.

신선윤, 조운용, 김범준(2014). 스포츠를 통한 사회공헌활동 활성화 방안: 국민체육진흥공단을 중심으로. 한국체육학회, 53(5), 277-291.

제성준, 손천택(2018). 대한체육회 통합에 따른 학교 클럽스포츠와 엘리트체육의 개선방안. 한국초등체육학회지, 24(1), 87-100.

정재용(2019). 스포츠선진국도약을 위한 혁신전략과 정책: 한국형 스포츠개발 모형. 2019 대한민국 체육교사축전. 천안: 상명대학교.

정현우(2017). 유청소년 스포츠정책 방향 및 과제수립을 위한 연구. 서울: 한국스포츠개발원.

유재구(2019). 스포츠혁신의 정책적 담론 분석. 한국스포츠엔터테인먼트법학회, 22(3), 21-43.

조현주(2016). 해외 스포츠정책 동향 분석. 서울: 한국스포츠개발원.

최의창(2010). 가지 않은 길 2. 서울: 레인보우북스.

최의창(2015). 가지 않은 길(개정판). 서울: 레인보우북스.

최의창(2018a). 스포츠 리터러시. 서울: 레인보우북스.

최의창(2018b). 코칭이란 무엇인가? 서울: 레인보우북스.

최의창(2022). 인문적 체육교육과 하나로 수업(제2판). 서울: 레인보우북스.

Arnold, P. (1997). *Sport, ethics and education.* London: Cassell.

Association of Summer Olympic International Federations(2019). *Future of global sport.* Lausanne: Switzerland.

Astle, A., Leberman, S., & Watson, G. (2019). *Sport development in action: Plan programme and practice.* London: Routledge.

Charles, J. (2002). *Contemporary Kinesiology*(2nd ed.). Champaign, IL: Stipes Publishing.

De Bosscher, V., Shibli, S., Westerbeek, H., & Van Bottenburg(2015). *Successful elite sport policies.* Hong Kong: Meyer & Meyer Sport..

Epstein, D. (2019). *Range: Why generalists triumph in a specialized world.* New York: Riverhead Books.

Holowchak, A., & Reid, H. (2011). *Aretism: An ancient sports philosophy for the modern sports world.* New York: Lexington Books.

Kirk, D. (2010). *Physical education futures.* London: Routledge.

Kwak, D., Ko, Y., Kang, I., & Rosentraub, M. (2018). *Sport in Korea: History, development, management.* London: Routledge.

Lawson, H. (Ed.)(2018). *Redesigning physical education: An equity agenda in which every child matters.* London: Routledge.

Robinson, D., & Randall, L. (Eds.). *Social justice in physical education: Critical reflections and pedagogies for change.* Toronto, Canada: Canadian Scholars Press.

Ronkainen, N., & Nesti, M. (2019). *Meaning and spiritualty in sport and exercise: Psychological perspectives.* London: Routledge.

Sandle, D., Long, J., Parry, J., & Spracklen, K. (Eds.)(2013). *Fields of vision: The arts in sport.* UK, LSA.

Scheerder, J., Willem, A., Claes, E. (2017). *Sport policy systems and sport federations: A cross-national perspective.* Switzerland AG: Springer.

Sport Australia(2019). *Sport2030.* Canberra: Australia.

Chapter **11**

스포츠교육학 분야의 질적 연구

● ● ● ● ● ● ● ● ● ● ●

　본 장에서는 스포츠교육학에서 질적 연구가 어떻게 전개되어왔으며, 현재 어떠한 상황인지에 대한 이야기를 들려준다. 지난 30년간 스포츠교육학 연구자로서 나의 개인적 연구관심 세 가지를 중심으로 스포츠교육학에서의 질적 연구의 발전과 현황에 대해서 대략적으로 소개한다. 가장 먼저, 체육학 분야에서 질적 연구의 태동이나 본격적 논의가 전개된 모양새를 살펴본다. 질적 연구에 대한 관심과 인식론적 논쟁을 야기한 패러다임 전쟁, 다양한 질적 연구방법론 등, 질적 연구에 관한 논의의 개념적, 이론적 측면에 대하여 알아본다. 다음으로 질적 연구의 여러 가지 장르 가운데에서도 나의 개인적 취향을 반영한 특정의 질적 연구방법론을 들여다본다. 실행연구로 불리는 이 방법론과 함께 현장실천가연구라는 커다란 가계 내 친인척 관계에 있는 다른 방법론들이 교육학과 체육학에서 어떤 상황에 있는가를 파악한다. 그리고 질적 연구에서의 글쓰기에 관한 내용에 대한 나의 경험을 다루면서 체육학에서의 동향을 둘러본다. 한국 스포츠교육학에서 관심을 주목해야 할 세 가지 주제들에 대해 제안하면서 하프 라이프 스토리를 마무리한다.

Ⅰ 이야기 틀잡기

"원래부터 불가능한 일", "힘들이면 가능한 일", 그리고 "그냥 되는 일"이 있다. 이 주제는 첫 번째 경우다. "스포츠 분야의 질적 연구"를 타전공자들에게 소개하고 설명하는 것. 이것은 원래부터 불가능한 일이다. 특히, 나 같은 사람에게는.

두 가지 이유가 있다. 첫째, 60대에 들어선 나는, 질적 연구의 최근 동향에 그다지 업데이트 되어있지 못하다. 질적 연구 전반과 체육학에서의 질적 연구 모두 다 그렇다. 1992년 박사학위를 받은 이후 30년이나 지난 사람이 그 분야의 최근 동향을 묻는 일에 답하는 것은 무리다. 이미 중견연구자의 끝 무렵에서 머뭇머뭇 느린 발걸음으로 원로연구자 구역으로 향하는 내게 질적 연구의 "최근"은 아무리 가까이 잡아도 10년 전 즈음이기 때문이다. 물론, 예전에는 이렇지 않았다. 나는 질적 연구의 동향과 관련하여 체육분야에서 연구 동향을 정리하는 일을 주기적으로 해왔던 이다(최의창, 1994, 1995, 1998, 2001). 하지만, 다 지난 일이다. 난 한물간 배우, 두물간 선수에 불과하다. 그 정도로 감을 잃은 것이다.

둘째, 스포츠연구(이하 체육학으로 통칭) 분야가 너무도 확장되고 세분화되어서 한 사람이 종합적으로, 그것도 최근 동향을, 정리하는 것 자체가 불가능하다. 1990년대 초반까지만 하더라도, 체육학 분야의 질적 연구는 사회과학영역의 두세 곳의 하위 학문영역에서 극소수 연구자들만 실천하고 있었다. 스포츠사회학과 스포츠교육학이 대표적 하위영역이었다. 이후 스포츠심리학에서도 조금씩 연구가 진행되기 시작하였다. 이 정도가 전부였다. 그래서 종합적으로 정리하는 것이 가능했다. 하지만, 체육학분야가 다양한 영역으로 확산되면서, 세분화된 하위 학문분야들이 많이 생겨났고, 질적 연구를 상당히 선호하는 경향을 보이게 되었다. 최근 한 서적에 의하면(Maguire, 2014), 체육학의 사회과학 하위영역들이 분명히 구분되는 것들만으로도 스포츠철학, 스포츠역사, 스포츠심리학, 스포츠인류학, 스포츠사회학, 스포츠지리학, 스포츠미디어, 스포츠경제학, 스포츠정치학, 스포츠국제관계학, 스포츠법학, 스포츠정책학, 스포츠행정학, 스포츠교육학 등 14개이다. 영어저널만도 수십 종이 넘는다.

그럼에도 불구하고, 나는 무엇인가 써서 내야만 한다. 질적 연구와 관련하여 체육학 분야에서의 경향을 다른 분야의 연구자들에게 흥미롭게 소개해드려야만 하는 것이다. 그리하여, 이 일은 그 자체가 가능하지 않을 뿐만 아니라, 가능하더라도 독자의 흥미를 끌 수 있는 여지도 거의 없다. 도대체가 체육학에 대한 이해와 관심이 있는 사람이 몇 명이나 될 것인가 말이다. 그리하여, 결국, 나로서 택할 수 있는 유일한 방도는 "틀잡기" framing 이다. 내 능력으로 할 수 있고, 독자의 흥미를 끌 수 있는 내용과 형식으로 주제를 해석하여 재규정하고 한정하는 것이다.

결론부터 이야기하자면, 나는 그 틀을 다음과 같이 잡기로 하였다. 세 가지다. 가장 먼저, 나는 체육학에서의 질적 연구에 대해서 말하지만, 나를 사례로, 나의 개인적 관심을 중심으로 말하도록 하겠다. "체육학"은 불특정 다수의 집단, 제3자적 느낌을 줄뿐인 대상이다. 하지만, "최의창"은 지금 이 글을 쓴 특정인이다. 내가 어떤 연구관심과 연구 경향을 유지해왔는지 설명하면서 관련되는 체육학의 동향들을 덧붙이도록 할 것이다.

두 번째, 그래서 필연적으로 스포츠교육학 영역을 중심으로 내용이 전개될 것이다. 나는 체육학의 다양한 하위 학문 분야 가운데에서도 체육수업을 잘하는 것, 좋은 체육 교사를 준비시키는 것을 다루는 스포츠교육학을 전문연구영역으로 삼고 있다. 그리고 주된 연구의 바탕은 일반교육학 분야의 전문이론과 연구방법론이다. 일반 교육학 분야 와의 관련 하에서 스포츠교육학적 관심과 동향을 다루도록 할 것이다.

세 번째, 여러 내용들 가운데서도 나는 특별히 3가지에 초점을 맞추어서 내용을 소개할 것이다. 가장 먼저, 체육학 분야에서 질적 연구의 태동이나 본격적 논의가 전개된 모양새를 살펴본다(제2절). 내가 처음으로 어떻게 질적 연구에 관심을 가지게 되었는가를 출발점으로 삼겠다. 질적 연구에 대한 관심과 인식론적 논쟁을 야기한 패러다임 전쟁, 다양한 질적 연구방법론 등, 질적 연구에 관한 논의의 개념적, 이론적 측면에 대하여 살펴본다.

그다음으로, 질적 연구의 여러 가지 장르 가운데에서도 나의 개인적 취향을 반영한 특정의 질적 연구방법론을 살펴본다(제3절). 그것은 교육현장에서의 실천을 강조하는 것으로서, 교육실천의 개선을 의도적 목표로 삼아 진행되는 현장교사가 주축이 되는 연구다. 통상적으로 가장 널리 알려진 명칭은, 액션리서치다. 실행연구로 불리는 이 방법론과 함께 "현장실천가연구"라는 커다란 가계 내 친인척 관계에 있는 다른 방법론들이 교육학과 체육학에서 어떤 상황에 있는가의 경향성에 대해서 살펴본다.

마지막으로, 질적 연구에서의 글쓰기에 관한 내용에 대한 나의 경험을 다루면서 체육학에서의 동향을 살펴본다(제4절). 질적 연구에서는 자료를 모으고 분석하는 방식에 못지않게, 분석한 결과를 어떤 형식과 방식으로 "재현하고 전달하는지"가 하나의 커다란 개념적 논의거리이자 실천적 고민거리다. 양적 연구와 같이 객관적이고 사실 위주의 글쓰기는 그다지 환영받지 못한다. 최근 질적 연구에서의 글쓰기는 개인적이면서도 모든 이와 공유가 가능해야 하고, 주관적이면서도 많은 이와 소통이 원활해야만 하는, 기술보다는 예술에 가까운 활동으로 간주되고 있는 실정을 살펴본다. 물론, 체육학에서의 이런 경향은 아직 요원하지만 말이다.

본 장에서는 스포츠연구 분야의 질적 연구를 다루되, 스포츠교육학이 주된 등장 배경이 된다. 수많은 연구자들을 몽땅 출연시키는 대신에, 내가 주인공이 되어 그동안의 연구관심과 연구활동에 대하여 1인칭적 관점에서 내레이터가 된다. 약 삼십여 년간 진행된 다양한 연구경향들과 주요 연구주제들을 요약하여 나열하는 대신에, 가장 중요하다고 판단되는 3가지 측면에 하이라이트를 비춘다. 이 모든 이야기를 나눈 뒤, 앞으로 스포츠연구에서의 질적 연구가 어떤 방향으로 진행되었으면 하는지에 대한 세 가지 개인적 바람으로 마무리한다(제5절).

 ## II 리서치 패러다임, 질적 연구, 다양성

그러니까, 그게 서울올림픽이 열렸던 때였던 것 같다. 1988년. 아니, 정확히는 그 다음 해 9월. 내가 질적 연구 수업을 처음 들었던 시기가 말이다. Judith Preisley Goetz 박사의 〈질적연구1〉 수업이었다. 물론, 유학 초기부터 수업과 독서를 통해서 질적 연구에 대해서 호기심이 크게 차있던 상태였다. 나를 맡아준 지도교수가 그 당시 체육분야에도 서서히 퍼지기 시작한 질적 연구의 옹호자였다. 그래서 나도 관심을 가져야 했지만, 수강은 오로지 나의 자발적 선택이었다.

고등학교에서 문과였던 나는 대학과 대학원에서 논문작성을 위해 필수로 들어야만 했던 통계학에 그다지 흥미를 느끼지 못했다. PhD 학위과정을 택한 유학시절에도 연구법과 통계학은 필수였지만, 나는 최소한의 통계학(2과목)과 두 개의 질적 연구법을 선택해서 들었다. 그 첫 번째가 Goetz 박사의 것이었고, 그다음으로 들은 두 번째는 Sharan Merriam 박사의 것이었다. 이 두 사람은 각각 자기의 질적 연구법 서적을 가지고 있었고, 모두 베스트셀러들이었다. 전자(Goetz & LeCompte, 1984)는 이미 초창기 대가였고, 후자는 떠오르는 별이었다(Merriam, 1988).

나는 마른 스펀지에 빗물이 스며들듯, 급속도로 질적 연구의 세계에 빠져들어 갔다. 그리고 계속 새로운 지식을 얻어가면서, 나는 연구기법들을 넘어서 연구방법철학이나 인식론적 차원에 더욱 흥미를 느꼈다(Howe, 2001; Phillips, 1987). 무엇이 올바른 지식인가? 올바른 지식을 생산하는 올바른 방법은 무엇인가? 지식을 안다는 것은 무엇을 의미하는가? 등등. 사회과학철학 분야의 인식론적 질문들에 끌리면서 연구방법철학론 서적을 닥치는 대로 찾아보았다("다 읽어보았다"고 적고 싶지만 연구윤리상 정직하겠다). 나는 소위 말하는 "패러다임 논의"에 매료당한 것이다.

교육학 분야에서 격렬히 진행되던 "패러다임 전쟁"**paradigm war**을 흥미진진하게 관전하였다(Gage, 1989). 1990년대 초만 해도 아직까지 교육학 분야에서는 질적 연구와 양적 연구의 장단점에 대한 인식론적 논쟁이 격렬히 벌어지던 시기였다. 많은 지지자들 가운데에서도 특히 Eliot Eisner의 논지가 나의 주의를 끌었다. 그는 질적 연구주의자 중에서도 풍부한 어휘와 수사가 있는 문장을 펼쳐 보였고, 예술적 시각에서 질적 연구의 가치를 설득력 있게 풀어내는 등 여타의 학자들과는 차별되는 논지를 펼쳤다(Eisner & Peshikin, 1990). 그가 "박사학위논문으로 소설을 써서 낼 수 있는가?"라는 주제로 스탠퍼드대 동료교수인 하워드 가드너와 벌인 논쟁은 이미 전설이 되어있었다.

내가 이런 패러다임 논쟁에 눈과 귀를 돌린 것은 한 권의 책 때문이었다. 그것은 Carr & Kemmis(1986)가 교육연구와 교육실천의 본질과 관계를 철학적으로 풀어낸 책으로, 하버마스의 "휴먼 인터레스트"(Habermas, 1986) 지식론에 근거한 3가지 패러다임을 교육연구와 실천철학에 적용한 저술이다. 실증적 관심, 해석적 관심, 그리고 비판적 관심에 근거해서 3가지 교육연구와 실천의 패러다임을 구분하고, 본인들은 비판적 교육연구 및 실천 패러다임을 가장 올바른 것으로 선택하고 있었다. 지식이 가진 해방적 파워, 현실과 현장 개혁의 힘, 이론과 실천의 상호융합적인 관계 등등. 당시 이십 대 중반이던 젊은 연구자의 혈기를 펄펄 끓어오르게 만들었다.

이들의 주장은, 실증적 관심에 근거한 실증주의적 연구 패러다임 지식의 가치, 그리고 교육현장을 나아지게 만드는 데에 한계가 있다는 것이었다. 해석적 관심에 근거하여 막 관심을 받기 시작한 인류학적, 사회학적 질적 연구도 교육현상의 "이해"에 초점을 둔 것은 마찬가지다. 교육현상의 "개선"을 위해서는 비판적 관점에 의해 생산된 지식만이 가장 큰 힘을 발휘한다는 것이다. 이들의 연구는 비판이론학파의 대가인 하버마스가 주장한 "지식형성의 관심" **knowledge constitutive human interests** 이론을 교육분야에 충실히 적용한 역작이었다. 이 책은 그 당시 비판적 교육이론과 실천가들에게 바이블 역할을 해주었다.

체육분야에는 "패러다임 전쟁"의 지역전투에 해당하는 일이 있었다. 스포츠교육학분야에서 유명한 "엑소시스트" 논쟁이었다. 이제 막 발을 들여놓은 한 젊은 연구자(Schempp, 1987)가 체계적 관찰 기법을 기본으로 한 양적 분석에 경도되어 있던 체육수업 및 교사교육 연구에 대해서 강한 비판을 했다. 그것을 그 당시 최고권위의 연구자(Siedentop, 1987)가 격하게 되받아치고, 또 그에 대해 다른 반론을 제기한 것이다. 최고권위자는 그 글에서 질적 연구주의자들이 사람에게 덧씌워진 악마를 몰아내는 의식을 펼치는 퇴마사(엑소시스트)처럼, 체육학을 장악한 양적 연구를 몰아세우며 쫓아버리려는 행위를 하고 있다고 반박했다.

이에 더하여, 해석적 질적 연구자와는 다른 관점에서 비판적 질적 연구자들이 등장하게 되었다. 주로 호주와 영국에서 교육과정사회학과 스포츠사회학의 이론을 기반으로 학교체육과 체육수업을 이해하는 연구자들이었다(Evans, 1988; Kirk & Tinning, 1990). 이들도 역시 실증주의적 스포츠교육연구에 대한 신랄한 비판과 함께, 체육수업의 권력관계를 비판적으로 분석하고 실천현장의 변혁을 강조하는 비판적 교육연구를 강조하였다(McKay, Gore & Kirk, 1990; Tinning, 1992). 이들은 비판적 교육사회학의 이론적 배경을 바탕으로 미국 중심의 질적 연구들이 체육수업과 교사교육 실천현상을 수동적이고 관조적으로 세밀하게 이해하는 수준에 머물러 있다고 주장하였다.

일반 교육학 분야와 유사하게, 스포츠교육학 분야에서 1980년대 초반과 1990년대 초반에 이르는 약 10년간은 질적 연구와 양적 연구 진영 간의 논쟁이 펼쳐졌다. 1990년대 중반 이후에는 소모적 논쟁은 지양하고 서로 양립하는 화해와 인정의 분위기로 바뀌었다. Sparkes(1992)는 스포츠연구분야에서 질적 연구 패러다임에 관한 개념적 논의를 가장 수준 높게 진행시킨 연구자였다. 그는 사회학, 심리학, 인류학 등을 망라한 사회과학방법철학에 대해서 광범위한 이론적 논의를 섭렵한 후에, "다양한 목소리" polyvocality 가 널리 퍼져야 한다는 공존의 논리를 제시하였다. 약 10년간의 논쟁을 겪은 뒤, 1990년대 중반 이후 스포츠교육학 분야에서는 연구방법론에 대한 소모적 논쟁이 거의 자취를 감추게 되었다. 이 당시 나는 한 리뷰(최의창, 2001)에서 이렇게 적었다.

> 최근 들어서는 양적연구와 질적연구의 단점을 들춰내고 장점을 강조하며 각 관점의 상대적 우월성을 부각시키려는 연구는 거의 찾아보기 어렵게 되었다. 일반 사회과학 분야와 교육학 분야에서도 이제는 대립적 논쟁의 단계는 훨씬 넘어섰으며, 질적 연구자들도 질적 연구의 학문적 타당성에 대한 근본적이지만 지루한 논리를 재차 강조해서 펼치지 않아도 되는 수준이 되었다. 그만큼 질적 연구에 대한 이해가 보편화된 것이다. 1990년대 후반 들어 체육분야에 연구 패러다임에 대한 논쟁이 이해와 타협의 단계로 접어든 것도 이러한 분위기와 무관하지 않을 것이다. (pp. 329-330)

1990년대 체육학 분야에서 가장 선도적이고 폭넓게 질적 연구에 대해 고민하고 소개한 이는 Sparkes(1992)다. 현상학적 접근, 라이프 히스토리, 담론 분석, 페미니스트 리서치, 사례연구, 액션 리서치, 민속기술지 등 그 당시 가능했던 모든 질적 연구방법을 활용해서 진행한 연구사례들을 소개하고 있다. 연구의 맥락과 대상들도 다양해서 예비체육교사, 아동, 행정가, 레즈비언 체육교사, 남성 및 여성체육교사 등이 포함되고 있다. 체육교육에 초점을 맞춘 Armour & Macdonald(2012)의 질적 연구방법론 분류에는 사례연구, 내러티브 리서치, 액션 리서치, 비주얼 메소드, 근거이론, 담론분석 등이 포함되었다. Sparkes & Smith(2014)는 체육학의 독자적 질적 연구방법론을 다루면서 민속기술지, 현상학, 근거이론, 라이프 히스토리와 내러티브, 사례연구, 및 비판적 연구의 여섯 가지를 소개하고 있다.

 ## III 액션 리서치, 교사 연구, 현장실천가 연구

패러다임 논쟁의 이론적 측면에 관심을 가진 것과 함께, 나는 실천적 측면에도 주의를 쏟고 있었다. 나는 교육학은 실천학문이라고 굳게 믿고 있었고, 결국 교육현장의 개선이 교육을 연구하는 궁극적 이유라고 확신하였다. 교육연구는 교육이론과 교육실천을 연결시키는 매개체라고 생각했다. 연구를 통해서 이론은 실천화되고 실천은 이론화되는 것이다. 교육연구는 교육이론을 위해서도, 교육실천을 위해서도 필수불가결한 요소인 것이다. 나의 이런 사고방식은 Carr & Kemmis(1986)가 선봉에 나서 널리 전파한 "액션 리서치" action research 에 영향받은 것이었다. 이들은 교육을 개선하는 가장 적합한 연구는 바로 액션 리서치라고 주장하였다.

액션 리서치에 관하여 처음 알았을 때는 단순히 "현장을 강조하는 연구"라고 생각했다. 그런데, 자세히 알고 보니 그 밑에 깔려있는 인식론과 존재론, 그리고 윤리적 가정들은 올바른 지식, 올바른 교육, 올바른 실천을 바라보는 근본적인 사고방식 수준에서 내가 아는 기존의 것들과 상이한 것이었다. 교육연구의 주인과 주체가 송두리째 바뀌는, 그러한 사고방식이었다. 교육연구는 교수와 박사들의 것이 아니었다. 교사와 학생들의 것이었다. 교사와 학생은 연구대상자가 아니라 연구참여자였다. 교육연구에 적극적 참여자였고 공동수행자였다. 연구의 과정과 실천의 과정이 따로 간주되지 않았다. 교사와 학생이 실천하는 수업의 과정이 바로 연구가 되어야 한다고 했다. 액션 리서치는 바로 이런 혁신적 교육관과 연구관을 지닌 아이디어이자 연구방법론이었던 것이다.

이론적 측면에서도, 생산과 소비의 분리는 실제의 개선이 의미 있고 신속하게 가능하도록 하는데 커다란 장애물이 된다. "연구—개발—보급—이해—적용"의 유통과정을 거치는 동안 여러 단계에서 왜곡과 비효율이 발생할 가능성이 있으며, 개발자와 적용자 간의 의사소통이 신속하게 이루어지지 않도록 한다, 소비자는 개발의 과정에 적극적으로 참여하지 않아 무비판적 수용의 위치에 있게 될 수 있다. 여러 가지 부작용과 비효율을 막기 위해서 가장 바람직한 유통과정은 당연히 최종 소비자에 의해서 주도되고 실천되는 경우일 것이다. 교육실제의 개선에 있어서는 소비자가 바로 생산자가 되는 자급자족의 원리가 효과적이다. 교사가 자신의 수업을 향상시키는 데 필요한 진단과 처방을 스스로 내리는 자기치료능력이 있을 때, 자신의 교육활동을 가장 효과적으로 개선시킬 수 있다는 것이다. 이 점에서 이 같은 접근은 "교사중심적, 안에서 안으로 방법"이라고 말할 수 있을 것이다. (최의창, 1998, p. 377)

그리하여, 한편으로 질적 연구패러다임에 대한 이해를 갖추게 된 나는, 다른 한편으로는 그 구체적 실행방식을 선택해야만 했다. 질적 연구에는 다양한 "전통들"이 있었다. 민속방법론, 사례연구, 에스노메소돌로지, 에스노드라마, 내러티브연구 등등. 그런데, 나는 액션 리서치에 이끌렸던 것이다. "이해" **Verstehen** 를 중시하는 사회과학적 전통에서 개발된 연구방법론들보다는 실천을 강조하는 교육학적 관점에서 제안된 연구방법론을 더 선호했던 것이다. 1980년대 들어 영어권 국가들에 태풍처럼 휘몰아친 액션 리서치 붐은 영국에서 시작되어, 호주에서 성숙되고, 미국에서 큰 성황을 이룬 실천방법이다.

영국에서 "교사연구자" **teacher as researcher** (Stenhouse, 1975) 운동이 시작되고 성장하게 되었다. 호주에서는 Deakin 대학을 중심으로 비판적 액션 리서치 그룹이 대거 등장했고, 미국에서는 Wisconsin 대학의 교수와 졸업생들이 교사교육의 주요 방안으로 적극 전파에 나섰다(Elliott, 1991). 1990년대 중후반을 휩쓴 반성적 수업 **reflective teaching** 과 반성적 교사교육 **reflective teacher education** 의 아이디어와 융합되면서 2000년대까지 광풍처럼 전 세계적으로 번져나갔다. 영원한 난제였던 교육이론과 실천의 관계를 해석하는 명료한 관점, 그리고 대학연구자들에 의해 떠밀려나버린 교사와 현장을 교육지식의 중심에 재위치시켜 놓는 자세가 많은 사람들의 지지를 받은 덕분이었다.

그런데, 나는 액션 리서치라는 방법에만 고개를 묻은 것은 아니었다. 당시 미국 내에는 액션 리서치 이외에도 일군의 연구자들이 교사가 중심이 되는 연구 패러다임을 찾아내는 중이었다. 영국 교육과정 학자인 Lawrence Stenhouse(1975)의 아이디어를 근거로 하여 "교사연구" Teacher Research (박지애, 2012; Cochran-Smith & Lytle, 1993)를 하나의 커다란 질적 연구의 패러다임 속에 위치시켜 놓는 움직임을 시작하고 있었다. 이들은 액션 리서치와는 다른 인식적 논거를 바탕으로 교사연구의 방법론적 정당화를 마련하면서 그 독자적 모습을 주장하였다. 또한 캐나다 연구자들이 일정 부분 영향력을 가지고 있던 교육과정 분야에서는 "교사 내러티브" 연구의 아이디어가 각광을 받게 되었다(Clandinin & Connelly, 2000). 교사의 개인적 지식이 매우 중요한 교육적 지식의 한 가지임을 인정하는 것이었다.

1990년대 중반 이후에는 이처럼 미국 내에서 교사와 현장이 중심이 되는 다양한 연구방법론들이 난립하게 되었다. 매우 복잡해진 지형도를 정리하기 위해서 이 분야의 리더였던 Zeichner & Noffke(2001)은 〈수업연구핸드북 제4판〉에서 "현장실천가연구" practitioner research 라는 장르로 통합하였다. 이후 대학교사나 전문연구자들이 주도하는 연구가 아니라, (교사, 간호사, 의사 및 기타 전문인들) 현장의 실천가들이 주인이되는 연구방법론들 전체를 포괄적으로 부르는 명칭으로 일반화되었다. 이 범주 안에들어오는 연구방법론들은 거의 대부분 질적 연구패러다임을 채택하고 있다. 이 범주는더욱 크게 성장하여서는 아예, "대학전문가연구" professor research 와 "현장실천가연구"로구분되는 지경까지 이르게 되었다(이에 따라 질적 연구와 양적 연구도 그 주체가 현장실천가인지 대학전문가인지에 따라 구분되게 된 것이다. 그림1 참조).

1993년 한국으로 돌아온 나는 교육학(교육과정연구회, 도덕교육연구회 등)과 체육학 연구자들의 세미나에 동시에 참가하였다. 이때만 해도 교육학에서는 〈한국교육학회〉의 산하로 하위연구회들이 구성되어있을 뿐 독립된 학회가 구성되기 전이었다. 반면에, 체육학에서는 세부적으로 독립된 몇 개의 분과학회가 만들어지고 있었다. 한국스포츠교육학회는 바로 그런 초창기 학회 중 하나였다. 1992년 약 30명의 회원으로 시작되었던 것이다. 이후 얼마 지나지 않아 〈교육인류학연구회〉가 만들어졌다고 해서 초창기 세미나에 참여하였다.

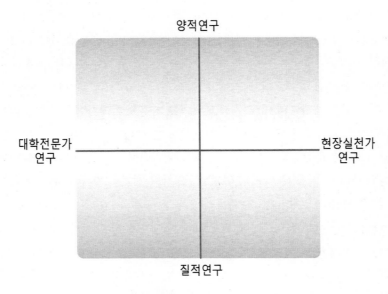

<표 1> (스포츠)교육학 연구의 종류

나는 내가 접했던 수많은 새로운 교육학적 아이디어들을 어떻게 한국말로 풀어낼 것인가로 고심했다. 조금씩 번역어들이 생겨나고 있었지만, 나는 내가 만족하는 용어들을 스스로 찾아내어 사용했다. 나는 액션 리서치를 "현장개선연구"(최의창, 1995, 1997)라고 부르고 있었는데, 교육학에서는 초창기에 현장연구, 실천연구, 심지어는 당사자적 연구라고까지 번역되었다. 초창기에는 "행위연구"가 가장 일반적으로 통용되던 번역어였다. 나는 스포츠교육학회는 물론, 일반 교육과정연구회나 교육인류학연구회에서 발표하는 경우에도 액션 리서치를 현장개선연구라고 불렀다(최의창, 1998). 물론, 여기에는 이유가 있다.

"액션 리서치"라는 새로운 아이디어는 혁신적 아이디어다(조용환, 2015). 두 가지 확연히 두드러지는 특징이 있다. 첫째, 기존 필드 리서치(현장연구)가 실증주의적, 양적 연구방식으로 진행되던 것에 대한 비판이다. 둘째, 연구의 주체를 누구로 보며 연구의 최종목적을 무엇으로 볼 것인가에 대한 실증주의적 패러다임에 대한 비판이다. 첫째 비판의 취지는 연구의 시작과 끝이 현장이 되어야 한다는 것이다. 둘째는 그것이 현장의 이해를 넘어서 현장의 개선을 이끌어내야 한다는 말이다. 기존 현장연구들에서는 이러한 특징이 보이지 않는다. 혁신적 아이디어로서의 액션 리서치는 "현장에서 이루어지는 연구" 또는 "현장을 대상으로 하는 연구"를 넘어서 반드시 "현장을 개선하는 연구"가 되어야 한다는 의도가 담겨진 번역이었다. 그 이론적 기반은 Deakin대학의 비판적 액션 리서치 그룹에 근거한 것이었다(MacTaggart, 1991).

그런데 내가 보기에, 한국에서 진행한 번역은 이러한 혁신적 아이디어를 용어에 모두 담아내지 못하고 있다. 거의 직역에 가까운 "행위연구"는 (행위예술처럼) 다소 난해하게 들린다. 이제 공식용어로 굳혀진 "실행연구"라는 번역은 "실행 중인 것에 대한 연구"라는 뉘앙스를 간명하게 전달해준다. 하지만, 비판적 액션리서치 연구자들이 해석적 액션리서치 연구자들에게 가한 실천개선을 위한 개혁적 접근으로서의 액션리서치의 의도가 그다지 묻어나지 않는다. "실행연구"實行研究 라고 입으로 소리내어서 읽어보라. 그리고 "액션 리서치"라고 또 읽어보라. 그 느낌상(덤덤함과 강렬함)의 차이는 분명하다. 그래서 나는 "현장개선연구"現場改善研究 라고 풀어서 부르기를 선택했던 것이다(결과론적으로는 부족했던 선택이 되었지만 말이다).

가장 최근에 각광받는 현장실천가 연구의 장르로는 "셀프 스터디"**self study** 가 있다(Loughlan, Hamilton, LaBoskey & Rusell, 2004). "자기연구" 또는 "셀프연구" 등으로 번역되어 쓰이고 있는 이 장르는, 교사가 자신의 교육활동을 자세히 살펴보면서, 자기의 개인적 자아와 전문적 자아에 대한 깊은 성찰을 함께 도모하는 것을 지향하는 연구다. 처음에는 초임 사범대교수들이 좋은 교수가 되기 위하여, 교사들의 액션 리서치처럼, 자기 강의를 연구 대상으로 하면서 시작되었다. 인기가 있어지면서 특히 한국에서는 교사까지도 포함하는 연구장르가 되어버렸다(이혁규, 심영택, 김남수, 이현명, 2012). 나는 개인적으로 좁은 의미로는 "자기수업연구", 넓은 의미로는 "자기교육연구"라고 부르고 있다. 특히, 후자의 번역은, "자신의 교육활동을 연구한다"는 뜻만 아니라, "자신을 교육시키는 연구"라는 이중적 의미가 담겨져 있다. 이런 두 가지 역할을 해내는 연구라야만 셀프 스터디라고 할 수 있다고 생각한다(예비체육교사를 대상으로 새로운 체육수업모형을 가르치는 과정에 대한 연구가 진행된 적이 있다(최의창, 2005)).

2020년대인 지금, 한국에서는 이미 교사연구나 실행연구의 아이디어는 스포츠교육학에서조차도 더 이상 새로운 것이 아니다. 대학원에 다니는 이들이 모두 배우는 일반화된 지식이 되어버렸다. 다소 선진화된 대학에서는 학부 시절에 이미 이런 아이디어를 접하게 된다. 교사는 연구자가 되어야 하고, 현장의 개선은 교사연구에 바탕을 두고 이루어져야 한다는 것이다. 이를 위해서 가장 효과적인 방안 중의 하나는 "교사학습공동체" 또는 "교사연구공동체"라는 아이디어다. 단위학교 내에서, 혹은 동일 관심을 지닌 여러 학교 교사들이 함께 모여서 새로운 지식을 배우고, 실천활동에 대한 연구를 통해서 지식을 생산, 검토, 검증해 내는 일을 스스로의 힘으로 이루어 나갈 수 있도록 노력하는 배움의 탐구공동체를 말한다(조기희, 2015). 교사현장연구대회나 연구모임들 또한 일상화되었다.

체육분야에 있어서도 현장실천가연구의 아이디어는 많은 진전을 보였다(Tinning, 2011). 다만, 과학적 연구와 양적 분석을 더 중시하는 실증주의적 풍토가 아직 만연하고 있어서 현장 실천가들의 연구가 그다지 활성화되거나 신뢰 높은 연구로 인정받지 못하고 있다. 여전히 연구는 대학연구자 중심으로 진행되고 있다. 스포츠교육 분야에서 그나마 교사중심의 연구풍토가 자리를 잡은 정도다. 아마, 교사가 하는 "가르침"이라는 실천활동이 탐구활동을 필수적으로 동반해야만 하는 성격의 일이기 때문일 것이다. 실행연구는 현재 꾸준히 진행되고 있다(한국스포츠교육학회지에 현장연구 섹션을 마련해 운영하고 있다). 최근에는 전문스포츠코칭에 대한 관심도 증가하여 코치들이 주요 참여자가 많이 되고 있는 중이다(Nelson, Groon & Potrac, 2014).

포스트모더니즘, 재현하기, 글쓰기

패러다임 전쟁이 소강을 넘어 휴전상태로 진전되면서, 안정을 찾은 1990년대 질적 패러다임에서는 연구의 결과를 재현하는 이슈가 새롭게 주목받기 시작하였다. 질적 연구에서 강조하는 "글쓰기"는 2020년대 지금은 거의 상식화되었다. 논문을 잘 써야 한다는 생각은 양적 연구에서도 동일하게 중요시되고 있다. 그런데, "잘 쓴다"는 말의 의미는 이 두 연구 패러다임 사이에 현저한 차이가 난다. 특히, 질적 연구에서는 자료의 종류가 다양하고 그것이 제시되는 방식에 의해서 내용이 중요한 영향을 받는다는 점이 부각된다. 형식이 내용만큼 중요하다. 혹은 내용보다 더 중요한 경우도 있다. 그래서 글쓰기가 연구의 과정 중에서 매우 중요하게 여겨진다. "구슬이 서 말이라도 꿰어야 보배"가 되듯, 질 높은 자료와 치밀한 분석도 훌륭하게 문장으로 옮겨져야만 최고의 논문이 된다. 글쓰기가 화룡점정의 마침표인 것이다.

이런 성향은 후기구조주의, 포스트모더니즘, 페미니즘 등 비판적 패러다임 이후에 새로이 제안된 인식론에 영향받은 바가 크다. 거대 담론과 단일진리의 환상을 거부하는 새로운 사상들에 의해 주관적이고 개별적이며 소수적인 측면과 시각이 동등한 자격과 대우를 받게 되었다. 개개의 목소리가 전체의 목소리와 같은 수준, 동일 무게로 취급받게 된 것이다. 전체에 묻혀서 보이지 않던 개개의 모습들이 드러날 수 있는 양식의 자료들로 재현되어야만 했다. 양적 패러다임(그리고 보수적 질적 연구)의 관점에서 보았을 때에는 "재현의 위기"(van Mannen, 1988)가 도래한 것이다.

하지만, 위기는 또 다른 기회라고 했던가. 봇물 터지듯 그동안 억눌려져왔던 다양한 글쓰기, 연구자와 참여자에게 보다 진실하고 충실한 글쓰기가 가능해지게 되었다. 논문쓰기에 있어서 "문체"와 "장르"라는 문학적 전통이 적용되었다. Laurel Richardson (1994)은 "탐구방법으로서의 글쓰기"라는 글을 통하여 많은 사람들에게 탐구행위에 있어서 글쓰기의 중요성, 그리고 자유로움을 널리 알려주었다. 양적 연구에서 강조하던, 탈주관적, 비개인적, 몰개성적인 문체를 전면적으로 부정하며, 주관적이고 개인적이고 개성적인 문체와 양식을 적극적으로 강조하였다. 연구참여자와 연구수행자가 이해하고 해석한 결과의 내용을 그것을 가장 효과적으로 전달할 수 있는 형식에 담아 옮긴다는 기본정신을 수립해주었다.

물론, 이러한 재현방식의 문제는 연구의 신뢰도와 타당도의 이슈와 연결되어있다(김영천, 2013). 도대체가 이런 형식(시적 인용, 대화체 진술, 그리고 가장 최근에는 이미지 자료 등)으로 진술된 연구보고서의 신뢰성(진실성)을 어떻게 담보할 수 있는가(강은영, 2009)? 이 논란은 여전히 현재 진행 중이다. 끝날 수가 없는 그런 종류의 논쟁거리다. 학문적 엄밀함을 높이려면, 한편으로는 이런 정련의 과정을 지속해야만 한다는 것이 당연하다. 그리고 다른 한편으로는 현실적 차원에서 계속적인 연구실천으로 그것을 검토 및 검증해나가는 절차를 밟아야만 한다. Patty Lather(1986, 1991)는 "프락시스로서의 연구"라는 글을 통하여 이 이슈에 새로운 이정표를 찍은 공헌자로 인정받고 있다.

체육학 연구에서의 글쓰기 풍토에 가슴 답답해하고 있던 나는 목마른 자가 물을 찾듯 이런 이슈를 다룬 온갖 글들을 찾아 읽었다. 그때만 해도 초기 단계여서 글들이 많지는 않았다. 하지만, 가뭄에 내린 단비처럼 젊은 연구자의 메마른 연구감성을 촉촉이 적셔줄 정도는 되었다. 체육학 분야에서는 대표적으로 Sparkes(2002)가 본격적이고도 충실하게 이 측면에 대한 수준 높은 성과를 보여주었다. 그는 스포츠, 엑서사이즈 등 모든 종류의 신체활동을 대상으로 하는 연구들에서 채택할 수 있는 재현방식을 종합하여 소개해주었다. 연구의 결과들은 결국 모두가 "이야기들" tales 이라고 말하면서, 과학적 이야기, 실재적 이야기, 고백적 이야기, 자문화기술지, 시적 표현, 에쓰노드라마, 소설적 표현 등 7가지 종류의 이야기 형식을 보여주었다.

체육학 분야의 글쓰기는 과학적 글쓰기가 유일무이하고 정통으로 인정받던 시절, (문과출신이자 문학을 좋아했던) 나로서는 논문읽기 자체가 쉽지 않았다. 읽는 도중에는 모래 씹는 듯한 푸석푸석함, 읽고 나서는 뒤처리가 제대로 되지 못한 듯한 찜찜함. 지금은 많이 좋아졌지만, 30년 전만 하더라도 문반文班과는 거리가 먼 무반武班으로 취급되던 체육인들의 글쓰기는 매우 열악한 지경이었다. 새로운 학문 세대로서 그러한 전통과 관습에 만족하지 못했던 내게 있어서 질적 연구에서 강조하는 새로운 글쓰기 주장은 노예해방선언과도 같은 임팩트를 미쳤다 — 나의 글쓰기는 이제 자유로워지리라(물론, 어르신들의 역린을 건드리지 않는 범위 내에서만).

연구자에게 있어서 글쓰기는 3R 중의 하나다. 초등학교에서 배워야 하는 3R인 읽기, 쓰기, 셈하기처럼, 전문연구자는 연구를 위한 글읽기, 글쓰기, 셈하기를 숙달해야만 하는 것이다. 그중에서 질적 연구자는 글쓰기를 통달해야만 하는 숙명을 지니고 있다. 양적 연구자가 셈하기에 정통해야만 하듯이 말이다. 나는 연구행위에 있어서 글쓰기의 중대성에 대해서 여러 기회를 거쳐서 언급하였다(최의창, 1999). 그리고 다양한 시도도 해보았다. 한 예로, 한 학회에서 〈교육현장연구의 새로운 모색〉이라는 발제자의 원고에 대한 토론문을 "편지형식"으로 작성해본 적이 있다(최의창, 2002). 이는 이렇게 시작한다.

존경하는 김 선배님, 느닷없는 소식에 놀라지 않으셨는지요. 지난 주말 공부하는 사람들이 모인 어떤 자리에 갔다가, 그곳에서 본 한편의 글이 선배님의 기억을 강하게 불러일으켰습니다. 그래서 이렇듯 갑작스러운 소식을 띄워봅니다. 글의 내용이 선배님이 그토록 강조하시던 질적 연구와 현장개선연구에 관한 것이었습니다. 당연히 저 아래 남쪽에서 질적 연구의 전파에 혼신의 노력을 기울이고 있는 선배님의 얼굴이 떠올랐습니다. 그리고 무엇보다도, 글쓰는 스타일의 독특함에서 제가 평소 읽어 온 선배님의 글 냄새와 비슷한 향기를 맡았습니다. 그래서 불현듯 이렇게 펜을 들어봅니다. 안부도 여쭙고 그에 대한 제 생각도 한번 적어보려고 합니다.(p. 152)

이어 내용과 주장에 대한 토론의견을 (장장 9쪽에 걸쳐!) 적어나간다. 그리고 이렇게 마친다.

존경하는 김 선배님, 창밖에는 한참 동안 봄비가 내리고 있습니다. 비가 그치면, 나뭇잎들은 더욱 진한 녹색을 발하고 사람들은 이제 여름을 기대하게 될 것입니다. 남쪽에서 훨씬 먼저 봄소식을 맞이하듯이, 여름도 그쪽부터 도착하게 될 것입니다. 아니, 뉴스를 통해 들으니 이미 그쪽은 여름의 문턱에 서 있다고 하는군요. 선배님의 노력으로서 질적연구의 봄소식을 먼저 접하고 알게 된 것처럼, 실행연구의 여름이 다가오고 있음을 이 글을 통해서 확실히 예감할 수 있을 것 같습니다.

그래서 더 선배님 생각이 떠올랐던 것 같습니다. 시간을 내셔서 동봉한 원본을 숙독하실 수 있기 바랍니다. 좋은 글이기 때문입니다. 그리고 제가 장황하게 늘어놓은 어수룩한 지적들에 대해서, 날카롭게 하지만 부드러운 목소리로, 따끔한 충고도 잊지 마시기 바랍니다.(pp. 161-162)

다소 안타까운 일이지만, 국내 체육학 분야에서는 아직도 재현의 위기를 몸으로 느끼지 못하고 있는 실정이다(질적 연구와 관련된 아래 표1 연구목록 참조). 질적 연구자들 사이에서도 연구에서 글쓰기의 중대성에 대한 인식이 미흡하다. 새로운 시도가 여전히 부족하다.

물론, 영어 사용권 국가들에서는, 일반화 수준은 아니지만, 새로운 시도를 배척하는 수준은 아니다(Denison & Markula, 2003; Fitzpatrick, 2018). 특히, 2009년 〈*Qualitative Research in Sport, Exercise and Health*〉라는 체육학 분야의 질적 연구저널이 발간되어 적극적인 수용이 진행되는 중이다. 기존 저명한 스포츠 사회과학 저널들에서도 한두 편씩 시험적인 게재를 시작해주고 있다. 스포츠심리학 영역에서 Smith (2013)가 지체장애인을 대상으로 내러티브 연구를 다양한 양식으로 표현해왔다. 스포츠사회학 분야에서는 Denison(1996)이 오랫동안 실험적인 연구를 선도해오고 있다. 스포츠문학전문지인 〈*Aethlon: The Journal of Sport Literature*〉에 문화기술지 소설과 시를 싣고 있다(Denison, 2000).

표 1		체육학 분야의 질적 연구 리뷰 목록
영역	**저자 및 년도**	**연 구 제 목**
스포츠 교육학	최의창(2001)	체육 교육에서의 질적 연구 – 발전, 현황, 전망
	김승재(2003)	스포츠교육학의 질적연구 경향 고찰
	김원정(2011)	체육학에서의 질적연구 방법론에 관한 다학문적 고찰
	이한주(2013)	스포츠교육학 질적연구의 양적 특성 분석– 2003년부터 2011년까지
	한만석, 김은혜(2015)	체육학에서의 질적연구 고찰– 스포츠교육학을 중심으로
스포츠 심리학	유진(1993)	질적 스포츠 심리학 연구: 대안적 패러다임.
	권성호 외(2015)	초등체육에서 스포츠심리학의 연구동향과 발전방향.
	한명우(2012)	최근 10년간 '체육과학연구'의 연구 동향: 스포츠운동심리학
스포츠 사회학	구창모(2002)	한국스포츠사회학의 질적연구 동향과 과제
	구창모, 이수연(2014)	국내외 스포츠사회학의 연구동향과 전망
	구희영, 이미송(2015)	초등학교 체육교육의 사회학적 연구동향과 향후 과제
	이광호(2015)	한국 사회체육학회지 게재 논문의 질적 연구 동향과 과제
기타 체육학	이경준(2011)	특수체육 질적연구 패러다임들의 기여와 한계
	강유석(2009)	특수체육학 분야의 질적연구 동향 고찰
	노형규(2004)	특수체육에서의 질적연구 적용과 전망
	이인경(2006)	질적 연구 담금질을 시작하며
	한만석(2014)	무용학 질적 연구의 주제 및 동향 분석
	김재욱, 문익수(1999)	체육학의 질적 연구에 관한 고찰

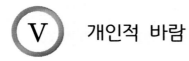

V 개인적 바람

  나의 이야기는 여기까지다. 이제 스포츠 분야, 즉 체육학에서의 질적 연구에 대한 나의 개인적 바람을 이야기하는 것으로 마무리 하겠다. 이 바람들은 스포츠연구분야 전체에 대한 나의 바람이다. 그러면서 동시에, 앞으로 얼마나 지속될지 모르는 내 자신이 하는 연구가 이렇게 발전해 나아갔으면 한다는 개인적 희망이기도 하다. 여기서도 세 가지로 좁히겠다.

  첫째, 제2단계의 발전을 이루어내면 좋겠다. 질적 연구는 1990년대 초중반에 소개되어 큰 발전을 이루어냈지만, 아직은 체육학 전 분야에 확실히 자리를 잡은 상태는 아니라고 판단된다. 연구방법론의 다양성이 미흡하고, 연구패러다임에 대한 이론적 논의가 부족하고, 질적 연구 자체에 대한 독립된 논의의 장이 전무하다. (체육질적연구학회가 독립적으로 만들어지지 못하고) 각 하위분과에서 개별적으로 옹기종기 모여서 담소를 나누는 수준이라고 할 수 있다. 대규모의 공개적 발표회, 토론회, 워크숍 등의 노력이 필요하다. 스포츠, 건강운동, 무용 등 체육학의 하위영역 학회가 약 30개 이상이나 존재하는데, 이들 분과학회들만 따로 모여도 질적 연구를 공유할 수 있는 향연의 장이 충분히 마련될 수 있을 것이다(한국질적탐구학회가 그런 기회의 단초를 마련해주고 있기도 하다). 한 걸음 더 나아가, 질적 연구와 관련된 모든 아이디어와 용어의 서양의존적 경향성을 극복할 수 있는 노력도 함께 진행되어야 할 것이다. 우리 아이디어를 우리말로 개발하고 표현하고 통용하는 창조학문의 실천이 반드시 필요하다.

  둘째, 3P를 융합하는 매개체로 성장하면 좋겠다. 3P는 Practice, Policy, Philosophy, 즉 실천, 정책, 철학이다. 체육학에서의 질적연구는 체육의 실천, 체육의 정책, 그리고 체육의 철학을 하나로 연결시켜주는, 더 나아가 융합시켜주는 매개물이 되었으면 한다. 우리의 삶은 이상과 현실의 균형으로 이루어진다. 제도(정책)는 그 이상과 현실을 실현시키는 사회적 장치다. 이상만을 추구하는 정책, 현실에만 안주하는 정책은 훌륭한 정책이라고 할 수 없을 것이다. 양쪽의 평형이 역동적으로 유지되는 정책이 가장 훌륭한 정책일 터인데, 질적 연구가 큰 역할을 할 수 있도록 질적 연구자들의 노력이 요청된다는 것이다. 체육학에 만연한 연구만을 위한 연구, 취업 도움과 실적 쌓기만을 위한 연구를 넘어서, 이상(철학)과 현장(실천)과 제도(정책)를 잘 연결하는, 연구자 자신만이 아니라 우리 모두에게 도움이 되는 그러한 연구로 성장시켜야 한다.

셋째, 현장의 개선과 실천을 의도하는 연구가 되면 좋겠다. 질적 연구의 태생적 특성상, 현장의 개선보다는 "실제처럼 묘사하기" thick description 를 통한 깊은 이해가 우선적 관심임을 잘 알고 있다. 그런데, 깊은 이해는 이해로만 그치기에 너무 아까운 가치를 지니고 있다. 질적 연구는 개별사례적 성격이 강하기 때문에, 대부분의 반응이 "그래서, 뭐?"라는 식이다. 하지만, 깊은 이해는 근본적 변화를 위한 필수 기반이다. 맥락과 구조, 그리고 관계와 감정을 자세히 파악할 수 있도록 해줌으로써 가장 중요하고도 기본적인 것들을 바꾸어낼 수 있는 강력한 힘을 지니고 있다. 체육분야 전체 또는 하위집단이 속한 현장과 시행하는 실천도 있으며, 소수나 개인의 현장과 실천도 있다. 작은 대상에서 큰 대상까지, 실천의 개선과 개혁을 도모하는 데에 적극적 기여를 할 수 있는 "질 높은" 질적 연구가 요청된다. 앞서 언급한 "자기교육연구"처럼, 체육분야가 스스로를 돌아보고 개선하는 데에 밑거름이자 동력원이 되어야 할 것이다.

참고문헌

강유석(2009). 특수체육학 분야의 질적연구 동향 고찰. 한국특수체육학회지, 17(3), 285-310

강은영(2009). 예술기반 교육연구방법론에 관한 고찰. 예술교육연구, 7(1), 45-59.

구창모(2002). 한국스포츠사회학의 질적연구 동향과 과제. 한국스포츠사회학회지, 15(2), 375-390

구창모, 이수연(2014). 국내외 스포츠사회학의 연구동향과 전망. 한국스포츠사회학회지, 27(4), 181-196

구희영, 이미송(2015). 초등학교 체육교육의 사회학적 연구동향과 향후 과제. 한국체육학회지, 54(2), 25-40

권성호 외(2015). 초등체육에서 스포츠심리학의 연구동향과 발전방향. 한국초등체육학회지, 20(4), 133-145.

김승재(2003). 스포츠교육학의 질적연구 경향 고찰. 한국체육학회지, 42(4), 289-299.

김영천(2013). 질적연구방법론3: Writing. 서울: 아카데미프레스.

김원정(2011). 체육학에서의 질적연구 방법론에 관한 다학문적 고찰. 한국체육학회지, 50(6), 21-36.

김재욱, 문익수(1999). 체육학의 질적연구에 관한 고찰. 고려대학교 스포츠과학연구소, 10(1), 73-103.

노형규(2004). 특수체육에서의 질적연구 적용과 전망. 한국특수체육학회지, 12(3), 1-14.

박지애(2012). 국내 교사연구 동향에 관한 메타분석. 서울대학교대학원 석사학위논문.

유진(1993). 질적 스포츠 심리학 연구: 대안적 패러다임. 한국스포츠심리학회지, 4(1), 3-18.

이경준(2011). 특수체육 질적연구 패러다임들의 기여와 한계. 한국특수체육학회지, 19(1), 83-101

이광호(2015). 한국 사회체육학회지 게재 논문의 질적 연구 동향과 과제. 한국사회체육학회지, 59(1), 221-233

이인경(2006). 질적연구 담금질을 시작하며. 한국특수체육학회지, 14(1), 61-86.

이혁규, 심영택, 김남수, 이현명(2012). 교사의 자기연구(Self-Study) 필요성 탐색. 교육문화연구, 18(2), 5-43

이한주(2013). 스포츠교육학 질적연구의 양적 특성 분석 - 2003년부터 2011년까지. 한국체육학회지, 52(1), 15-211.

조기희(2015). 체육수업 전문성 증진을 위한 교사학습공동체의 실천 과정과 효과 탐색. 서울대학교 대학원 박사학위논문.

조용환(2015). 현장연구와 실행연구. 교육인류학연구, 18(4), 1-49.

최의창(1994). 체육교육과정의 사회학적 탐구. 한국교육, 21, 207-237.

최의창(1995). 교사현장개선연구. 한국스포츠교육학회지, 2(1), 91-102.

최의창(1997). 교사전문능력 개발의 합리주의적 관점과 그 대안. 교육학연구, 33(1), 331-348.

최의창(1998). 학교교육의 개선, 교사연구자, 그리고 현장개선연구. 교육과정연구, 16(2), 373-401.

최의창(2001). 체육 교육에서의 질적 연구 - 발전, 현황, 전망. 한국스포츠교육학회지, 8(1), 25-58.

최의창(2002). 실행연구의 이슈와 그에 관한 글쓰기. 2002년 한국교육인류학회 춘계학술대회 "교육현장연구의 새로운 모색" 자료집(pp. 152-162). 덕성여자대학교.

최의창(2005). 통합적 스포츠지도 : 하나로 수업모형의 체육교사교육에의 적용. 한국스포츠교육학회지, 12(1), 1-30.

한만석(2014). 무용학 질적연구의 주제 및 동향 분석. 한국무용연구학회, 32(1), 189-219

한만석, 김은혜(2015). 체육학에서의 질적연구 고찰- 스포츠교육학을 중심으로. 교육인류학연구, 18(1), 29-65.

한명우(2012). 최근 10년간 '체육과학연구'의 연구 동향: 스포츠운동심리학. 체육과학연구, 23(3),

457-477.

Loughran, J.J., Hamilton, M.L., LaBoskey, V.K., Russell, T.L.(Eds.)(2004). *International Handbook of Self-Study of Teaching and Teacher Education Practices.* New York: Springer.

Armour, K. & Macdonald, D. (Eds.)(2014). *Research methods in physical education and youth sport.* London: Routledge.

Carr, W., & Kemmis, S.(1986). *Becoming critical: Education, knowledge and action research.* London: Falmer.

Clandinin, J. & Connelly, (2000). *Narrative inquiry: Experience and story in qualitative research.* San Francisco: Jossey-Bass.

Cochran-smith, M. & Lytle, S. (1993). *Inside/outside: Teacher research and knowledge.* New York: Teachers College Press.

Denison, J. & Markula, P.(Eds.)(2003). *Moving writing: Crafting movement in sport research.* New York: Peter Lang.

Denison, J. (1996). Sport narratives. *Qualitative Inquiry,* 2, 351-362.

Denison, J. (2000). Tattoo. Aethlon: *The Journal of Sport Literature,* 17, 21-27.

Eisner, E. & Peshikin, A.(Eds.)(1990). *Qualitative inquiry in education: The continuing debate.* New York: Teachers College Press.

Elliott, J. (1991). *Action research for educational change.* Philadelphia: Open University Press.

Evans, J. (Ed.)(1988). *Teachers, teaching and control.* Lewes, UK: Falmer.

Fitzpatrick, K. (2018). Poetry in motion: In search of the poetic in health and physical education. *Sport, Education and Society,* 23(2), 123-134.

Gage, N. (1989). The Paradigm Wars and Their Aftermath A "Historical" Sketch of Research on Teaching Since 1989. *Educational Researcher,* 18(7), 4-10.

Goetz, J. & LeCompte, M. (1984). *Ethnography and qualitative design in educational research.* New York: Academic Press.

Harberman, J.(1986). *Knowledge and human interest.* New York: Polity.

Howe, K. (20010. Qualitative educational research: The philosophical issues. In V. Richardson(Ed.), *Handbook of research on teaching*(4th ed.)(pp. 201-208). Washington D.C.: American Educational Research Association.

Kirk, D. & Tinning, R.(Eds.)(1990). *Physical education, curriculum and culture: Critical issues in the contemporary crisis.* Lewes, UK: Falmer.

Lather, P. (1986). Research as praxis. *Harvard Educational Review,* 56(3), 257-277.

Lather, P. (1990). *Getting smart: Feminist research and pedagogy with/in the postmodern.* London: Routledge.

Maguire, J. (Ed.)(2014). *Social sciences in sport.* IL, Champaign: Human Kinetics.

MacTaggart, R. (1991). *Action research: A short modern history.* Geelong, Australia: Deakin University Press.

McKay, J., Gore, J., & Kirk, D. (1990). Beyond the limits of technocratic physical education. *Quest,* 42(1), 52-76.

Nelson, L., Groom, R., & Potrac, P.(Eds.)(2014). *Research methods in sports coaching.* London: Routledge.

Phillips, D.C.(1987). *Philosophy, science and social inquiry: Contemporary methodological controversies in social science and related applied fields of research.* New York: Pergamon Press.

Richardson, L. (1994). Writing: A method of inquiry. M. Densin & Y. Lincoln(Eds.), *Handbook of qualitative research*(pp. 516-529). London: Sage.

Schempp, P. & Choi, E. (1994). Resarch methodologies is sport pedagogy. *Sport Science Review,* 3(1), 41-55.

Schempp, P.(1987). Research on teaching in physical education: Beyond the limits of natural science. *Journal of Teaching in Physical Education,* 6(2), 111-121.

Siedentop, D. (1987). Dialogue or exorcism? A rejoinder to Schempp. *Journal of Teaching in Physical Education,* 6(4), 373-376.

Smith, B. (2013). Sporting spinal cord injuries, social relations, and rehabilitation narratives: An ethnographic creative non-fiction of becoming disabled through sport. *Sociology of Sport Journal,* 30, 132-152.

Sparkes, A. & Smith, B. (2014). *Qualitative research methods in sport, exercise and health: From process to product.* London: Routledge.

Sparkes, A.(2002). *Telling tales in sport and physical activity: A qualitative journey.* IL, Champaign: Human Kinetics.

Sparkes, A.(Ed.)(1992). *Research in physical education and sport: Exploring alternative visions.* Lewes, UK: Falmer.

Stenhouse, L. (1975). *An introduction to curriculum research and development.* London: Heineman.

Tinning, R. (1992). Reading action research: Notes on knowledge and human interests. *Quest,* 44, 1-14.

Tinning, R. (2011). *Pedagogy and human movement: Theory, practice, research.* London: Routledge.

van Mannen, J. (1988). *Tales of the field: On writing ethnography.* Chigago: University of Chigago Press.

Zeichner, K. & Noffke, S.(2001). Practitioner research. In V. Richardson(Ed.), *Handbook of research on teaching*(4th ed.)(pp. 298-332). Washington D.C.: American Educational Research Association.

찾아보기